Robert Fabbri

Magnus

Karakter Uitgevers B.V.

Oorspronkelijke titels: The Crossroads Brotherhood, The Racing
Factions, The Dreams of Morpheus, The Alexandrian Embassy, The
Imperial Triumph, The Succession
The Crossroads Brotherhood: Copyright © Robert Fabbri 2011
The Racing Factions: Copyright © Robert Fabbri 2013
The Dreams of Morpheus: Copyright © Robert Fabbri 2014
The Alexandrian Embassy: Copyright © Robert Fabbri 2015
The Imperial Triumph: Copyright © Robert Fabbri 2017
The Succession: Copyright © Robert Fabbri 2018

Vertaling: Peter de Rijk
© 2018 Karakter Uitgevers B.V., Uithoorn
Opmaak binnenwerk: ZetSpiegel, Best
Bewerking Nederlands omslag: Mark Hesseling, Wageningen
Omslagbeeld: Tim Byrne

ISBN 978 90 452 1598 3
NUR 332

INHOUD

Broederschap van de Kruising

ROME, DECEMBER 25 N.C.

'Marcus Salvius Magnus, ik ben tot u gekomen in de hoop dat u, mijn beschermheer, het onrecht dat mij is aangedaan kunt rechtzetten. U bent nu drie jaar de *patronus* van de Zuid-Quirinale Kruispuntbroederschap en zult gemerkt hebben dat ik de niet onaanzienlijke bijdrage voor uw voortdurende bescherming steeds volledig en tijdig heb betaald. Wanneer u daarom vroeg heb ik informatie verschaft over mijn klanten. Ook heeft u altijd kosteloos gebruik mogen maken van mijn handelshuis, al heeft u die mogelijkheid nooit benut, naar ik meen omdat mijn waren niet naar uw smaak zijn.'

Magnus leunde achterover in zijn stoel. Zijn ellebogen rustten op de armleuningen en zijn handen had hij zodanig tegen elkaar gezet dat zijn wijsvingers tegen zijn lippen stonden; hij keek aandachtig naar de tengere man met het kastanjebruine haar die aan de andere kant van de tafel stond en nog meer voorbeelden aandroeg van zijn trouw aan de Zuid-Quirinale Kruispuntbroederschap van de Kruising, die bescherming bood aan iedere handelaar en bewoner van de zuidhelling van de Quirinaal. Hij droeg een tuniek van fijn linnen, bizar genoeg zonder riem, en had zijn lange, welige haardos in een paardenstaart gebonden: een enigszins excentrieke maar, als je ervan hield tenminste, niet onaantrekkelijke verschijning. Hij liep tegen de veertig, maar zijn huid was zo glad als die van een jongedame en zat strak om zijn welgevormde jukbeenderen en kaken. Zijn zeegroene, door restjes koolzwart omlijnde ogen glinsterden in het zachte licht van de olielampen en waren vochtig geworden van de rook uit de houtskoolstoof die het bedompte, lage kamertje verwarmde waarin Magnus zakendeed met de belangrijkste van zijn talrijke klanten. Door de dichte deur achter hem klonk het gedempte brullen, gillen en lachen van de beschonken gasten in de taverne daarachter.

Magnus had niet de behoefte om iets te horen wat hij al wist, namelijk dat deze man trouw was aan hem en zijn broeders. Hij vroeg zich af wat de man ertoe bracht daar zo op te hameren. Al had hij allang de conclusie getrokken dat de man hem na zijn betoog om een heel grote gunst ging vragen.

Servius, de raadsman en plaatsvervanger van Magnus, schoof ongeduldig in zijn stoel heen en weer en krabde op zijn hoofd, waar nog wat dun grijs haar op groeide. Magnus wierp een geërgerde blik opzij, waarop Servius meteen stil ging zitten en met zijn knoestige hand over zijn rimpelige onderkin streek. Servius wist drommels goed dat een smekeling alle recht had om zijn verzoek tot bescherming, hoe langdradig dat wellicht ook was, neer te leggen bij de enige organisatie in Rome die de belangen van zijn stand behartigde.

'En tot slot, ik sta altijd klaar om ten strijde te trekken tegen die indringers van naburige broederschappen,' besloot de man – Magnus had een binnenpretje, want zag je het voor je, deze verwijfde man in een straatgevecht? –, 'mochten zij een poging doen ons onze rechtmatige eigendommen af te nemen, zoals ze nog geen uur geleden hebben gedaan.'

Magnus trok zijn wenkbrauwen op en er schoof een donkere wolk over zijn gehavende boksersgezicht, want dit was slecht nieuws. 'Je bent beroofd, Terentius? Door wie?'

Terentius perste zijn lippen op elkaar en wilde bijna op de vloer spugen, toen hij zich realiseerde waar hij was. 'Rivalen van de Vicus Patricius op de Viminaal.'

'Wat hebben ze meegenomen?'

'Twee jongens, en twee andere jongens hebben ze met messen

bewerkt, een is heel ernstig gewond.' Terentius sloeg zijn ogen neer en wees naar zijn kruis. 'Als u begrijpt wat ik bedoel.'

Magnus huiverde en knikte bedachtzaam. 'Ja, ik begrijp het. Terecht dat je naar mij toe bent gekomen. Wie zijn die rivalen?'

'Het zijn geen burgers, ze zijn een paar jaar geleden uit het oosten gekomen.'

Magnus keek naar Servius in de hoop dat de onmetelijke kennis van zijn raadgever met betrekking tot de Romeinse onderwereld zich ook uitstrekte tot deze oosterlingen.

'Albaniërs,' lichtte Servius toe, 'uit het koninkrijk Albania in het zuidoosten van de Kaukasus, tussen Armenia en Parthië, aan de Kaspische Zee. Dol op jongens, zoals veel van die barbaren uit het oosten.'

Magnus grijnsde. 'Nou, dan zullen ze hier weinig te klagen hebben. Ik begrijp best waarom ze de concurrentieslag met jou zijn aangegaan, Terentius. Hebben ze al veel klanten van je afgepakt?'

Terentius keek naar de stoel die voor hem stond en toen weer naar Magnus, die knikte. Met een dankbare zucht ging hij zitten. Niet gewend om zo lang te staan, bedacht Magnus met een flauw glimlachje.

'De eerste paar jaar was het geen probleem,' zei Terentius en hij nam de wijnbeker aan die Servius hem aanbood. 'Ze vormden geen bedreiging: matige kwaliteit voor weinig, vieze jongens die weinig zorg besteedden aan hun uiterlijk. Bovendien was hun huis meer dan een halve mijl bij mij vandaan. Maar de beperkte kwaliteit en dienstverlening werden gecompenseerd met een hoge omzetsnelheid.'

'Snel erin en eruit, zogezegd?'

'Wat? O, ja, dat bedoelt u. Nou, hun jongens moesten bikkelen, dag en nacht, en ze verdienden dan ook een aardige duit, maar ik had nog steeds geen last van ze, omdat hun klanten uit de onderste lagen van de samenleving kwamen. De prominenten kwamen nog naar mij: senatoren, *equites* en officieren van de praetoriaanse garde, van wie sommigen zo nu en dan speciaal naar mij vragen.' Terentius glimlachte verlegen en streek met zijn hand zijn haar glad.

'Ik weet zeker dat een ervaren vakman zoals jij je klanten uitstekend bedient,' merkte Servius op. In zijn halfdichte ogen was geen spoor van ironie te zien.

Terentius aanvaardde met een lichte hoofdbuiging het compliment. 'Ik lever altijd waar voor het geld, en mijn jongens ook.' Hij nipte aan zijn wijn. 'Maar begin dit jaar zochten de Albaniërs het hogerop en gingen ze direct de concurrentie met mij aan, wat zij zich ondertussen ook konden veroorloven. Ze kochten een luxe onderkomen vlak bij de Porta Viminalis en zetten daar de beste jongens in die ze konden vinden.

Vorig jaar werd de opstand van Tacfarinas neergeslagen en als gevolg daarvan werden de slavenmarkten overspoeld met de verrukkelijkste jongens uit Afrika, en uiteraard wilde ik ook wat van deze bruine schoonheden in de wacht slepen.'

'Natuurlijk,' zei Magnus instemmend.

'Maar mijn rivalen hadden hetzelfde idee en helaas hebben zij net als ik een goede smaak. Ik wilde het op een akkoordje met ze gooien, afspreken dat we niet tegen elkaar op zouden bieden, maar daar gingen ze niet op in. Zelfs niet voor de allerjongsten, die door ons worden opgeleid en bedreven zijn in het vak tegen de tijd dat ze in de puberteit komen. Voor die jongens kun je extra hoge prijzen rekenen. Ik kon moeilijk alle goede jongens laten schieten, daar zou mijn aanbod in de loop der jaren alleen maar mager van worden en dat van hen alleen maar beter, wat niet bepaald goed is voor mijn reputatie. En dus betaalde ik voor de beste jongens veel te veel.'

'Wat onze vrienden uit Albania ongetwijfeld woest maakte,' merkte Magnus op.

'Inderdaad, maar desondanks bemachtigden ze een aanzienlijk aantal mooie, zij het veel te dure jongetjes, en omdat het kampement van de praetoriaanse garde net buiten de Porta Viminalis is, begon ik toch wat klanten te verliezen. Ik had geen andere keus dan iets van mijn prijs af te halen en met aanbiedingen te komen: twee voor de prijs van één, gratis eten en drinken op de tweede achtereenvolgende avond, dat soort dingen. Maar zij deden hetzelfde, en omdat we afgelopen jaar allebei torenhoge kosten hebben gehad, maken we elkaar langzaam maar zeker kapot, en ondertussen beginnen onze klanten ook door te krijgen dat er aan de deur flink wat ruimte is voor onderhandeling.'

Magnus schudde zijn hoofd, hij snapte het: als Terentius zonder nering kwam te zitten, zou de Zuid-Quirinale Kruispuntbroederschap een flink deel van haar inkomsten kwijtraken. 'En nu hebben de Albaniërs hoger ingezet en proberen ze jou te verdrijven.'

'Mijn mannen wisten ze te verdrijven, maar mijn reputatie heeft grote schade opgelopen, want er waren aardig wat klanten toen we werden aangevallen.'

'Dus je wilt dat ik een financiële regeling tref met Sempronius, patronus van de West-Viminaal?'

De blik in de lichte ogen van Terentius verhardde. 'Nee, Magnus, daarvoor is het al te laat. Ik wil dat u mijn twee jongens terughaalt en die Albaniërs vernietigt. Ze allemaal een kopje kleiner maakt, en hun jongens ook. Ik betaal deze broederschap al jaren en heb daar recht op.'

Magnus keek naar Servius en haalde zijn schouders op. 'Daar heeft hij gelijk in, broeder, en los daarvan mag een dergelijke aanval op ons terrein niet ongestraft blijven. Maar hoe krijgen we het voor elkaar zonder dat er oorlog komt?'

De raadsheer staarde Terentius een poosje peinzend aan. 'Zijn die Albaniërs goed beschermd?'

'Ze hebben de beste bescherming die er is: de *vigiles*. Een van hun tribunen heeft de Albaniërs gebruikt om in een goed blaadje te komen bij de praetoriaanse garde. De vigiles zorgen ervoor dat er nooit problemen zijn bij het huis, en wanneer een officier in zijn eigen bed van de jongens wil genieten of een soortgelijke dienst wenst, brengen zij de jongens naar het kampement van de praetoriaanse garde en weer terug naar het huis.'

Magnus keek Terentius indringend aan en zoog de lucht door zijn tanden zijn mond in. 'Je vraagt nogal wat. Als we het doen, krijgen we zowel de vigiles en de praetorianen als de broeders van de West-Viminaal achter ons aan.'

Er verscheen een kille grijns op het gezicht van Servius. 'Precies, broeder. Als *wij* het doen. We moeten er dus voor zorgen dat het lijkt alsof wij het *niet* hebben gedaan.'

Magnus draaide zich langzaam naar zijn raadsheer, een zuinig lachje deed zijn lippen iets van elkaar komen. 'Je hebt gelijk. Dan moeten we eerst die twee jongens van Terentius zien terug te halen en de kwestie op een deugdelijke manier oplossen, zodat iedereen denkt dat het wat ons betreft een gedane zaak is. Daarna kunnen we iemand de schuld in de schoenen schuiven.'

Terentius toonde met een hoofdbuiging zijn dankbaarheid. 'Dank u, patronus.'

Servius keek peinzend naar zijn vingernagels. 'En wie zal verantwoordelijk lijken voor de ondergang van de Albaniërs, broeder?'

'Het moet een groep zijn die onaantastbaar is, maar die wel reden kan hebben voor zo'n actie. Mensen die de vigiles en de garde net zozeer haten als zij door hen worden gehaat.'

Servius trok zijn wenkbrauwen op. 'Uw oude kameraden?'

'Precies. De stadscohort. Laten we morgen de hoofden van alle naburige broederschappen bij elkaar roepen.'

'Dat lijkt me verstandig. En als blijk van onze goede wil moeten we een geschenk meenemen.'

'Dan laat ik de organisatie verder aan u over, broeder.'

'Ik verstuur dadelijk de uitnodigingen. Op de gebruikelijke tijd en plaats?'

'Op de gebruikelijke tijd en plaats.'

Magnus werd wakker toen iemand op de deur klopte van het kamertje boven de taverne dat hij zijn huis noemde en dat tevens het hoofdkwartier van de broederschap was.

'Magnus?' riep iemand aan de andere kant van de deur.

'Ja, wie is daar? Het is nog donker,' antwoordde Magnus slaperig. Hij voelde de warmte van de vrouw die naast hem lag en probeerde zich haar naam te herinneren.

'Marius, broeder. Servius zegt dat u beneden moet komen kijken naar wat Sextus, ik en nog wat jongens hebben meegebracht.'

Magnus bromde en liet voorzichtig een wind ontsnappen. 'Goed dan. Breng maar een lamp.'

De deur zwaaide open en de omvangrijke gestalte van Marius vulde de deuropening. In zijn rechterhand hield hij een olielamp, zijn linkerhand ontbrak.

'Zet die maar op tafel, Marius,' zei Magnus en hij ging rechtop zitten.

Terwijl Marius door de kamer liep wees Magnus naar het slapende lichaam naast zich en zei vrijwel zonder geluid: 'Hoe heet zij?'

'Ik zou 't niet weten, ze is nieuw, gisteravond gekomen.'

'Dank je, broeder, daar heb ik wat aan. Ik kom zo.'

Magnus gaf de vrouw een klap op haar kont en kwam uit bed terwijl Marius wegliep. 'Tijd om op te staan, meisje. Ik moet weg. Wat krijg je van me?'

De vrouw rolde zich slaperig om en keek hem door een wirwar van klitterig zwart haar aan. 'Helemaal niks, Magnus. De naam is trouwens Aquilina. Ik zei dat u het voor niks met me mocht doen als u me in de taverne liet werken.'

'Ach ja, dat is waar ook. Je bent nieuw hier,' antwoordde Magnus en hij zocht in zijn katerige hoofd naar het gesprek dat hij gisteren met haar gevoerd had. 'Nou, je bent geslaagd. Ga straks maar naar de oude Jovita en zeg tegen haar dat ik het goedvind dat je hier komt werken. Zij houdt de meisjes in de gaten. Je meldt het haar als je een klant meeneemt of iemand wat diensten verleent in een donker hoekje. Wij krijgen twintig procent van alles wat je in de taverne verdient en dat draag je 's ochtends af. Als je probeert ons te bedonderen vlieg je er meteen uit en vind je in deze wijk niet één lul meer die graag van jouw diensten gebruik wil maken, zelfs niet voor niks, gewoon omdat je zo afstotelijk bent. Begrijp je wat ik bedoel?'

Aquilina stapte glimlachend uit bed.

Een mooie glimlach, dacht Magnus. Dat gaat haar klanten opleveren.

'Ik ga u niet belazeren, Magnus, het enige wat ik wil is mijn aandeel houden,' zei ze en ze trok haar tuniek aan en raapte haar lendendoek en sandalen van de vloer. Ze kuste hem op de wang. 'En als u me wilt, kost het u niks.' Ze gaf hem een speels kneepje en liep de kamer uit.

Fronsend keek Magnus haar na.

'Wat mag er dan wel niet zo belangrijk wezen?' vroeg Magnus toen hij de taverne binnenliep, waar het nog steeds stonk naar alle wijn, kots en zweet van de vorige avond.

Servius zat aan een tafel in het midden van de ruimte en keek op van het papier dat hij aan het bestuderen was en knikte naar de twee kleine, gehurkte figuren die met gebonden handen en zakken over hun hoofd onder de toog zaten, waarachter een verzameling kruiken stond. Marius en Sextus bewaakten hen.

'Van Servius moesten we gaan vissen,' zei Sextus langzaam, alsof hij van papier las, 'en we hebben een stel glibberige beestjes gevangen. Ze zien er goed uit, wat vettig misschien, vooral op bepaalde plekken.' Hij schudde van het lachen.

Marius glimlachte naar Magnus en schudde geïrriteerd zijn hoofd. 'Die grap loopt ie nu al een uur te oefenen, Magnus. En het is niet eens grappig, want vissen zijn slijmerig in plaats van vettig, maar hij begrijpt het verschil niet.'

'Nou, daar komt ie wel achter als hij een keer een slijmerige kont voor zich heeft. Laat ze maar eens zien.'

Terwijl Sextus dubbel lag van het lachen trok Marius de zakken eraf. Er bleken twee ontzettend knappe maar enigszins gehavende bruine jongens van een jaar of twaalf onder te zitten. Ze keken Magnus met donkere, bange ogen aan en kropen naar elkaar toe.

'Dat hebben de jongens goed gedaan, Magnus,' merkte Servius op.

Magnus was onder de indruk. 'Twee jonge Albaniërs? Hoe kom je daar nou weer aan, Marius?'

'Ze liepen terug vanaf het praetoriaanse kampement.'

'Maar ze worden toch bewaakt door vigiles?'

'Dat klopt. Maar wat doen vigiles wanneer ze ergens brand zien?'

Magnus grijnsde. 'Eerst bespreken ze met de eigenaar hoeveel het kost om het vuur te doven en daarna doven ze het.'

'Dus liet ik een paar van onze jongens een brandje stichten zodra we wisten dat ze onderweg waren, en deze arme visjes hier werden aan hun lot overgelaten toen hun beschermers munt probeerden te slaan uit het ongeluk van de een of andere arme drol. Toen brachten

16

Sextus en ik ze maar naar huis. We hebben ons alleen in de weg vergist en nu zitten we opeens hier.'

'Goed gedaan, jongens. Een mooi geschenk voor de bijeenkomst later vandaag. Berg ze nu maar veilig op en breng het altaar in gereedheid voor het ochtendoffer.'

De lof van Magnus deed Marius zwellen van trots en samen met Sextus, die nog steeds in een stuip lag, trok hij de doodsbange jongens overeind en sleepte ze weg.

Magnus keerde zich tot Servius. 'Zijn de uitnodigingen al de deur uit?'

'Jawel, broeder. En de antwoorden zijn ook al binnen. Alle vijf omringende *patroniae* zijn een uur voor zonsondergang hier.'

De zon zakte achter de Aventijn, de geharkte zandbaan van het Circus Maximus kwam in de schaduw te liggen terwijl de hoger gelegen stenen traptribunes en zuilengangen nog baadden in het warme avondlicht.

Magnus stond in een witte, met verse kalkpoeder bestoven toga aan het einde van de *spina*, de afscheiding in het midden van de renbaan, recht tegenover de grote houten poort die toegang bood tot het Forum Boarium. Servius stond achter hem, met Marius en Sextus aan zijn zij. Ook zij droegen een schitterende toga, het kledingstuk dat met trots werd gedragen door vrije en vrijgelaten burgers van Rome, hoe laag van stand ook, en vandaag, zoals gebruikelijk, door de patroni van de kruispuntbroederschappen. Langs de baan stonden vier andere patroni, ieder met hun eigen raadsheer en twee lijfwachten. Twee links van Magnus en twee rechts, en terwijl ze stonden te wachten op de komst van de laatste gast, bleven ze allen keurig op afstand van elkaar. Een briesje dat over de lengteas van de griezelig stille renbaan woei, speelde met de plooien van hun toga.

'Typisch Sempronius, ons zo lang laten wachten om zelf een grootse entree te kunnen maken,' mompelde Magnus over zijn schouder tegen Servius.

'Een zinloze poging, broeder, want jullie zullen als gelijken in het midden staan, ongeacht wie er als laatste is gekomen.'

17

Magnus gromde. Een ogenblik later zwaaide een kleine deur links van de hoofdpoort open en trad de ontbrekende groep onder leiding van een blonde jongeman het Circus binnen. Ze liepen richting het midden en Magnus en de andere vier patroni liepen op hen af, waarna ze zich precies halverwege de spina en de poort in een kring opstelden, op een van de weinige openbare plekken in de stampvolle stad Rome waar je een gesprek kon voeren zonder dat je bang hoefde te zijn voor luistervinken.

'Gegroet, broeders,' zei Magnus en hij keek zijn tegenhangers een voor een even aan. 'Ik, Marcus Salvius Magnus van de Zuid-Quirinaal, heb opgeroepen tot deze bijeenkomst om een kwestie te bespreken die sinds kort speelt tussen ons en de broeders van de West-Viminaal.'

Sempronius tuitte zijn lippen, trok zijn brede schouders naar achteren en staarde Magnus met zijn hemelsblauwe ogen kil aan terwijl de kaakspieren onder zijn strakke huid steeds samentrokken. Zijn raadsheer, al even jong en aantrekkelijk maar met een donkere haardos, boog zich naar voren en fluisterde iets in zijn oor. Sempronius knikte zonder zijn blik ook maar één tel van Magnus te halen.

'Ik wil deze kwestie meteen de wereld uit hebben,' vervolgde Magnus, 'ten overstaan van getuigen, om te voorkomen dat het uitdraait op een oorlog. Dat wil niemand van de aanwezigen hier, iedereen weet uit ervaring hoe schadelijk dat kan zijn voor de zaken.'

Sempronius staarde een poosje naar zijn linkerarm, die hij stijf voor zijn buik hield en waarop de plooien van zijn toga rustten, zodat het net leek of hij de blonde haartjes op de rug van zijn hand aan het bestuderen was. Opeens sloeg hij zijn ogen op en keek naar Magnus. 'Wij hebben niets te maken met die overval op dat jongenshuis.'

'Dat zeg ik ook niet, maar je weet er kennelijk wel van.'

'Ik weet er inderdaad van,' beaamde Sempronius, 'maar meer ook niet. Zoals ik al zei: wij hebben het niet gedaan.'

'Nee, maar het is wel gedaan door mensen uit jouw wijk, door jouw klanten, Albaniërs, en je bent het aan je eer verplicht ze te wreken nadat we bepaald hebben waarmee zij hun daad moeten bekopen.'

'En waarmee moeten ze die volgens jou bekopen?' vroeg Sempronius langzaam, terwijl hij de helft van zijn gezicht in een scheve grijns trok.

'Met de dood. Bij voorkeur een langzame.'

Sempronius glimlachte vreugdeloos. 'Dat zou een ernstige vergissing zijn.'

'Nee, broeder, dat zou rechtvaardig zijn, maar ik ben niet onnozel genoeg om te denken dat wij hetzelfde rechtvaardigheidsgevoel hebben, en om de vrede tussen ons te bewaren kom ik met een compromis.' Magnus deed twee vingers in zijn mond en floot hard. Twee van zijn mannen kwamen met twee jongetjes uit een van de tunnels in de tribune, het mes op de keel.

Sempronius liet even zijn blik op hen rusten en haalde toen zijn schouders op. 'Nog meer hoerenjongens. Wat zegt mij dat nou?'

'Jou niets, maar hun eigenaren uit Albania heel veel. Ze zijn aardig wat waard, althans in hun huidige toestand. Maar die gaat spijtig genoeg hard achteruit.' Magnus stak een hand op en liet die vervolgens vallen. Een mes flikkerde in het avondlicht. Er klonk een krijs en over het gezicht van een van de jongens sijpelde bloed. 'Dat was alleen maar een sneetje hoog op zijn voorhoofd, dat ontsiert hem nauwelijks en zal zijn waarde niet sterk doen dalen.'

'Wat wil je?'

'De twee jongens die jouw vrienden uit Albania van mijn klant hebben afgepakt. Als ze vanavond terugkomen, ongedeerd, zal ik deze twee hier teruggeven met hun vingers, tong en lul er nog aan en zullen we ze geen scherp mes in hun kont rammen. Anders gezegd: ze kunnen hun vak gewoon weer uitoefenen. Mijn klant zal bovendien geen wraak nemen voor de twee andere jongens die tijdens de overval werden toegetakeld en dan is de zaak in kannen en kruiken.'

'En als ze niet vanavond terugkomen?'

'Dan beginnen we met hun tong, en daarna nemen we wraak op de Albaniërs en zal onze nering ernstig lijden onder deze bloedvete.'

'Dat moeten we zien te voorkomen, Sempronius,' zei de patronus die links van Magnus stond. 'Mijn gebied, de Noord-Viminaal, ligt precies tussen dat van jullie in en zal daar grote nadelen van ondervinden. Magnus doet een eerlijk voorstel en we moeten dat aannemen. Als we dat niet doen en jij ons meesleurt in een oorlog, zijn we tegen jou.'

Uit de monden van de andere drie leiders klonk instemmend gemompel.

Magnus vertrok geen spier, maar inwendig glimlachte hij toen er een vlaag van woede over het gezicht van Sempronius trok. Als hij inbond zou hij gezichtsverlies lijden, maar anders zou hij alle broeders van de Viminaal en de Quirinaal tegen zich in het harnas jagen.

'U moet wat balsem in de wonde gieten,' fluisterde Servius in Magnus' oor. 'Anders staat zijn trots een compromis in de weg.'

Magnus knikte. 'Om onze goedwillendheid te tonen, Sempronius, mag je vast een van de jongens meenemen. Op de pof, zeg maar.'

Sempronius keek naar zijn raadsheer, die met een hoofdbuiging aangaf daarmee in te stemmen. 'Dat is goed, Magnus, ik neem de jongen mee. De Albaniërs brengen de twee terug die zij vannacht hebben ontvoerd en nemen dan meteen die andere mee. Dan zijn alle rekeningen vereffend, toch?'

'Helemaal, Sempronius, en deze broeders zijn onze getuigen. Zeg maar tegen die Albaniërs dat ze de jongens vóór middernacht bij mijn taverne moeten afleveren, ik zorg ervoor dat ze veilig thuiskomen. En als hun leven ze lief is, kunnen ze in het vervolg beter uit mijn wijk wegblijven.'

Het was donker tegen de tijd dat Magnus en zijn kameraden terug bij de Broederschap waren. De taverne stroomde langzaam vol en er werd flink gegeten en gedronken.

'Neem hem mee naar achteren, fris hem op en houd hem in de gaten, Cassandros,' zei Magnus tegen een van de twee broeders die de duidelijk doodsbange overgebleven hoerenjongen begeleid hadden. Het opgedroogde bloed zat vastgeplakt in zijn haar en op zijn gezicht.

'Met alle plezier, Magnus,' antwoordde Cassandros met een grijns.

'En blijf met je gore Griekse handjes van hem af, en ook met andere delen van je lichaam trouwens. Je laat hem met rust.'

Teleurgesteld nam Cassandros zijn vrachtje mee; Magnus en Servius ging aan een hoektafel zitten. Een dikke, grijsharige vrouw kwam meteen aanzetten met een kan wijn en twee bekers.

'Het is lekker druk vanavond, Jovita,' merkte Magnus op terwijl de vrouw zijn wijn inschonk.

Jovita knikte naar de andere kant van de taverne, waar Aquilina op de schoot van een vrijgelatene zat, wiens handen overal leken te zijn. 'Die nieuwe die vandaag voor het eerst werkt is erg in trek. Dat is de zesde al.'

'Bezig bijtje,' merkte Servius op terwijl de oude vrouw weer wegliep.

Magnus haalde zijn blik van het meisje en nam een slok wijn. 'Goed, broeder, het leek erop dat ze ons geloofden.'

'Ja. En nu wachten we.'

'Een paar dagen, tot alles weer rustig is.'

'Heeft u al bedacht hoe we het gaan aanpakken?'

'Min of meer. Er zijn een paar dingen waar ik nog niet zeker van ben, maar morgen ontmoet ik in het geheim een oude makker van de cohort. Hij weet wel raad.'

Servius keek over Magnus' schouder. 'Toch niet weer een hoerenjongen?'

Magnus draaide zich om en zag een mooie tienerjongen in een mantel met kap en zuchtte. 'Wil hij me spreken, Arminius?'

'Jawel, meester. Kunt u meteen komen?' antwoordde de jongeling, met vele Germaanse keelklanken. Hij deed zijn kap af, waar een welige, lichtblonde haardos onder bleek te zitten.

Magnus knikte en sloeg zijn wijn achterover. 'Regel jij de uitwisseling als ik niet op tijd terug ben voor de Albaniërs, broeder.' Hij stond op, gebaarde naar Marius en Sextus dat zij hem moesten volgen en liep achter de jonge Germaan de nacht in.

'Magnus, vriend, fijn dat je meteen wilde komen,' bulderde Gaius Vespasius Pollo en hij draaide zijn enorme lijf in zijn stoel toen

21

Magnus en zijn metgezellen door een afgetobde en oude portier het atrium werden binnengelaten. 'Arminius, neem de vrienden van Magnus mee naar de keuken en geef ze een hapje en een drankje.'

'Goedenavond, senator,' zei Magnus toen zijn begeleider Marius en Sextus had meegenomen.

'Kom, ga zitten, het is een frisse avond.' Gaius wees met een volle wijnbeker naar een stoel tegenover hem aan de pal voor een knapperend haardvuur geplaatste tafel.

'Hoe kan ik u op dit uur van dienst zijn?' vroeg Magnus terwijl hij ging zitten en zijn toga rechttrok.

Gaius gaf hem de beker. 'Het is inderdaad niet bepaald een tijd om zaken te doen.'

'Wel voor de zaken die ik doorgaans doe.' Magnus nam een flinke teug wijn en sloeg geen acht op de afkeurende blik van Gaius, die meende dat deze mooie wijn een betere behandeling verdiende. 'Dat is een lekker wijntje, senator.'

'Ik ben blij dat je het kunt waarderen.' Met enige tegenzin schonk Gaius de beker vol die Magnus naar hem uitstak. 'Wat kun jij mij vertellen over vrouwe Antonia?'

Magnus schoof ongemakkelijk in zijn stoel en nam nog een teug wijn. 'Ze is de schoonzus van de keizer, de grootmoeder van de kinderen van wijlen Germanicus en een zeer machtige vrouw. U bent naar ik meen haar gunsteling.'

'Dat klopt.'

'In mijn tijd als bokser was ik ter vermaak van de gasten aanwezig bij een paar van haar feestmaaltijden.'

'Ja, dat weet ik, al kan ik niet begrijpen waarom een burger bokser wil worden.'

'Voornamelijk om het geld, maar ook om de roem. Kijk maar naar al die jongens die een of twee keer in het strijdperk willen staan, puur voor het geld of gewoon om naamsbekendheid te krijgen.'

'Lijkt mij nogal buitensporig.'

'Dat kan, maar ik ben er patronus van mijn broederschap door geworden. Dat lukt niet als je het beleefd vraagt, als u begrijpt wat ik bedoel.'

Gaius' ogen glinsterden van genot in de gloed van het vuur. 'Dat is waar, daarvoor moest je een moord plegen die je het leven had kunnen kosten. Als ik er niet was geweest tenminste, als je begrijpt wat ik bedoel.'

'Dat doe ik, senator, ik sta voor eeuwig bij u in het krijt.'

'Genoeg voor nog een moord?'

Magnus haalde zijn schouders op en gaf met gestrekte arm aan dat hij nog wel wat wijn lustte. 'Als het moet.'

'Wat mij betreft niet,' zei Gaius nadrukkelijk terwijl hij wijn inschonk, 'maar Antonia vindt van wel. Vanavond vroeg ze me, eigenlijk was het meer een bevel, om er een voor haar te regelen. Zij is niet het type vrouw tegen wie je makkelijk nee zegt.'

Magnus keek weg en probeerde geen spier te vertrekken. 'Daar kan ik me iets bij voorstellen.'

Gaius grinnikte, zijn dikke krullen schommelden voor zijn oren heen en weer. Hij nam nog een slok wijn.

'Wie wil ze een kopje kleiner laten maken en waarom regelt ze het niet zelf?' vroeg Magnus.

'Ik zou niet weten waarom ze het niet zelf zou kunnen regelen, dus ik vermoed dat het antwoord op de tweede vraag is dat ze mij op de proef wil stellen, ze wil weten of ik te vertrouwen ben. Als het me lukt kan ik mezelf tot haar intimi rekenen.'

'En bent u een stap dichter bij het consulaat.'

'Precies. Dus je begrijpt hoe belangrijk het voor me is. Wat de eerste vraag betreft, het antwoord daarop is eenvoudig: een lid van de praetoriaanse garde.'

Magnus smakte zijn beker geschrokken neer. 'Een praetoriaan? Meent ze dat?'

'Ze is bloedserieus, en dat kan letterlijk worden opgevat. En het gaat om niet zomaar een praetoriaan, maar om Nonus Celsus Blandinus.'

'Blandinus? De tribuun?'

'Ik ben bang van wel.'

'Wat heeft ze tegen hem?'

'Ik zou het niet weten. Eigenlijk heeft hij gewoon pech.'

'Waarom dan?'

'Eerder dit jaar lukte het Antonia om de keizer zover te krijgen dat hij de praetoriaanse prefect Sejanus verbood met Livilla te trouwen, de verweduwde dochter van Antonia. Nu wil ze Sejanus laten weten dat hij met zijn verzoek te ver is gegaan, en hoe kun je dat beter doen dan door een van zijn ondergeschikten te laten vermoorden?'

'Er zijn volgens mij genoeg andere manieren. Wanneer wil ze dat het gebeurt?'

'Een van de komende dagen. Ze wil het zo laten doen dat Sejanus weet dat zij erachter zit maar dat hij haar er niet van kan beschuldigen opdracht te hebben gegeven tot de moord.'

'Dus we kunnen niet gewoon zijn keel doorsnijden in een achterafsteegje.'

'Dat zeker niet. Het moet slim in elkaar zitten.' Gaius boog zich naar voren en legde zijn hand op Magnus' onderarm. 'Ik vertrouw op jou, vriend. Als je goed werk levert, is Antonia mij iets schuldig. Mijn zuster en haar man brengen hun twee jongens naar Rome. Misschien dat ik haar kan gebruiken om ze op weg te helpen en natuurlijk om mijn eigen ambities te verwezenlijken.'

Magnus trok een wenkbrauw op. 'En hoe hoger u en uw familie klimmen, des te meer u kunt doen voor mij, is het niet, senator?'

'Uiteraard.' Gaius glimlachte en gaf een paar tikjes op Magnus' arm. 'We kunnen hier allemaal van profiteren.'

'U wel, ja. Mij kan het m'n kop kosten.'

'Als ik dat ook maar één moment gedacht had, zou ik je niet om een van de belangrijkste gunsten in mijn leven hebben gevraagd,' beweerde Gaius en hij hief zijn beker naar Magnus, die vreugdeloos glimlachte, de dronk beantwoordde en zijn wijn achteroversloeg.

Het was een heldere, kille avond. De adem van Magnus wasemde uit zijn mond terwijl hij met Marius en Sextus in zijn kielzog in gedachten verzonken door de stille straten van de Quirinaal liep. Hij sloeg links af de bredere en drukkere Alta Semita op, waar wagens en karren af en aan reden, want die mochten alleen 's avonds de stad in om te laden en te lossen, waardoor het op de stoep nu veel drukker was dan overdag, wat niet wegnam dat de mensen eerbiedig een stap opzij deden wanneer ze de plaatselijke leider van de broederschap herkenden. Degenen die niet uit de wijk kwamen en dus niet uit de weg gingen, werden door Marius en Sextus hardhandig opzij geduwd.

Magnus nam een op houtskool geroosterde kippenpoot aan van de eigenaar van een van de vele eettentjes en winkeltjes op de begane grond van de *insulae*, de woonkazernes met twee of drie verdiepingen die aan beide kanten van de straat stonden. De muren naast het winkeltje waren ondergekalkt met seksueel en politiek getinte teksten.

'Dank je, Gnaeus, ook een voor de jongens graag.'

'Met alle plezier, Magnus.' Met een tang pakte de zweterige eigenaar nog twee poten van het gloeiend hete rooster.

'Hoe gaan de zaken?' vroeg Magnus en hij zette zijn tanden in het druipende vlees.

'We hadden goede Saturnalia, alleen de laatste dagen is het wat minder, maar ik weet zeker dat het rond Nieuwjaar weer zal aantrekken. Het probleem is dat de kip de laatste paar maanden enorm duur is geworden en dat gaat ten koste van mijn winst.'

'En je hebt je prijzen zo hoog mogelijk gemaakt?' vroeg Magnus, die nu begreep waarom Gnaeus hem zijn waar had aangeboden.

'Zo hoog als ik durf, ik wil me natuurlijk niet uit de markt prijzen.'

'Waar koop je die kip?'

'Ja, dat is nou precies het probleem: op die kleine markt op de Campus Sceleratus, aan de rand van de Porta Collina. Het is daar meestal iets goedkoper dan op de grote Forum-markten en het is in onze wijk. Maar ik weet zeker dat de handelaren prijsafspraken hebben gemaakt en dat de *aedilis* die verantwoordelijk is voor de markt met hen onder één hoedje speelt.'

'Ik begrijp het.' Magnus knaagde peinzend aan zijn kippenpoot. 'Dat klinkt niet erg legaal. Ik stuur er morgen wel een paar van mijn jongens naartoe. Zij kunnen dan iedereen die ik verdenk van prijsafspraken aanbieden om net als de Vestaalse maagden die hun gelofte verbraken levend te worden begraven onder de Campus.'

Gnaeus boog zijn hoofd als teken van dank. 'Ik weet zeker dat zij dat aanbod maar al te graag afslaan. Dank u, patronus.'

Magnus gooide zijn afgekloven poot in de goot. 'Hoe is het met je dochter? Heb je al een man voor haar gevonden?'

Gnaeus hief zijn blik ten hemel. 'Mogen de goden mij behoeden voor koppige vrouwen. Ik...'

Zijn klaagzang over alle huiselijke ellende werd onderbroken door geschreeuw uit een nabijgelegen winkel. Over de stoep kwam een bebaarde jongeman aangerend die twee broden tegen zijn borst geklemd hield.

'Marius? Sextus?' zei Magnus terwijl hij opzij stapte en naar de snel naderende dief knikte.

Toen hij zag dat er twee potige, in toga gehulde kerels zijn pad versperden, week hij uit naar links, de straat op. Sextus gooide zijn enorme rechtervuist in de strijd en deelde een verwoestende stoot uit op de zijkant van het hoofd van de dief, die tegen een kar smakte en de bijbehorende muilezel de stuipen op het lijf joeg. Met een snelheid die je van zo'n grote en nogal onbenullige man niet zou verwachten dook Sextus op de verbouwereerde, versufte man en trok hem aan zijn aftandse tuniek overeind. De broden waren op straat beland en werden vertrapt door het geschrokken dier.

Een kleine, mollige bakker drong zich puffend door de nieuwsgierige menigte. 'Die man heeft me bestolen, Magnus. Ik wil geld zien voor dat brood.'

Magnus liep naar de nog duizelige dief, die door de sterke armen van Sextus rechtop werd gehouden. Hij pakte hem ruw bij zijn kin en keek hem met toegeknepen ogen aan. 'Ik ken hem niet, hij komt niet hier uit de buurt.' Hij liet zijn kin los en gaf hem een vinnige klap op zijn wang. 'Waar kom je vandaan, kruimeldief?' Het hoofd van de man hing op zijn borst, een druppel bloed kroop door zijn baard. Hij zweeg.

Magnus pakte zijn rechterhand, legde zijn vingers om die van de gevangene en kneep ze samen. De man kreunde van pijn toen hij weer helemaal bij zinnen kwam. 'Waarom ben je hier op dievenpad?'

De man opende zijn ogen en probeerde Magnus aan te kijken, zijn gezicht vertrok van de pijn omdat de druk op zijn samengeperste vingers toenam. 'Hij heeft me paar dagen geleden bedrogen,' wist hij op fluistertoon en met een zwaar accent in het Latijn uit te brengen. 'Hij gaf me valse munt als wisselgeld.'

Magnus ontspande zijn vingers. 'Kun je dat bewijzen?'

De man ging met zijn hand naar zijn riem en pakte een koperen muntje uit een leren zakje dat aan de binnenkant van zijn riem was genaaid. Magnus bestudeerde het. Door de krassen was duidelijk de doffe glans van ijzer te zien. Hij pakte het muntje en liet het aan de bakker zien. 'Heb jij hem dit gegeven, Vitus?'

De bakker bloosde en stak zijn handen op. 'Natuurlijk niet, Magnus. Dat zou wel heel dom zijn. Ik weet heel goed welke straf erop staat als je valse munten in omloop brengt.'

'Ik denk toch dat ik maar eens een kijkje ga nemen in jouw winkel. Marius, vraag deze jongeman vriendelijk of hij ons ernaartoe wil brengen.'

'Met alle plezier, Magnus.' Marius stapte naar voren, pakte de onwillige Vitus bij diens schouder en draaide hem om. Hij zette zijn stomp in de onderrug van de bakker en duwde hem in de richting van zijn winkeltje, dat slechts een paar passen verderop was.

Sextus liep achter hen aan en sleepte de dief met zich mee.

'Waar heb je je geld, Vitus?' vroeg Magnus. Zijn blik gleed langs alle planken in de winkel en hij snoof de heerlijke geur van versgebakken brood op.

Vitus keek zijdelings naar de beschuldiger, die nog altijd stevig werd vastgehouden door Sextus. 'Daar, onder de oven.' Hij wees naar een nis onder een robuuste ijzeren deur. Ernaast, aan een houten tafel, stonden twee oude slavinnen deeg te kneden. Ze gingen onverstoorbaar door met hun werk.

'Laat maar zien.'

Vitus pakte een houten kistje achter een paar zakken vandaan en deed het open. Het was voor een kwart gevuld met geld.

'Dat is niet waar hij het wisselgeld uit haalde,' riep de dief uit. 'Een van de slavinnen pakte het uit een zak in een tafellade.'

De twee vrouwen stopten nu met kneden en keken naar hun baas, die wit wegtrok.

Magnus wierp de bakker een venijnige glimlach toe en stak zijn hand uit. Vitus knikte naar een van de vrouwen, die een lade open-de en de leren buidel die ze eruit pakte naar Magnus gooide.

'Tja, Vitus,' zei Magnus terwijl hij een stuk of tien muntjes in zijn hand liet glijden, 'dat is niet erg slim van je. Je mag blij zijn dat ik je betrap en niet een of andere aedilis.'

Vitus viel neer op zijn knieën en greep de zoom van Magnus' toga. 'Ik smeek u, Magnus, geef me niet aan bij de aedilis. Dan raak ik mijn hand kwijt. Het spijt me, het zal niet weer gebeuren.'

'Dat mag ik verdomme hopen, ja, dat het niet weer gebeurt. In mijn wijk wil ik dit niet hebben, dan krijgen wij allemaal een slechte naam.' Hij keerde zich tot de dief. 'Hoe heet jij?'

'Tigran, meester.'

'Waar kom je vandaan?'

'Armenia, meester.'

'Nee, ik bedoel: waar kom je vandaan in Rome?'

'O, ik woon in de sloppenwijk bij de graven aan de Via Salaria.'

'Je bent geen burger?'

'Nee, meester. Ik ben hier nog maar een paar maanden.'

'Dan laat ik het bij een waarschuwing: hier wordt niet gestolen. Als je nog een keer bedrogen wordt in mijn wijk kom je naar mij toe, ik wil niet dat mensen het recht in eigen hand nemen. Kun je hem dat even uitleggen, Sextus?'

Sextus gaf Tigran een korte, felle stoot in zijn buik. Luid kermend sloeg hij dubbel.

Magnus deed de valse munten terug in de buidel en stopte die in de plooi van zijn toga. 'Doe mij maar twee broden, Vitus.' Terwijl de bakker opstond en naar een plank vloog haalde Magnus vier *asses* uit de geldkist, samen één sestertie, en gaf ze aan Tigran, die nog steeds in ademnood was. 'Geef hem ook het brood, Vitus.'

Vitus gaf hem snel de broden.

'Nu wegwezen en ik wil je niet zien zolang je je niet kunt gedragen,' zei Magnus en hij gaf Tigran nog een draai om zijn oren.

'Dank u, Magnus.' Tigran draaide zich snel om, klemde met zijn ene hand de broden tegen zijn borst en hield met de andere zijn geld vast. Hij baande zich een weg door de omstanders en verdween uit het zicht.

'En wat jou aangaat,' gromde Magnus en hij pakte Vitus bij zijn kraag zodat hun neuzen elkaar bijna raakten, 'ik wil de naam van iedereen die je die troep hebt gegeven en ik wil ook weten van wie je het gekregen hebt, morgenochtend, anders zie je het nooit meer ochtend worden, als je begrijpt wat ik bedoel.' Hij ramde zijn knie in Vitus' ballen en liep weg, de bakker kronkelend op de grond achterlatend, met uitpuilende ogen, happend naar lucht en met twee handen om zijn pijnlijke geslachtsdeel. De menigte ging uiteen en mompelde instemmend dat gerechtigheid was geschied.

Magnus en Servius zaten aan een tafel in het schemerige, rokerige kamertje achter de taverne waar ze hun zaken afhandelden. Een beker kokendhete, gekruide en met honing gezoete wijn stond naast een olielamp tussen hen in. 'Dus we moeten een praetoriaanse tribuun op zo'n manier doden dat het niet op een ongeluk lijkt en ook niet overduidelijk op een moord, maar dat het wel verdacht genoeg is om Sejanus te doen inzien dat Antonia hem waarschuwt,' vatte Servius samen.

Magnus keek somber voor zich uit. 'Daar komt het inderdaad op neer, broeder. Hoe krijgen we dat in Jupiters naam voor elkaar?' Hij nam een slok uit de beker die hij met twee handen vasthield en brandde zijn tong.

Servius keek geamuseerd toe terwijl zijn baas diverse goden opriep de sukkelige slaaf die de wijn had bereid te vervloeken of levend te villen. 'Dat was een wijze les,' merkte hij op toen Magnus uitgeraasd was. 'Wie de wijn te snel tot zich neemt, brandt zich. Maar wie wacht tot hij precies goed is, zal in genot baden. Laten we dus geduld betrachten bij…'

'Maar we hebben geen tijd voor geduld,' onderbrak Magnus hem. Zijn humeur was er niet beter op geworden met die verbrande tong. 'Antonia wil dat het binnen een paar dagen geregeld is.'

Servius hief sussend zijn hand. 'Dat klopt, en dat zal ook gebeuren. Ik zeg alleen dat we nu nog niet goed weten hoe we het moeten aanpakken. Een ongeluk, een overlijden onder verdachte omstandigheden, moord: het kan allemaal en de verschillen zijn subtiel. Stel dat een man van het paard valt waarop hij elke dag rijdt. Hij kan er echt vanaf gevallen zijn, dan is het een ongeluk. Het paard kan ook opzettelijk aan het schrikken zijn gemaakt door iemand die wilde dat de man ervanaf viel, in dat geval is het moord. Maar als een man dood wordt aangetroffen nadat hij van een paard is gevallen terwijl iedereen weet dat hij nooit op een paard zit, dan is het een overlijden onder verdachte omstandigheden: het is hoogst onwaarschijnlijk dat het een ongeluk is, want waarom zat hij ineens op een paard? Anderzijds kan niemand bewijzen dat het geen ongeluk is, net zomin als dat je kunt bewijzen dat het moord is, want er maakt elke dag wel iemand een dodelijke smak van zijn paard.'

Het gezicht van Magnus klaarde op, hij was op slag vergeten dat hij zojuist zijn tong had verbrand. 'Ah! Dus je zegt dat als we een "ongeluk" in scène zetten waarbij Blandinus schijnbaar iets doet wat hij normaal gesproken nooit doet, Sejanus zal denken dat het moord is maar dat niet zal kunnen aantonen.'

'Precies.'

'Dus dan hebben we de rest van de avond en morgen om zo veel mogelijk over de onfortuinlijke tribuun te weten te komen.'

'Exact, en dan hebben we iets om de arme man in die ongewone situatie te lokken of dwingen die zijn dood zal worden.'

'Lastig, maar niet onmogelijk. Zet de jongens er meteen op.'

'Dat zal ik doen, broeder.' Terwijl Servius dit zei werd er op de deur geklopt.

'Ja?' riep Magnus.

Marius stak zijn hoofd om de deur. 'Magnus, ze staan buiten te wachten, die Albaniërs, en het is een verdomd raar stelletje bij elkaar.'

'Maakt me niet uit hoe ze eruitzien, zolang ze de jongens maar bij zich hebben.'

'Ja, die hebben ze bij zich.'

'Goed. Zeg tegen Cassandros dat hij de jongen naar de taverne moet brengen, ik laat hem halen wanneer ik hem nodig heb.' Magnus stond op. 'Zullen we zaken gaan doen, broeder?'

'Dat lijkt me een goed idee,' zei zijn raadsman instemmend en hij volgde Magnus naar buiten.

Magnus nam de vier buitenissig geklede oosterlingen op die buiten bij de tafels voor de taverne in het maanlicht stonden te wachten. Naast hen stonden twee mooie tienerjongens, de een blond en de ander donker, beiden hadden een mes op de keel en keken angstig naar Magnus.

'Wie voert het woord?'

'Ik,' zei de middelbare man die naar voren stapte. Hij droeg een oranjegele tuniek met lange mouwen en een riem. De tuniek kwam tot vlak boven zijn knieën en bedekte slechts gedeeltelijk de vormeloze donkerblauwe broek waarvan de pijpen op de enkels waren ingebonden, waardoor zijn fijne muiltjes van rood leer goed zichtbaar waren. Zijn geoliede haar, inktzwart en op schouderlengte, omlijstte een mager gezicht met hoge jukbeenderen dat gedomineerd werd door zijn scherpe, rechte neus. Twee donkere, vreugdeloze ogen staarden Magnus aan. Zijn mond schemerde nog net door zijn met henna rood geverfde baard, die eindigde in een opwaartse krul.

'En u bent?' vroeg Magnus. Hij probeerde de minachting voor deze extravagante pooier uit zijn stem te halen. Achter hem kwamen Sextus en Marius met een stuk of zes met wapens en knuppels gewapende broeders de taverne uit.

'Koeroesj,' antwoordde de Albaniër en hij legde zijn rechterhand op de greep van de kromme dolk die op zijn heup hing. 'En u bent zeker Magnus?' Zijn Latijn was nauwkeurig en vrijwel accentloos.

'Inderdaad. Laten we dit snel afhandelen. Laat de jongens maar zien.'

'Ze zijn ongedeerd en zelfs ongemoeid gelaten, dat verzeker ik u met de hand op het hart.'

'Dat zal gerust zo zijn, maar toch wil ik ze van dichtbij zien.'

'Een man die niet op het woord van een ander vertrouwt, is het zelf niet waard vertrouwd te worden. Laat mijn jongen eerst zien. Zijn toestand bepaalt die van de andere twee.'

'Sextus, zeg tegen Cassandros dat hij hem naar buiten moet brengen,' beval Magnus zonder zijn ogen van Koeroesj af te halen.

Ze zwegen, keken elkaar strak aan totdat enkele ogenblikken later Cassandros verscheen met de jongen.

'Breng hem hier,' zei Magnus terwijl de Griek de tegenstribbelende jongeling de taverne uit sleurde.

'Deze man heeft me verkracht,' krijste de hoerenjongen naar Koeroesj en hij wees naar Cassandros, 'zonder ervoor te betalen.'

Magnus draaide zich als door een wesp gestoken om. Eén blik op Cassandros was genoeg om te weten dat de jongen de waarheid sprak: hij keek hem niet aan.

'Ik vermoed dat we een probleem hebben,' merkte Koeroesj op. 'Ik heb het niet zo op mensen die schaamteloos omgaan met mijn eigendom.'

Magnus pakte de jongen met zijn linkerhand over van Cassandros en sloeg de Griek met een vuistslag in zijn gezicht neer. 'Dat regel ik wel na de uitwisseling. Hij zal gestraft worden, dat beloof ik u.'

'Waarom zou ik u op uw woord geloven, terwijl u mij zo-even niet wilde vertrouwen? Die straf interesseert mij niet, u doet maar met hem wat u wilt. Het enige wat mij interesseert is een eerlijke ruil.'

'Dit is een eerlijke ruil, meer dan eerlijk, ik heb u al een van uw jongens gegeven. Laten we de uitwisseling afhandelen, dan kan er zand over.'

Koeroesj glimlachte kil, keerde zich naar zijn drie metgezellen en zei iets in zijn eigen taal. De blonde jongen werd naar voren gebracht. Koeroesj pakte hem in zijn nek en duwde hem naar Magnus toe. 'Alstublieft, een onaangeroerde jongen in ruil voor de jongen die u mij stuurde.'

De jongen struikelde en viel vlak voor Magnus neer. Marius liep naar voren, trok hem overeind en sleepte hem weg.

Koeroesj keek naar Magnus. 'Goed, dan moeten we nu nog een onaangeroerde jongen ruilen tegen een bezoedelde jongen. Erg eerlijk lijkt me dat niet.' Hij blafte een bevel in zijn eigen taal.

De donkerharige jongen werd tegen de tafel gedrukt. Hij begon te krijsen toen twee Albaniërs zijn armen pakten, hem stevig vasthielden en zijn bovenlijf met hun gewicht tegen het tafelblad drukten, zodat hij geen kant meer uit kon. De derde Albaniër, een wat verwijfde jongeman met een piekerig baardje van rond de twin-

tig, trok de tuniek van de jongen omhoog en rukte zijn lendendoek af, deed zijn eigen tuniek omhoog en opende de flap in het
kruis van zijn broek terwijl hij zijn blik op het naakte achterwerk
van de jongen gericht hield. De jongen gilde toen de Albaniër bij
hem naar binnen drong. Het gillen hield op en de jongen staarde
naar zijn hand, die hij om de tafelrand had geklemd en waarvan de
knokkels wit waren geworden, terwijl de Albaniër zijn plicht vervulde met de wreedheid van de misbruiker die ooit zelf misbruikt
is.

Magnus keek zwijgend toe en gebaarde naar zijn mannen dat zij
hetzelfde moesten doen, want enige bemoeienis van hun kant zou
de uitwisseling in gevaar brengen. Koeroesj was niet gediend van
gezichtsverlies, en bovendien kon het hem weinig schelen dat de
jongen verkracht werd, het enige wat telde was dat hij ongedeerd
bij Terentius moest worden afgeleverd en dat hij nog evenveel
waard was als eerst, al was hij aangetast in zijn waardigheid.

'Is dit echt nodig, Koeroesj?' vroeg Magnus terwijl de Albaniër
zijn tempo verhoogde en grommend tot een hoogtepunt kwam.

'Jawel, Magnus, en wel om twee redenen: ten eerste om u te laten
zien dat wat mij of mijn naasten wordt aangedaan niet ongestraft
blijft, en ten tweede om mijn eigen mannen te laten zien dat ze mij
moeten gehoorzamen.' Hij wees naar Cassandros, die nog altijd
languit op de grond lag. 'Wat bij u blijkbaar anders is.'

Nadat hij weer op adem gekomen was, trok de Albaniër zich terug en reinigde zichzelf met de tuniek van de jongen, waarbij hij
grijnzend naar Magnus keek.

'Heel leerzaam, het is me duidelijk. Neem dan nu uw jongen mee
en geef mij de mijne.'

Koeroesj blafte iets naar zijn mannen, die de jongen onmiddellijk
lieten gaan. Hij trok een scheef gezicht van de pijn en hield zijn
lendendoek vast. Magnus duwde de jongen van Koeroesj naar hem
toe, en terwijl de twee jongens elkaar passeerden wisselden ze een
blik van verstandhouding, ze waren ieder onderweg naar hun sla-
venleven, een leven waarover ze geen enkele controle of zeggen-
schap hadden en waarin ze slechts konden hopen met zo min mogelijk ellende de dagen door te komen.

33

'En nu linea recta mijn wijk uit,' gromde Magnus naar Koeroesj toen de jongen langs hem liep. 'Het vrijgeleide geldt niet voor een leuk rondje door de buurt. En als u zich nog een keer bij het huis van Terentius laat zien, moet u dat bekopen met uw leven, ongeacht wiens bescherming u geniet.'

'Ik denk dat Terentius nu wel begrijpt dat er in het hoogste marktsegment slechts ruimte is voor één van onze huizen en dat een tweede bezoek niet nodig zal zijn.'

'Dat weet ik,' mompelde Magnus terwijl de Albaniërs zich omdraaiden en wegliepen. 'En ik begrijp dat ook.'

'Zijn we al iets interessants over onze tribuun te weten gekomen?' vroeg Magnus aan Servius. Het was een heldere, frisse ochtend en ze liepen over de Vicus Patricius, een van de grote straten op de Viminaal. Om niet herkend te worden hadden beiden de kap van hun mantel ver over hun hoofd getrokken. Daarom hadden ze er ook voor gekozen om juist op dit uur van de dag op stap te gaan: nu was hun kleding niet verdacht.

'Nog niet,' antwoordde Servius vanuit het halfduister onder zijn kap, 'maar we zijn nog maar één nacht bezig. U moet de jongens wat tijd gunnen. Ik heb er aardig wat op pad gestuurd met de opdracht inlichtingen in te winnen, dus ik verwacht dat er aanstonds wel eentje met iets op de proppen komt.'

'Bij voorkeur vandaag nog.'

'Om de zaak te bespoedigen zou u na het gesprek met uw oude kameraad van de cohort naar senator Pollo kunnen gaan. Misschien dat hij iets over hem weet.'

Magnus mompelde instemmend toen de Porta Viminalis in zicht kwam.

'Het is hier links, vlak voor de kruising met de Lampenmakersstraat,' zei Servius. 'We kunnen beter aan de rechterkant van de weg gaan lopen.'

Ze staken over bij de eerste de beste stapstenen, die zo waren neergelegd dat de voetgangers niet door de drek hoefden te lopen maar de wagenwielen er precies tussen pasten, en werden opgeslokt door de menigte; verkopers openden hun winkel en mensen kochten brood, staken vuurkorven aan, gingen langs bij hun beschermheer, verjoegen slaperige bedelaars van hun stoep. Servius wurmde zich door het gedrang en leidde Magnus naar een taverne met een toog aan de straat.

'Twee bekers warme wijn,' zei Servius en hij legde wat kleingeld op de houten toog.

Nadat ze hun bestelling gekregen hadden, draaide Servius zich om en knikte naar een groot, uit bakstenen opgetrokken huis met één bovenverdieping. 'Daar zitten de Albaniërs. Zoals u ziet zijn er geen ramen aan de straatkant en geen winkels op de begane grond, het is een muur met alleen een deur erin.'

Magnus keek naar de twee bebaarde, oosters geklede spierbonken die de deur bewaakten. Ze waren gewapend met een mes en een knuppel. 'Dat is de enige in- en uitgang?'

'Gelukkig niet.' Servius wees naar het zijstraatje van de Vicus Patricius twee huizen verderop. 'Dat is de Lampenmakersstraat. Aan de achterkant van de huizen tegenover ons loopt een steeg die uitkomt op de Lampenmakersstraat. Na de uitwisseling van gisteravond heb ik Cassandros er een kijkje laten nemen, volgens hem is de muur maar tien voet hoog en kunnen we via die muur gemakkelijk op het dak komen.'

'Zo maakt ie zijn fout nog eens goed.'

'Ik gaf hem een gevaarlijke opdracht en hij begreep donders goed waarom.'

Magnus bromde instemmend. 'We moeten die geile teef een lesje leren. Maar dat komt later wel. Staat er een wacht in die steeg?'

'Cassandros zei dat er vannacht wel een stond, als we er zo even langslopen kunnen we zien of dat overdag ook zo is.'

'Dus we kunnen via het dak binnenkomen en ook weer ontsnappen, maar dan zitten we nog steeds met die twee spierbundels bij de deur. Als die binnen herrie horen, zal minstens één van hen naar binnen gaan, dan wordt het al wat eenvoudiger.' Magnus nam een slok van zijn wijn. 'Als we dan een stelletje van onze jongens klaar hebben staan om die ene bij deur aan te pakken, zijn we binnen. Dat lijkt me een klus voor mij en Marius, die gaat niet zo soepel een muurtje over met één hand.'

'Ja, maar jullie moeten dan wel heel snel zijn, voordat ze die deur weer vergrendelen.'

'Tenzij we ze kunnen laten denken dat hun eigen mensen op straat gevaar lopen en in veiligheid proberen te komen.'

'Hoe krijgen we dat voor elkaar?'

'Ik heb gisteren een oosterling ontmoet. Hij staat bij mij in het krijt. Hij heet Tigran, hij woont in de sloppenwijk aan de Via Salaria. Spoor hem op en vraag hem of hij de taal der Albaniërs spreekt of iemand kent die dat doet.' Het oog van Magnus viel op een keurig geklede man die met twee lijfwachten en een vrouw in een donkerbruine mantel met kap de straat in kwam lopen. 'Kijk nou eens, onze vriend Sempronius bezoekt de hoerenjongens. Dat had ik niet achter hem gezocht.'

'Hij komt waarschijnlijk alleen maar kijken of de uitwisseling goed is gegaan. De vraag is wie hij bij zich heeft. Die mantel komt me bekend voor.'

Sempronius en zijn gevolg liepen op de twee portiers af, van wie er een meteen een roffel op de deur gaf. De deur zwaaide open en de portiers stapten opzij en lieten Sempronius binnen. Toen de vrouw over de drempel stapte, deed ze haar kap af.

Magnus' ogen werden groot. 'Bij de gerimpelde kont van Minerva, dat is dat nieuwe meisje, Aquilina! Ik dacht al dat er iets niet klopte toen ze zei dat ik altijd kosteloos bij haar terechtkon. Voor niks gaat de zon op.'

Servius sloeg zijn wijn achterover. 'Ze moeten geld krijgen van iemand anders. Het lijkt erop dat Sempronius een spionnetje bij ons heeft gestald.'

Magnus sloeg zijn raadsman op de schouder. 'Dat komt dan mooi uit. Volgens mij is ons laatste probleem hiermee opgelost.'

'Je bent te laat!'

Magnus gniffelde en keek naar de schaduw die werd geworpen door de zeventig voet hoge Egyptische obelisk op de Campus Martius. Hij was een paar duim verwijderd van het derde uur. 'Ik dacht dat ik de enige was bij de stadscohort die de zonnewijzer kon lezen, Aelianus.'

'Bijna goed, makker. Er is nog één ander die het kan. Daarom hebben ze mij kwartiermeester gemaakt,' antwoordde Aelianus en hij pakte Magnus' onderarm beet.

'In een vlaag van verstandsverbijstering, maar dat bleek voor ons enorm lucratief te zijn, is het niet, beste vriend?'

De blozende, weldoorvoede Aelianus legde met een lach zijn konijnentanden bloot en hij streek met zijn hand door zijn dunner wordende, koperkleurige haar. 'En hoe gaan we die waanzin dit keer uitbuiten?'

Magnus legde een arm om Aelianus' schouders en voerde hem weg van de reizigers die de bronzen wijzers bewonderden die uit de voet van de naaldvormige zonnewijzer staken, die enkele tientallen jaren terug onder Augustus was opgericht, en liep richting het graf van de eerste keizer op de oever van de Tiber, die daar na een korte omleiding naar het oosten weer terug naar het noorden boog. 'Regel twintig uniformen van de stadscohort voor mij, zonder bepantsering en schilden.'

'Waarvoor?'

'Voor een bezoek aan een huis dat mij last heeft bezorgd. O, en ik wil dat je jullie opslagplaats in de brand steekt.'

Aelianus trok zijn wenkbrauwen op. 'Zomaar?'

'Jawel, beste vriend. Zomaar.'

'En wat levert mij dat op?'

'De helft van wat we in dat huis vinden, maar ik garandeer je minstens tweehonderdvijfentwintig denarii.'

Aelianus floot zacht. 'Een jaar soldij voor een gewone legionair. Goed, de tunieken, riemen, sandalen en mantels zijn geen probleem, die kan ik je vanavond geven. De helmen, zwaarden en schedes zijn iets lastiger, want ik moet wachten tot mijn hele staf weg is, maar ik zou je die rond het derde uur van de nacht eigenhandig kunnen brengen. Wanneer heb je de spullen nodig?'

'Overmorgen, een uur voor zonsopgang, als er geen klanten in het huis zijn. Vanavond is dus goed, dan kun je alles in één keer brengen.'

'Mooi. Wat die brand betreft, dat is andere koek. Daar moet ik even goed over nadenken.'

'Als het maar niet te lang duurt, beste vriend. Ik wil dat de opslagplaats over twee dagen een goede imitatie doet van een vuurtoren.'

'O, dat gaat heus lukken, Magnus. Maak je geen zorgen.'

'Daarom betaal ik je zo goed, Aelianus, zodat ik me geen zorgen hoef te maken.'

De roodharige kwartiermeester grijnsde weer. 'Had jij maar wat meer zorgen, dan was ik stinkend rijk. Ik kom je later de uitrustingen brengen. Heb jij misschien wat mannen die me kunnen helpen dragen?'

'Natuurlijk, ik zorg dat ze op het tweede uur bij de opslagplaats zijn.'

Aelianus maakte aanstalten om te vertrekken. 'Dank je, vriend.'

'Wacht nog even, Aelianus,' zei Magnus en hij hield hem tegen. 'Er is nog één ding dat je voor me moet doen als je vanavond die spullen komt brengen.'

'Dat zit bij de prijs inbegrepen zeker?'

'Ja, en er valt niet over te onderhandelen.'

'Zeg het maar.'

'Ik wil dat je een van mijn meisjes neemt.'

Aelianus zuchtte overdreven en schudde langzaam zijn hoofd. 'O Magnus, je bent een slavendrijver.'

Het Forum Romanum was afgeladen, er werden drie verraders tegelijk voor het gerecht gebracht, het resultaat van de recente klopjacht op vijanden van de keizer of de rivalen van zijn praetoriaanse prefect. Magnus kon het weinig schelen hoe de Romeinse adel of senatoren elkaar behandelden, zolang het maar geen negatieve gevolgen had voor de dagelijkse gang van zaken bij twee instellingen die hem bijzonder aan het hart gingen: de spelen en de graanbedeling.

Na zich een weg door de toeschouwers, voedselverkopers, bedelaars en rechtskundigen gebaand te hebben, kwam Magnus ten slotte bij de trap van de Curia, het Senaatsgebouw. De deuren stonden open en de Senaat was in vergadering. Magnus tuurde naar binnen, en nadat zijn ogen gewend waren geraakt aan het schemerlicht zag hij al snel de corpulente gestalte van Gaius Vespasius Pollo. Hij wist dat hij niet het recht had om het gebouw te betreden en daalde de trap af, kocht bij een straatverkoper een geroosterde worst en een homp brood en ging zitten wachten.

Een por van een rode sandaal en de bulderstem van Gaius deden Magnus opschrikken. 'Als een of andere landloper zitten slapen op de trap van het Senaatsgebouw? Hebben je broeders je er dan uiteindelijk uit geschopt, zoals jij met je voorganger hebt gedaan?'

'Ja, maar met iets minder geweld, want zo te zien leef ik nog.' Magnus grijnsde en stond op, wreef over zijn slapende achterwerk. 'Ik zat eigenlijk op u te wachten, senator.'

'Loopt het niet zoals de bedoeling is? Het moet uiterlijk morgen gedaan zijn.'

'Nee hoor. Ik wil u alleen iets vragen.'

'Loop maar met me mee,' opperde Gaius en hij liep naar rechts, voor de Curia langs in de richting van de Quirinaal.

Magnus ging met hem in de pas lopen en vertelde over het plan van Servius.

'Hm, ik begrijp het,' mijmerde Gaius toen ze aan de beklimming van de heuvel begonnen. 'Die raadsman van jou is een geslepen kerel. Verdachte omstandigheden. Uitstekend.'

'Wat weet u over die Blandinus? Wat doet hij nooit?'

'Ik ben bang dat hij het meeste gewoon doet, hij gaat naar de spelen en naar het theater, hij drinkt en gokt en gaat naar de hoeren; sterker nog, hij gaat naar een huis in jouw wijk, het huis van Terentius.'

'Maar daar zitten alleen maar jongens. Houdt hij niet van vrouwen?'

'Ik denk het wel. Hij is getrouwd en heeft kinderen.'

Magnus keek teleurgesteld. 'Er moet toch iets zijn wat hij van zijn levensdagen niet zou doen?'

De wandeling naar boven was zwaar en zweet parelde op het kwabbige gezicht van Gaius, dat ineens opklaarde. 'Natuurlijk! Mannen!'

'Mannen?'

'Ja, mannen. Hij zou zich zelf absoluut nooit laten nemen.'

Magnus glimlachte. 'Natuurlijk. Dat ligt zo voor de hand dat ik er zelf niet op was gekomen. Dank u, senator. Ik moet gaan.'

'Wil je niet wat honingkoek en wijn nu we toch bijna bij mijn huis zijn?'

'Geen tijd voor, senator. Ik moet nog een hoop doen, ik geloof dat ik twee tunieken in één kuip kan wassen.'

'Het verschuiven naar morgenochtend vroeg?' vroeg Servius terwijl hij een handje aanmaakhout op het vuurtje gooide dat brandde op het altaar van de *lares* van de broederschap naast de voordeur van de taverne.

Magnus strooide wierook over de vlammen. Het brandde meteen en scheidde een indringende geur af. 'Ja, mits Terentius, natuurlijk met hulp van onze lares, Blandinus vanavond naar zijn huis kan lokken. Laat een van de jongens hem onmiddellijk halen.'

De raadsman knikte en liep naar Marius en een groepje broeders dat aan een tafel aan de straat zat te dobbelen. Na een paar woorden van Servius stond een van hen op en ging weg.

'En de uitrusting dan?' vroeg Servius toen hij weer naast Magnus bij het altaar stond.

'Die komt vanavond, maar ik wil dat je Aelianus bericht stuurt dat ik die brand morgen vóór zonsopgang nodig heb en dus niet pas overmorgen, en vraag hem of hij dat schriftelijk wil bevestigen.'

'Ik ga het meteen doen.'

'En is het gelukt met Tigran?'

'Ja, hij wacht binnen op u. Hij wil het heel graag goedmaken. Hij kan een beetje met de Albaniërs praten, maar hij heeft zijn neef Vahram meegenomen, hij spreekt die taal vloeiend.'

'Dank je, broeder,' zei Magnus terwijl hij langs de Alta Semita in de richting van de Porta Collina keek. Zijn blik viel op een groepje reizigers. 'Marius, ga met een van de jongens eens een kijkje nemen bij die lui daar,' zei hij wijzend op het groepje. 'Ze zijn zo te zien welvarend genoeg om behoefte te hebben aan onze diensten.'

Marius grijnsde en stopte met dobbelen. 'Dat ziet u goed, Magnus. Het gangbare tarief?'

'Ja, het gangbare tarief.'

Marius sloeg de man naast hem op zijn rug. 'Kom mee, Lucio. Werk aan de winkel.'

Magnus ging aan een lege tafel zitten, zag de twee broeders de reizigers onderscheppen en hun bescherming aanbieden en nam ondertussen het plan voor de nacht nog eens door. Hij wist dat het gevaarlijk was om de aanval op de Albaniërs te vervroegen, maar deze kans kon hij toch moeilijk aan zich voorbij laten gaan. Hij glimlachte in zichzelf bij de gedachte aan hoe Blandinus zou worden aangetroffen. De arme ziel.

Een kuch schudde hem wakker uit zijn dagdroom en hij keek op. 'Ah, Terentius. Ga zitten, beste vriend. Hoe is het met die jongen?'

'Die scheidt nog steeds bloed af, dus ik laat hem voorlopig alleen wat klusjes doen,' antwoordde de pooier, die met een sierlijke beweging op het bankje tegenover Magnus ging zitten. Op straat werd er geld overhandigd.

'Het spijt me dat te horen. Ken jij de praetoriaanse tribuun Blandinus?'

'Natuurlijk, hij is een van mijn vaste klanten.'

'Wil hij wel eens, hoe zal ik het zeggen, ontvangen?'

'Nee, nooit. Sommige klanten vragen erom, maar Blandinus niet. Hij geeft alleen maar en hij geeft goed, dat kan ik uit eigen ervaringen zeggen.' De ogen van Terentius werden wazig; Magnus vond het verontrustend.

'Dat is mooi. Komt hij vanavond ook?'

'Dat weet ik niet. Meestal is hij er wel. Hoezo?'

'Ik moet zeker weten dat hij vanavond komt.'

'Ik kan hem laten weten dat er een nieuwe jongen is die hem waarschijnlijk wel zal bevallen.'

'Heb je die ook echt?'

'Ja, ik moest de jongens vervangen van wie de keel was doorgesneden.'

'Doe dat dan maar, en als hij komt wil ik dat je hem verdooft. Kun je dat?'

Terentius voelde zich ongemakkelijk en aarzelde. 'Natuurlijk,' antwoordde hij na een korte stilte.

'Doe je het liever niet?'

41

'Nee hoor, Magnus. Ik doe het wel.'

'Mooi. Laat me weten als het gebeurd is en zorg dat hij verdoofd blijft tot ik hem ophaal.'

'Waarvoor is het?'

'Terentius, beste vriend, laat ik dit zeggen: je gaat er heel blij van worden.'

Iets verderop werd het groepje nu zeer goed beschermde reizigers door Marius en een paar andere broeders weggeleid.

De avond was gevallen en de taverne zat stampvol. Magnus zat in een hoek te kijken hoe Aquilina en haar collega-hoertjes ijverig klanten aan het werven waren. Tigran en zijn neef leken te genieten van deze opmaat tot hun nachtelijke missie.

Servius schoof naast Magnus het bankje op. 'De jongens zijn vertrokken naar de opslagplaats van de cohort.'

'Dan moeten ze over een uurtje terug zijn. Nog iets van Terentius gehoord?'

'Nog niet, maar Aelianus heeft hem laten weten dat hij de brand vanavond kan doen.'

Magnus knikte. 'Dat is in ieder geval iets. Als het misgaat bij Terentius kunnen we het uitstellen tot morgenavond, al zal de senator daar niet blij mee zijn.'

'Wat gaat u met haar doen?' vroeg Servius terwijl Aquilina een klant meenam naar buiten. De altijd oplettende Jovita maakte een aantekening in haar register.

'Gebruiken om een boodschap af te leveren en dan... dat zien we nog wel.'

'Ik neem aan dat die boodschap voor Sempronius is?'

'Precies, broeder. Als mijn kameraad Aelianus vanavond met de uitrustingsstukken komt, ontvang ik hem enthousiast en bied hem een meisje en mijn kamer aan. In bed kan hij dan wat loslippig zijn.'

Servius glimlachte kil. 'En zij bezorgt die informatie onverwijld bij Sempronius.'

Magnus grijnsde en zag een jonge slaaf door de deur komen. Een mooie jongen, ware het niet dat er een lelijk litteken van zijn linkermondhoek naar zijn linkeroor liep. Hij ging op Jovita af en werd na een korte conversatie naar de hoek van Magnus gestuurd.

'Magnus?' vroeg de jongen, die enige moeite had met praten. Hij stak een wastafeltje uit.

Magnus boog zijn hoofd.

'Mijn meester, Terentius, stuurt u dit.'

Magnus pakte het tafeltje aan en gaf het aan Servius, die het moest lezen.

De raadsman wierp er een vluchtige blik op. 'Onze tribuun slaapt vredig.'

Magnus' gezicht klaarde op van opluchting. 'Uitstekend. Zeg tegen je meester dat we over drie uur komen.'

De slaaf boog en glipte weg.

'Zorg ervoor dat iedereen over een uur hier is, broeder,' zei Magnus terwijl hij opstond.

'Dat komt voor elkaar.'

'En de eerste levering?'

'Die is er al.'

'Stapel ze daar in de hoek maar op, naast de ladders,' beval Magnus toen Aelianus en vier broeders twee volgeladen handkarren door de dubbele deur van de opslagruimte aan de achterkant van de taverne duwden.

Even later waren de deuren alweer dicht en lagen twintig uniformen van de stadscohort, zonder bepantsering en schilden, op een hoop op de vloer.

'Goed, mannen, maak er maar twintig stelletjes van,' zei Magnus en hij sloeg een arm om Aelianus' schouder. 'En jij, beste vriend, gaat nu het mooiste meisje neuken dat hier werkt. Helemaal voor niks.'

'Daar zit zeker iets achter?'

'Nee, daar zit niets achter. Ik wil alleen dat je haar vertelt wat de cohort van plan is over drie nachten te doen.'

'Ik weet niet eens wat we over drie nachten gaan doen.'

'Natuurlijk niet, het spreekt vanzelf dat het je niet interesseert wat jouw eenheid allemaal uitvreet, maar tijdens ons wandelingetje zal ik je dat uit de doeken doen.'

'Aquilina, ik wil je graag voorstellen aan mijn heel goede vriend en vroegere strijdmakker Aelianus,' riep Magnus toen hij met de kwartiermeester de bedompte taverne binnenstapte.

Aquilina maakte zich los van een knorrige oude kerel en wurmde zich door het gedrang. Een nogal dikke collega nam haar plaats in.

'Aelianus heeft mij zojuist een enorm grote dienst bewezen,' zei Magnus met een charmante glimlach toen ze voor hem stond, 'en ik wil dat je heel erg lief voor hem bent. Ik betaal voor alles wat hij wil, als je begrijpt wat ik bedoel.'

'Natuurlijk begrijp ik dat,' zei Aquilina en ze liet haar vingers over Aelianus' dijbeen omhoogkruipen. 'Alles wat hij wil, zolang hij maar wil.' Aelianus' mond viel open en hij staarde haar met onverhulde lust aan. 'Maar u hoeft me niet te betalen, hoor, Magnus. Uw vrienden zijn mijn vrienden.'

'Zoals je wilt.'

'Met genoegen.'

'In dat geval mag je mijn kamer wel gebruiken.'

'Dank u.' Aquilina nam Aelianus mee en wierp nog een poeslieve glimlach over haar schouder naar Magnus.

Toen ze achter de deur verdwenen waren, verstrakte zijn gezicht. Het was bijna zonde dat hij die mooie glimlach binnenkort niet meer zou zien.

Bijna een uur later zat Magnus in de achterkamer en hoorde voetstappen op de houten trap vanaf de eerste verdieping naar beneden komen. Hij legde het mes neer dat hij aan het slijpen was geweest en keek naar Servius. 'Ik geloof dat Aelianus zijn portie wel heeft gehad.'

'Het is eerder zo dat hij een portie aan Aquilina heeft gegeven, broeder.'

'Ja, daar heb je gelijk in,' zei Magnus lachend en hij stond op. 'Laten we hopen dat hij nog fut heeft om een brandje te stichten.' Hij deed deur open, liep de smoezelige gang in en zag Aquilina de trap af komen.

'Uw vriend heeft me aardig afgemat, Magnus,' zei ze met een

vleugje overdrijving. 'Ik vind het wel genoeg geweest en ga naar huis, als u het goedvindt.'

'Dat maakt mij niets uit, meisje. Je mag zelf bepalen wanneer en hoe lang je werkt, zolang je je percentage maar betaalt.'

Aquilina lachte opgewekt. 'Natuurlijk. Nou, dan zie ik u morgen weer.' Ze stak haar hand op bij wijze van afscheid en liep toen de taverne in.

Servius kwam bij Magnus staan. 'Wil je dat ik haar laat volgen?'

'Nee, dat heeft ze misschien door en ik wil niet dat ze achterdochtig wordt. Bovendien weten we toch wel waar ze naartoe gaat.'

Aelianus kwam met een verdachte blos op zijn wangen de trap af gesjokt. Zijn rode sprieten staken alle kanten op.

'Hoe ging het?' vroeg Magnus.

'Heel goed,' antwoordde Aelianus met een grijns. 'Ik verbaasde mezelf en ik denk dat de lieftallige Aquilina ook verbaasd was over mij. Je hebt gehoord wat ze zei, dat ik haar zodanig bezig heb gehouden dat ze vanavond geen andere klant meer kon hebben.'

'O ja? Nou, trek het je niet te zeer aan, maar volgens mij was dat alleen een smoes om 'm te kunnen smeren en haar meester in te lichten over wat ze gehoord heeft. Ik wilde eigenlijk alleen maar weten of je haar genoeg hebt kunnen vertellen.'

Aelianus keek hem wat sip aan. 'Het ging goed. Ik heb gezegd dat ik jou, mijn oude maat van de cohort, kwam waarschuwen dat de prefect over een paar dagen een overval wilde plegen op het huis van ene Terentius, een van jouw klanten. En dat je mij haar als beloning had gegeven.'

'En toen?'

'Nou, ze zei dat ik wel erg belangrijk moest zijn als ik met zulke informatie rondliep en dat belangrijke mannen zoals ik haar opwonden... Wat zij kan doen met haar...'

'Ik weet het, vriend,' onderbrak Magnus hem, 'ik heb het ook met haar gedaan. Dat hoef ik allemaal niet te weten.'

'Neem me niet kwalijk. Nou, ze vroeg nog wat dingen over de cohort en de overval... je weet wel... tussendoor... en toen vertelde ik haar nog dat het niet de enige overval zou zijn, dat er over drie dagen nog eentje zou zijn, op een huis van oosterlingen op de Viminaal.'

'En dat geloofde ze?'

Aelianus trok zijn wenkbrauwen op en knikte grijnzend. 'Ja, ze slikte het voor zoete koek.'

Magnus gaf hem een klap op zijn schouder. 'Goed gedaan, vriend. Ik hoop dat het met het brandje net zo goed gaat.'

'Dat gaat gerust lukken, Magnus, maar ik zou het wel prettig vinden als een paar van jouw mannen mij helpen om wat olie te gieten.'

'Geen probleem. Kom morgen je geld maar halen.'

'Ik kijk ernaar uit.'

'En laat die handkarren maar hier, vriend.'

'Daar heb je niets aan, er zitten overal tekens van de cohort op.'

'Dat weet ik.' Magnus keerde zich naar zijn raadsman. 'Broeder, er is werk aan de winkel. Geef onze vriend wat jongens mee en laat hem uit, en zorg dat de rest van onze mannen in twee- of drietallen naar de Lampenmakersstraat gaat. Dan zie ik je daar over een paar uur.'

De twee wachters bij het huis van Terentius waren al even gespierd als die van het huis van de Albaniërs. Magnus had echter niets van hen te vrezen toen hij met zijn gevolg bij het huis aankwam.

'Goedenavond, jongens. Jullie meester verwacht mij,' zei hij toen hij de versleten trap op liep die leidde naar de deur in de fraaie marmeren voorgevel. De fakkels aan de twee pilaren van de portiek verlichtten de vakkundig getekende fallus boven de deur, die met weinig woorden duidelijk maakte waar het in dit huis om ging.

De wachters gingen onmiddellijk opzij en een van hen gaf een bepaalde roffel op de deur. Het luikje ging open en twee ogen namen Magnus kort op. Een ogenblik later zwaaide de deur open.

'Een van jullie moet mijn mannen naar achteren brengen,' beval Magnus en hij wees naar Marius, die met zijn makkers en de handkar onder aan de trap stond. Op de straat achter Marius ratelden de wagens en karren in beide richtingen langs, wat op dit uur van de dag bijna vanzelfsprekend was. De kreten van de voermannen en het geklepper van de hoeven en met ijzer beslagen wielen galmden door de koude lucht, en zowel rook als mensenadem tekende zich af in het maanlicht.

Toen hij wist dat er goed voor zijn broeders zou worden gezorgd, liep Magnus de kleine hal in, waar talrijke mantels hingen. Hij herkende de mantel van een praetoriaan. Hij liep door naar het met banken gemeubileerde atrium. Sommige waren leeg, op andere zaten jongens die in diverse stadia van ontkleding verkeerden. De olielampen en de oranje gloed van de fakkels aan de muur zorgden voor een zekere intieme, huiselijke sfeer. De zachte klanken van een lier vermengden zich met het lieflijke geklater van de fonteinen aan de andere kant van het impluvium en het gemurmel van de jongens, die zo nu en dan iets tegen elkaar zeiden.

Een slaaf die al tegen de dertig liep en weliswaar heel knap was maar duidelijk te oud om nog de interesse te wekken van de klanten, hield Magnus een dienblad met wijnbekers voor. Hij pakte er een beker af en op datzelfde moment kwam Terentius vanaf de andere kant het atrium binnen.

'Het is mij een eer u te mogen ontvangen,' zei de pooier formeel, en gekleed in een vrouwenstola liep hij sierlijk, de ene voet nauwkeurig voor de andere plaatsend, naar Magnus toe. Zijn lange, kastanjebruine haar viel losjes op zijn schouders en verhulde deels de twee parels aan zijn oren. Hij had zijn zeegroene ogen met koolzwart omlijnd, zijn wangen aangezet met rouge en zijn lippen geverfd met een zacht rozerood.

Lang niet slecht, dacht Magnus terwijl hij zijn wijn achteroversloeg, als je ervan houdt tenminste. 'Dank je, Terentius,' antwoordde hij. Hij zette zijn beker terug op het dienblad en pakte een andere. 'We moeten wat zaken bespreken.'

'Kom maar mee.' Terentius wenkte met zijn linkerarm en kantelde zijn hoofd zodanig dat er een paar plukken haar over zijn gezicht vielen. Traag bracht hij ze met zijn rechterhand terug in het gareel terwijl hij zich omdraaide en terugkeerde op zijn schreden. Zijn lichaam zwierde sensueel onder de dunne stof van zijn stola.

Magnus liep achter hem aan, keek naar de hoerenjongens die links en rechts van hem op de banken hingen en stelde vast dat Terentius inderdaad een goede smaak had. Het waren stuk voor stuk heel bijzondere jongens, ieder op hun eigen manier, met een mooie huid, mooi haar of een mooi lijf, maar ze hadden één ding gemeen: hun onmiskenbare schoonheid. Ze waren voortreffelijk gekleed, schoon en goed verzorgd en, hoewel hun parfum zwaarder was dan dat van de meeste vrouwen, betoverend mooi.

Magnus trok zijn wenkbrauwen op en vroeg zich af of hij misschien toch gebruik moest maken van Terentius' voorstel om een van de uitgestalde waren te proberen. Hij liep achter de pooier een gang met een schuin plafond in. Aan de ene kant zaten ramen waardoor hij in het maanlicht een binnenhof zag liggen en aan de andere kant, op gelijke afstand van elkaar, zes deuren, elk met een nis waarin een olielamp stond. Vier lampen brandden.

'Hij is helemaal aan het eind,' fluisterde Terentius.

Terwijl ze door de gang liepen, drong het tot Magnus door dat de kamers met een brandende olielamp bezet waren.

Terentius kwam bij de laatste deur en klopte drie keer. Na een korte stilte werd er opengedaan door dezelfde jongen met het litteken die eerder de boodschap had afgeleverd.

'Slaapt hij nog, Bricius?' vroeg Terentius en hij liep naar binnen. Magnus volgde hem.

'Jawel, meester. Ik heb nog wat druppels in zijn mond laten vallen en hij heeft geen vin verroerd,' antwoordde Bricius. Hij huiverde licht omdat zijn wond hem nog veel pijn deed.

Magnus liep verder. De kamer was groot en versierd met homo-erotische muurschilderingen waarin mannen en jongelingen figureerden. De inrichting was schaars maar smaakvol en werd gedomineerd door een groot, met fraaie lakens en kussens opgemaakt bed, waarop tribuun Blandinus diep lag te slapen.

'Dat heb je goed gedaan, Terentius,' zei Magnus goedkeurend en hij klopte hem op zijn rug.

Terentius keek triest neer op Blandinus en liet zijn hand achtereenvolgens door zijn korte zwarte haar en over zijn getaande jukbeenderen en zijn hoekige kaaklijn gaan. 'Ik zal niet vragen wat er met hem gebeuren gaat, maar ik acht de kans klein dat ik hem ooit nog weerzie. Wat jammer is, want hij was altijd heel lief voor me, niet te zachtzinnig maar ook niet te ruw. Ik zal hem missen.'

'Tja, zo gaan die dingen nou eenmaal,' mompelde Magnus. 'Fortuna was hem niet gunstig gezind, hij trok aan het kortste eind. Niets aan te doen.'

'Ik begrijp het.'

'Goed, mijn jongens komen achterom met de kar, ze moeten wel even naar binnen om hem te tillen.'

'Ja, natuurlijk,' antwoordde Terentius zacht en hij streelde met zijn vinger de lippen van de verdoofde man. 'Bricius, ga ze halen.'

De jongen spoedde zich weg en Magnus keek ongemakkelijk toe terwijl de pooier Blandinus' gezicht bleef strelen en de door koolzwart gekleurde tranen over zijn wangen biggelden.

Gelukkig klonken er enkele ogenblikken later al voetstappen op de gang. Marius en Sextus kwamen binnen.

'Goed, mannen,' zei Magnus opgelucht, 'ieder neemt een arm op zijn schouder en dan kunnen jullie hem zo naar de kar slepen.'

'Dus we moeten hém naar de kar slepen,' zei Sextus. Hij nam het zekere voor het onzekere en wees naar Blandinus.

'Inderdaad, Sextus. De man op het bed.'

'Dat doen we, Magnus.'

Terwijl zijn broeders de slapende tribuun optilden, legde Magnus een arm om de schouder van Terentius. 'Ik ben bang dat de opdracht van hogerop komt en dat ik er niets aan kan doen zonder het bij hen te verbruien, en dat is iets wat ik voor geen goud wil.'

Terentius snikte zacht. 'Ik ook niet, Magnus, ik weet hoe het werkt, ik zou wel heel dom zijn als dat niet zo was. Maar hij is gewoon zo'n fatsoenlijke man, wie weet wat voor smeerlap er voor hem in de plaats komt.'

Magnus knikte en sloeg Terentius joviaal op de schouder. 'Morgenochtend krijg je goed nieuws, vriend.'

'Ik hoop het. Bricius zal jullie uitlaten.'

Magnus wilde zich omdraaien naar de slavenjongen maar bedacht nog iets. 'Zorg dat die praetoriaanse mantel uit de hal verdwijnt, voor het geval er iemand langskomt met wat vragen.'

Terentius sloeg zijn ogen op en glimlachte. 'Ik zal er een deken van laten maken voor op mijn bed.'

Magnus schudde vol ongeloof zijn hoofd en verliet de kamer.

Magnus liep zelfverzekerd en met stevige pas de noordhelling van de Viminaal op. De maan en het schijnsel van olielampen dat zo nu en dan door de ramen viel, zorgden voor precies genoeg licht om bij dit tempo en op deze ongelijke, natte stenen niet te hoeven vrezen voor een struikelpartij. Achter hem ploeterden Lucio, Cassandros en de twee Armeniërs met de handkar met de zwaarden en helmen en de slapende tribuun, die was bedekt met een leren doek. Marius en Sextus vormden de achterhoede en hadden hun handen op de grepen van de dolken op hun heupen. Zo nu en dan dreven de flarden van een gesprek of de harde tonen van een ruzie vanuit een woning de straat op, maar verder verliep de tocht betrekkelijk rustig. De paar mensen die ze tegenkwamen lieten zich opslokken door het duister voordat ze bij hen waren, omdat ze liever niet geconfronteerd werden met een relatief grote groep die bovendien werd aangevoerd door een man die zoveel gezag en vastberadenheid uitstraalde.

Op de top van de Viminaal sloeg Magnus links af naar de opdoemende Serviaanse Muur, om vervolgens snel weer in zuidelijke richting de Lampenmakersstraat in te lopen, aan de kant die het verst van de Porta Viminalis was.

Hij gebaarde naar zijn broeders dat ze moesten blijven staan en keek de straat in. Hij zag niets wat hem zorgen baarde: een paar stilstaande karren met in vochtige doeken gewikkelde blokken klei, bestemd voor de verschillende werkplaatsen aan weerszijden van de straat.

Servius stapte uit de schaduw van een nabijgelegen portiek. 'Ik heb een paar jongens een kijkje laten nemen. Aan de achterkant is niemand, maar bij de voordeur stonden vier vigiles te kletsen met de wachters.'

'Met een beetje geluk worden die dadelijk weggeroepen,' antwoordde Magnus en hij blikte naar het westen, in de richting van de Tiber. 'Waar is de rest?'

'Niemand heeft tegenslag gehad, ze zitten verspreid in de buurt, één fluitje is genoeg om ze hier te krijgen.'

'Mooi. Zet een mannetje op de muur en zeg dat hij moet uitkijken naar een mooie oranje gloed boven de Tiber. Ik neem acht man mee om die karren weg te werken.'

Servius knikte, floot kort en hard, en een ogenblik later stonden alle achttien broeders om hem heen, allen gehuld in een tuniek van de stadscohort. Hun mantels werden snel geruild voor die van de stadscohort en de helmen en zwaarden op de kar werden uitgedeeld. Cassandros liep een van de vele trappen op die waren aangelegd om de verdedigers toegang te bieden tot de muur.

'Goed, mannen,' zei Magnus op gedempte toon tegen de acht mannen die met hem zouden meegaan. 'Vergeet niet dat we van de stadscohort zijn, dus we lopen er strak bij, net zoals ze doen bij een legioen of de hulptroepen. Jullie lopen mooi gelijk en houden met-een halt als ik het zeg. Als ik een van jullie een bevel geef, reageer je met "Jawel, *optio*." Duidelijk? Nu opstellen.'

Een paar mannen grijnsden en fluisterden Magnus' nieuwe titel zacht voor zich uit terwijl de groep zich opstelde in twee rijen van vier. Op een teken van Magnus ging het voorwaarts en toen rechts de Lampenmakersstraat in.

Magnus telde de mannen die de karren aan het lossen waren: een stuk of twaalf. Hij liet zijn mannen op tien passen afstand halt hou-den en liep zelfverzekerd, met de tred van iemand die het gewend was bevelen uit te delen, naar de karren toe. Toen ze de eenheid van de stadscohort in het oog kregen, staakten de mannen meteen hun werk.

'Van wie zijn deze karren?' vroeg Magnus en hij liet zijn blik over de schimmige gestalten gaan.

Twee mannen stapten naar voren. Je kon in het schemerlicht al-leen hun contouren zien.

'Wij zijn de voermannen,' antwoordde een van hen zenuwachtig.

'Dan zou ik die karren maar als de wiedeweerga weghalen, voor-dat je wordt opgepakt en zomaar oog in oog met de aedilis staat.'

'Maar we mogen hier 's nachts lossen,' wierp de andere man tegen.

'Maar nu niet.'

'Waarom niet?'

Magnus trok zijn mantel naar achteren zodat zijn zwaard zicht-baar werd. 'Luister eens, kerel, ik heb die regels niet verzonnen, ik heb alleen te horen gekregen dat ik ervoor moet zorgen dat deze straat en nog wat andere leeg blijven tot het licht wordt. Jullie kun-nen morgen terugkomen. Waarom dat is? Ik weet het niet en eerlijk gezegd kan het me geen reet schelen ook. Ik doe gewoon wat mij is opgedragen, dat is makkelijker. Nou, ik doe jullie een gunst, want ik had die karren ook in beslag kunnen nemen en jullie kunnen arresteren, maar ik geef jullie de gelegenheid om op te donderen. Dus wat gaan we doen?'

De twee voermannen keken elkaar aan en kwamen tot overeenstemming. 'We komen morgen terug.'

'Dat lijkt me beter, ja.' Magnus keek naar de samengedromde lampenmakers en hun slaven. 'Jullie allemaal naar binnen en als je verstandig bent houd je je luiken dicht tot het licht wordt.'

Mopperend maar zonder uitgesproken bezwaren gingen de handelaren ieder huns weegs met hun slaven en de klei die ze eventueel nog hadden weten te bemachtigen.

De voermannen klommen op hun karren.

'Ik zou draaien, mannen,' opperde Magnus. 'Als je richting de Porta Viminalis gaat loop je het risico een optio tegen te komen met tenen die veel langer zijn dan de mijne.'

Ze mompelden een bedankje en blikten zenuwachtig achterom toen ze hun muilezels de andere kant op stuurden en de straat uit reden. Magnus blafte iets naar zijn mannen, die rechtsomkeert maakten en hem volgden.

Aan het einde van de straat klonk een tweetonig fluitje. Magnus keek rechts omhoog en zag het silhouet van Cassandros naar hem zwaaien. Hij liet zijn mannen bij Servius, holde naar de trap, liep die met twee treden tegelijk op en kwam hijgend boven op de brede muur.

'Daar.' Cassandros wees naar het westen.

Magnus volgde zijn blik over de schimmige daken van de Subura, langs de witte marmeren bouwwerken op de Palatijn naar de pakhuizen in de luwte van de met bomen bezaaide Aventijn. Daar, rond de cipressen bij de tempel aan de zijkant van de heuvel, zag hij inderdaad een flauw oranje schijnsel. 'Brave Aelianus,' mompelde hij in zichzelf. 'Cassandros, ga tegen Sextus zeggen dat de mannen paraat moeten blijven, dan blijf ik nog even kijken of de brand wel groter wordt.'

Cassandros knikte en daalde de trap af, zijn sandalen klepperden op de treden en de spijkers onder zijn zolen gaven op de vochtige stenen wat vonkjes af. Magnus genoot van het uitzicht. Een stad met bijna een miljoen inwoners, de meeste samengepropt in zo'n beetje de helft van de stad, terwijl een kleine groep rijken en machtigen over de andere helft kon beschikken. Vanwaar hij nu stond leek het haast vredig, er drongen vrijwel geen geluiden tot hem door en het enige teken van bewoning waren de talrijke rooksflierten die hoog boven de Zeven Heuvels versmolten tot een wazig, in maanlicht gedompeld dak. Hij keek over zijn linkerschouder naar het dreigende beeld van het praetoriaanse kampement, dat slechts tweehonderd passen buiten de Porta Viminalis lag. Het was ingedeeld zoals elk ander legerkamp en de opzet, door talloze fakkels geaccentueerd, kwam op Magnus heel vertrouwd over, al was hij er nog nooit geweest. Hij bad in stilte tot Jupiter en Fortuna dat het over een halfuur nog steeds zo zou zijn en keek toen hoe het met de brand ging. Nadat hij tevreden had geconstateerd dat het vuur groter werd, liep hij de trap af naar zijn broeders, die zich hadden opgesteld in een colonne van drie man breed. De Armeniërs stonden achteraan met de handkarren waarop de ladders en de nog altijd uitgetelde tribuun lagen.

Magnus ging vooraan staan, hief zijn rechterarm en zwaaide hem vervolgens naar beneden, waarna de colonne zich in gelijke tred in beweging zette. Magnus zag links en rechts een paar luiken snel open- en dichtgaan, de bewoners wilden duidelijk niets te maken hebben met de eenheid van de stadscohort die door hun straat marcheerde. Magnus glimlachte in zichzelf, als er vragen gesteld zouden worden konden slechts een paar getuigen met zekerheid zeggen dat ze de mannen van de cohort gezien hadden.

Vlak voor de steeg liet hij de mannen halt houden en hij draaide zich naar Servius. 'Goed, broeder, laat de mannen hun posities innemen. En druk ze op het hart dat we twee mensen levend willen hebben: een van hun hoerenjongens en die bebaarde hufter die laatst die jongen verkrachtte.'

De vijf ladders werden van de kar getild en de veertien mannen die met Servius aan de achterkant over de muur zouden gaan liepen de steeg in.

Toen de ladders tegen de muur stonden en er bij elke ladder drie man stonden, klopte Magnus Servius op zijn schouder. 'Zorg dat ze stil blijven, broeder, dan ga ik een kijkje nemen aan de voorkant. Als de kust veilig is, kom ik terug.'

Samen met zijn vier mannen en de Armeniërs met de tweede kar liep hij naar het einde van de straat en gluurde voorzichtig om de hoek. De vigiles stonden nog steeds bij de wachters, maar ze hadden nu vooral oog voor de oranje gloed aan de westelijke hemel.

Magnus wachtte een poos, het leek hem wel een eeuwigheid, en vroeg zich ondertussen af of ooit nog gebeuren ging waarop hij hoopte. Na talloze schietgebedjes aan zo'n beetje alle goden die er bestonden, beende er dan eindelijk een optio van de vigiles de Vicus Patricius op.

'Jullie daar! Achter mij aan!' riep hij naar zijn ondergeschikten.

'Maar we moeten hier de hele nacht blijven, optio,' wierp een van de vigiles tegen.

'Die hoerenjongens kunnen barsten, de opslagplaats van de cohort staat in brand. De prefect zal weinig van ons heel laten als hij morgen zijn speelgoedsoldaatjes niet mooi kan aankleden. Macro heeft bevel gegeven iedereen daarheen te sturen.'

De vigiles haalden hun schouders op en gingen op een drafje richting de grote brand, de twee deurwachters alleen achterlatend.

Magnus rende terug naar de steeg. 'Servius. Nu!' siste hij.

Meteen klommen vijf man de ladders op en gingen op hun hurken op het dak zitten om hun kameraden naar boven te helpen. Toen ze alle vijftien op het dak waren trokken ze de ladders op en splitsten zich in drie groepjes op.

Toen ze uit zicht waren liep Magnus terug naar zijn eigen mannen. 'Tigran en Vahram, breng onze gast in gereedheid.'

De Armeense neven trokken de leren doek weg, tilden Blandinus met enige moeite uit de kar en hielden hem met zijn armen om hun schouders tussen zich in.

Vanuit het huis van de Albaniërs klonk ineens een vaag geschreeuw en gegil. 'Goed, ze zijn binnen,' fluisterde Magnus en hij keek de twee Armeniërs aan. 'Op mijn teken rennen jullie de hoek om en schreeuwen jullie in je eigen taal dat het huis wordt aangevallen en dat jullie met een gewonde man via de achterkant zijn weggekomen. Wij zitten twintig passen achter jullie, dus jullie hoeven niet lang te wachten nadat de wachters zijn gedood. Als je deze kerel laat vallen is het niet erg, hij voelt toch niets en wij pakken hem zo weer op.'

Tigran en Vahram knikten grijnzend.

Prima jongens, dacht Magnus toen hij de hoek om gluurde, die kunnen me nog van pas komen. De deurwachters hadden nu ook gehoord dat er binnen gevochten werd en klopten als bezeten op de deur. Magnus hoorde de grendel van de deur gaan. 'Nu!'

De Armeniërs renden met Blandinus tussen hen in de hoek om en schreeuwden allerlei dingen in een onbegrijpelijke taal. De twee wachters keken geschrokken op en wisselden toen een blik uit. Ze trokken hun knuppels en een van hen ging naar binnen terwijl de ander met een verwarde blik voor de deur bleef staan en ruimte maakte voor zijn kameraden, die immers in zijn eigen taal om hulp riepen. Toen ze dichtbij genoeg waren om hun gezichten te zien, was het al te laat. Hij stierf door de hand van een vreemdeling en zag de doodsteek in zijn hart niet aankomen.

Magnus vloog met zijn broeders in zijn kielzog de hoek om toen de deurwachter in elkaar zakte. Een paar tellen later stond hij voor de deur. Tigran hield hem open, de andere deurwachter en de portier lagen dood in een plas bloed aan Vahrams voeten. In de hal lag Blandinus languit op de grond.

Lucio en Cassandros sleepten de dode wachter die buiten lag naar binnen en Marius deed de deur dicht en vergrendelde hem.

Magnus keek door de gordijnen het schemerige atrium in. Koeroesj en vier of vijf van zijn mannen probeerden de broeders tegen te houden die zich vanaf de binnenplaats naar binnen wilden werken. Drie doodsbange jongens waren in een hoek bij elkaar gekropen. Links zag hij de trap naar de eerste verdieping. Er stond niemand op. 'Sextus, blijf jij hier bij de deur staan en houd in de gaten of er niemand de trap af komt. Iedereen die geen tuniek van de stadscohort draagt, maak je een kopje kleiner.'

'Iedereen doden die niet dezelfde kleren aanheeft als ik,' zei Sextus om het bevel goed tot zich te laten doordringen.

'En houd Blandinus in de gaten. Als hij bijkomt geef je hem een tik op z'n kop, maar niet te hard.'

'Op z'n kop, maar niet te hard. Komt voor elkaar, Magnus.'

'Marius pakt die jongens. Eentje is bewusteloos maar leeft nog wel. Kom op, mannen!'

Magnus sprong woest brullend en met zijn zwaard in de aanslag door het gordijn. Marius, Lucio, Cassandros en de Armeniërs gingen luidkeels schreeuwend achter hem aan.

De Albaniërs waren afgeleid en aarzelden even. Twee van hen werden onmiddellijk geveld door de zwaarden van de mannen die hen van voren aanvielen, de anderen werden teruggedrongen.

Magnus sprong over enkele van de talrijke weelderig beklede banken en wierp zich op Koeroesj en zette zijn onderarm tegen de keel van de pooier. 'Ik heb het niet zo op vunzige buitenlanders die mijn beschermelingen naaien,' gromde hij in zijn oor.

'Magnus!' gorgelde Koeroesj door zijn samengeperste luchtpijp, 'ik dacht dat we dit hadden geregeld.'

'Nu wel ja.' Met al zijn kracht stootte hij de vlijmscherpe kling van zijn zwaard in de zij van Koeroesj, schuin omhoog zijn ribbenkast in, dwars door de lever en een long. Koeroesj kromp ineen en het bloed spoot uit de mond van de Albaniër op Magnus' onderarm. Om hen heen hakten Magnus' broeders de overgebleven verdedigers in mootjes. Hij duwde het zwaard nog een keer zo hard in het bovenlijf dat Koeroesj' voeten van de grond kwamen, en hij voelde alle kracht uit het lichaam wegvloeien. Hij liet hem met zwaard en al op de grond vallen, de ogen van de Albaniër keken geschokt maar zonder iets te zien de wereld in en zijn baard was roder dan ooit tevoren.

Magnus blikte hijgend om zich heen en veegde het bloed van zijn onderarm af aan zijn tuniek. De enige mannen die nog op hun benen stonden, waren zijn broeders en de Armeniërs, die eveneens hijgend naar de gevelde Albaniërs keken. Magnus liet zijn blik over de doden glijden. De jonge verkrachter zat er niet tussen.

Servius kwam met vier broeders vanuit de tuin naar binnen. 'Achter zijn de kamers leeg. Zoals u al voorspeld had waren er geen klanten en dus zullen er ook geen vervelende vragen worden gesteld. Twee van onze mannen zijn lichtgewond en Festus heeft een lelijke buikwond. Ik heb hem al teruggestuurd met een paar jongens.'

'Goed. Waar is die verkrachter?' vroeg Magnus.

'Niet in een van die kamers, broeder.'

Magnus keek het atrium rond. Marius stond bij de lichamen van twee van de jongens, een derde lag iets verderop, zo te zien ongedeerd. 'Hij moet boven zijn.' Hij draaide zich om en liep naar de trap, maar bleef ineens staan.

Sextus stond zelfvoldaan bij het lichaam van een jonge kerel. 'Deze probeerde weg te glippen, Magnus,' zei hij en hij veegde zijn zwaard af aan de broek van de dode man.

Magnus sloot even zijn ogen en slikte zijn woede in. Sextus had gedaan wat hem was opgedragen en een man gedood die geen uniform van de stadscohort aanhad. 'Verdomme!'

'Wat is er, broeder?' vroeg Servius.

'Hoe kunnen we de verkrachter het met Blandinus laten doen als hij dood is?'

'Ja, dat is een probleem. Dan moeten we iets anders verzinnen. Cassandros, dit is volgens mij jouw specialiteit.'

Cassandros kneep de duim en vingers van zijn rechterhand samen en grijnsde. 'Ik heb alleen wat olie nodig.'

Magnus trok zijn wenkbrauwen op. 'Niet te geloven. Maar goed, als we geen andere keus hebben kunnen we het maar beter meteen afhandelen, het wordt al snel licht. Laat een paar jongens de bovenverdieping uitkammen en de anderen naar geld en sieraden speuren. Sextus, breng de dode Albaniër. Lucio en Marius, haal Blandinus. Cassandros, regel die olie.'

Magnus leidde de broeders met de dode verkrachter door een gang die uitkeek op de tuin – de bouwstijl deed hem erg denken aan het huis van Terentius – en moest af en toe over het lijk van een hoerenjongen of een van hun meesters stappen.

'Hierheen, jongens,' zei hij en hij duwde tegen de deur van de laatste kamer. Die bleef steken door de levenloze massa die erachter lag, maar met een kleine inspanning wist hij het lichaam ver genoeg op te schuiven om door de kier naar binnen te glippen. De dode jongen lag in een bloederige tuniek op zijn buik. Magnus trok het lichaam weg. 'Kleed Blandinus uit en zet hem op zijn knieën op bed met de Albaniër achter hem en deze jongen voor hem.'

Terwijl Marius en Lucio de tuniek en lendendoek van Blandinus uittrokken, kwam Cassandros binnen met een kannetje.

Niet veel later hadden ze het drietal op bed gekregen. De jongen met zijn rug naar de muur, Blandinus, die kwijlde en oppervlakkig ademde, op zijn knieën voor hem.

'Goed, Cassandros,' zei Magnus en hij wees naar de Albaniër die achter de tribuun lag, 'regel het maar. Lucio en Sextus, jullie houden Blandinus stevig vast.'

Cassandros glimlachte en goot met zichtbare voorpret de olie uit.

Magnus richtte zich op andere zaken. 'Marius, ga zo snel als je kunt naar Servius en zeg tegen hem dat iedereen 'm met buit en al moet smeren, en hij moet kijken of de jongen nog bewusteloos is. Zorg dat hij een wond op zijn schouder krijgt, zodat het niet lijkt alsof hij met opzet is achtergelaten.'

Marius knikte en verliet de kamer. Blandinus kreunde en verkrampte, zijn ogen werden opeens groot en hij probeerde tevergeefs zijn armen te bewegen. Hij draaide zijn versufte hoofd en keek met een wazige blik naar Magnus.

'Het spijt me, tribuun.' Magnus plantte zijn rechtervuist hard op Blandinus' gezicht.

Zijn lichaam verslapte en een ogenblik later gromde Cassandros van voldoening.

Magnus huiverde. 'Goed, steek hem met een mes en snijd zijn keel door, dan kunnen we ervandoor gaan.'

De seksuele voldoening in de blik van Cassandros maakte plaats voor onzekerheid.

Magnus legde zijn hand op de greep van zijn dolk. 'Doe wat ik zeg,' siste hij. Hij hoorde de broeders door de gangen naar de ladders rennen. 'Als je je zou weten te beheersen zou je ook niet van die rotklusjes krijgen.'

Cassandros trok zijn mes. Hoewel het idee van een koelbloedige moord hem duidelijk heel ongelukkig maakte, zette hij het mes na een kleine aarzeling in de naakte rug van Blandinus, waaruit meteen donkerrood bloed sijpelde, en vervolgens, terwijl Lucio en Sextus de schouders van de tribuun vasthielden, kroop hij over het bed naar voren en haalde het mes ruw langs de keel van de tribuun. Gorgelend en piepend verdronk de onschuldige en onfortuinlijke man in zijn eigen bloed.

'Knap gedaan, broeder,' zei Magnus goedkeurend. 'Je schuld is ingelost.'

Cassandros keek Magnus met grote ogen aan en knikte wezenloos.

'Kom, we gaan.'

Dat hoefde geen twee keer te worden gezegd: de broeders vlogen de kamer uit. Magnus wierp nog een laatste blik op het tafereel dat ze achterlieten en glimlachte verbeten, hij hoopte dat deze uiterst onaangename gebeurtenis iets goeds zou opleveren. Mompelend vroeg hij Fortuna om een veilige thuiskomst, waarna hij zonder omkijken de kamer uit liep en naar de laatste ladder rende die in de tuin tegen het dak stond. In het oosten gloorde de ochtend.

'Kijk eens, vriend, dat is bijna vierhonderd,' zei Magnus en hij kwakte drie zware zakken met munten op de tafel in zijn achterkamer.

Aelianus keek gretig naar zijn aandeel. 'Dat is bijna twee keer zoveel als je garandeerde.'

'We hadden geluk, ze hebben het waarschijnlijk druk gehad de laatste tijd. Hoe ging het met de brand?'

Aelianus haalde zijn schouders op. 'Het lukte de vigiles om wat spullen te redden omdat de opslagplaats pal naast de Tiber ligt. Ze zijn een paar uur met water in de weer geweest en kregen het vuur ten slotte onder controle. Een tribuun joeg de mannen de stuipen op het lijf, liep schreeuwend en schoppend heen en weer, niet bepaald een prettig gezicht. Ik ben blij dat hij niet bij de stadscohort zit, dan zouden we geen moment rust hebben.'

'Maar jij hebt geen problemen gehad?'

'Welnee, makker. Ik speelde de kwartiermeester die alle spullen als zijn persoonlijke eigendom beschouwt, wat ze eigenlijk ook zijn natuurlijk, en ben zelfs een paar keer als een echte held naar binnen gerend om nog wat dingen te redden.' Hij liet Magnus een brandwond op zijn rechterarm zien om zijn woorden kracht bij te zetten. 'Het scheelde weinig of ik was in tranen uitgebarsten.'

Magnus grijnsde. 'Zeker vooral omdat alle registers door de vlammen werden verzwolgen.'

'Precies,' antwoordde Aelianus ernstig. 'Had ik die maar kunnen redden. Nu weet ik niet eens meer wat er opgeslagen lag.'

'Echt?'

'Nou ja, omdat jij het een dag eerder wilde doen lag er iets meer in het gebouw dan ik gewild had, maar dit maakt het goed.' Aelianus gaf een tikje op de zakken op tafel en precies op dat moment stak Servius zijn hoofd om de deur.

'Senator Pollo heeft een slaaf gestuurd om u naar zijn huis te brengen, broeder. Marius en Sextus wachten op u in de taverne.'

'Ik kom er zo aan,' antwoordde Magnus en hij stond op om Aelianus uit te laten.

'Geef maar een gil als je denkt dat we weer munt kunnen slaan uit andermans verstandsverbijstering, makker,' zei Aelianus terwijl hij de geldzakken in zijn leren ransel deed.

Magnus pakte de aangeboden onderarm beet. 'Natuurlijk. Het is altijd goed om zaken te doen met een eerlijk iemand.'

Aelianus beantwoordde de groet, slingerde de ransel over zijn schouder en liep met een knikje naar Servius de kamer uit.

'Daar heb je tenminste wat aan, aan zo'n vriend,' merkte Magnus op.

'Zeker,' beaamde Servius. 'Is hij betrouwbaar?'

'Even betrouwbaar als jij en ik. En over betrouwbaarheid gesproken: wat moeten we met Aquilina?'

'Maak u niet druk, broeder. Dat is geregeld.'

'Wat is er geregeld?'

'Ik besefte dat we haar niet hier konden laten werken toen Aelianus me vertelde dat ze van alles het fijne wilde weten. Als Sempronius de gebeurtenissen verdacht zou vinden, zou ze dat in minder dan geen tijd aan een van de mannen ontfutseld hebben. Stel je voor wat Sextus zou zeggen als zij hem bij z'n lul zou grijpen.'

'Die conclusie had ik ook al getrokken. Waar is ze?'

'Overal en nergens.'

'Zonde,' zei Magnus terwijl hij door de taverne liep. 'Ze had zo'n mooie lach.'

De oude portier liet Magnus binnen in Gaius' werkkamer. 'Magnus, beste vriend, ga zitten. Een beker wijn gaat er wel in, denk ik.'

Magnus ging tegenover Gaius aan de tafel zitten terwijl zijn gastheer de niet aangelengde wijn schonk en de beker aan Magnus gaf.

'Dank u, senator,' zei Magnus na een teug. Hij moest inwendig glimlachen toen hij proefde dat het geen al te beste wijn was.

'Ik ben degene die jou zou moeten bedanken. Ik kreeg vanmorgen bezoek van de huishouder van vrouwe Antonia, een Griek die luistert naar de naam Pallas. Een slaaf, maar wel een met fatsoen, die bovendien aardig wat invloed heeft op zijn meesteres.'

'Ja, ik ben hem ook wel eens tegengekomen.'

Gaius' vochtige lippen krulden zich tot een begrijpende glimlach. 'Ja, natuurlijk. Hij zei dat zijn meesteres vandaag een tevreden mens is. Vanochtend vroeg is een tribuun van Sejanus, ene Blandinus, dood aangetroffen na een overval op een huis bij de Porta Viminalis. Misschien had je dat al gehoord?'

Magnus haalde argeloos zijn schouders op.

'Nou, de enige overlevende van de overval, een van de jongens, zwoer dat ze waren aangevallen door mannen in uniformen van de stadscohort. Een handkar met het teken van de stadscohort erop stond buiten en de eigenaar van het huis had een zwaard van de cohort in zijn bast, dat lijkt me voldoende bewijs dat de cohort hier verantwoordelijk voor is. Dat heeft voor nogal wat ophef gezorgd, zoals je zult begrijpen. Sejanus heeft de prefect beschuldigd van wrede acties tegen de huizen die worden bezocht door zijn officieren en de prefect beschuldigt de praetorianen ervan de opslagplaats van de cohort in brand te hebben gestoken uit wraak voor iets wat zij niet gedaan hebben.'

Magnus schudde langzaam zijn hoofd. 'Een kwalijke zaak.'

'Dat kun je wel zeggen. Maar nog kwalijker is dat Sejanus de prefect geloofde. Hij ging meteen naar vrouwe Antonia en beschuldigde haar van moord. Iets wat zij volgens Pallas stellig ontkende.'

'Dat kan ik me voorstellen.'

'Ik ook. Ze vroeg hem op welke grond hij haar beschuldigde, waarop de brave man zei dat het kwam door hoe Blandinus was aangetroffen. Volgens hem was de overval alleen bedoeld geweest om de moord te verhullen.'

'Dat lijkt me wel een beetje vergezocht, senator,' merkte Magnus op. Hij stak zijn beker uit als teken dat hij nog wel wat wijn wilde.

Gaius schonk hem bij. 'Volgens Pallas zei Antonia zelf zoiets. Vervolgens vroeg ze Sejanus hoe Blandinus dan aangetroffen was en waarop hij zijn absurde conclusie baseerde, waarop de prefect in woede uitbarstte. Bijna schreeuwend vertelde hij dat zijn tribuun was gevonden met zijn hoofd in de schoot van een dode, naakte jongen, met een doorgesneden keel en een messteek in zijn rug en met de arm van een bebaarde, levenloze oosterling, die zijn broek nog aanhad, in zijn achterste.'

'Wat doen mensen toch vreemde dingen.'

'Ik weet het. Absurd toch? Zoals te verwachten valt van een voorname vrouw als Antonia was ze geschokt en ze raadde Sejanus aan in de toekomst toch wat meer aandacht te hebben voor de normen en waarden van zijn officieren en wat minder voor de politieke bezigheden van haar familie.'

'Een goed advies. Heeft hij het aangenomen?'

'Dat wist Pallas niet, want Sejanus stormde toen meteen de kamer uit, maar hij betwijfelt het. Maar goed, zoals Antonia zei nadat de vogel gevlogen was: "Hij kan in ieder geval niet zeggen dat ik hem niet gewaarschuwd heb."'

'Nou, met dergelijk politiek gekonkel hebben wij niets te maken, toch, senator?'

'Inderdaad, Magnus. Maar ik vond dat ik je op de hoogte moest brengen, want nu dat huis op de Viminaal gesloten is gaat Terentius veel meer geld verdienen, waarvan een aardig deel in jouw zak zal belanden, als ik me niet vergis. Dat is toch goed nieuws?'

'Ja, maar Sempronius, mijn collega op de Viminaal, zal het minder leuk vinden.'

'O, over hem zou ik me geen zorgen maken. Ik had dat zelf ook al bedacht en omdat ik jouw beschermheer ben heb ik mijn zorgen geuit tegenover Pallas, natuurlijk zonder jouw naam te laten vallen.'

'Dat is heel vriendelijk van u, senator.'

Gaius wuifde het compliment weg. 'Geen dank. Pallas heeft beloofd dat als Sempronius tot de onjuiste conclusie komt dat de stadscohort *niet* verantwoordelijk is voor zijn inkomstenderving, Antonia erop zal toezien dat hij een ruime vergoeding krijgt. Die houdt uiteraard op zodra hij weer een nieuw huis opent, want zij vindt die hoerenjongens maar niets. Het aanbod gaat vanzelfsprekend gepaard met het vriendelijke doch dringende verzoek zich niet met haar zaken te bemoeien.'

Magnus boog het hoofd als blijk van dank voor deze gunst. 'Dat lijkt me afdoende. Geen hoerenjongens meer op de Viminaal, en Sempronius denkt dat het de stadscohort of Antonia was. Dat lijkt me een goede afloop, senator.'

Gaius straalde. 'Ja, maar wat het nog mooier maakt, voor mij althans, is de werkelijke reden van Pallas' bezoek. Hij kwam niet alleen maar om wat te roddelen.'

'Natuurlijk niet.'

'Blijkbaar is Antonia zo blij geworden van alle gebeurtenissen dat ze mij in de nabije toekomst zal uitnodigen voor een intiem etentje. Niet zo'n overdadig feest met talrijke gasten waarop je nooit de kans krijgt de gastvrouw onder vier ogen te spreken, maar alleen met mij en nog wat goede vrienden.'

'Een stap dichter bij het consulaat.'

'Inderdaad, en een kans om de loopbaan van mijn neefjes te bevorderen. Die zullen een dezer dagen wel aankomen.' Met een zelfgenoegzame blik zette Gaius zijn wijnbeker aan zijn mond en nam een slok, waarna hij opstond om aan te geven dat er een einde was gekomen aan hun onderhoud. 'Wat zou je toch zonder beschermheer moeten beginnen, Magnus?'

'Dat vraag ik me ook wel eens af, senator,' zei Magnus en hij stond op en liep naar de deur.

'Voordat je gaat, beste vriend,' zei Gaius op het moment dat Magnus de deur wilde openen. 'Als fervent aanhanger van de Groenen weet je waarschijnlijk dat er morgen wagenrennen zijn. Ik zou het fijn vinden als jij mij en mijn gunstelingen morgenochtend vroeg met een paar van jouw mannen naar het Circus Maximus brengt.'

'Dan zie ik u morgen, senator,' zei Magnus. Hij deed de deur achter zich dicht en liep het atrium in.

'Toch maar goed dat we een makke senator in de buurt van Antonia hebben,' zei Servius en hij schudde fanatiek met de dobbelbeker.

'Mak zou ik hem niet noemen,' antwoordde Magnus, die naar de straat had gekeken maar zijn blik nu op de rollende dobbelstenen richtte. 'Kijk, twee drieën en een twee. Acht. Verdubbelen, broeder.' Hij gooide vier sestertiën op tafel en schepte de stenen op met de beker. 'Zoals alle rijkelui is hij alleen maar op zoek naar nog meer macht en nog meer geld.'

'En armelui doen dat niet?'

Magnus bromde instemmend en gooide de stenen. 'Alle goden nog aan toe. Vier, drie, een. Alweer acht. En het kan heel wat opleveren om bij Antonia in de gunst te staan, maar daar staan hoge verwachtingen tegenover. Hij zal hard moeten knokken voor zijn positie en dat betekent dat hij wat lastige klusjes voor ons zal hebben.'

Een rauwe kreet van blijdschap aan de tafel naast hen maakte duidelijk dat iemand de pot had gewonnen. Lucio knipte met zijn vingers onder de neus van de sip kijkende Cassandros en Sextus grinnikte luid en sloeg met zijn platte hand op de bank. Jovita kwam de taverne uit met twee schotels waarop geroosterd varkensvlees en brood lag.

'We kunnen wel een paar nieuwe jongens in dienst nemen met wat we vannacht verdiend hebben en de inkomsten die Terentius voor ons zal genereren. Nooit slecht,' merkte Servius op. Hij draaide de beker om. 'Twaalf. Nog een keer verdubbelen.'

Jovita zette het eten op tafel terwijl Magnus meeging. 'Festus is weer buiten bewustzijn geraakt,' zei ze terwijl ze haar vette handen aan haar tuniek afveegde, 'en de wond is weer open. Ik kan nu weinig meer doen.'

'Haal er dan maar een echte geneesheer bij,' zei Magnus en hij schudde de beker. 'We zijn het hem schuldig en we kunnen het ons makkelijk veroorloven.'

Jovita knikte en liep weg.

Magnus smakte de omgekeerde beker op tafel en hield de dobbelstenen uit het zicht. 'En hoe zit het met Tigran en zijn neef? Ze hebben het goed gedaan en ze hebben niets, dus wat mij betreft mogen ze zich bewijzen.'

'Het zijn geen burgers.'

'Dan geven we ze toch wat minder, net als hulptroepen zeg maar, als je begrijpt wat ik bedoel.' Magnus tilde de beker iets op, gluurde door het spleetje en klapte hem terug op tafel. 'Tering. Fortuna heeft vannacht mijn laatste geluk verbruikt.'

Servius veegde de winst naar zich toe. 'Dan lijkt het me geen probleem. Ik laat een van de jongens ze wel opsporen.'

'Marcus Salvius Magnus.'

Magnus keek op en zag Terentius aan het hoofd van de tafel staan. In zijn hand hield hij een buidel.

'Ik kom u bedanken, want u heeft mijn belangen behartigd,' zei hij en hij legde de buidel voor Magnus op tafel, 'en wil u duidelijk maken dat niemand iets te weten zal komen van wat zich vannacht heeft afgespeeld.'

'Dat lijkt me ook beter, Terentius, voor ons allebei.' Magnus duwde de buidel weg. 'Maar je hoeft me niet te betalen, jouw aandeel is genoeg.'

'Dit is geen betaling, Magnus. Dit is het geld dat Blandinus gisteren bij mij wilde uitgeven. Het zou fout zijn als ik dat zou houden. Ik heb gehoord hoe hij is aangetroffen en het spijt me dat ik daar in zekere zin verantwoordelijk voor ben geweest.'

'Tja, zo gaat dat nou eenmaal. Je biedt bescherming en je krijgt bescherming, het is tweerichtingsverkeer en je krijgt nooit iets voor niets, zelfs niet als je de keizer bent.'

Terentius knikte en glimlachte triest. 'Hoe dan ook, de dood van Blandinus heeft in ieder geval iets goeds opgeleverd: die schoft van een Macro heeft nu wat hij wilde, hij volgt Blandinus op. Ik ga hem echt niet missen, die tribuun. Houdt u dat geld maar.'

Magnus pakte de buidel op en voelde hoe zwaar hij was. 'Misschien gebruik ik het wel waarvoor het bedoeld was en geef ik het uit in jouw huis.'

'U hoeft geen geld mee te nemen als u bij mij komt. Zoals ik altijd heb gezegd: mijn huis staat kosteloos tot uw beschikking.'

'Dat weet ik, Terentius, beste vriend. Maar zoals we allemaal weten, voor niets gaat de zon op.'

Terentius boog zijn hoofd, draaide zich sierlijk om en liep weg.

'Denkt u er echt over om dat eens te proberen?' vroeg Servius en hij nam een grote hap varkensvlees.

'Waarom niet? Je moet toch weten waarover je praat en bovendien: verandering van spijs doet eten. En alles op kosten van Blandinus.' Magnus grijnsde en keerde de buidel om. Zijn ogen werden groot van verbazing. 'Dat is zo'n veertig denarii.'

'Blandinus was heel wat van plan.'

'Inderdaad. En Terentius moet last hebben gekregen van zijn geweten.'

'Wat vreemd is, voor een pooier.'

Magnus keek op en zag Terentius weglopen over de Alta Semita. 'Heel vreemd,' beaamde hij terwijl zijn oog viel op een groep reizigers te paard die met een draagkoets in hun kielzog zijn richting op kwamen. Hij pakte de dobbelstenen op en gooide. 'Drie zessen. Bij Venus. Fortuna heeft me weer gevonden.' Hij keek naar zijn broeders, die nog altijd aan het dobbelen waren aan de tafel naast hem. 'Ik handel deze wel af, jongens. Ze hebben lijfwachten en een draagkoets. Die kunnen onze bescherming wel betalen, denk ik zo. Houden jullie het in de gaten?'

Hij nam de reizigers op. Achter de drie wachters reed een ruiter van halverwege de zestig. Hij werd geflankeerd door twee jongere mannen, waarschijnlijk zijn zonen. Hij voerde een geanimeerd gesprek met de jongeman aan zijn rechterzijde, die een rond, zongebruind gezicht had en vol ontzag om zich heen keek.

Magnus stond op. Hij liep precies op het goede moment de straat op om tussen de groep reizigers en de wachters te komen. Hij ging pal voor het paard van de voorste reiziger staan en dwong het te stoppen. Hij keek met een kille, dreigende blik op naar de man. 'Als u die straat neemt, hebt u bescherming nodig, meneer.'

De renfacties

ROME, FEBRUARI 32

De hengsten rolden met hun ogen en de schuimvlokken vlogen uit hun mond. Zodra ze de kreet van hun wagenmenner hoorden, schoten ze vooruit over de renbaan. Terwijl ze de stoffige lucht in hun longen zogen en hun bonzende hart in de tonvormige borst het bloed in de spieren van hun tot het uiterste belaste benen pompte, trokken ze een lichte strijdwagen zeven keer rond de renbaan. Ze voelden dat de teugels gevierd werden; ze vertraagden nu ze de volgende bocht moesten nemen. Het binnenste paard zwenkte naar links als reactie op een harde ruk aan de teugels en stuurde zijn drie stalgenoten met een snelheid die ze maar net konden volhouden zonder te struikelen rond de keerpaal aan het eind van de spina, de middenbarrière van het Circus Maximus. Na een volgende harde klap van de viervoudige zweep zagen ze de driehonderdvijftig passen van het in stofwolken gehulde rechte eind voor zich en maakten ze weer vaart, elkaar tot steeds grotere inspanning ophitsend in deze enerverende wedstrijd, waarin ze aan de leiding gingen.

Hun menner, gehuld in de kleuren van de Groene *factio* of renstal, waagde het even over zijn schouder naar een van de drie Witte strijdwagens te kijken, die nog maar vier passen achter hem reed en steeds dichterbij kwam; daarachter leidde zijn Groene ploeggenoot zijn wagen weer in het spoor om op gelijke hoogte met de voortjagende Witten te komen. De Groene menner die op kop lag ving een zakje water op dat hem vanaf de spina door een staljongen van zijn ploeg werd toegeworpen. Hij goot de inhoud over zijn met aarde bedekte gezicht en in zijn uitgedroogde mond, wierp het zakje weg en leidde zijn span naar rechts om de brokstukken van twee kapotgereden wagens, een Blauwe en een Witte, te ontwijken. Toen hij dichter bij de tribune met toeschouwers kwam vlogen er een paar goed gemikte dichtgevouwen loden amuletten langs hem heen. Op de amuletten, die met spijkers beslagen waren, stonden verwensingen geschreven. Weer naar rechts sturend om dichter bij de spina en buiten bereik van de projectielen te blijven joeg hij de paarden voort, waarbij de verongelukte wagens met opspattend gruis bedekt werden. Op de plek van het ongeluk probeerden publieke slaven de wanhopig kronkelende paarden los te snijden, die in de brokstukken verstrikt waren geraakt. Het schrille gehinnik van de dieren ging verloren in het lawaai uit een kwart miljoen kelen, die de tien overgebleven strijdwagens aanmoedigden. Met de vlaggen van hun favoriete factie zwaaiend schreeuwden de burgers van Rome hun kelen schor en stampten ze met hun voeten op de stenen tribunezitplaatsen om de ploegen aan te sporen, die een waarde van meer dan een miljoen sestertiën in weddenschappen vertegenwoordigden.

De Groene menner trok aan de teugels, die om zijn middel waren gebonden, en leidde zijn span in een wolk zand rond de keerpaal bij de twaalf startboxen, die zich naast de hoog oprijzende, uit hout en ijzer opgebouwde gewelfde toegangspoorten van de renbaan bevonden; de volgende ronde begon. Hoog op een zuil boven de spina kantelde de vijfde van zeven bronzen dolfijnen, die de voortgang van de wedstrijd aanduidden, en nu zwol het kabaal van de menigte zo aan dat het rond de Palatijn en Aventijn, aan weerszijden van het Circus Maximus, weergalmde en zelfs de overige van de zeven heuvels van Rome bereikte.

'Kom op, Groenen! Deze is voor ons, jongens!' schreeuwde Marcus Salvius Magnus opgewonden tegen zijn twee kameraden, nadat de Witte wagen, die in tweede positie lag, de bocht verkeerd had ingeschat en zoveel terrein verloor dat de tweede Groene ploeg langszij wist te komen. Magnus' adem vormde wolkjes; de zon stond al laag en de temperatuur daalde. De joelende, naar zweet stinkende meute rondom hem, aan de Aventijnzijde van de hoofdingang, droeg groene kleding en was in een uitzinnig gejuich uitgebarsten nu hun ploeg de eerste overwinning van de dag leek te behalen.

'Vijfentwintig denarii op acht tegen een! Dat is tweehonderd, oftewel achthonderd sestertiën. Dat zal Ignatius niet leuk vinden, Magnus,' schreeuwde de kale reus naast hem, de stomp van zijn linkerarm in de lucht stekend.

'Zeker weten, Marius, eindelijk hebben we die klootzak van een gokmakelaar te grazen genomen, en nog wel met de grootste weddenschap van de dag.' Magnus vertrok zijn gezicht in een grijns; hij keek omlaag naar het houten ontvangstbewijs van zijn weddenschap, ondertekend door gokmakelaar Ignatius, dat zijn andere kameraad in zijn enorme vuist hield. 'Tweehonderd denarii – dat is bijna net zoveel als een legionair in een jaar verdient! Daar zal Ignatius tranen van in zijn ogen krijgen en de geldkist van de broederschap zal flink bijgevuld worden. Heb je zin in een paar hoertjes vanavond, Sextus?'

'Een paar hoertjes?' zei Sextus nadenkend, terwijl hij zijn blik op de renbaan gericht hield, waar de tweede Groene menner nu een klein mes uit een leren foedraal aan een riem om zijn borst tevoorschijn trok. 'Goed idee, Magnus, als je zeker weet dat we ze kunnen betalen na onze verliezen van vandaag.'

'We hebben in negen wedstrijden vijf denarii verloren, slome duikelaar, dus dat is samen vijfenveertig; we staan dus honderdvijfenvijftig denarii in de winst. We kunnen ons wel vijfhonderd hoeren veroorloven.'

Er verschenen diepe rimpels in het grofgebouwde gezicht van Sextus, terwijl hij ingespannen probeerde zulke lastige rekensommen te doorgronden. Dat lukte hem niet. 'Jij weet zoveel, broeder, ik kan wel begrijpen dat je de patronus van onze kruispuntbroederschap bent geworden.'

'Als de leider van de broederschap niet kan tellen, Sextus, hoe kan hij dan controleren of iedereen op de Zuid-Quirinaal eerlijk zijn contributie aan ons heeft betaald en op onze voortdurende bescherming mag rekenen?'

'Dat betekent dat ik nooit leider kan worden.'

'Ja, en daar komt bij dat je mij dan eerst zou moeten doden.'

De menigte begon zo enthousiast te bulderen dat Magnus zijn aandacht weer op de wedstrijd richtte. Hij zag dat de Witte en Groene wagens elkaar met de wielen raakten en de acht houten spaken van beide wagens verbrijzeld werden, waarbij de splinters in het rond vlogen. De Groene sneed meteen de teugels rond zijn middel met zijn mes door en sprong van de wagen op het moment dat de wielen van beide wagens in stukken braken. Met een snelheid van meer dan dertig mijl per uur klapten de open zijkanten van de wagens op het zand, waarbij de blootliggende assen diepe groeven trokken en de wagens opeens alle vaart verloren en er zo hard aan de strengen van de ingespannen paarden werd gerukt dat ze tegen elkaar aan vlogen en naar achteren werden getrokken. Nu de Groene wagen het gewicht van de menner niet meer droeg stuiterde die de lucht in, waarbij het restende wiel vrijelijk ronddraaide, en belandde met een fraaie boog op de Witte wagenmenner. Het snel ronddraaiende ijzeren wiel schraapte de huid van zijn nek, waarbij het bloed in het rond spoot, hij werd zijwaarts van de wagen geslagen en kwam met een harde klap bewusteloos op de baan terecht, met de teugels nog om zijn middel; zijn span rende intussen verder en sleepte hem over het schurende zand, terwijl zijn wagen rondom hem in stukken en brokken uiteenviel.

De Groene lag nu ver voor de anderen op kop.

'Een onbaatzuchtige daad, en de beste manier om met de favoriet af te rekenen,' verkondigde Magnus luidkeels, terwijl hij goedkeurend keek naar de gevallen Groene wagenmenner die opkrabbelde en nog net op de spina wist te springen, voordat hij onder de hoeven van de drie achtervolgende ploegen vertrapt werd. 'Nog anderhalve ronde te gaan en geen enkele belager in de buurt van onze man; we gaan dat geld binnenhalen, broeders, en dan stellen we ons voor het senatorenvak op om senator Pollo naar huis te begeleiden.'

Nu het een uitgemaakte zaak was wie de wedstrijd ging winnen, ging het grootste deel van het publiek weer zitten en vermaakte het zich door te kijken hoe de *hortator* – bij iedere strijdwagen hoorde een ruiter die speciaal daartoe aangesteld was – van de verongelukte Witte ploeg probeerde het voortsnellende vierspan weer onder controle te brengen, voordat alle huid van de ledematen van de wagenmenner was geschraapt. Alleen de Groene factie op de tribune bleef staan om hun voortsnellende held van dat moment toe te juichen.

Omdat de overwinning binnen was en hij geen interesse had in het lot van de Witte wagenmenner, keek Magnus rond of hij een van de slaven van de gokmakelaars zag, die met leren zakjes om hun middel tussen het publiek rondliepen om namens hun eigenaren weddenschappen aan te nemen. 'Hé, jongen!' schreeuwde hij zodra hij een van Ignatius' vele slaven tussen de toeschouwers door zag lopen. 'Hier.'

De oudere slaaf knikte eerbiedig en baande zich een weg tussen de feestvierende Groene supporters door, die inmiddels naar de Witte factie aan de Palatijnzijde wezen en beledigende leuzen schreeuwden; de Witten antwoordden op hun beurt met obscene gebaren en gejoel.

De zevende dolfijn kantelde en de Groene wagenmenner hief triomfantelijk zijn vuist in de lucht op het moment dat hij vlak voor de tribune met de Witte factie de eindstreep passeerde. De vreugde van de Groenen was compleet toen ze zagen dat de Witte wagenmenner morsdood uit de arena werd weggevoerd.

'Waar is je meester, jongen?' vroeg Magnus toen de slaaf op hem toe liep.

De oude man wees naar het overdekte looppad boven de tribune. 'Daarboven, heer, naast het Neptunusbeeld.'

Magnus trok aan de mouwen van Marius' en Sextus' tunieken. 'Kom mee, jongens, laten we onze weddenschap bij de baas zelf verzilveren, zodat we het genoegen smaken om zijn gezicht te zien.'

Terwijl zijn kruispuntbroeders breeduit grijnsden bij het vooruitzicht van Ignatius' uitdrukking, berekende hij de hoogte van wat naar alle waarschijnlijkheid de grootste uitbetaling van de dag zou zijn. Het deed hem groot plezier dat het aanzienlijke bedrag dat de plaatselijke handelaren en inwoners in ruil voor bescherming tegen rivaliserende broederschappen aan de Zuid-Quirinale Kruispuntbroederschap betaalden nog eens flink werd aangevuld. Zodra ze bij de oude slaaf wegliepen, werd die belaagd door Groene supporters die weddenschappen bij Ignatius hadden afgesloten en nu hun winst wilden opstrijken.

Het publiek was inmiddels gekalmeerd en nu betraden groepjes publieke slaven de renbaan om de wrakken van de strijdwagens, de paardenkarkassen en de amuletten die het publiek naar de menners had geworpen op te ruimen, ter voorbereiding op de volgende wedstrijd. Magnus en zijn broeders beenden op de trap af die omhoog naar de overdekte doorgang voerde en laveerden tussen de toeschouwers door die de treden als extra zitgelegenheid gebruikten. Nadat ze zich door de meute heen hadden gewerkt die geen zitplaats had gevonden en daarom langs de zuilengang moest blijven staan, slaagden ze erin de doorgang te bereiken die langs de gehele Aventijnzijde van de renbaan liep.

'Waar is dat Neptunusbeeld dan?' bromde Magnus, langs de gebeeldhouwde goden en helden kijkend die de colonnade opsierden; tussen de beelden in stonden op regelmatige afstanden houten bureaus, waaraan gokmakelaars munten zaten te tellen en met telramen in de weer waren, omringd door stapels wastabletten en bewaakt door schurkachtige mannetjesputters met knuppels. 'Daar heb je hem; ik zou Neptunus' drietand overal herkennen.'

De vier bewakers van Ignatius deden nerveus een stap naar voren, meteen alert omdat er drie mannen op hen afkwamen die even meedogenloos als zijzelf leken. Ze sloegen dreigend met hun knuppels in hun handpalmen.

Magnus stak zijn hand op in een verzoenend gebaar. 'Zulk gedrag is echt niet nodig, jongens, we zijn hier om de ons toekomende winst bij mijn oude vriend Ignatius op te halen.'

De man achter het bureau keek op, hoewel hij net een stapel bronzen sestertiën zat te tellen. Zijn gezicht was even afschrikwekkend als dat van zijn bewakers: ingevallen kaak, gebroken neus, donkere, diepliggende ogen onder een geprononceerd voorhoofd. Maar hij was allerminst als een straatschurk gekleed, die tijd lag ver achter hem en de herinnering eraan bleef alleen bewaard in de blauw verkleurde littekens op zijn linkerwang en gespierde onderarmen; onder zijn witte burgertoga droeg hij een saffraankleurige tuniek van de fijnste wol en om zijn hals hing de zwaarste en langste ketting die Magnus ooit had gezien. De gouden schakels reikten helemaal tot op zijn brede, gespierde borst. 'Magnus, waaraan heb ik dit twijfelachtige genoegen te danken?' Zijn stem klonk zwaar en nors en zijn accent verraadde zijn eenvoudige komaf. Hij was geboren in de armste wijk van Rome, de Subura, hoewel hij zijn best deed om het te verbergen. 'Ik ga ervan uit dat ik een prima middag op jouw kosten heb gehad?'

'Een heel goede middag als het om de eerste negen wedstrijden gaat, Ignatius, waarin je vijfenveertig in zilver van ons hebt afgepakt, maar de laatste wedstrijd had je pech. Geef hem de afrekening, Sextus.'

Ignatius boog zich naar voren en pakte het uitgestoken plankje met zijn handtekening en het bedrag van de weddenschappen aan. 'Tweehonderdelf.' Hij pakte een wastablet van een stapel, bekeek dat kort, trok zijn borstelige wenkbrauwen op en tuitte zijn lippen. 'Het lijkt erop dat ik je geld schuldig ben.'

'Daar ziet het wel naar uit.'

Ignatius pakte een zwaar ogende geldkist onder het bureau vandaan. 'Dan zal ik je maar betalen, al snap ik niet waarom je voor zo'n triviaal bedrag helemaal naar boven bent gelopen, terwijl je je die moeite had kunnen besparen als je het geld door een van mijn slaven had laten uitbetalen.'

'Ja, erg grappig, Ignatius, dit wordt vandaag je grootste uitbetaling. Schiet nou maar op.'

Ignatius haalde zijn schouders op en ontgrendelde het kistje; hij schepte er met zijn beide handen een flinke berg zilveren denarii uit en begon die in stapeltjes van tien af te tellen. Toen hij vierenhalve stapel had gemaakt stopte hij, schoof ze over het bureau heen en gooide ze om. De munten vielen rinkelend op tafel.

'Dan hebben we de zaken afgehandeld, lijkt me.'

'Ik kan dan misschien niet lezen, Ignatius, maar ik kan zeker tellen, en dit zijn nog lang geen tweehonderd denarii plus onze oorspronkelijke inzet van vijfentwintig.'

'Je hebt helemaal gelijk, beste vriend, dit zijn veertig denarii en je oorspronkelijke inzet van vijf.'

'We hebben vijfentwintig ingelegd. Sextus, zeg jij het tegen hem, jij hebt de weddenschap afgesloten.'

Sextus knikte langzaam, in zijn geheugen gravend. 'Ja, Magnus, de slaaf was een jonge knaap met zwart krulhaar, ik heb hem vijf-entwintig in zilver gegeven voor de eerste Groene wagen op acht tegen een.'

'Nou, vrienden, ik heb het toch echt zelf genoteerd: weddenschap tweehonderdelf, Sextus, vijf denarii, winst voor Groen, acht tegen een.' Hij pakte een tablet van een andere stapel en stak dat naar Magnus uit. 'En dit is het verslag van de slaaf van alle wedden-schappen die hij voor de laatste wedstrijd heeft aangenomen; daarop staat precies hetzelfde, maar het lijkt me tijdverspilling het aan jullie te laten zien, omdat het er voor jullie als onleesbaar gekrabbel uitziet.'

Magnus sloeg het tablet weg en priemde zijn wijsvinger in het gezicht van de gokmakelaar. 'Luister, Ignatius, het interesseert me geen donder wat je hebt opgeschreven; we hebben een weddenschap afgesloten en ik verwacht dat je die respecteert.'

Ignatius bleef onverstoorbaar, hij legde nog eens vijf denarii op de vijfde stapel. 'Neem het geld dat ik je verschuldigd ben plus nog eens vijf extra als gebaar van goede wil, zodat we volledig quitte staan wat de transacties voor vandaag betreft, zoals ik die heb geno-teerd. Ik zal het zelfs nog gemakkelijker voor je maken.' Hij schoof de vijftig denarii terug. 'Ik zal ze je in goud geven.' Hij glimlachte koeltjes, zonder enige vrolijkheid, en legde met een besliste bewe-ging twee gouden aurei op het bureau. 'En nu wegwezen voordat ik gedwongen ben mijn jongens opdracht te geven jullie schedels open te breken.'

Magnus spande zijn spieren, alsof hij over het bureau wilde sprin-gen, en voelde tegelijk dat zijn schouders door zware handen om-klemd werden.

'Dat zou ik niet doen, vriend,' bromde een stem in zijn oor, ter-wijl de andere twee bewakers op Sextus en Marius af liepen.

Terwijl Magnus zijn blik strak op Ignatius gericht hield ademde hij diep in om te voorkomen dat hij zich in een roekeloze actie te buiten ging. Een paar momenten later, toen een ijzige kalmte bezit van hem nam, schudde hij de handen die hem omklemden van zich af, keek zijn belagers nog eens dreigend aan en pakte de twee aurei op. 'We staan niet quitte, Ignatius, nog lang niet. Ik sta nu bij je in het krijt en ik betaal mijn schulden. Altijd.' Met een laatste woedende blik op Ignatius drong hij langs de twee zwaargewichten en liep kalm weg.

'Wat ga je doen, broeder?' vroeg Marius, Magnus inhalend.

'Ga terug naar beneden en zoek die slaaf op.'

'Ik zweer u dat ik vijfentwintig denarii heb opgeschreven, meester,' hield de slaaf met opeengeklemde kaken vol.

'En heb je Ignatius al het geld gegeven?' Magnus trok de duim van de jongen nog iets verder naar achteren, terwijl Sextus met een verbaasde blik zijn enorme arm om hem heen had geslagen, alsof ze gezellig zaten te babbelen. Marius was precies voor het groepje gaan staan zodat de gepijnigde blik van de slaaf niet zichtbaar was, maar niemand in de menigte nam notitie van hen; iedereen was in de ban van de twaalf wagens die in de voorlaatste wedstrijd over de renbaan stoven.

'Ja, meester. Ignatius heeft de laatste slaaf die hij op bedrog betrapte de ogen uitgestoken.'

Magnus duwde nog iets harder. 'En waarom denk je dat hij vijf heeft opgeschreven in plaats van vijfentwintig?'

'Ik weet het niet, meester, maar zoiets is eerder gebeurd als hij met een grote weddenschap een hoop geld ging verliezen.'

'En is dat nu ook het geval? En hoe zit het met jouw administratie?'

De slaaf vertrok zijn gezicht nog iets meer. 'Die wordt op was bijgehouden, meester, je kunt de twee x'en wegschrappen, zodat alleen de v overblijft.'

'Hoe heet je, jongen?'

'Menes, meester.'

Magnus liet hem los. 'Als ik je een goede raad mag geven, Menes: zwijg tegen Ignatius over ons babbeltje. En nou wegwezen.'

Menes maakte zich uit de voeten en verdween in de menigte.

Sextus trok een frons. 'Hebben we nou het juiste bedrag gekregen of niet, Magnus? Ik bedoel, zitten die paar hoeren vanavond er nog in voor me?'

'Nee, broeder, we hebben niet al ons geld gekregen, maar dat zal zeker lukken, en tot die tijd zul je met eentje genoegen moeten nemen.'

'Denk je dat die slaaf liegt?' vroeg Marius, terwijl hij op Menes' plek plaatsnam.

'Nee, broeder, ik denk dat Ignatius' oneerlijkheid betekent dat hij zojuist onbewust de oorlog heeft verklaard aan de Zuid-Quirinale Kruispuntbroederschap.'

'Dat is knap stom van hem.'

'Heel stom.' Magnus stond op. 'Kom op, jongens, we willen niet te laat komen voor onze senator.'

'Magnus, beste vriend, je hebt vast en zeker het geluk aan je zijde gehad,' riep senator Gaius Vespasius Pollo met dreunende stem, terwijl hij met zijn wiebelende buik, wangen en kinnen de trap naar het senatorenvak af liep.

'Integendeel, senator.' Magnus stelde zich voor zijn beschermheer op, de man aan wie hij zijn leven te danken had, terwijl zijn broeders aan weerszijden van hem positie kozen, gereed om de doorgang vrij te maken tussen het vertrekkende publiek van de wagenrennen, dat de naar pis stinkende, holle buik van het Circus Maximus in stroomde.

'Dat komt ervan als je alleen op je geliefde Groenen gokt, zonder aandacht aan de vorm van de ploeg te schenken.'

'Eens een Groene, altijd een Groene, senator.'

Gaius' volle, vochtige lippen weken in een grijns van elkaar. 'Ik geef er sterk de voorkeur aan van dergelijke vaste connecties af te zien; zo heb ik veel meer manoeuvreerruimte en een grotere kans om de winnende ploeg te ondersteunen. Dat geldt natuurlijk zowel voor de politiek als voor de wagenrennen.'

'Ik bewonder uw gebrek aan loyaliteit, senator.' Magnus duwde een traag schuifelende oude man uit de weg, waarna ze door een gewelfde poort het Forum Boarium op liepen. Daar hadden de vier facties hun kamp voor de wedstrijd opgeslagen; paarden en karren met strijdwagens werden naar buiten gebracht, op weg naar de permanente opslag en stallen op de Campus Martius ten noorden van de stad. In het zachte late middaglicht baadden de voorname marmeren gebouwen op de Palatijn boven hen in een warme gloed, ondanks de dalende temperatuur.

'Ik bewaar mijn loyaliteit voor mijn familie, beschermheren en cliënten, zoals jijzelf, elders is dat allemaal slechts verspilde moeite.'

'Behalve als het om de Groenen gaat.'

Gaius lachte. 'Doe wat je wilt, Magnus. Als je er gelukkig van wordt om nodeloos geld te verliezen, wie ben ik dan om je dat af te raden? Ondertussen moet ik je een gunst vragen.'

Magnus bleef even staan om plaats te maken voor een groep met een hogere status. 'Natuurlijk, patronus.'

Gaius knikte naar de passerende senator, een van de *praetores* van dit jaar, voorafgegaan door zijn fasces dragende lictoren. 'Zoals je weet is het mijn oudste neef Sabinus de afgelopen twee jaar niet gelukt om als quaestor te worden gekozen. Uiteraard kan ik niet toestaan dat die situatie voortduurt.'

'Vanzelfsprekend.'

'Ik moet er beslist voor zorgen dat hij ditmaal wordt verkozen, want volgend jaar zal zijn jongere broer, je vriend Vespasianus, oud genoeg zijn om zich kandidaat te stellen, en ik zal zeker niet in staat zijn tweemaal steekpenningen te betalen, nog afgezien van de wrijving die dat in hun toch al gespannen relatie zal geven.'

'Uiteraard zou uw beschermvrouw Antonia u kunnen helpen; de steun van de schoonzus van keizer Tiberius zou voor Sabinus van onschatbare waarde zijn.'

'Ik durf haar nauwelijks te vragen om zich met zaken te bemoeien die ver beneden haar stand zijn, zoals quaestorverkiezingen.'

'Ze bemoeit zich wel vaker met zaken die ver beneden haar stand zijn.'

Gaius grinnikte. 'Ze is altijd al dol geweest op boksers. Vraagt ze nog steeds om jouw diensten?'

Magnus gromde. 'Ja, nou, af en toe krijg ik een oproep.'

'Ik heb een afspraak gemaakt om haar morgenochtend over een ander probleem te spreken en wil liever niet twee verzoeken tegelijk aan haar doen, je weet hoe vermoeiend de wederdiensten bij haar kunnen zijn.'

'Zeker – uit de eerste hand, als het ware.'

'Ik zal dus elders steun voor Sabinus moeten zoeken, en daar heb ik jouw speciale talent voor nodig.'

'Ik neem aan dat het nodig is om iemand onder druk te zetten of met een cadeautje te paaien, als u begrijpt wat ik bedoel?'

'Inderdaad, maar in dit geval zou druk uitoefenen riskant zijn.'

'Hebt u al iemand in gedachten?'

'Ik denk dat het nuttig zou zijn als de senior consul Sabinus openlijk steunde.'

'Gnaeus Domitius Ahenobarbus?' Magnus draaide zich met afgrijzen naar Gaius toe. 'Neem me niet kwalijk, maar wat bezielt u om te overwegen hem te beïnvloeden? Die man is een monster, senator.'

'Dat klopt.'

'Hij heeft op het forum het oog van een ridder uitgestoken, alleen maar omdat hij hem bekritiseerde.'

'En vorige maand nog heeft hij expres met zijn vierspan een jongetje overreden dat op de Via Appia aan het spelen was. Is er een geschiktere persoon denkbaar om Sabinus te ondersteunen? Als Ahenobarbus hem steunt, zullen vele anderen ook op hem stemmen, om bij het monster in de gunst te blijven.'

Magnus trok een bedenkelijk gezicht, terwijl Marius en Sextus aan weerszijden van hem hun sterke armen nodig hadden om het pad door de meute vrij te maken. 'Waarom koopt u hem niet gewoon om?'

'Dat zal ik zeker doen, en royaal ook, maar dat doet iedereen al. Hij neemt geld van alle kandidaten aan en zal uiteindelijk zijn steun verlenen aan degene die hem het meeste betaalt. Het probleem is dat ik niet weet of het bedrag wel hoog genoeg is, en ik heb niet de middelen om het te verhogen. Op de een of andere manier moeten er extra fondsen komen.'

'Dus u wilt dat ik hem de juiste richting op help.'

'Precies, maar zonder dat hij beseft dat ik erachter zit, want ik wil graag het licht in mijn beide ogen nog bezitten als Sabinus eenmaal tot quaestor is verkozen.'

'En hoe zou ik dat volgens u moeten bewerkstelligen?'

'Dat hoef ik niet te weten, mijn beste, trouwe Magnus, maar je hebt me al eerder uitstekend geholpen en ik twijfel geen moment aan jouw kundigheid om zelfs het lastigste probleem op te lossen.'

Het nachtelijk geratel en gebonk van de vrachtkarren – overdag mochten ze niet in de overvolle Romeinse straten rijden – was al begonnen toen Magnus en zijn kameraden op de kruising van de Vicus Longus en de Alta Semita de herberg bereikten die als het hoofdkwartier van de Zuid-Quirinale Kruispuntbroederschap diende. Magnus controleerde de vlam op het altaar van de kruispuntlares, de huisgoden van de buurt. Toen hij tevreden was klopte hij de broeder die het heiligdom bewaakte op zijn schouder en stapte door de deur de bedompte, volle kroeg binnen.

'Er is een legioensoldaat op verlof langs geweest om jou te spreken,' zei een oude man met knokige, gekromde vingers tegen hem, van een boekrol op zijn met wijn bevlekte tafeltje opkijkend.

'Heeft hij een naam genoemd, Servius?'

'Eentje maar: Lucius. Hij zei dat je hem nog wel zou kennen van een paar jaar geleden in Thracië en Moesia; hij dient bij de Vierde Scythica.'

Magnus keek zijn bejaarde raadsman en plaatsvervanger aan. Na enig nadenken herinnerde hij zich de naam weer en glimlachte. 'Lucius? Ja, ik herinner me hem, Vespasianus heeft hem in Thracië van de executie gered; hij staat zwaar bij hem in het krijt. Hij werkte als staljongen voor de Groenen voordat hij zich bij hen aansloot, hij heeft daar nog steeds contacten en heeft beloofd me een paar tips te geven.'

'Morgen is hij vanaf het middaguur in de paardenstallen van de Groenen op de Campus Martius, hij zei dat je langs moest komen, dan zal hij je de rondleiding geven die hij had beloofd toen jullie elkaar voor het laatst spraken.'

'O ja? Misschien neem ik zijn aanbod wel aan, hij kan mogelijk van nut zijn bij een paar problemen waar we mee te kampen hebben. Kom via de achterkamer naar me toe, we moeten praten.'

'Gnaeus Domitius Ahenobarbus!' riep Servius uit toen Magnus uitgesproken was; zijn magere, gerimpelde gezicht leek in het licht van de enige olielamp wel van was. 'Hij is een monster, niemand die bij zijn volle verstand is zou zich met zijn zaken moeten bemoeien.'

Magnus schonk twee bekers wijn in uit de kan die op tafel stond. 'Dat zei ik ook, maar de senator heeft hem nodig om Sabinus te steunen.'

'Ik neem aan dat het voor ons nuttig kan zijn als Sabinus verkozen wordt en in de Senaat komt.'

'Mogelijk, en dan zal zijn jongere broer Vespasianus in zijn voetsporen treden, zodat we drie gedweeë senatoren hebben op wie we een beroep kunnen doen als we problemen met de autoriteiten krijgen, maar eerst Sabinus.'

'Mits we Ahenobarbus kunnen overhalen om hem te ondersteunen.'

'Dat is gemakkelijker gezegd dan gedaan, broeder. Wat weet je van hem?'

'Wat ik van hem weet, behalve dat hij net als al zijn voorvaderen gewelddadig, wreed en arrogant is?'

Magnus maakte een wegwerpgebaar. 'Dat weet ik allemaal al.'

'Hij is ontzettend hebberig; hij pot al zijn geld op en heeft er een hekel aan het uit te geven. Toen hij praetor was weigerde hij om het prijzengeld te overhandigen aan wagenmenners in de spelen die hij sponsorde – hij vond het zonder de extra beloningen voor de winnaars al rampzalig genoeg om de spelen te moeten organiseren. Des te ironischer, omdat hij dol is op wagenrennen; hij woont elke wedstrijd bij en is een fanatieke supporter van de Roden. Zijn hele familie trouwens, omdat ze allemaal baarden in die kleur hebben.'

'Ik heb bijna net zo'n bloedhekel aan de Roden als aan de Blauwen.'

'Dat weet ik – net als wij allemaal toch? Maar de Witten haten ze nog fanatieker dan wij.'

'Ik ben ook niet zo dol op de Witten. En verder?'

'Hij is getrouwd maar heeft geen kinderen.'

'Hij doet het liever hard van achteren?'

'In elk geval hard. Hij is vier jaar geleden getrouwd, toen zijn vrouw nog maar dertien was; telkens als ze zich in het openbaar vertoont schijnen haar gezicht en armen onder de blauwe plekken te zitten.'

'Lijkt me een geweldige vent.'

'Neem dat maar van mij aan.'

'Hoe komen we met hem in contact?'

'We hebben nog tijd genoeg om na te denken, de verkiezingen zijn pas over een paar maanden. Wat was het andere probleem? Je zei dat er twee waren.'

'O ja, Ignatius.' Magnus zette zijn beker wijn neer en vertelde in het kort wat er die middag was voorgevallen.

'Wat denk je te gaan doen?' vroeg Servius nadat hij het verhaal zonder enige zichtbare emotie had aangehoord.

'We zouden hem kunnen doden, maar hij wordt goed beschermd, en dat is ook een te lichte en snelle bestraffing voor zijn wandaad. Ik kan niet toestaan dat mensen me in het bijzijn van mijn broeders vernederen, er doen algauw verhalen de ronde en voordat je het weet wordt er geklaagd dat de leider vervangen moet worden. Ik wil hem zien lijden en ik wil dat de broeders er nog eens aan worden herinnerd wat er met kerels gebeurt die mij dwarsbomen.'

'Maak hem maar kapot dan, maar het probleem is hoe je met hem een weddenschap voor een groot bedrag kunt afsluiten terwijl je zeker weet dat je die zult winnen.'

Magnus dacht even na en glimlachte, zijn donkere ogen fonkelden in het lamplicht. 'We moeten een wedstrijd manipuleren.'

Servius trok aan de losse, rimpelige huid in zijn hals. 'Ja, natuurlijk.'

'Je kunt een weddenschap van veertig of vijftig tegen een afsluiten dat alle drie de strijdwagens van één ploeg als eerste, tweede en derde eindigen.'

'Ja, maar dan moet die minstens een miljoen denarii waard zijn; je zou dan nog steeds minstens vijfentwintigduizend denarii moeten inzetten om hem te kunnen ruïneren. Dat komt neer op duizend aurei. Zoveel geld hebben we niet, en als we het hadden, hoe zouden we hem dan tot betaling kunnen dwingen?'

'Nee, zoveel geld hebben we niet, en Ignatius zou ook niet zo bang voor ons zijn dat hij de weddenschap zou nakomen als we het geld wél hadden, maar...' Magnus zweeg even en knipoogde naar Servius.

De oude man lachte zijn bruine tanden bloot. 'Ik begrijp wat je bedoelt: er is wel iemand die Ignatius zoveel angst kan inboezemen dat hij zijn laatste sestertie zou afgeven, en hij heeft beslist geld genoeg. Maar hoe kun je Ahenobarbus ertoe bewegen een dergelijke weddenschap met hem af te sluiten?'

'Ignatius' hebzucht zal zijn ondergang inluiden. Hoezeer het idee me ook tegenstaat, broeder, ik denk dat we een Rode een-twee-drie moeten organiseren.'

Magnus baande zich een weg tussen de drinkers in de herberg door, langs de met amforen omlijste bar en verder naar zijn tafel in de verste hoek, waar hij een goed zicht op de deur had. De vaste gasten wisten dat ze daar niet moesten gaan zitten en passanten die daar niet van op de hoogte waren werden snel op hun vergissing gewezen.

Een Griek met een wanstaltig litteken op zijn kaak, zodat er alleen nog losse plukjes baard resteerden, bracht een kruik wijn en een beker en zette die op de tafel.

'Bedankt, Cassandros,' bromde Magnus. 'Ga even zitten.' Cassandros voldeed aan het verzoek, terwijl hij Magnus wijn inschonk.

'Je moet voor mij een karwei uitvoeren dat je zeker leuk zult vinden.'

Cassandros trok een scheve grijns. 'Een karweitje waarin ik zaken en plezier combineer dus.'

'Absoluut. Je moet morgen naar de Campus Martius gaan en daar een tijdje rondhangen bij de Rode stallen.'

Cassandros' gezicht versomberde. 'Maar morgen is de Lupercalia.'

'En die ga je missen. Ik weet dat je ervan geniet om naar patrische jongeren te loeren die naakt door de straten rennen en vrouwen met geitenleren riemen bewerken, maar laten we eerlijk zijn, die ceremonie dient om vrouwen te helpen zwanger te worden en is daarom volstrekt irrelevant voor een man met jouw voorkeuren. In plaats daarvan moet je een leuke, aantrekkelijke Rode staljongen opzoeken en die eens lekker trakteren. Servius zal je wat geld geven om je onkosten te dekken. Neem hem mee naar huis, geef hem een flinke beurt en zorg dat hij naar meer smacht, als je begrijpt wat ik bedoel.'

'Zeker weten, broeder. Hoe lang moet ik hem naar mijn diensten laten hunkeren?'

'Niet meer dan een maand, denk ik. Tegen die tijd zal ik hem om de nodige informatie vragen.'

Cassandros keek fronsend. 'Je denkt er toch niet over om op de Roden te wedden?'

'Waarom zou iemand die zijn hele leven al Groen is dat willen? Maak jij je nou maar niet druk om wat ik denk of wil, zorg jij er gewoon voor dat die aardige jongen als was in je handen wordt.'

'Dat kan alleen de aedilis die voor de spelen verantwoordelijk is,' zei Gaius tegen Magnus toen ze de volgende ochtend de Palatijn op liepen, waar het een drukte van belang was. 'Slechts vier gokmakelaars hebben vergunning om in het senatorenvak te opereren: Albus, Fabricius, Blasius en Glaucio, en ze hebben allemaal een fortuin aan steekpenningen betaald voor dat voorrecht, zoals je je vast wel kunt voorstellen. Het is een heel lucratieve baan.'

'Kent u de aedilis?' vroeg Magnus terwijl een opgewonden groep vrouwen gierend en gillend op hen af rende.

'Zeker.'

De vrouwen renden hun voorbij, en hun lach en voetstappen weergalmden tegen de voorname gebouwen van de Palatijn; ze werden achtervolgd door een groep naakte jongelingen, in wisselende staat van opwinding, die met vers gesneden, bloederige stroken geitenhuid naar hen uithaalden. Het talrijke publiek op de trottoirs juichte hen toe: jonge meisjes staken hun handen uit om met de zweep te krijgen en giechelden als de jongelingen hun gehoorzaamden.

'En?'

Gaius bekeek de jongelingen goedkeurend en draaide zijn hoofd om als ze hem passeerden. 'Dat maakt geen verschil. Er zijn al vier gokmakelaars die een vergunning voor het senatorenvak hebben.'

'Wat zou er gebeuren als er plotseling nog maar drie waren?'

'Aha! Dan zou het een heel andere kwestie zijn, want dan zou er een vacature zijn die de aedilis verplicht zou moeten vervullen.'

'Kent u hem goed genoeg om een aanbeveling te doen?'

Gaius wendde zijn blik met enige moeite van het achterwerk van de passerende jongelingen af en keek Magnus sluw aan. 'En wie zou ik dan moeten aanbevelen?'

'Ignatius.'

'Is dat een vriend van jou?'

'Integendeel.'

'Waarom zou ik hem dan helpen?'

'Dat heeft deels met Sabinus te maken.'

'In dat geval zal ik maar al te graag helpen – maar het zal zeker niet goedkoop zijn.'

'Maakt u zich geen zorgen, senator, u zult dat geld en nog veel meer kunnen terugverdienen.'

Ze bleven staan voor een groot huis van één verdieping, dat er weliswaar voornaam uitzag, maar niet protserig, zoals andere gebouwen op de Palatijn. De muren hadden geen ramen en waren wit geschilderd, en aan de buitenkant ontbrak elk versiersel.

Gaius sloeg Magnus op zijn schouder. 'Bedankt, Magnus. Kun je even op me wachten terwijl ik een paar zaken met Antonia bespreek? Ik ben zo weer terug.'

'Natuurlijk, senator. Nog één ding, voordat u naar binnen gaat: heeft Antonia iets met Ahenobarbus te maken?'

'Hij is haar neef, de zoon van haar overleden oudere zus, die ook Antonia heette. En hij is getrouwd met haar kleindochter, Agrippina.'

'O ja? Heeft Antonia enige invloed op hem?'

Gaius klopte op de met bronzen ornamenten versierde eiken deur. 'Een beetje, maar niet zoveel dat hij afziet van alle steekpenningen van de andere kandidaten.' Er werd een kijkschuifje geopend en even later gingen de deuren open. Gaius liep naar binnen en liet Magnus diep in gedachten verzonken achter.

'Ik dacht dat je het wel leuk zou vinden om een rondleiding te krijgen.' Een breedgeschouderde jongeman met kortgeknipt haar in militaire stijl en een gebruind gezicht begroette Magnus bij de ingang van de stallen van de Groenen, in de schaduw van het Circus Flaminius.

'Meer dan je zou denken, beste vriend.' Magnus greep de aangeboden onderarm. 'Goed dat je je belofte herinnert. Wanneer ben je uit Moesia teruggekeerd?'

'Een paar dagen geleden, ik heb een maand verlof in de stad. Kom, we gaan naar binnen.'

Lucius leidde Magnus door de gewelfde poort, twee bewakers toeknikkend die met de lijfwachten van Ignatius bijzonder weinig moeite gehad zouden hebben.

'Hoe is het je gelukt die lui te passeren?' vroeg Magnus met een blik op de twee mannetjesputters.

'Mijn hele familie werkt voor de Groenen; mijn oom is nu stalmeester en ik kan langskomen wanneer ik wil.'

Ze liepen een rechthoekig erf op van tweehonderd passen lang en honderd breed, waar grote bedrijvigheid heerste. Aan de twee lange zijden lagen uitsluitend stallen, minstens een paar honderd, en aan de korte zijden waren werkplaatsen, smidsen, pakhuizen en kantoren gevestigd. Er hing een zoetige paardengeur en overal hoorde je het hoefgetrappel van de dieren, die in groepen van vier of in paren getraind werden. Aan het ene uiteinde waren timmerlieden bezig de strijdwagens te repareren die bij de wagenrennen van de vorige dag slechts licht beschadigd waren; gebroken steunen in de lichte karretjes werden vervangen en er werd opnieuw groen linnen over gespannen. Naast hen brachten smeden roodgloeiende ijzeren wielbanden op de achtspakige wielen aan en doopten die in het water, wat met veel stoom en gesis gepaard ging. Op die manier kromp het metaal, zodat het strak rond de velgen paste. Overal werd er druk gewerkt: voorovergebogen leerbewerkers die tuigen en strengen zaten te naaien, stalknechten onder het stof die de paarden aan het roskammen waren, zwetende slaven die zakken voer uit een afgedekte wagen laadden, jongens die klusjes uitvoerden, wagenassen die werden ingevet: hameren, grappen maken, hinniken, zagen, schreeuwen en grommen – alles wat er op de dag na de wagenrennen zoal in de stallen van een factie gebeurde.

'Was je er gisteren bij?' vroeg Magnus terwijl ze tussen alle bedrijvigheid hun weg zochten.

'Natuurlijk, ik heb mijn oom in het Forum Boarium geholpen. We hadden gisteren honderdvierenveertig paarden in de ploegen, plus alle rijdieren van de hortatores en de reservedieren. Drukke dag.'

'En slechts één winnaar.'

'Ja, waardeloos, hè? We hebben in geen jaren zo'n klotezooi meegemaakt. De factiemeester was razend, al had hij niet alleen op zijn eigen ploeg gegokt, aan de omvang van zijn beurs aan het eind van de dag te zien.'

'Wat een klootzak.'

'Nou, vooral omdat dat helemaal niet mag als je in de factiestallen werkt. Maar voor die lui gelden altijd andere regels dan voor ons – je weet hoe dat gaat, vriend. Als wij erop betrapt worden dat we op een andere ploeg hebben gewed, worden we uit de stallen getrapt.'

'Waarom dan?'

'Daar zit een idee achter: de enige reden dat je op een slechtere ploeg zou willen wedden is dat je met ze samenspant en in ruil voor informatie over de plannen van je eigen ploeg geld toegestopt krijgt of, erger nog, dat je de paardenmenners hebt omgekocht om een wedstrijd te manipuleren.'

Magnus streelde de snuit van een van de mooiste paarden die hij ooit van nabij had gezien: een prachtige roodbruine merrie uit de provincie Afrika.

'Spendusa,' informeerde Lucius hem. 'Een echte zeldzaamheid.'

'Dat weet ik; de meeste renpaarden zijn hengsten.'

Spendusa hinnikte zachtjes en met haar adem en zachte, slappe lippen verwarmde ze Magnus' handpalm.

90

'We hebben één ploeg die uit merries bestaat. Dat is een nieuw idee: we verwachten niet dat ze winnen, maar we gaan ze gebruiken wanneer ze hengstig worden. We hopen dat ze de hengsten in de andere ploegen zullen afleiden, zodat onze andere twee wagens als eerste en tweede eindigen.'

'Maar die zullen even sterk afgeleid worden als de rest.'

'Niet als het twee ploegen van ruinen zijn.'

'Leuk bedacht.' Magnus grijnsde en streelde Spendusa's gespierde flank. 'En heeft dat idee kans van slagen?'

'Mijn oom zegt dat het in experimenten in het Circus Flaminius al succesvol is geweest. De hengsten presteren ondermaats – die blijven maar proberen een merrie te besnuffelen – terwijl de ruinen juist harder lopen, omdat ze alleen maar aan de voederzak achter de eindstreep denken.'

Magnus floot bewonderend. 'Daar zullen de andere facties flink van balen.'

'Er komen beslist rellen van.'

'Zeker weten. Wanneer ga je dat idee uitproberen?'

'Ze zijn weer hengstig op de calendae van maart, de geboortedag van Mars. Die dag zullen we ze aan een van de wedstrijden laten meedoen, nadat de gewapende priesters van de Salii hun ronde door de stad hebben voltooid.'

'In welke wedstrijd?'

'Dat weet ik nog niet, maar ik laat het je weten wanneer ik erachter ben.'

'Zulke informatie is een hoop geld waard.'

'Dat weet ik. En ik vertel je dit zodat je het aan tribuun Vespasianus kunt doorgeven, als bedankje dat hij me in Thracië het leven heeft gered toen ze me wilden executeren. Hopelijk zal hij ervan kunnen profiteren.'

Magnus lachte en sloeg een arm om Lucius' schouders. 'En de Vestaalse Maagden zullen elke belangstelling voor hun middelvinger verliezen. Ik ben bang dat je het verkeerde bedankje in gedachten hebt, het is even waarschijnlijk dat Vespasianus een gokje zal wagen als dat ik me van achteren door een Nubiër laat pakken. En bovendien is hij een paar maanden uit Rome weg; hij verblijft op zijn landgoed in Cosa. Maar ik wil er graag in zijn plaats van profiteren.'

Lucius haalde zijn schouders op. 'Best hoor, ik sta ook nog bij jou in het krijt tenslotte. Bij het Equirria-festival, twee dagen voor de calendae, zal ik weten voor welke wedstrijd we ze inschrijven. Kom dan bij me langs.'

'Wat weet je over de gokmakelaars Albus, Fabricius, Blasius en Glaucio?' vroeg Magnus aan Servius. Ze zaten aan een van de ruwhouten tafels voor de kruispuntherberg een potje te dobbelen, maar niet om geld. Rondom hen vermaakte de broederschap zich op dezelfde manier, terwijl ze tegelijkertijd de constante stroom voorbijgangers in de gaten hielden die van en naar de Porta Collina liepen, een paar honderd passen verderop langs de Alta Semita, of de open winkels op de begane grond van de huurkazernes langs de straat bezochten.

'Afgezien van het feit dat ze allemaal een vergunning hebben om in het senatorenvak in het Circus Maximus te werken?'

Magnus glimlachte, onder de indruk van de snelheid waarmee zijn begeleider het verband legde. 'Ja, dat weet ik.'

'Albus en Glaucio komen beiden van de Aventijn: geboren en getogen in de huurkazernes aan de overkant bij de graanschuren, maar ze wonen nu in veel grotere huizen op de top. Ze kennen elkaar sinds ze jongens waren en zijn steeds rivalen geweest, hun wederzijdse afkeer wordt alleen overtroffen door hun haat jegens andere gokmakelaars. Ondanks die antipathie werken ze samen om weddenschappen te manipuleren, om hun negotie te beschermen.' Servius gooide de dobbelstenen en trok een teleurgestelde grimas.

Magnus pakte de dobbelstenen op. 'Dus ze hebben elkaar nodig?'

'Ja, het is een pervers soort loyaliteit, maar wel een sterke.'

'Hoe zit het met de andere twee?'

'Fabricius is een vrijgelatene; hij woont op de Caelius, dicht bij de Servische Muur. Hij is volstrekt meedogenloos en rekent keihard af met iedereen die hem dwarszit, hij liet zelfs het huis van een buurman in brand steken omdat die een verdieping op dat huis had gezet en er geen zon meer in zijn tuin viel. Er kwamen vier mensen om, onder wie de eigenaar, maar er kon natuurlijk niets bewezen worden. Afgezien van zijn lijfwachten en gokpersoneel bestaat Fabricius' gehele huishouding uit slavinnen die extreem goed doorvoed zijn, om het zo maar te zeggen.'

'Voor een stevig partijtje ketsen, zeker?' grinnikte Magnus terwijl hij de beker schudde en de stenen wierp.

'Merkwaardig is het wel, want hij is zelf vel over been, al heb ik gehoord dat hij bij de Saturnalia als een slaaf zit te vreten.'

Magnus bekeek zijn score. 'Hij wentelt zich ter compensatie blijkbaar in een weelderige massa vrouwelijk vlees; dat houdt hem vast en zeker warm in de winter.'

Servius trok zijn neus op. 'Maar hoe zit dat in een hete zomer?'

Magnus schoof de dobbelstenen over de tafel. 'Ik moet er niet aan denken.'

'Zeg dat wel. Maar Blasius woont op de westhelling van de Esquilijn, niet ver van de Porta Querquetulana. Ik weet niets over hem, behalve dat hij schatrijk is, net als de andere drie. Ze worden allemaal goed bewaakt, zoals je mag verwachten van mensen die regelmatig enorme bedragen aan senatorengeld aannemen, en ze betalen allemaal voor de bescherming van hun plaatselijke broederschap. Daarom is het verdomd lastig om in hun buurt te komen, als je dat tenminste bedoelt.'

'Ik heb maar één vacature nodig, zodat ik Ignatius toegang tot het senatorenvak kan geven.' Magnus wierp een blik langs Servius' schouder en zag een groepje van zes goedgeklede oosterse reizigers, die duidelijk net in de stad waren aangekomen. 'Tigran! Dat lijkt me er eentje voor jou en je neef, knijp ze maar flink uit.'

Een jonge man met een amandelkleurige huid en een met henna gekleurde puntbaard stond van de tafel naast Magnus op. 'Met alle plezier, Magnus. Kom, Vahram, laten we onze Romeinse broeders tonen hoe we het juiste tolbedrag om door onze wijk te reizen kunnen innen.' De ogen van zijn neef glinsterden en onder zijn baard werden witte tanden zichtbaar; de twee oosterlingen liepen naar de reizigers toe.

'Hou ze in de gaten, Marius, en steun ze als de onderhandelingen niet voorspoedig verlopen.'

'Komt voor elkaar, Magnus.' Marius stond op en gebaarde een paar broeders dat ze hem moesten volgen.

Magnus richtte zijn aandacht weer op Servius. 'Wat stel jij dan voor?'

Servius wreef met zijn handpalm over de ruwe grijze stoppel-baard op zijn kin en dacht even na. 'Als je er per se een wilt pakken, moet je Fabricius nemen.'

'Waarom?'

'Vanwege de ligging van zijn huis, ga zelf maar kijken van-avond.'

Een plotselinge gil, gevolgd door geschreeuw en gekletter van harde leren zolen op de stenen, overstemde het achtergrondlawaai van de winkeliers, straathandelaren en afdingende klanten. Magnus draaide zich om en sprong meteen op, een kort straatvechterszwaard uit zijn riem trekkend. Een van de twee neven lag op straat te kron-kelen, terwijl Tigran, de andere neef, slechts met een mes gewa-pend de zwaarden van twee van de reizigers afweerde. Ondertussen stortten Marius en zijn twee broeders zich op de rest.

'Hierheen, jongens!' riep Magnus tegen de andere broeders, die meteen overeind kwamen, waarbij ze de tafels met veel lawaai naar voren schoven en banken omgooiden. Magnus trakteerde een van Tigrans tegenstanders op een stevige duw met de zijkant van zijn bovenlichaam, zodat hij op de grond viel, en doorkliefde met zijn zwaard de onderarm van de man op het moment dat de jonge oos-terling op zijn knieën viel, met zijn hand een bloedende wond aan zijn schouder omklemmend. Magnus stampte op de knieschijf van de op de grond liggende man, waarna hij de lange haardos van Ti-grans tweede aanvaller beetpakte; toen de man zijn wapen ophief voor een dodelijke uithaal naar de gewonde broeder, rukte Magnus zijn hoofd naar achteren en drukte een met bloed bevlekt lemmet tegen zijn blote hals. 'Als ik jou was zou ik dat ding laten vallen, smeerlap, want het is in onze stad verboden een zwaard bij je te dragen.' Om zijn woorden kracht bij te zetten ramde hij zijn knie tussen de billen van de man en drukte hij het mes langzaam dieper in zijn keel; het zwaard van de oosterling viel op de grond en hij zakte in elkaar.

Magnus smeet de man op de grond, vol walging naar hem spuwend, en keek rond. Het gevecht had een hele meute toeschouwers getrokken. 'Zorg dat ze verdwijnen, Marius.'

'Komt voor elkaar, Magnus.' Marius liep weg zonder zijn mes in het foedraal te stoppen; de menigte verspreidde zich zonder dat de nieuwsgierigen verteld hoefde te worden dat ze zich met hun eigen zaken moesten bemoeien, en niet met die van de plaatselijke kruispuntbroederschap.

De zes reizigers lagen allemaal op de grond, sommigen waren bewusteloos, anderen schreeuwden van de pijn; hun slaven, die de bagage droegen, stonden op een afstandje doodsbang naar hun meesters te kijken en wisten zich geen raad. Tigran omklemde nog steeds zijn schouderwond om te proberen het bloeden te stelpen. Met een van pijn en treurnis vertrokken gezicht keek hij naar de troebele ogen van zijn neef Vahram.

'Wat is daar verdomme gebeurd?' riep Magnus woedend uit. 'De bedoeling was dat jullie hun een vriendelijk aanbod zouden doen om voor een klein bedrag bescherming bij de passage van ons domein te bieden, niet dat jullie ze de oorlog zouden verklaren!'

Tigran wendde moeizaam zijn blik van het onbeweeglijke gezicht van zijn neef af en keek naar Magnus op. 'Alles was al geregeld: een denarius voor elke reiziger en twee voor de slaven.' Hij wees naar een oosterse man die naast Vahram zachtjes lag te kreunen in een plas bloed, dat uit zijn buik gevloeid was. 'Hij zei dat hij de acht denarii zou betalen en stopte zijn hand onder zijn mantel. We dachten dat hij zijn beurs pakte, maar in plaats daarvan kwam er een zwaard tevoorschijn, dat hij in Vahram ramde.'

Verderop in de straat klonk het staccato gekletter van spijkersandalen.

'Geweldig hoor!' snauwde Magnus. 'Nu bemoeien de stadscohorten zich er ook nog mee.'

'We zullen de stadsprefect hiervan op de hoogte moeten brengen,' zei de centurio van de stadscohort tegen Magnus toen hij de doden en gewonden zag liggen. 'Hij heeft ons het bevel gegeven om tegen straatgeweld op te treden, vooral als de broederschappen erbij betrokken zijn.'

Magnus knikte, de indruk wekkend dat hij daar begrip voor had. 'Terecht, centurio, er zitten echt bruten bij. Het is bijna zover gekomen dat fatsoenlijke mensen 's avonds niet meer over straat kunnen. Maar wij proberen de wet in onze buurt te handhaven.' Hij wipte met zijn voet de mantel van een van de gewonde oosterlingen op, zodat er een schede zichtbaar werd. 'Zie je wel? Een zwaard in de stad dragen, wat alleen jullie en de praetorianen is toegestaan. We probeerden hun dat alleen maar uit te leggen, want ze waren duidelijk voor het eerst in Rome en kenden dat voorschrift blijkbaar niet. En nu heeft het een van mijn mannen zijn leven gekost.'

Terwijl de centurio naar het bewijs tuurde stelden zijn mannen zich met getrokken wapens in een wijde kring op. 'Toch zal ik een rapport moeten opmaken.'

'Ja, natuurlijk. Ik zou hetzelfde hebben gedaan toen ik nog bij de cohorten zat.'

'Heb je in een van de stadscohorten gediend?'

'Ik ben tien jaar geleden uit dienst gegaan. Ik geloof dat mijn kameraad Aelianus nog steeds kwartiermaker in de kazerne is?'

De centurio grinnikte. 'Die oude boef, ja. Hij had al jaren geleden moeten vertrekken, maar hij blijft maar hangen.'

'Het is heel lucratief om voor alle uitrusting te moeten zorgen.'

'Vast en zeker, ik probeer al twee maanden lang nieuwe schoenen voor mijn centurie te krijgen.'

'Hoe heet je, centurio?'

'Nonus Manilus Rufinus.'

'Nou, Rufinus, je mag van geluk spreken. Ik zal een praatje met Aelianus maken, en de volgende keer dat je een verzoek om schoenen doet moet je mijn naam noemen, Marcus Salvius Magnus. Ik denk dat Aelianus zich heel bereidwillig zal tonen en het zou me verrassen als je mannen op hun soldij worden gekort voor die nieuwe spullen.'

'Dat is heel fideel van je, Magnus.'

'Geen probleem, beste vriend. Maar wat gaan we nu met die verdomde oosterlingen doen die een van mijn mannen met hun illegale zwaarden hebben vermoord?'

Rufinus krabde op zijn achterhoofd. 'Ik voer ze af naar de cohortkazerne en sluit ze op totdat de stadsprefect heeft besloten wat er met ze gedaan moet worden.' Hij bekeek de buikwond van de moordenaar van Vahram met aandacht. 'Als ze in leven blijven tenminste. Uiteraard zal ik een rapport moeten maken, we kunnen niet toestaan dat de wet zo flagrant wordt overtreden. Vanzelfsprekend zal ik benadrukken dat het van jullie kant om zelfverdediging ging.'

'Vanzelfsprekend. En je zult evenmin melding maken van de Zuid-Quirinale Kruispuntbroederschap?'

'Natuurlijk niet; dan raakt de stadsprefect maar geagiteerd, en dat willen we echt niet, want hij is al aardig op leeftijd.'

'Een wijze voorzorgsmaatregel, Rufinus, ik geloof dat hij dit jaar tachtig wordt.' Magnus wees op de slaven van de oosterlingen, die in een groep bijeen waren gedreven. 'Zullen we het bloedgeld nu gewoon afpakken, of wat ze ook bij zich hebben?'

Rufinus haalde zijn schouders op. 'Dat zou de zaak vast gemakkelijker maken; als jij blij bent met het bloedgeld, kunnen we de moord verder vergeten. Neem wat je wilt.'

'Het zou eenvoudiger zijn als we gewoon alles meenamen. Jij komt vanavond na je dienst langs om je aandeel op te halen, toch?'

'Ja, natuurlijk. Maar ik kan die slaven beter meenemen, voor het geval dat... je weet wel.' Rufinus maakte een vaag handgebaar.

'Dat weet ik maar al te goed,' verzekerde Magnus hem. 'Je weet maar nooit.'

'Zeg dat wel.'

'Moeten een paar van mijn mannen de jouwe helpen om die klootzakken naar de kazerne te brengen?'

'We redden het wel, Magnus. Ik zie je vanavond, als ik langskom voor mijn... eh...'

'Ik wacht op je, vriend.'

'Een derde gaat naar Tigran, een derde naar Rufinus en een derde naar de broederschap,' zei Servius, met een telraam goochelend.

'Dat betekent dat één aandeel in munten honderdeenentwintig aurei is.'

Magnus floot zachtjes en stopte met heen en weer lopen in de kleine achterkamer. 'Geen wonder dat ze gewapend waren. Ze hadden meer dan drieduizend denarii bij zich. Wat wilden ze met zoveel geld?'

'Ik weet het niet, maar zeker is wel dat ze het niet graag zullen verliezen. Ze zullen er zeker naar op zoek gaan zodra ze vrij zijn.'

'Over een paar dagen zijn ze dood, het zijn geen burgers. Rufinus zal een vernietigend rapport opmaken als hij eenmaal inziet hoeveel hij met hun executie kan verdienen. Ik zou me er geen zorgen over maken, broeder, en ze verdienen gewoon niet beter nadat ze Vahram hebben vermoord. We moeten ons op belangrijkere zaken concentreren: het wordt tijd dat ik een kijkje bij het huis van Fabricius ga nemen.'

'Je kunt er gewoon in kijken!' mompelde Magnus verrast toen hij vanaf de Servische Muur naar de met fakkels verlichte binnentuin van Fabricius' huis keek, niet meer dan vijftig passen van hem vandaan.

Terwijl ze over het voetpad op de muur verder liepen klopte Servius Magnus lachend op zijn schouder. 'Alleen omdat Fabricius een paar maanden geleden het huis tussen het zijne en de muur in brand heeft gestoken, ze zijn nog niet met de herbouw begonnen.'

Magnus wierp een blik op de verkoolde ruïne onder aan de muur, die in het vale maanlicht net zichtbaar was. 'Domme man, hij beseft echt niet hoeveel dat beetje extra zon hem gaat kosten.' Hij bleef staan en bekeek het huis aandachtig. De binnentuin, die door een zuilengang met schuin pannendak werd omringd, was met veertig bij twintig passen behoorlijk groot voor de dichtbevolkte Caelius; hoewel de muur eromheen bijna twaalf voet hoog was, kon Magnus vanaf zijn dertig voet hogere positie de deur zien die naar het tablinum en verder naar het atrium van het huis leidde. 'Van hier tot aan de deur zal het bijna honderd passen zijn, als Fabricius daar naar buiten kwam zou het voor een goede boogschutter geen onmogelijk schot zijn. Tigran is onze man, hij is een oosterling; dat zijn geboren boogschutters.'

'Zo denk ik er ook over, maar in deze tijd van het jaar gaat hij 's avonds niet naar buiten, en het zou te gevaarlijk zijn om overdag een poging te wagen. Tigran moet van het duister gebruikmaken om veilig te kunnen ontsnappen.'

'Dan zullen we iets moeten bedenken waardoor hij onder zijn dikke slavinnen vandaan komt en de tuin in gaat. Laat Marius en een paar jongens het huis de komende dagen in de gaten houden, we moeten een beeld krijgen van de dagelijkse gang van zaken in zijn huishouden. In de tussentijd moeten we uitzoeken hoe we kunnen voorkomen dat drie Blauwe en drie Witte ploegen voor de Roden eindigen.'

'Hoe zit het met onze Groenen?'

'Dat is nog het gemakkelijkst, broeder. Ik heb vanmiddag gezien hoe je dat moet regelen.'

Magnus trok een somber gezicht toen hij door de deur van de herberg naar binnen liep. Aan zijn tafel in de hoek zat een Griek van achter in de twintig met een volle zwarte baard en donkere, uitdrukkingsloze ogen. 'Heeft ze om me gevraagd, Pallas?'

'Jawel, meester,' antwoordde Pallas, terwijl hij opstond en zijn hoofd boog.

'Dat is niet nodig.'

'Ik ben een slaaf en u bent een vrijgeborene.'

'Misschien, maar jij bent ook bediende van *domina* Antonia.'

'Maar nog steeds een slaaf.'

'En dat zal ik voor de rest van de avond zijn.'

'Dat is een kwestie van perceptie, meester. Als ze het van me eiste, kon ik niet weigeren bij haar in bed te komen, maar aan de andere kant kunt u dat wel.'

'Maar als ik dat deed, zou ik niet van haar gunsten kunnen profiteren.'

De Griekse bediende trok zijn wenkbrauw een fractie op. 'Maar dat zou uw vrije keuze zijn, terwijl als ik zou weigeren, zij het volste recht had mij te kruisigen.'

Magnus draaide zich om en liep naar de deur, met Pallas achter zich aan. 'Tja, wat je er verder ook van mag denken, feit blijft dat ze een machtige vrouw is en dat we alle reden hebben om aan haar wensen tegemoet te komen.'

'En sommige van haar verzoeken zijn veeleisender dan andere, en daarom stuurt ze mij erop uit om u te halen, zodat ze haar waardigheid kan behouden en maar heel weinig mensen ervan op de hoogte zijn dat ze... eh...'

'Graag hard door ex-boksers wordt geneukt?'

Pallas schraapte zijn keel. 'Precies.'

'Je kunt vertrekken, Magnus,' mompelde Antonia terwijl ze op het kussen naar het duistere plafond opkeek, dat door de zwakke olielampjes rond het bed nauwelijks verlicht werd. 'En neem je spullen mee.'

'Ja, domina.' Magnus keek naar de machtigste vrouw in Rome en vroeg zich af hoe het zover was gekomen. In de twee jaar dat hij na zijn vertrek bij de stadscohorten bokser was geweest had ze hem vaak voor gevechten ingehuurd, als vermaak voor haar vrienden na het avondmaal. Zoals veel andere respectabele Romeinse matrones liet ze hem soms na het einde van het feest nog blijven voor diensten van een andere aard. Hij had zijn plicht altijd ijverig uitgevoerd en aan al haar eisen toegegeven, en dat waren er heel veel, die bij meer beschroomde types vast niet in de smaak zouden vallen. Maar toen hij eenmaal met boksen was gestopt verhinderde het enorme verschil in hun maatschappelijke status dat ze elkaar nog zagen, totdat hij de neven van zijn beschermheer senator Pollo had ontmoet, Vespasianus en Sabinus. Ze waren in de gunst van Antonia gekomen en omdat Magnus loyaal was aan senator Pollo en zijn familie, hadden zijn pad en dat van Antonia elkaar een paar jaar geleden weer gekruist. Sindsdien had ze regelmatig een beroep gedaan op zijn diensten. Het was niet zo erg, bedacht hij, zijn lendendoek vastknopend, voor een vrouw van midden zestig was ze nog steeds aantrekkelijk. Haar huid was nog glad, met slechts een paar rimpels rond haar fonkelende groene ogen, die geen enkel detail in de omgeving misten. Ze maakte haar gezicht nauwelijks op, haar hoge jukbeenderen, geprononceerde kin en volle lippen hadden geen opsmuk nodig. Zelfs met haar kastanjebruine haar los en in de war slaagde ze er nog altijd in er als een patricische vrouw van hoge komaf uit te zien; dat ze niet dik was geworden en haar lichaam nog niet uitgezakt en diep geplooid was droeg daar zeker aan bij.

Magnus trok zijn tuniek aan, zachtjes over de bijtplekken op zijn schouder wrijvend. 'Domina?'

'Ben je nog niet weg?'

'Ik wil u om een gunst vragen, domina.'

'Wat dan?'

'Ik zou graag willen dat u iemand een tip voor de paardenrennen geeft.'

'Aan wie en waarom?' Antonia draaide zich loom om en ging met gesloten ogen op haar buik liggen, met haar gezicht in het kussen genesteld, het laken gleed van haar billen af. Magnus bewonderde zijn handwerk. 'Aan uw neef Ahenobarbus.'

'Met die vent wil je niets te maken hebben, hij is waarschijnlijk het allerakeligste lid van mijn familie. Ik ben dolblij dat hij en Agrippina nog geen kinderen hebben, een kind uit die relatie zou een monster worden.'

Magnus wist genoeg van de keizerlijke familie om te begrijpen dat dat een zware veroordeling was.

'Ik wil verder niets met hem te maken hebben, ik hoop dit te kunnen doen zonder dat hij te weten komt waar u de informatie vandaan hebt – totdat die betrouwbaar is gebleken, als u snapt wat ik bedoel.'

'Waarom wil je dat hij wint bij de wedstrijden?'

'Ik wil niet zozeer dat hij wint, maar dat hij zo'n grote wedden-schap aangaat bij een gokmakelaar die Ignatius heet dat Ignatius geruïneerd wordt als hij inderdaad wint.'

'Als hij wint.'

'O, hij zal zeker winnen, zoveel is zeker.'

'Hoeveel moet hij dan inzetten?'

'Duizend aurei op een Rode een-twee-drie, met een kans van on-geveer vijftig tegen een.'

'En als hij wint, zal de gokmakelaar hem meer dan een miljoen denarii schuldig zijn, dan is hij waarschijnlijk bankroet.'

'Jazeker, domina.'

'Ik neem aan dat die gokmakelaar jou kwaad heeft gemaakt.'

'Absoluut, domina.'

'Ahenobarbus gelooft me misschien niet.'

'Dat weet ik, dus voordat hij de grote weddenschap afsluit, houden we een oefenwedstrijd tijdens de rennen op de calendae van maart. Dan kan hij beoordelen hoe betrouwbaar de informatie is die hij krijgt. Als u me deze gunst wilt verlenen, laat Pallas me dan die ochtend op het derde uur bij de tempel van Mars op het Forum van Augustus ontmoeten.'

'Ik zal erover nadenken, Magnus, vertrek nu.'

'Ja, domina.' Magnus pakte zijn sandalen van de grond op en de korte zwartleren zweep van het bed en liep de kamer uit.

'De Witten halen hun ploegen uit de stallen vandaan en slaan rechts af langs het Pantheon en de Thermen van Agrippa; ze rijden dan tussen het theater van Pompeius en het Circus Flaminius door naar de Brug van Fabricius en zo verder over het Tibereiland,' liet Servius aan Magnus weten toen ze drie dagen later in de regen voor de Villa Publica op de Campus Martius stonden. 'Ze steken de rivier over, slaan links af de Via Aurelia in en gaan over de Brug van Aemilius en door de Porta Flumentana het Forum Boarium op, waar alle vier de ploegen hun kamp voor de wedstrijddag hebben opgeslagen. De Roden kunnen die route ook nemen, maar de stadsprefect laat de Roden nooit op hetzelfde tijdstip als de Witten vertrekken. Op die manier voorkomt hij problemen tussen de facties.'

Magnus dacht een paar momenten lang over die informatie na, terwijl de regendruppels van zijn breedgerande hoed vielen. Hij huiverde en trok zijn mantel strakker om zijn schouders. 'Hoe zit het met de Sublicische Brug?'

'Om te voorkomen dat gespuis het kamp van de ploegen binnendringt is die op een wedstrijddag altijd gesloten, omdat die rechtstreeks op het Forum Boarium uitkomt.'

'Dus je kunt de rivier in de buurt van het Circus Maximus op een wedstrijddag alleen via het Tibereiland en de Brug van Aemilius oversteken.'

'Precies.'

'Hoe zit het met de Groenen en de Blauwen?'

'Die nemen een andere route. Ze steken de rivier helemaal niet over; ze komen de stad binnen via de Porta Carmentalis, doorkruisen de wijk Velabrum en bereiken het Forum Boarium vanuit oostelijke richting.'

'Waarom zijn er twee verschillende routes?'

'Om opstoppingen te voorkomen.'

'En houden ze zich altijd aan dezelfde route?'

'Altijd. Jij zult dit vast niet weten, omdat we dankzij onze connecties op elk tijdstip het Circus Maximus kunnen binnengaan, maar honderdduizenden Romeinen kunnen dat niet, en die verzamelen zich dan langs de routes, zodat ze hun favoriete ploegen zien passeren.'

'Zoals dat volk leeft, hè?'

Servius spuwde, de klodder speeksel verdween meteen in een plas regenwater. 'Achterlijk plebs. Kom op, broeder, laten we teruggaan voordat mijn oude botten het begeven.'

'Hoe lang van tevoren brengen ze de ploegen binnen?' vroeg Magnus, terwijl ze zich omdraaiden om te vertrekken.

'Normaal gesproken beginnen ze op een dag van vierentwintig rennen met de twaalf strijdwagens voor de eerste vier rennen, plus de reserveploegen voor die dag en alle hortatores, daarna komen er de hele dag door nieuwe ploegen van twaalf aan, zodat het niet te vol wordt op het Forum Boarium.'

Magnus grijnsde ondanks de regen. 'Dus als we zouden voorkomen dat de Witten hun laatste ploeg van twaalf konden binnenbrengen, zouden ze geen ploegen in de laatste vier wedstrijden hebben – zo is het toch, broeder?'

'Vergeet de reserveploegen niet.'

'Hoeveel zijn er daarvan?'

'Dat hangt van de conditie van de paarden af, maar normaal gesproken tussen de drie en zes ploegen; het zijn er vanwege ruimtegebrek nooit meer.'

'Dus we zouden kunnen garanderen dat er de laatste twee rennen geen Witten meedoen?'

'Zou kunnen, maar hoe wil je dat doen? Ze worden heel streng bewaakt en als je de weg zou blokkeren zouden ze gewoon omkeren en een andere route naar de renbaan nemen.'

'Niet als we de bruggen blokkeren en ze aan de verkeerde kant van de rivier opsluiten.'

'Maar de Roden zouden ook vast komen te zitten.'

'Niet als we het op het goede moment doen. Laten we Nonus Manilus Rufinus uitnodigen voor een gesprekje als hij vanavond klaar is met zijn dienst.'

'Wat ben je te weten gekomen, broeder?' vroeg Magnus, zijn handen boven een draagbaar komfoor wrijvend, toen Marius de achterkamer van de herberg binnenkwam.

'Fabricius gaat niet veel uit en als hij dat wel doet, wordt hij heel goed bewaakt.'

'Zoals we konden verwachten,' merkte Servius op terwijl hij een slok uit een dampende beker hete wijn nam; zijn ogen traanden door de rook uit het komfoor.

Magnus wees op de kruik op de tafel. 'Bedien jezelf, broeder. Hoe zit het met zijn huishouden?'

Marius schonk zichzelf grinnikend een beker in. 'Nou, elke ochtend vertrekken twee van zijn dikke slavinnen – en die zijn echt dik, je zou ze moeten zien, Magnus, je zou ze door de bloem moeten rollen en naar de vochtige plek moeten zoeken – hoe dan ook, elke ochtend vertrekken die twee naar de markt om boodschappen voor die dag te doen. Een paar uur later komen ze terug met een hele lading spullen. Ongelofelijk zoveel als die lui daar allemaal eten.'

'Fabricius ziet graag dat ze lekker dik blijven, en hij kan het heel goed betalen.'

'Nou, ik heb nog nooit zoiets gezien, Magnus.'

'Hebben ze bewaking als ze weggaan?'

'Nee, wie zou ze iets willen aandoen?'

'Wij bijvoorbeeld. Broeder, nodig morgen die twee welgevormde dames hier uit om van de gastvrijheid van de broederschap te genieten, als je begrijpt wat ik bedoel.'

Marius' ogen glinsterden van plezier boven de rand van zijn beker.

'Het zijn enorme ouwe wijven, die kan ik samen met mijn twee jongens echt niet aan.'

'Neem Sextus mee, wat hij aan hersens mist, maakt hij goed in spierkracht.'

Marius draaide zich om en pakte zijn beker op om te vertrekken. 'Je hebt gelijk, Magnus, ik zorg dat ze hier op het derde uur van de dag binnen zijn.'

'Stel me niet teleur, broeder, en zorg dat ze jullie gezichten niet zien als je ze oppakt.'

'Natuurlijk niet, Magnus.' Marius opende de deur en stapte naar buiten.

'Laat de deur maar open, dan trekt de rook er een beetje uit.'

Servius wreef in zijn ogen. 'Bedankt.'

'We zijn gereed om dit eerste deel morgenavond uit te voeren. Hoe doet Tigran het met zijn boogschietoefeningen?'

'Hij zegt dat het goed met hem gaat, zijn wond is mooi genezen. De afgelopen dagen is hij elke ochtend de stad uit gegaan om op een zak hooi honderd passen verderop te schieten, hij beweert negen van de tien keer raak te schieten.'

'Laten we hopen dat het morgen niet zijn tiende schot is. Zeg tegen hem dat hij de hele dag moet oefenen en bij het vallen van de avond hier moet zijn. En laat een van de jongens morgenochtend vroeg een paar slangen kopen, maar geen giftige.'

Servius pakte een stylus en een wastablet en maakte een aantekening. 'Dat doet me ergens aan denken,' zei hij, een eerdere aantekening lezend. 'Cassandros kwam vanmorgen langs, hij zegt dat hij enorm heeft genoten met een jonge knaap van de Roden. Ik zal je de details besparen, maar de jongen is dol op alle liefhebberijen van Cassandros en van een ervan kan hij zelfs geen genoeg krijgen.'

Magnus vertrok zijn gezicht en keek naar zijn hand. 'Ik veronderstel dat er veel olijfolie voor nodig is.'

'Ik vrees van wel, broeder. Hoe dan ook, de knaap is nu kneedbaar als was, en Cassandros weet zeker dat we hem alle mogelijke informatie kunnen ontfutselen.'

'Mooi, zeg tegen hem dat ik als het zover is wil weten hoe de vorm van de Rode ploegen in de laatste twee rennen op de eerste wedstrijddag na de calendae van maart is.'

Terwijl Servius een aantekening over de wedstrijd maakte verscheen er een silhouet in de deuropening.

Magnus stond op om de net gearriveerde man te begroeten. 'Rufinus, mijn nieuwe vriend, goed dat je gekomen bent, ik wil even met je overleggen over het afsluiten van bruggen bij rellen.'

Magnus huiverde, zijn adem vormde wolkjes in de koude nachtlucht terwijl hij ineengedoken op de Servische Muur zat, zodat zijn silhouet niet zichtbaar was. Naast hem tuurde Tigran in het maanlicht aandachtig naar een pijl. Hij controleerde of de veren goed vastzaten en of de schacht recht was; toen hij tevreden was met zijn keuze, zette hij hem op de boog.

'Bij Juno's mollige reet, kom op, jongens,' mompelde Magnus met zijn blik gericht op de straat waar Fabricius woonde, 'wat houdt jullie tegen?'

Marius en Sextus hadden eerder die dag de twee slavinnen gebracht, die ze vervolgens hadden vastgebonden, gekneveld en geblinddoekt. Magnus was werkelijk verrast door hun omvang en had zelfs even gevreesd dat zijn plan niet zou werken, maar toen de jongens hadden laten zien dat ze de kolossale vrouwen konden optillen was hij gerustgesteld.

Nadat hij nog een paar keer mompelend had gevloekt hoorde Magnus eindelijk het geluid waarop hij had gewacht: het geklikklak van hoeven en het geratel van met ijzer beschoten wielen op de stenen. Er verscheen een afgedekte wagen uit de duisternis, die langzaam de straat in reed. Toen hij bij de ommuring van Fabricius' erf kwam reed hij zo dicht mogelijk naar de muur toe en stopte. Het dekkleed werd door duistere gedaanten teruggeslagen, waarna er twee ladders rechtop in de wagen werden gezet, die tot aan de bovenkant van de muur reikten.

'Brave jongens,' mompelde Magnus zachtjes. Twee van de gedaanten beklommen nu de ladders, met een grote, driftig tegenspartelende gestalte tussen zich in, onder hen ondersteunden nog twee gedaanten het zware gewicht van de kronkelende last. Uiteindelijk wisten ze de bovenkant van de muur te bereiken en tilden ze hun lading op het pannendak van de zuilengang in de tuin.

'Vergeet niet dat we dat magere mannetje willen hebben,' bracht Magnus Tigran in herinnering, terwijl de tweede corpulente slavin de ladders op werd getild. 'De eersten die door de deur naar buiten komen zijn de lijfwachten; als je een van hen neerschiet, mislukt alles.'

Tigran knikte, nam een geknielde houding aan en spande zijn compacte recurveboog op het moment dat de tweede gedaante het dak op gehesen werd.

'Nu de kappen en knevels, jongens,' mompelde Magnus, 'en zorg dat ze lawaai gaan maken.'

De twee mannen op de ladders friemelden een paar momenten met de slavinnen en sprongen naar beneden, terwijl er opeens een doordringend gekrijs klonk. Zodra de ladders waren weggehaald reed de wagen luid ratelend weg, sloeg een zijstraat naar links in en verdween in het donker.

Het gekrijs hield niet op.

Tigran richtte zijn pijl op de dichte tuindeur van Fabricius' huis, er drong een spleet licht onderdoor. Op het dak begon een van de twee slavinnen omlaag te glijden, en tegelijk klonk het gegil nog harder en schriller.

'Ze vinden die slangen in hun tunieken niet echt prettig,' merkte Magnus op terwijl hij naar de deur bleef kijken, vurig hopend dat die openging. 'Kom op, kom op.'

De slavin was nu tot aan de rand van het dak omlaaggegleden en viel met een nog schrillere kreet in de tuin omlaag. Daarna zweeg ze.

De deur ging open en er verschenen twee omvangrijke gedaanten, die de doorgang geheel versperden.

'Lijfwachten,' fluisterde Magnus ten overvloede.

De tweede slavin schreeuwde nog steeds; de twee mannen renden naar haar toe en verdwenen uit het zicht, terwijl een enorme vrouwelijke gestalte, die duidelijk naakt was, hun plaats in de deuropening

107

innam, op de voet gevolgd door een tweede en daarna nog een derde.

Tigran hield zijn pijl strak op de twee vrouwenlichamen gericht, die donker afstaken tegen het vale licht in het huis.

Er klonk een luide kreet in het huis, waarop de drie vrouwen zich omdraaiden en zich van elkaar losmaakten; het licht danste op hun vetrollen, die op en neer deinden toen ze wegliepen. Er dook een kleine man in hun midden op, die hen opzijduwde.

Tigrans boog snorde.

De man bleef staan.

De vrouwen sprongen achteruit.

Tigrans boog snorde opnieuw. Ditmaal draaide de man hevig schokkend rond, met zijn linkerschouder omhoog. De vrouwen brachten hun handen naar hun mond maar slaagden er niet in het gekrijs dat uit het huis opklonk te stoppen, terwijl Fabricius met twee pijlen in zijn borst op de grond zakte.

'Fantastisch geschoten, broeder,' zei Magnus, vol bewondering zijn hoofd schuddend. 'Je hebt zojuist een vacature gecreëerd die ons heel goed uitkomt.'

'Ik heb mijn aanbeveling gedaan,' zei Gaius de volgende dag tegen Magnus toen hij de senator met een paar van zijn broeders vanuit het Senaatsgebouw de Quirinaal op begeleidde.

'En?'

'Nou, de aedilis toonde zich nogal verrast dat er een vacature was en dat hij dat nu pas vernam; ik verzekerde hem dat het waar was – een van Fabricius' rivalen had hem van kant gemaakt tijdens een ruzie over de rangorde in het senatorenvak. Ik zei tegen hem dat het geen onderzoek waard was, want wie van de andere drie het ook had gedaan, hij zou zeker zijn sporen uitwissen.'

'Een heel verstandig advies, senator, we willen immers niet dat de aedilis zijn uitermate kostbare tijd aan een zinloos onderzoek zou verspillen.'

'Precies, vooral omdat hij die dient te gebruiken voor de veel belangrijkere taak om te garanderen dat er genoeg gokmakelaars voor de senatoren zijn, bij wie ze de volgende wedstrijddag hun weddenschappen kunnen afsluiten.'

Magnus knikte wijs. 'Veel belangrijker. Wat vond de aedilis van uw suggestie?'

'Hij pakte de honderd aurei aan die je mij had meegegeven en zei dat hij Ignatius meteen zou laten opdraven. Hij verzekerde me daarna met klem dat als Ignatius de aedilis een forse premie kon bieden om hem te benoemen, dat vanavond al bevestigd kon zijn, voordat andere gokmakelaars van het trieste lot van Fabricius hadden vernomen en zelf naar de functie zouden solliciteren.'

'Dat is heel sympathiek van hem, misschien wilt u hem als dank een wedstrijdtip geven? Ik weet zeker dat Ignatius de weddenschap van de aedilis maar al te graag zou aannemen, nadat hij zich zo grootmoedig tegen hem had betoond.'

Gaius keek Magnus aan en kneep zijn ogen toe. 'Aha! Ik begrijp het: zorg ervoor dat iets zeker gaat gebeuren, laat mensen die het kunnen betalen een groot bedrag bij Ignatius inzetten en maak hem kapot. Dat zal zeker lukken, maar wat heeft Sabinus daaraan?'

'We hoeven alleen maar op het juiste moment zijn naam bij iemand te noemen. Maar eerst moeten we ervoor zorgen dat die zekere gebeurtenis daadwerkelijk zijn beslag krijgt.'

'Hoe denk je dat te kunnen bewerkstelligen?'

'Door na de Equirria eens rustig met de leider van de Groene factie te babbelen.'

Een paar dagen later heerste er een feeststemming onder het talrijke publiek op de Campus Martius, dat op weg was naar het overvolle Trigarium in het oosten en zuiden van de Tiberbocht. Omdat hier geen permanente gebouwen stonden was dit een ideale buurt om paarden te trainen, maar vandaag was het volk van Rome niet hierheen gekomen om naar trainingen te kijken. Het kwam voor wedstrijden: de Equirria, een reeks paardenrennen ter ere van Mars.

Magnus slalomde door de deinende menigte om het wedstrijdkamp van de Groenen aan de rivieroever te bereiken. Hoewel er geen wagenrennen op het programma stonden, deden de facties wel mee, met hun hortatores als ruiters; ze zouden beslist zware concurrentie vormen voor de jonge edelen die in de uitputtende wedstrijden over verschillende afstanden hun favoriete dieren bereden.

'Lucius!' riep Magnus boven het rumoer uit toen hij zijn vriend de riem en het zadel van een van de Groene paarden zag controleren.

Lucius keek op van zijn werk. 'Magnus, beste vriend, ik verwachtte je al.' Hij wachtte even totdat Magnus dichterbij kwam. 'Ik heb goed nieuws, maar niet hier. Ik vertel het je buiten het kamp.'

Een enorm gebrul overspoelde het hele Trigarium, ten teken dat de eerste wedstrijd begon. Gekleed in de kleuren van hun facties of, als ze onafhankelijk waren, in een neutrale tuniek, joegen de twaalf ruiters hun paarden met angstwekkend hoge snelheid over de ovale baan tussen de toeschouwers door. Zonder afbakeningen die de route aangaven was de renbaan niet duidelijk gedefinieerd en was de breedte afhankelijk van de golvende bewegingen van het publiek, dat steeds weer oprukte om de wedstrijd beter te kunnen volgen. Met vlaggen of linten van elke factie wapperend juichten de supporters de ruiters toe, terwijl die hun weg over het verraderlijke parcours zochten, waarbij ze de roekeloze toeschouwers die zich op de baan hadden gewaagd ternauwernood konden ontwijken, en soms ook niet, met rampzalige gevolgen.

Nadat hij het tuig van het paard aan een gereedstaande slaaf had overgegeven leidde Lucius Magnus van het Groene kamp weg, de deinende massa in. 'Ik hoorde de factiemeester gisteren tegen mijn oom zeggen dat de merries en ruinen overmorgen in de tweede wedstrijd zullen rennen.'

'En is dat zeker?'

Lucius haalde zijn schouders op. 'Zo zeker als mogelijk is, er bestaat altijd een kans op blessures tijdens de training.'

'En hoe verloopt de training?'

'Uitstekend, beste vriend. De twee ploegen met ruinen zouden allebei een goede kans maken om te winnen, zelfs zonder de hulp van de hengstige merries.'

'Dat is goed nieuws. Waar kan ik je factiemeester vinden?'

'Euprepes is in de tent in het midden van ons kamp. Ik kan je wel naar hem toe brengen als je aan hem voorgesteld wilt worden.'

'Beter van niet, vriend, ik ga wel alleen. Het zou voor jou wel eens gevaarlijk kunnen zijn om samen met mij gezien te worden, na wat ik hem te vertellen heb.'

Lucius trok een bezorgd gezicht. 'Je gaat hem toch niet vertellen dat je van de merries op de hoogte bent?'

'Nee, beste vriend, ik zou je loyaliteit nooit op zo'n manier verraden.'

'Euprepes wil niemand spreken zonder afspraak,' deelde de ex-gladiator die de tent bewaakte Magnus mee, met zijn schouders rollend om zijn woorden kracht bij te zetten.

'O, maar ik heb een afspraak, ik heb zelfs een voortdurende afspraak. Zeg tegen hem dat de man die hem nog rijker zal maken dan toen hij als wagenmenner eerst voor de Blauwen en later voor de Groenen reed voor de tent staat om hem te spreken.'

'Hij zal je niet geloven, dus als ik jou was zou ik stilletjes aftaaien, kameraad.'

Magnus stelde zich voor de bewaker op. 'Ik ben niet van plan om stilletjes af te taaien, en ook niet met veel kabaal. Luister nu naar mij, jochie, ik weet zeker dat ik Euprepes zeer binnenkort zal spreken en dan zal ik hem, terwijl hij me met vreugdetranen in zijn ogen en intens dankbaar voor mijn edelmoedigheid aan zijn borst koestert, laten weten dat hij zijn aandeel in mijn voorstel bijna was misgelopen door toedoen van een overijverige klungel die mij de toegang tot zijn tent weigerde. Wil je nu het risico nemen om af te wachten wat er gaat gebeuren als hij inziet dat je enorm in de fout bent gegaan, of ga je liever naar binnen om hem te vertellen dat Marcus Salvius Magnus voor de deur staat met een voorstel, in vergelijking waarmee het prijzengeld voor het winnen van bijna tweeduizend rennen niets meer lijkt te zijn dan wat een jongenshoer in de haven verdient omdat hij zijn billen voor een Syrische zeeman van elkaar doet?'

De bewaker kneep zijn ogen toe en balde zijn vuisten, de spieren van zijn armen over de volle lengte spannend. Maar nadat hij een paar momenten roerloos was blijven staan en zijn opties had afgewogen, draaide hij zich ineens om en verdween door de flappen van de tent.

Magnus glimlachte bij zichzelf en wachtte af. Hij zag een Groene ruiter die zijn schuimig zwetende paard het kamp binnenbracht, omringd door juichende supporters. 'Een Groene overwinning, heel veelbelovend,' mompelde hij.

'En waarom denk je dat ik dit zou willen doen, Magnus?' vroeg Euprepes, langs zijn grijs gevlekte baard in Griekse stijl strijkend. Hij keek Magnus met zijn opvallend blauwe, priemende ogen strak aan.

'Vanwege de kans van veertig of vijftig tegen een?'

'Maar ik mag helemaal niet op andere ploegen wedden, en zeker niet op een Rode een-twee-drie.'

'Dat begrijp ik heel goed, Euprepes, en ik weet zeker dat je die regel nooit zult overtreden – persoonlijk althans. Ik heb echter gehoord dat je tijdens de laatste wagenrennen, toen de Groenen in die halve dag naar ik meen slechts eenmaal een wedstrijd wonnen, een bijzonder goed resultaat hebt geboekt. Ik denk dat je die illegale inzet op de tegenstander door een goede vriend hebt laten plaatsen.'

Euprepes glimlachte flauwtjes. 'Het zou voor een man in mijn positie heel dom zijn om niet van alle beschikbare informatie te profiteren.'

'Daar ben ik het helemaal mee eens. Daarmee wordt te veel van je loyaliteit gevraagd.'

'Zeker, hoewel er uiteraard geen twijfel kan bestaan over mijn loyaliteit aan de Groene factie.'

'Vanzelfsprekend.'

'Wat is je motivatie om dit te doen?'

'Ik ben mijn hele leven al loyaal aan de Groenen, dus wat doet het ertoe?'

Euprepes gaf met een hoofdknikje en handgebaar aan dat hij het daarmee eens was. 'In welke wedstrijd?'

'Ofwel de voorlaatste of de laatste op de eerste wedstrijddag na de calendae van maart.'

'Stel dat ik onze wagenmenners opdracht zou geven om de Roden te laten winnen, hoe kun je dan garanderen dat de Witten en Blauwen hetzelfde zullen doen? Heb je ook met hun factiemeesters gesproken?'

'Dan zou ik iets te veel mensen in ons kringetje toelaten. Als heel veel mensen op een Rode een-twee-drie zouden wedden in die ene wedstrijd dat dat werkelijk gebeurt, zouden de gokmakelaars achterdochtig kunnen worden.'

Euprepes boog zijn hoofd ten teken dat hij het daarmee eens was.

'Met de Witten kan ik wel afrekenen; de Blauwen zijn nog steeds een probleem, maar ik weet zeker dat we met jouw hulp kunnen garanderen dat alle drie de ploegen de eindstreep niet zullen halen.'

'Moeten mijn drie ploegen ze tegen de grond werken?'

'Te riskant; eentje zou alsnog de meet kunnen halen, en het zou er een beetje vreemd uitzien als de Groenen de hele wedstrijd op de Blauwen jagen, terwijl de Roden gewoon door kunnen draven.'

Euprepes dacht daar even over na. 'Je hebt gelijk; we pakken er gewoon een.'

'En de andere twee?'

'Een mankement en een stortvloed van verwensingen?' opperde de factiemeester.

'Geweldig.' Magnus stond op en bood zijn onderarm aan. 'Ik wist dat een man met zoveel ervaring als jij de antwoorden zou hebben.'

'Dus alleen wij tweeën weten hiervan?'

'Nee, Servius, mijn plaatsvervanger, is ook op de hoogte, evenals een zeer behulpzame centurio in een van de stadscohorten, en verder nog een paar mensen die in het senatorenvak een gokje zullen wagen.'

'Onze gokmakelaars zullen dus geen argwaan koesteren.'

'Precies. Als we bij een aantal van hen kleine weddenschappen afsluiten strijken we een vette winst op, zonder dat een van hen iets wijzer wordt.'

'Bedankt dat je hiermee bij mij bent gekomen, vriend, als blijk van dankbaarheid zal ik je een tip voor de wedstrijden van overmorgen geven.'

'Een Groene een-twee in de tweede wedstrijd?'

Euprepes sperde verrast zijn ogen open, hij lachte en sloeg Magnus op zijn schouder. 'Ik kan wel zien dat je goed geïnformeerd bent, maar je bent niet zo goed geïnformeerd als ik. Ik zal onze eerste en tweede ploeg opdracht geven om in omgekeerde volgorde over de eindstreep te gaan zodat het een Groene een-twee wordt, met de tweede ploeg als eerste, en de eerste ploeg als tweede.'

'Euprepes, je bent een buitengewoon vriendelijk en doortastend man.'

'Net als jij, Magnus.'

Magnus zat op de trap van de tempel van Mars op het door standbeelden geflankeerde Forum van Augustus te wachten en keek naar de aankomst van twaalf zingende patriciërsjongelingen, die in een trage, ritmische dans synchroon met hun zwaarden zwaaiden. Onder het oog van een devote menigte bewogen ze op het trage ritme van een vrijwel onverstaanbaar lied met regelmatige sprongen voorwaarts. Gekleed in kleurige geborduurde tunieken met daarop langwerpige borstplaten onder korte rode mantels en met spitse, strakke lederen tooien op het hoofd paradeerde het springende, gewapende priestercollege van de Salii ter gelegenheid van de geboortedag van de oorlogsgod met hun heilige bronzen schilden door de stad. Elf van de schilden, die uit twee ronde *aspides* bestonden die op elkaar gesmeed leken te zijn, waren replica's van het twaalfde, het oorspronkelijke schild dat in het tijdperk van koning Numa, Romulus' opvolger, uit de hemel zou zijn gevallen.

'Ze zeggen dat de bezitter van het oorspronkelijke schild over alle volkeren op aarde zal heersen.'

Magnus draaide zich om, verrast door de stem vlak achter hem. Het was Pallas.

'Daarom hebben ze elf kopieën gemaakt; een dief zou niet weten welke hij moest stelen.'

Magnus trok zijn wenkbrauwen op. 'In dat geval zou ik alle twaalf stelen.'

'Inderdaad, ik vrees dat onze voorouders daar niet echt goed over hebben nagedacht. Maar goed, mijn meesteres heeft over uw verzoek nagedacht en is bereid om uw tip over de wedstrijd van vandaag aan haar neef door te geven.'

Magnus grijnsde opgelucht. 'Dat is heel attent van haar, Pallas.'

Magnus en zijn kruispuntbroeders voegden zich bij de rest van de Groenen in hun sectie van het Circus Maximus en schreeuwden hun kelen schor, toen de Groene tweede ploeg, gevolgd door de Groene eerste ploeg, met een niet meer in te halen voorsprong aan de laatste ronde begon. Hun naaste rivalen lagen ver achter hen. Het waren een Rode en een Blauwe menner, die hun viervoudige zwepen op de schoften van hun paarden lieten neerdalen, in een vergeefse poging ze tot nog grotere snelheid aan te zetten. Hoewel er alleen een prijs voor de winnaar was, wisten de beide achtervolgende wagenmenners heel goed dat vele supporters van hun factie het minimumbedrag hadden ingezet en hadden gewed dat een wagen van hun kleur bij de eerste drie zou eindigen, met een kans van een op een of minder; geen van hen wilde zijn supporters teleurstellen door de indruk te wekken niet echt zijn beste beentje voor te zetten.

De twee leidende Groenen hadden die zorg echter niet, ze stoven met zo'n vaart over de stoffige baan dat ze gegarandeerd de eerste en tweede plaats zouden halen, maar de paarden niet over de kling zouden jagen. Terwijl hun hortatores hen rond het wrak van hun derde ploeg leidden, realiseerde Magnus zich dat hij zich voor het eerst in zijn leven over een paard bekommerde: hij hoopte dat Spendusa zonder al te grote blessures uit het wrak zou worden gehaald. De list had uitstekend gewerkt – te goed zelfs wat de merries betrof. Twee ploegen met hengsten van de Witte factie die in de optocht voor de wedstrijd vlak achter hen hadden gelopen waren ervandoor gegaan om bij de merries te komen. De twee ploegen in de uiterst linkse en rechtse startboxen hadden hun strijdwagens vernield doordat de paarden bleven trappen en bokken, opgehitst door de onweerstaanbare geur die van zo nabij kwam. Zodra de boxen met kracht opensloegen sprongen de twee Groene ploegen met ruinen naar voren. Deze dieren misten de aandrang hun zaad te lozen. De overige vijf hengstenploegen toonden zich echter niet zo ontspannen; het was iedereen duidelijk dat ze gezien hun gedrag en prestaties een merrie wilden dekken, totdat een Rode en een Blauwe wagenmenner in een zeldzaam vertoon van eendracht samenspanden om de Groene merries ten val te brengen. Hun actie kwam echter veel te laat.

Magnus wierp nerveus een blik op de keizerlijke loge aan de Palatijnzijde van de renbaan. Hij kon in de verte nog net Antonia onderscheiden en hoopte vurig dat ze de tip van Pallas aan Ahenobarbus had doorgegeven, zoals ze had beloofd. Zijn blik ging omhoog naar het bovenste deel van de tribune, waar Ignatius zich ergens moest bevinden. Terwijl hij zijn factie toejuichte keek Magnus met lichte opwinding uit naar de wraak die hij korte tijd later op de man zou nemen die hem openlijk had bedrogen.

De Groenen barstten in uitzinnige vreugde uit op het moment dat hun ruinen over de streep gingen, terwijl de andere drie facties in woede uitbarstten over zo'n doortrapte list.

'Het ziet ernaar uit dat de Roden niet zo blij met ons zijn, jongens,' merkte Magnus op toen er uit het Rode gebied, dat naast het Groene aan de Aventijnzijde van de renbaan lag, woedend geschreeuw in hun richting oplaaide. 'Dat is precies zoals ik had gehoopt.' Binnen enkele ogenblikken waren er bloedige vechtpartijen uitgebroken. Magnus keek naar zijn broeders en mede-Groenen om zich heen en schreeuwde: 'We pakken ze, jongens!' Overal om hen heen hadden supporters van de Groene factie hetzelfde idee en de woedende meute drong steeds verder naar de Roden op.

Met Marius en Sextus aan de ene kant en Tigran en Cassandros aan de andere kant, en met steun van vele andere leden van de Zuid-Quirinale Kruispuntbroederschap, drong Magnus tussen de drommen toeschouwers door die aan het geweld probeerden te ontsnappen en duwde hij een aantal van hen hardhandig opzij in zijn drift om de confrontatie met de Roden aan te gaan. Met gebalde vuisten stortte hij zich op de eerste in het rood geklede supporter die hij zag. Met zijn rechtervuist stompte Magnus de man in zijn middenrif, zodat hij naar adem snakkend dubbelsloeg, waarna hij met een snelle beweging zijn knie in zijn gezicht plantte, zodat de Rode zijn neus brak en de bloedspetters in het rond vlogen. Naast hem gaf Sextus een Rode een opdoffer met zijn enorme rechtervuist, zodat het bloed uit de verbrijzelde mond van de man door de lucht spoot, en Cassandros greep een man die met een mes gewapend was bij zijn pols en dwong zijn arm omlaag over zijn knie, waardoor die met zo'n kracht brak dat het witte bot door de huid heen drong. Zijn tegenstander slaakte een oorverdovende pijnkreet. In plaats van aanmoedigingen, overwinningskreten en teleurgesteld gebrom klonk er nu overal gegil, woedend geschreeuw en ingespannen gekreun, terwijl de twee facties met een venijn waarin jarenlange wederzijdse haat en rivaliteit zich samenbalden op elkaar insloegen. Met de vanzelfsprekende precisie die hij in zijn tijd als bokser had geperfectioneerd bewerkte Magnus zijn tegenstanders met zijn vuisten, met razendsnelle bewegingen de aanvallen afwerend, terwijl Marius de stomp van zijn linkerarm om de nek van een vijand sloeg, zijn hoofd naar voren trok, zijn eigen hoofd omlaagbracht en met een kopstoot het gezicht van de man onder weerzinwekkend dof gekraak verbrijzelde.

Boven het lawaai uit klonk plotseling hoorngeschal, dat door een andere hoorn daar vlakbij werd beantwoord.

'De cohorten komen eraan, jongens. We kunnen ons maar het beste uit de voeten maken voordat ze ons met hun zwaarden kennis laten maken.' Met een goed gemikte trap tegen de geslachtsdelen van een jonge man die probeerde weg te komen maakte hij zich uit het gevecht los. Hij draaide zich om en rende naar de dichtstbijzijnde uitgang waar geen eenheden van de stadscohorten naar binnen stoven; zijn broeders volgden hem op korte afstand.

'Ik hou wel van een partijtje matten met de Roden – meer dan wat ook, Magnus,' pufte Marius terwijl ze de trappen af renden.

'Dat was niet zomaar een partijtje matten, broeder, het ging er vooral om een paar bruggen te laten afsluiten.'

'Ik geloof dat jullie midden in dat opstootje zaten,' riep Gaius Vespasius Pollo met donderende stem, terwijl hij met een goedgevulde beurs en een boekrol de trap af waggelde.

Magnus nam zijn plek naast zijn broeders in om de weg door de meute heen voor zijn beschermheer vrij te maken. 'Inderdaad, maar het was eerder een zakelijk karwei dan een pleziertje, senator, en het was ook een groot succes: de Roden zullen de komende dagen ziedend van woede zijn en op wraak zinnen. Ik vrees voor hun gedrag op de komende wedstrijddag als ze tegen die tijd nog niet gekalmeerd zijn, en dat is al over vier dagen. Hoe zijn uw zaken verlopen?'

'Al even succesvol, kan ik tot mijn genoegen zeggen. Ik kreeg twintig tegen een uitbetaald voor een Groene een-twee in de volgorde die je me vertelde. In deze beurs zit tweehonderd in goud en dit is Ignatius' promesse voor nog eens tweehonderd. Heb je zelf ook gewonnen?'

'Nou en of, ik heb een paar van de jongens met onze winst naar huis gestuurd.'

'Ik hoorde van een kennis dat Ahenobarbus in dezelfde wedstrijd al even succesvol was.'

'Het doet me deugd dat te horen, senator.'

'Nou, ja en nee, Magnus. Domina Antonia stuurde me een berichtje vlak voordat ze van de renbaan vertrok: Ahenobarbus is reuze enthousiast over de informatie, omdat hij van mening is dat iemand uit zijn familie onmogelijk te rijk kan zijn.'

'Een nobele gedachte.'

'Daar ben ik het helemaal mee eens. Maar er is wel een klein probleempje.'

'Wat dan?'

'Voordat hij zo'n groot bedrag bij een weddenschap inzet, wil hij de persoon die de informatie levert ontmoeten. Hij wil weten hoe die een Rode een-twee-drie kan regelen, omdat niemand daar tot nu toe in geslaagd is.'

'O!' Magnus' gezicht betrok.

'Zeg dat wel. Antonia meldde in het bericht dat hij die persoon morgenochtend bij hem thuis verwacht, zodra hij zijn cliënten heeft begroet. Uiteraard zal mijn naam niet genoemd worden.'

'Uiteraard.'

Aan de oostkant van de Palatijn, naast de tempel van Apollo, stond Magnus in de miezerregen voor een elegant marmeren huis te wachten. Hoewel het een oud huis was, werd het goed onderhouden en weerspiegelde het de rijkdom van Gnaeus Domitius Ahenobarbus, wiens familie meer dan tweehonderd jaar geleden voor het eerst het consulschap had vervuld.

Terwijl de regendruppels in zijn toga dropen keek Magnus naar de stroom cliënten die de zes treden vanaf de voordeur in omgekeerde volgorde van voorrang afdaalden. Hij schatte het aantal op zeker vijfhonderd man, wat erop duidde dat het om een zeer invloedrijk man ging, die een zeer groot atrium bezat.

Toen de laatste cliënten, twee jonge senatoren, de trap af kwamen, werd de deur achter hen gesloten. Magnus stak de straat over en klopte aan.

Er werd meteen een kijkspleet opengeschoven, waarna er twee vragende ogen zichtbaar werden. 'Waar komt u voor, meester?'

'Marcus Salvius Magnus, ik kom op verzoek van de senior consul, Gnaeus Domitius Ahenobarbus.'

De deur ging open en Magnus liep door de vestibule naar een atrium waar gemakkelijk vijfhonderd mensen een plek konden vinden.

'Wacht hier, meester,' verzocht de portier, 'terwijl ik de bediende van uw komst op de hoogte breng.' Hij gaf een wachtende, eenvoudig geklede slaaf van lagere rang fluisterend een bevel en keerde weer op zijn post terug, terwijl de boodschapper zich uit de voeten maakte.

Magnus keek aandachtig rond en stelde vast dat de gehele inrichting van immense, reeds lang geleden verworven rijkdom getuigde. Manshoge gegraveerde zilveren kandelaars met gouden adelaarspoten; gouden kommen op glimmende marmeren salontafels, waarin het hoge beschilderde plafond werd weerkaatst. Het standbeeld in het impluvium stelde een bronzen Neptunus voor, die water uit zijn mond spoot en triomfantelijk zijn drietand omhoogstak. Magnus glimlachte bij de gedachte aan Ignatius die in het Circus Maximus naast een beeld van dezelfde god had gezeten; klaarblijkelijk was hij de beschermgod van de Domitii.

'Heel veelbelovend,' mompelde hij, terwijl hij zijn duim in zijn hand klemde om het boze oog af te weren nadat hij een gunstig voorteken had waargenomen.

'De meester kan u ontvangen,' klonk een stem aan de overkant van het atrium. 'Wilt u mij volgen, heer?'

Magnus voldeed aan het verzoek en volgde de bediende door het atrium naar de deur van het tablinum.

Op het geklop van de bediende volgde een nors 'Binnen', waar-

119

op hij de zwart-geel gelakte deur zonder geluid te maken opende. Magnus stapte de kamer binnen en de deur ging achter hem dicht.

Een zwaargebouwde, kalende man met volle wangen, een gemeen mondje en een lange haakneus staarde Magnus met een bozige blik aan. Hij zat aan een bewerkt houten bureau, achter hem bood een raam uitzicht op een vochtige, kale binnentuin, in afwachting van het eerste lentegroen. 'Wie denk je wel dat je bent, Marcus Salvius Magnus, om een wedstrijd te manipuleren?'

Magnus wachtte even voordat hij antwoord gaf en realiseerde zich dat hem geen stoel zou worden aangeboden. 'Ik ben de agent van de man die heeft betaald om een wedstrijd te manipuleren.' Terwijl Ahenobarbus zijn angstwekkend intense blik op Marcus gericht hield, sloeg hij met handpalmen hard op het bureau en kleurden zijn wangen opeens vuurrood. 'Ik heb gevraagd om de regelaar, niet om zijn agent; hoe durven jullie mij ongehoorzaam te zijn!'

'Dat weten we, geachte consul, en ik ben hier alleen naartoe gekomen omdat ik alle regelingen heb getroffen en u daarom beter uit kan leggen hoe het in zijn werk zou gaan.'

Ahenobarbus trok een strak pruilmondje en dacht even na. 'Goed dan, vertel op.'

Magnus zette zijn plan tot in de kleinste details uiteen. Toen hij uitgesproken was tuitte Ahenobarbus nog steeds zijn mond, maar zijn wangen hadden inmiddels weer een minder verontrustende tint.

'Dat zou best kunnen lukken,' gaf hij uiteindelijk toe. 'Sterker nog, als het lukt, lijkt het niet eens verdacht veel op manipulatie, en ik kan het weten, want ik heb hetzelfde geprobeerd, maar dat mislukte. Mijn tante, domina Antonia, zei tegen me dat ik van jou een weddenschap bij de gokmakelaar Ignatius moest afsluiten.'

'Dat klopt, geachte consul.'

'Het verbaast me overigens dat zij zich hiermee inlaat, ze heeft al haar charmes gebruikt om me over te halen. Ze moet wel buitengewoon gek op je weldoener zijn om zoveel loyaliteit te tonen.'

'Dat is me nog niet opgevallen,' antwoordde Magnus naar waarheid, verbaasd over het idee dat de loyaliteit die Antonia had getoond hem had gegolden.

'Nee, natuurlijk niet, waarom zou iemand uit zo'n lage klasse als jij over dergelijke zaken nadenken? En vertel me nu waarom ik deze weddenschap bij Ignatius moet afsluiten.'

'Als u dat niet doet, vertellen we u niet om welke wedstrijd het gaat.'

Ahenobarbus lachte met schorre uithalen. 'Moet ik daarvan schrikken, mannetje? Ik kan de weddenschap met jouw informatie toch bij iedere willekeurige ander afsluiten?'

'Maar de andere drie gokmakelaars in het senatorenvak zijn daar al heel lang actief en zijn daarom schatrijk; zelfs een tienmaal zo hoge weddenschap zou hun nog geen kwaad doen. Ignatius heeft echter nog niet zo'n groot kapitaal opgebouwd, omdat hij tot nu toe slechts gokmakelaar voor het plebs is geweest. Als u een weddenschap bij hem afsluit, zal hij volkomen geruïneerd raken en kunt u nog tijdenlang met veel plezier elke sestertie uit hem wringen.'

Ahenobarbus sloeg zijn armen over elkaar en keek Magnus langdurig aan. 'Denk je dat ik aan andermans leed plezier beleef?'

Magnus wist dat hij voorzichtig moest antwoorden. 'Ik heb gehoord dat... u graag wint.'

Er viel een broze stilte in de kamer, die wederom abrupt door schor gelach werd verbroken. 'Bij de goden van de onderwereld, dat is waar. Sterker nog, ik weet graag zeker dat ik ga winnen. Hoe kunnen we er zeker van zijn dat die Ignatius de weddenschap accepteert?'

'Zijn hebzucht. Hij wil even rijk worden als de andere drie gokmakelaars in het senatorenvak, en snel ook. Zoals u weet, gebeurt het maar heel zelden dat een bepaalde kleur als eerste, tweede en derde eindigt; hij zal denken dat hij uw geld binnen heeft zodra u het aan hem laat zien en uw weddenschap afsluit.'

Ahenobarbus kneep zijn ogen toe en perste zijn lippen zo strak op elkaar dat de huid eromheen verbleekte, doordat het bloed werd weggedrukt. 'Die klootzak zal denken dat ik achterlijk ben; niemand doet zoiets.' Opnieuw sloeg hij met zijn handpalmen op het bureau. 'Goed, ik zal het doen. Op welke wedstrijddag moet het gebeuren?'

'Die over drie dagen.'

'Bij welke wedstrijd?'

'Dat kan ik u vertellen zodra het programma iets verder dan halverwege is. Laat een van uw slaven wachten bij de ingang van het senatorenvak; een man die zijn linkerhand mist zal hem vertellen om welke wedstrijd het gaat.'

Op weg naar Servius zocht Magnus zijn weg door de menigte Rode supporters die zich aan de huizenkant van de straat die naar de Brug van Aemilius leidde hadden opgesteld. Aan de overkant van de straat stonden de Witten; zoals altijd op een wedstrijddag hield een grote afdeling van de stadscohorten de twee supportersgroepen van elkaar gescheiden.

'Ik kan me niet voorstellen dat mensen het leuk vinden om te zien hoe de ploegen zich naar de renbaan begeven,' mopperde Magnus toen hij bij zijn raadsman was aangekomen en de laatste twaalf Rode strijdwagens van de dag onder gejuich van de Roden en boegeroep van de Witten in het zicht kwamen. 'Het is goed voor ons dat velen slechts weinig van het leven verwachten, broeder.'

'Dat is zeker waar. Waar is Cassandros?'

'Hij kan elk moment hier zijn, hij moest wachten tot zijn lenige vriendje de laatste twaalf ploegen had helpen inspannen voordat hij kon wegglippen om over hun vorm te rapporteren.'

Magnus nam even de tijd om de menigte af te zoeken en keek achterom. Hij trof de blik van Tigran in een raam op de eerste verdieping van een verwaarloosd stenen huis dat op de Rode supportersschare uitkeek. Een paar ramen verderop zag hij het breedgeschouderde silhouet van Sextus. Magnus knikte tevreden. 'De jongens zijn ter plaatse. Heb je Rufinus en zijn jongens gezien?'

'Ik kom net bij hen vandaan.' Servius wees de straat in naar Rufinus, die naar Magnus knikte. 'Hij wacht op jouw teken, zijn jongens zijn gereed en kijken ernaar uit.'

Magnus sloeg zijn handen tegen elkaar. 'Ik ook, broeder, ik ook.'

De eerste van de Rode strijdwagens reed langs, bestuurd door leerling-wagenmenners, en werd door het publiek luid toegejuicht.

Marius begaf zich door de menigte heen dringend naar Magnus, terwijl de Rode ploegen onder steeds hartstochtelijker kreten van hun supporters passeerden. 'Bij de andere brug zijn ze allemaal gereed.'

De laatste Rode strijdwagens reden voorbij en uiteindelijk verscheen Cassandros.

'En?' vroeg Magnus.

'Nou, van de laatste vier rennen zullen de ploegen in de eerste wedstrijd door de drie beste wagenmenners worden bestuurd.'

'Dat is niks, broeder, want de Witten zullen drie van hun zes reserveploegen aan die ene wedstrijd laten deelnemen en de rest in de volgende. Hoe zit het met de derde wedstrijd?'

Cassandros grijnsde. 'Als ze de eerste wedstrijd overleven, zullen dezelfde drie wagenmenners in de derde wedstrijd rijden. Daar komt bij dat de ploegen twee van hun laatste acht rennen hebben gewonnen en in nog eens vier andere een ereplaats hebben behaald.'

Magnus gaf hem een klap op zijn schouder. 'Dat is de onze; de beste menners en ploegen die in vorm zijn. Goed gedaan, vriend, ik weet hoe hard je hebt moeten werken om die informatie te verkrijgen. Je kunt nu kalm aan doen.'

'Echt niet, broeder, hij past me als een handschoen.'

Magnus zoog tussen zijn tanden door lucht naar binnen, zijn gezicht vertrekkend. 'Letterlijk, naar ik aanneem.' Zijn hoofd schuddend om het beeld uit zijn gedachten te verdrijven wendde hij zich tot Marius. 'Loop meteen naar het senatorenvak en zeg tegen de slaaf van Ahenobarbus: de op één na laatste wedstrijd van de dag.'

'Komt voor elkaar, Magnus.'

'Rufinus heeft zijn mannen opdracht gegeven jou de brug over te laten, laat hem je stomp zien en vertel hem om welke wedstrijd het gaat. O, en senator Pollo heeft daar ook een jong hulpje van hem geposteerd, zeg tegen hem hetzelfde.'

Terwijl Marius in de richting van de Brug van Aemilius in de menigte verdween, maakte luid rumoer uit de andere richting duidelijk dat de laatste twaalf Witte strijdwagens van de dag in aantocht waren.

'Cassandros, ga terug naar de andere brug en vertel de jongens dat we gaan beginnen.' Terwijl Cassandros wegrende sloeg Magnus zijn arm om Servius' schouder en leidde hem weg. 'Ik denk dat we een stukje deze kant op moeten, sommige van de jongens zijn misschien niet zo accuraat.'

'Een verstandige voorzorgsmaatregel.'

Het gebrul van de Witte supporters aan het eind van de straat nam nog toe toen hun ploegen dichterbij kwamen. Tegelijkertijd klonk het gesis en gescheld van de Roden steeds vijandiger. Hier en daar brak er een handgemeen uit, waaraan de mannen van de stadscohorten steeds snel een eind maakten. Magnus kreeg Rufinus in het oog terwijl die een onverlaat met de zijkant van zijn zwaard sloeg; toen hun blikken elkaar troffen knikte de centurio en begaf hij zich naar de brug, zijn mannen met zich meevoerend.

De Witte ploegen kwamen in zicht, getooid met hoge witte pluimen als hoofdversiering en witte linten die hun manen opluisterden en hun staarten bijeenhielden. Statig voortstappend en hun hoofden met de rinkelende tuigage heen en weer schuddend kwam de eerste ploeg – vier snuivende schimmels – onder Tigrans raam langs, terwijl de vospaarden daarachter nu bij Sextus aankwamen. In een oogwenk maakte het gejuich van de Witten plaats voor afkeurend gejoel, toen ze letterlijk opeens een rood waas voor de ogen kregen. Uit Tigrans raam spoot een felrode vloeistof door de lucht, die zich bij het neerkomen verspreidde; een tweede rode straal werd door Sextus' raam de straat op gespoten. Een moment lang leek de tijd te vertragen en zweefden de rode verfdruppels onontkoombaar in de richting van de twee leidende Witte ploegen. De schimmels raakten met rode vlekken besmeurd, terwijl achter ze de vacht van de vospaarden werd ondergespetterd en de rode verf van hun staart droop.

De reactie liet geen moment op zich wachten; uit woede dat hun kleur zo werd bezoedeld vielen de zwaar beledigde Witten de vermeende daders van deze schandalige aanslag woedend aan. De Roden reageerden al even woest: nog steeds gekwetst door de truc van de Groenen vier dagen eerder, waren ze maar al te graag bereid een robbertje te vechten. Nu de mannen van de stadscohorten zich hadden teruggetrokken braken er in de hele straat gewelddadige rellen uit en raakte de Witte ploegen, die wanhopig steigerden en bokten, opgesloten, waarbij hun touwen braken en hun wagens in stukken braken.

'Dat is alvast een mooi begin,' grinnikte Magnus terwijl hij zich met Servius langs de achterzijde van de menigte uit de voeten maakte, voordat ze in de gevechten vast kwamen te zitten. 'Een gewetensvolle centurio als Rufinus heeft geen andere keuze dan de Brug van Aemilius voor iedereen af te sluiten, om te voorkomen dat de gevechten zich naar de overkant van de rivier uitbreiden.'

'En het ziet ernaar uit dat ze nog een hele tijd kunnen duren,' merkte Servius op terwijl Tigran en Sextus hen inhaalden.

'Wat jammer voor de Witte ploegen dat ze in de val zitten, straks missen ze hun wedstrijden nog.'

Ze trokken een sprintje in de richting van het Tibereiland en bevonden zich al snel op een flinke afstand van de zich steeds verder uitbreidende ongeregeldheden. Toen ze de brug overstaken keek Magnus achterom en zwaaide naar een raam op de eerste verdieping van een gebouw aan de Witte zijde van de weg. Een ogenblik later spoten er vier stromen groene verf over de straat die de Rode menigte besmeurden, vlak daarna werd er nog vier keer gespoten. Nu was het de beurt aan de Roden om terecht kwaad te worden. Nu ze besmeurd waren met de kleur van hun gehate rivalen die hun een paar dagen eerder een loer hadden gedraaid, stormden ze de weg over en vielen de rotzakken aan die voor die zware belediging verantwoordelijk moesten zijn.

Magnus en zijn broeders renden verder, ze staken het Tibereiland over en bereikten de oostoever van de rivier, waarna ze in de richting van het Circus Maximus verder renden, de chaos achter zich latend.

'Het leek me een goed idee om met jullie samen naar de wedstrijd te kijken, heren,' zei Euprepes, terwijl hij naast Magnus en Servius plaatsnam en de poorten van het Circus Maximus opengingen om de deelnemers aan de een-na-laatste wedstrijd van de dag binnen te laten. 'Mijn menners kennen hun orders, dus dit wordt het moment van de waarheid.'

Terwijl Magnus ongemakkelijk op zijn stenen zitplaats heen en weer schoof, reden de Rode strijdwagens onder gejuich en gejoel van de enorme menigte de renbaan op, gevolgd door de Blauwe. Opeens sperde hij verbijsterd zijn ogen open. 'Bij Juno's kale kut! Een Witte!'

Na de drie Groene strijdwagens reed er een Witte wagen de baan op, tot grote hilariteit van de supporters van de andere drie facties.

Magnus keek Euprepes bezorgd aan. 'Ik vind dat helemaal niet zo grappig. Toen ze bij de vorige wedstrijd slechts twee wagens inzetten, meende ik dat de reden daarvoor was dat ze nog maar vijf reserveploegen hadden.'

'Ze hebben de zesde blijkbaar achtergehouden om in deze wedstrijd zijn kans te wagen. Dat is Scorpus.'

'Wat een klootzakken! Die vent is echt goed.'

'Maak je geen zorgen, Magnus, mijn jongens zullen wel met hem afrekenen.'

'Ik hoop het van harte, vriend,' zei Magnus, die nu al bedacht hoe groot de kans was dat hij zijn resterende oog of enig ander lichaamsdeel zou behouden als Ahenobarbus zijn geld kwijtraakte.

Terwijl de tien hortatores de renbaan op liepen trok de starter genummerde gekleurde ballen uit een ton; als het nummer van de ploeg werd afgeroepen, mochten ze kiezen welke van de twaalf startboxen ze namen.

Toen alle ploegen gereed waren duwden slaven de dubbele deuren tegen de palen daarachter aan, die in strakgespannen peesbundels waren aangebracht. De deuren werden afgesloten met een houten grendel, die verticaal door twee elkaar overlappende ijzeren ringen werd geschoven – eentje aan elke deur. Van het dak van de boxen liepen stevige koorden die aan elke grendel waren bevestigd, door geleiders naar de starter aan de achterzijde van de boxen. Zo kon die alle boxen tegelijkertijd optrekken. De hortatores namen vervolgens vijftig passen voor de startboxen hun positie in, terwijl een slaaf op het dak van de boxen nog eens controleerde of elk koord vrij kon bewegen.

Het publiek viel stil en keek gespannen toe. Uit de duistere startboxen klonk het gehinnik en gesnuif van de ploegen en de vospaarden van de hortatores trapten en schudden onder hun ruiters, die de dieren uit alle macht onder controle probeerden te houden.

De praetor, die de wedstrijden van die dag had gesponsord, stapte naar de voorzijde van het senatorenvak en hield een witte zakdoek omhoog, die in de wind fladderde. Terwijl het verzamelde publiek de adem inhield wachtte hij nog een paar momenten, waarna hij de zakdoek met een rukje liet vallen. De starter trok aan de koorden, de deuren vlogen open en de ploegen sprongen onder hels lawaai van het publiek naar voren. Opeens klonk er gejoel en gefluit vanaf de Blauwe zijde van renbaan. Magnus telde de strijdwagens en zag dat er maar twee in die kleur meededen. Toen hij nog eens naar de startboxen keek zag hij dat er eentje nog dichtzat; de slaaf op het dak was verdwenen.

'Een storing in een startbox,' merkte Euprepes met een quasi-bezorgde blik op. 'Wat jammer voor de Blauwen. Tja, dat gebeurt nu eenmaal wel eens.'

Magnus grijnsde. 'Vooral als je je eigen man op het dak kunt plaatsen.'

'Dat is vals spelen, en daar verlagen we ons echt niet toe.'

'Nooit.'

Beneden op de baan renden de overgebleven ploegen het rechte eind aan de Aventijnkant op, met een Blauwe aan de leiding en een Rode vlak achter hem, en een Groene aan de buitenkant.

'De Blauwe is Lacerta,' zei Euprepes tegen Magnus. 'Ik heb in het geheim geprobeerd een akkoord met hem te sluiten om zich bij onze factie aan te sluiten.'

Magnus knikte zwijgend. Door de spanning werd zijn keel dichtgeknepen, en hij bleef zwijgen toen de paarden de eerste bocht hadden genomen, met Lacerta tien passen voor de andere ploegen. Daarachter stuurde de Groene van de Rode weg, maar niet meer dan een handbreedte, en toen beide wagens de bocht te snel namen moesten ze allebei naar het midden van de baan uitwijken. Magnus zag vol spanning met toegeknepen ogen de twee Roden daarachter in de bocht van honderdtachtig graden strijd leveren met Scorpius de Witte aan de binnenkant en de overgebleven Blauwe – een Numidiër – daar vlak achter. Wolken fijn zand opwerpend gleden de vier strijdwagens achter de voortdenderende paarden aan door de bocht, waarbij de wagenmenners allemaal naar links leunden om te voorkomen dat de wagens omsloegen, met alle rampzalige gevolgen van dien.

Zodra ze de bocht om waren kon Magnus de wagens niet meer volgen, omdat de standbeelden die langs de hele spina stonden het uitzicht versperden. Van de Witte tribune aan de Palatijnzijde van de renbaan steeg een gebrul op toen de laatste twee Groenen de bocht in reden.

Magnus strekte zijn nek uit. 'Verdomme, wat zien ze daar?' Tot zijn grote frustratie zag hij slechts af en toe tussen de standbeelden een glimp van de voortsnellende strijdwagens.

De Witten schreeuwden steeds harder.

Naarmate de eerste ploegen op het rechte eind aan de Palatijnzijde vorderden werd de kijkhoek kleiner en kon Magnus zien dat Lacerta nog altijd voorop lag. Ook ontdekte hij waarom de Witten zo opgewonden waren. 'Verdomme! Scorpus ligt inmiddels in tweede positie en loopt in; hij kan alles voor ons verpesten. Wat gaan jouw menners met hem doen?'

Euprepes antwoordde niet maar tuurde ingespannen naar de renbaan, met zijn gebalde vuisten op zijn knieën. De eerste dolfijn kantelde en Lacerta begon aan de tweede ronde, met Scorpus op niet meer dan vijf passen achter hem; de eerste Rode volgde op zeker twintig passen.

Naarmate de volgende ronde in een chaotische stofwolk vorderde probeerden de supporters van de Blauwen en de Witten elkaar steeds fanatieker in luide toejuichingen te overtreffen. Magnus wierp een blik op de keizerlijke loge, waar hij Antonia kon zien zitten. Naast haar zat een somber ogende Ahenobarbus.

De tweede en de derde dolfijn kantelden en Lacerta en Scorpus bouwden hun voorsprong op de rest van het veld in hun strijd om de eerste plaats steeds verder uit. De eerste Rode lag nog steeds op de derde plaats, met vlak daarachter de eerste Groene en de Blauwe Numidiër aan diens binnenzijde. De volgende twee Roden lagen bijna vijftig passen achter en de laatste twee Groenen, die meer dan een halve baanlengte achter de koplopers reden, telden niet meer mee in de wedstrijd.

Magnus verborg zijn gezicht in zijn handen. 'Ik zal Rome moeten verlaten, Servius, Ahenobarbus zal de hele stad uitkammen om me op te sporen.'

De oude raadsman trok een grimmig gezicht. 'Dat lijkt inderdaad de enige optie.'

Euprepes zweeg en tuurde aandachtig met vooruitgestoken kin en gebalde vuisten naar de renbaan.

De vierde dolfijn kantelde en de situatie was nog slechter geworden.

Staljongens van de facties, die zich op de spina hadden opgesteld, gooiden zakken water naar de menners om de dorst te lessen en het stof uit hun prikkende ogen te spoelen. Toen de Numidiër een zak greep die naar hem toe werd gegooid snelde een zestal kleinere gedaanten vanachter een standbeeld op de spina door het stof naar hem toe. Ze wierpen zich op zijn ploeg en grepen het binnenste paard bij de flank en aan zijn kaak vast; het dier draaide naar rechts, botste tegen zijn buren aan en duwde de voorbenen van het buitenste paard tegen het wiel van de Groene strijdwagen ernaast aan. De scherpe rand van de ijzeren band om het wiel sneed door de huid en het vlees eronder en schraapte over het bot. Het been knikte en het paard viel naar rechts, precies tegen de zijkant van de Groene strijdwagen, zodat de andere paarden van de ploeg in een grote zandwolk weggleden. Nu de snelheid van zijn ploeg met geweld was gestopt vloog de strijdwagen van de Numidiër in een boog naar rechts, waarbij die van de paarden loskwam en hij met gestrekte benen en armen de lucht in vloog en na een salto hard met zijn rug op het zand knalde. De Groene wagenmenner probeerde zijn ploeg onder controle te houden maar week daarbij een eind naar rechts af; de twee achterblijvende Roden draaiden zijwaarts om het wrak te vermijden en reden daarbij de Groene voorbij.

Euprepes sloeg met zijn vuisten op zijn knieën. 'Een stortvloed van verwensingen!'

Magnus ademde diep in, opeens beseffend dat hij al heel lang zijn adem inhield. 'Heel goed, beste vriend. Niets is zo goed als bespijkerde loodamuletten om een paard ten val te brengen.'

Servius knikte vol waardering en speelde nerveus met de losse huid in zijn hals. 'En niemand weet natuurlijk wie die heeft gegooid, want de baan ligt er altijd vol mee.'

Magnus keek op naar de dolfijnen, waarvan de vijfde nu kantelde. Lacerta helde achterover aan de teugels rond zijn middel zodat zijn Blauwe ploeg vaart minderde in de bocht en Scorpus, die de langere buitenbocht met een veel grotere snelheid nam, langszij kon komen; ze werden allebei luid toegejuicht door de supporters. Voor de zesde keer joegen ze hun ploegen met hun zwepen over het rechte eind langs de Aventijn. Het was een nek-aan-nekwedstrijd en de hortatores zwaaiden allebei met een arm boven hun hoofd om aan te geven waar de gesneuvelde strijdwagen van de Numidiër lag. Een eind voor hen konden ze nog net de twee Groene ploegen het keerpunt zien ronden.

Terwijl de drie Roden aan hun zesde ronde begonnen voelde Magnus de gal in zijn keel omhoogkomen en het zweet sijpelde over zijn wangen; in wanhoop wierp hij een blik op Ahenobarbus. 'Ze halen ze nooit meer in, onze enige kans is dat Lacerta en Scorpus elkaar uitschakelen.' Hij keek vol venijn naar de achterblijvende Groene ploegen, die nu bijna driekwart ronde op de koplopers achter lagen. 'Ik had nooit gedacht dat ik dit nog eens zou zeggen, maar wat een klote-Groenen!'

Toen Lacerta en Scorpus de laatste ronde in gingen waren de laatste twee Groene strijdwagens nog maar halverwege het rechte eind aan de Aventijnzijde.

Magnus wierp nog een snelle blik op de keizerlijke loge en zag dat Ahenobarbus zich helemaal niet verroerde. 'Ik weet genoeg,' mompelde hij, en hij stond op. 'Ik ga ervandoor, ik wil binnen een uur de stad uit zijn.'

Euprepes greep zijn arm en trok hem weer omlaag. 'Het is pas voorbij als de laatste dolfijn omlaag duikt.'

'Voor mij is het echt voorbij.'

Euprepes keek Magnus indringend aan. 'Geloof me nou maar.'

'Ik was niet goed wijs.'

'Ach welnee, ga zitten en kijk hoe het afloopt.'

Magnus gehoorzaamde hem aarzelend. Ondertussen verdwenen de twee Groenen rond het verste uiteinde van de spina en groeide het enthousiasme van de Witte en Blauwe supporters verder aan. Lacerta en Scorpus rondden het keerpunt met slechts heel weinig tussenruimte en lagen meer dan vijftig passen voor op de Roden, die wat Magnus betrof zouden moeten winnen. Daarna volgde de derde Groene ploeg.

Nu Magnus ervan overtuigd was dat de wedstrijd in een catastrofe zou eindigen kon het hem niet meer schelen dat het eerste deel van de Palatijnzijde voor hem vrijwel onzichtbaar was, hij staarde somber naar de eerste vrije ruimte tussen de beelden die weer zicht op de wedstrijd bood, op het onvermijdelijke wachtend. Hij kon niet geloven dat de Groene wagenmenners van Euprepes hun enorme achterstand nog konden inlopen. Bijna in handgalop passeerden ze, naast elkaar rijdend en zonder enige hoop. Lacerta en Scorpus haalden achter hen alles uit de kast; hun hortatores schreeuwden naar de Groenen, die uiteenweken om ze door te laten, terwijl de Rode ploegen de laatste bocht rondden.

Met zijn zweep slaand joeg Scorpus zijn span voort en vlak voor de tussenruimte wist hij Lacerta te passeren.

De binnenste Groene wagenmenner keek over zijn schouder; met een plotselinge zweepslag en een ruk van zijn rechterbeen dwong hij zijn paarden te versnellen. Terwijl ze vooruit stoven vloog het rechterwiel van de wagen eraf, zodat die naar één kant inzakte en de paarden naar rechts afweken, precies in Scorpus' pad, die zo naar Lacerta toe werd gedwongen. De Blauwe en Witte spannen botsten op elkaar en knalden vervolgens tegen de Groene wagens aan weerszijden, waardoor de paarden zo schrokken dat ze opeens alle snelheid verloren. Zijn diagonale koers volhoudend dwong de binnenste Groene het steigerende Witte span naar de Blauwe paarden toe, die op hun beurt door de tweede Groene ingesloten bleven. Met een monsterlijk gekrijs, dat in het uitzinnige gejoel van de Blauwe en Witte facties verloren ging – behalve voor de wagenmenners – vielen alle zestien paarden naar rechts op de grond, tegen elkaar vechtend in een chaos van ledematen, terwijl ze tevergeefs uit alle macht probeerden op de been te blijven.

Er steeg een nieuw geluid op uit de renbaan: het geluid van de overwinning, de Rode overwinning. Met stomheid geslagen zag

Magnus de eerste Rode strijdwagen over de eindstreep komen, gevolgd door een tweede en derde, met de laatste Groene op de vierde plaats. Zijn mond viel open en hij sperde zijn ogen open. Een moment lang bleef hij roerloos zitten, maar toen sprong hij op, slaakte een langgerekte schrille juichkreet en stompte met zijn beide vuisten in de lucht.

Nog altijd juichkreten slakend voelde hij een harde ruk aan zijn tuniek. 'Iets meer discretie is wellicht gepast, broeder,' opperde Servius, om zich heen kijkend.

Magnus keek op. Hij werd omringd door talloze zwijgende Groene supporters, die vol onbegrip de enige man in hun midden aanstaarden die dolblij leek te zijn met een Rode een-twee-drie. Magnus liet zijn armen zakken en haalde verontschuldigend zijn schouders op in de richting van de dichtstbijzijnde Groenen. 'We zijn toch nog als vierde geëindigd.' Hij liet zich op de stenen zakken, hyperventilerend van opluchting, waarna hij de drang om te kotsen tevergeefs probeerde te onderdrukken.

Magnus en Euprepes stonden onder een van de grote bogen van het Circus Maximus en keken uit over het Forum Boarium, terwijl de facties druk bezig waren hun spullen te pakken. De juichkreten en het teleurgestelde gejoel van het Romeinse publiek dat de laatste wedstrijd volgde weerklonken overal tegen de stenen.

'Zodra mijn jongens met al het gewonnen geld terugkomen ben ik vertrokken, vriend,' zei Magnus, zijn onderarm aan Euprepes aanbiedend. 'De Zuid-Quirinale Kruispuntbroederschap is vierduizend aurei rijker geworden van alle weddenschappen die we hebben afgesloten. Het was me een genoegen om zaken met je te doen.'

'En ik ben een paar honderdduizend in zilver rijker vanwege jouw idee, Magnus.'

'Het mag dan misschien mijn idee zijn geweest, alle eer komt toe aan iemand die daar niets van weet.'

'Je mag de eer geven aan iedereen die je wilt, maar feit blijft dat wij de eersten zijn die samen een een-twee-drie hebben geregeld zonder dat iemand het heeft gemerkt.'

'Wij, met wat hulp van de goden.'

'Goden? Ik heb niet gezien dat er ook goden bij betrokken waren.'

'Wat dacht je van dat wiel dat op het laatste moment losraakte?'

Euprepes trok zijn wenkbrauwen op. 'Op het juiste moment bedoel je?'

'Ja, als dat niet het werk van de goden was, weet ik niet van wie dan wel.'

'Mechanica, vriend. De wagenmenner had een riem om zijn rechtervoet. Met een harde ruk trok hij een bout van de as, zodat het rechterwiel precies op het juiste moment loskwam. De andere wagen had er ook een, maar hoefde die niet te gebruiken.'

'Maar...' Magnus trok een frons en leek het niet te begrijpen, maar even later klaarde zijn gezicht langzaam op, toen het tot hem doordrong wat er precies was gebeurd. 'O, nu begrijp ik het! Neem me niet kwalijk dat ik aan je heb getwijfeld, Euprepes. Dat was echt briljant. Het stond al vast dat de laatste twee wagens als laatste zouden eindigen.'

'Precies. We konden alleen garanderen dat er twee wagens voor de winnaars zouden rijden als ze bijna op een ronde achterstand waren, en tja, als er dan een ongeluk gebeurt...'

'Zoals een wiel dat van de wagen losraakt, bijvoorbeeld?'

'Dat is een heel goed voorbeeld, Magnus, dat gebeurt zo vaak. Als er een ongeluk gebeurt, kunnen we er niet van beschuldigd worden dat we met opzet op de winnaars in reden om de wedstrijd te manipuleren.'

'En alle weddenschappen moeten dan worden uitbetaald.'

'Zeker. En ik hoefde mijn beste paarden niet op het spel te zetten in een opzettelijke botsing. Het kostte mijn twee slechtste ploegen geen moeite om aan het eind van de wedstrijd in de juiste positie te komen, bijna op een ronde achterstand.'

'Je zou kunnen zeggen dat ze ervoor gezorgd hebben dat het net echt leek.'

Euprepes grijnsde en wendde zich af om te vertrekken, maar hij bedacht zich. 'Trouwens, ik zal het je maat Lucius vergeven dat hij je strikt vertrouwelijke informatie heeft doorgegeven.'

Magnus verborg zijn verbazing. 'Dat is heel fideel van je.'

'Als je nog eens naar zulke informatie op zoek bent, moet je rechtstreeks naar me toe komen. Ik sta nog steeds bij je in het krijt na zo'n enorme winst, zelfs nu ik Lucius heb gespaard.'

'Ik weet niet of ik dit al eerder heb gezegd, Euprepes, maar ik beschouw je als een allervriendelijkste, buitengewoon begripvolle man.'

Senator Gaius Vespasius Pollo zag er niet uit als een man die een hoop geld had verdiend toen hij vlak na de laatste wedstrijd waggelend vanuit het senatorenvak de trap af liep.

'Hebt u geen gokje gewaagd, senator?' vroeg Magnus, terwijl hij met zijn broeders aan de zware taak begon om hem na de wedstrijddag in de mensenmassa naar huis te begeleiden.

'Zeker wel, Magnus, ik heb mijn hele winst van de eerdere Groene een-twee ingezet, met het idee dat wat ik vandaag heb gewonnen genoeg zou zijn om Ahenobarbus te kunnen verleiden om Sabinus bij de verkiezingen te steunen. Ik heb Ignatius' promesse van tweehonderd in goud bij hem afgegeven en de tweehonderd in gouden munten heb ik tussen de drie andere gokmakelaars verdeeld, die vonden dat best en ik heb promesses van hen gekregen met een totale waarde van meer dan tienduizend.'

'Maar Ignatius heeft dus geweigerd de weddenschap uit te betalen?'

'Erger nog, beste man, hij is verdwenen. Het ene moment was hij er nog en nadat de drie Roden over de eindstreep waren gegaan was hij ineens weg. Geen enkel teken van zijn slaven of lijfwachten, alleen zijn tafel stond er nog. Ik vermoed dat hij van de gelegenheid gebruik heeft gemaakt om razendsnel de stad uit te komen. Nu heb ik slechts de helft van het bedrag waarmee ik Ahenobarbus wilde omkopen.'

Magnus vloekte en beet op zijn onderlip. Hij zag al voor zich hoe Ignatius in een afgelegen provinciestadje ongestoord van zijn rijkdom zou genieten. Hij reageerde zijn woede af op de mensen die in de menigte voor hem liepen. Vanaf de linkerzijde begon de menigte te wijken en boven de hoofden van de mensen kon Magnus acht fasces zien – bijlen die in roeden waren gewikkeld, het symbool van de macht – die door lictoren werden meegedragen.

Magnus en zijn broeders bleven staan om de groep, die een hogere status had, door te laten.

'Wie zou dat kunnen zijn?' vroeg Gaius. 'Geen enkele magistraat heeft acht lictoren.'

Terwijl de wandelende symbolen van de macht door de menigte opdrongen, riep een raspende stem: 'Stop!' Vanachter de laatste twee lictoren kwam Ahenobarbus tevoorschijn, die naar Magnus wees. 'Kom hier!'

Magnus liep sidderend van angst op de senior consul toe.

Ahenobarbus sloeg zijn arm om Magnus' schouder en boog zich samenzweerderig naar hem toe. 'Dat was spectaculair, Magnus, ik ben meer dan twee miljoen denarii rijker.'

'Twee miljoen?'

'Ja, twee. Ik zag het zelfgenoegzame lachje van dat brutale mannetje toen hij mijn geld afpakte met het idee dat ik achterlijk was, en daarom heb ik de inzet verdubbeld. En Ignatius accepteerde dat.'

'Maar consul, ik heb het vervelende vermoeden dat hij uit Rome is vertrokken.'

'Uit Rome vertrokken?' Ahenobarbus tuitte verward zijn mond. 'Nee hoor, al leek hij van plan te zijn er als een haas vandoor te gaan nadat die drie Roden waren geëindigd. Maar ik heb hem door vier van mijn lictoren in de gaten laten houden.' Hij draaide zich om en wenkte. Zijn andere vier lictoren kwamen naar voren, met een doodsbange Ignatius in hun midden. 'Het zal voor hem heel moeilijk worden om Rome te verlaten; het zal voor hem zelfs heel moeilijk worden mijn huis te verlaten, tenzij hij me betaalt wat hij me schuldig is. Morgen zullen we zijn huis veilen en als dat niet genoeg oplevert, veilen we hem op de slavenmarkt.'

Magnus keek Ignatius onderzoekend aan. 'Misschien koop ik hem zelf wel.' Ignatius zette grote ogen van schrik op.

Magnus toonde hem zijn onschuldigste glimlach. 'Je hebt er nu zeker wel spijt van dat je mij niet mijn volledige winst hebt uitbetaald, Ignatius?'

'Jij?' bracht Ignatius uit. 'Heb jij me dit aangedaan?'

'Nee, Ignatius, je hebt het zelf gedaan – en natuurlijk de *Fates*, de schikgodinnen, die ervoor hebben gezorgd dat de Roden als eerste, tweede en derde eindigden in een wedstrijd waarin onze geachte consul zo'n hoog bedrag had ingezet.'

'Over de schikgodinnen gesproken,' zei Ahenobarbus, terwijl hij Magnus bij Ignatius weg leidde, 'wie was nu precies die schikgodin die dit allemaal heeft georganiseerd?'

Magnus knikte met zijn hoofd richting Gaius. 'Mijn beschermheer, consul, senator Gaius Vespasius Pollo.'

Gaius probeerde tevergeefs zijn verwarring en ontsteltenis te verbergen toen Ahenobarbus zijn onderarm vastgreep.

'Senator Pollo, we hebben nog niet veel contact gehad, maar ik zie wel dat u een zeldzaam getalenteerd man bent.'

'Ik ben vereerd, consul, dank u.'

'Nee, ik moet u juist bedanken. Wat kan ik voor u doen?'

Gaius glimlachte met vochtige lippen. 'Nou, er is een probleempje met de quaestorverkiezingen die binnenkort plaatsvinden.'

'O ja, zo'n breed spectrum, zoveel goede kandidaten, het valt niet mee om te kiezen.'

'Zeker, consul, maar ik heb het gevoel dat mijn neef, Titus Flavius Sabinus, een bewonderenswaardige keuze zou zijn.'

'Daar zou u best eens gelijk in kunnen hebben, senator. Ik overweeg hem persoonlijk te steunen.'

'Het zal u mogelijk interesseren dat ik in de voorlaatste wedstrijd voor tweehonderd aurei een weddenschap heb afgesloten bij Ignatius.'

'O ja? Beschikte u over zo'n vooruitziende blik dat u op een Rode een-twee-drie wedde?'

'Evenals u had ik dat aan goddelijke inspiratie te danken. Ik heb slechts een onbeduidend bedrag gewonnen, tweehonderdvijftigduizend denarii, maar misschien wilt u dat houden als u Ignatius zijn bezittingen afneemt, als geheugensteuntje.'

Ahenobarbus pakte Gaius bij zijn schouder. 'Ik zal de naam Titus Flavius Sabinus beslist niet meer vergeten; ik zal die zelfs expliciet noemen als de quaestorverkiezingen ter sprake komen. Goedendag, senator.' Met een kort knikje naar Magnus voegde hij zich weer bij zijn lictoren.

Gaius keek Magnus verrukt aan. 'Promesses voor een kwart miljoen denarii, die ik als smeergeld kan gebruiken om Vespasianus bij de quaestorverkiezingen van volgend jaar te ondersteunen, en de senior consul die Sabinus steunt bij de verkiezingen van dit jaar – dat lijkt me een prima resultaat.'

Magnus dacht aan de winst die hij zelf had geboekt. Hij kneep tevreden zijn ogen toe en zag met een grimmig lachje Ignatius met afhangende schouders in de menigte verdwijnen, overgeleverd aan de genade van Ahenobarbus. 'Absoluut, senator, een heel goed resultaat.'

De dromen van Morpheus

OSTIA EN ROME, OKTOBER 34

Met het schrille, schrapende geluid van vuursteen op ijzer schoot er een regen van vonken door het duister, die als minimeteorieten in een tondeldoos vielen. Een reeks korte ademstootjes was voldoende om de droge reepjes stof en houtsnippers aan het smeulen te krijgen en uiteindelijk een vlammetje te laten opflakkeren, dat het met littekens bedekte boksersgezicht van Marcus Salvius Magnus belichtte.

Een van zijn twee metgezellen, een breedgeschouderde man op wiens bezwete, kaalgeschoren hoofd de zwakke gloed van het tondel weerkaatst werd, overhandigde Magnus een aardewerken lampje.

Magnus hield de met olie doordrenkte lont bij het vlammetje en in een oogwenk flakkerde de lamp op, maar buiten de hoek waarin ze stonden was het licht te zwak om de muren of het plafond van de holle ruimte vol donkere stapels importgoederen te kunnen zien. De droge, warme lucht in de opslagplaats was doordrongen van de exotische geuren van oosterse oorsprong. 'Bedankt, Sextus.'

Magnus luisterde even naar het voortdurende geschreeuw, gelach, gesnauw, gebons en geknars dat uit de haven van Ostia opklonk, aan de andere kant van de met ijzer versterkte dubbele houten deuren van het pakhuis. Hij was blij dat hun aanwezigheid onopgemerkt was gebleven en terwijl hij zijn vlammetje tegen de lampen van zijn metgezellen hield, zei hij zachtjes: 'Luister, jongens, kom niet in de buurt van de deuren met die lampen, zodat de bewakers buiten geen flikkering zien, en maak zo min mogelijk geluid. We moeten het spul dat we zoeken zo snel mogelijk proberen te vinden. Cassandros, jij neemt de linkerkant. Ik neem het midden voor mijn rekening en Sextus, jij doorzoekt de rechterkant.'

Sextus bleef tegenover Magnus staan, keek naar zijn handen en probeerde uit te vogelen naar welk deel van het pakhuis hij zich moest begeven. Er verscheen een diepe, geconcentreerde frons op zijn voorhoofd.

'Daar, Sextus,' siste Magnus, met zijn lamp behulpzaam naar rechts wijzend, terwijl Cassandros wegliep.

Sextus keek vragend naar zijn linkerhand en schudde verbluft zijn hoofd. 'Komt voor elkaar, Magnus.'

'En vergeet niet dat het spul dat we zoeken in jute gewikkeld is; het gaat om dunne, naar hars ruikende plakkaten van hoogstens een voet lang en half zo breed.'

'Zoek naar plakkaten in jute; komt voor elkaar, Magnus,' mompelde Sextus, en terwijl hij zijn orders herkauwde sjokte hij de duisternis in, waarbij zijn lamp een flakkerende schaduw van zijn enorme lichaam op de kale baksteenmuur wierp.

'En praat niet zo hard.' Magnus schudde zijn hoofd en vroeg zich af of zijn ondergeschikte de opdracht wel aankon. Hij besloot dat als de zoektocht zonder resultaat bleef, Sextus' sectie nogmaals grondig doorzocht moest worden. Hoe dan ook, Sextus mocht dan niet de slimste zijn, hij maakte dat meer dan goed met zijn kracht en loyaliteit, zodat hij een gewaardeerd lid van de Zuid-Quirinale Kruispuntbroederschap was, waarvan Magnus de patronus was.

Magnus begon allerlei zakken te doorzoeken, meer op zijn reukvermogen dan op de lamp vertrouwend. Het magazijn was kennelijk eigendom van een handelaar die gespecialiseerd was in de import van oosterse specerijen, gedroogd fruit, honing en natuurlijk het product waarnaar ze op zoek waren. Terwijl hij de volgende zak opende, die ditmaal zoet geurende kaneelschors bevatte, vervloekte Magnus de ereschuld die hij bij zijn beschermheer senator Gaius Vespasius Pollo had, waardoor hij gedwongen was geweest naar de haven van Ostia te gaan, de gulzige muil van Rome. Via deze toegangspoort werden alle handelswaren die je waar dan ook ter wereld kon kopen aangevoerd, of het nu zijde was uit een land dat zo ver weg lag dat niemand zelfs de naam ervan echt wist, of felgekleurde vogels die konden praten en het eeuwige leven leken te hebben, of het spul waarnaar Magnus nu op zoek was: de hars van een oosterse bloem die het rijk van Morpheus kon ontsluiten.

Waarom senator Pollo juist deze substantie zocht, die alleen als medicijn werd gebruikt – en dan nog uitsluitend als je de exorbitante prijs kon betalen –, en waarom hij Magnus had gevraagd het te stelen in plaats van het op de vrije markt te kopen, wist Magnus niet en het interesseerde hem evenmin. Het ging hem erom het spul te vinden, dan langs het touw dat in een gat in een hoek van het plafond hing weer omhoog te klimmen en zich zo snel mogelijk uit de voeten te maken, voordat ze de aandacht van de bewakers buiten of van de vigiles van Ostia trokken. Net als hun tegenhangers in Rome stonden de voormalige slaven die de vigiles-taken verrichtten niet bekend om hun vriendelijkheid of hoffelijkheid tegenover dieven.

Magnus graaide door een andere zak, die grote noten bevatte van een soort die hij niet kende. Hij begon zich af te vragen of de informatie van de senator wel klopte en of de hars echt in dit magazijn lag.

'Ik heb de juiste zak gevonden, geloof ik,' siste Cassandros aan zijn kant van het gebouw. 'Het ruikt in elk geval prima.'

Magnus liep zo snel als het duister het toeliet naar hem toe en zag dat Cassandros een verzameling van zo'n vijfentwintig donkere, harsachtige plakkaten onderzocht; er verscheen een lachje rond zijn volle baard in Griekse stijl, die een gemeen litteken op zijn linkerwang verborg. Toen Magnus bij hem was, hield hij triomfantelijk een bundel plakkaten voor hem op. 'Dit moet het zijn, broeder.'

Magnus pakte de aangeboden bundel op, rook eraan en kneep in een van de plakkaten: het was hard spul, maar gaf toch een beetje mee. 'Ik denk dat je gelijk hebt, broeder.'

'Wil je een stukje proberen om het zeker te weten?'

'Ik kijk wel uit. Ik ben niet ziek, dus ik ga geen medicijn slikken.'

'Ik heb gehoord dat het heel lekker spul is, vooral als je tegelijker-tijd van een lekker stevig lichaam geniet.'

Magnus wikkelde de plakkaten grommend weer in de jute. 'En ik heb gehoord dat het voor afleiding zorgt terwijl een dokter je been afzaagt. Hoe dan ook, ik ben geen Griek en geef de voorkeur aan een zacht en teder lichaam, en toevallig zit er in onze kruispuntherberg een dame op me te wachten. Dus laten we hier vertrekken, broeders, want ik wil dolgraag uittesten hoe zacht en teder haar lichaam is.'

Zwaar hijgend trok Magnus zich aan het laatste stuk van het touw omhoog en wurmde hij zich door het gat in het plafond, de zolder op; de sterke hand van de broeder die daar stond te wachten greep zijn pols beet. 'Bedankt, Marius.' Hij keek door de opening die ze in de muur hadden geslagen en in de duistere zolder ernaast. 'Heb je uit die richting nog wat gehoord?'

'Niks verontrustends, Magnus.' Marius veegde het zweet van zijn voorhoofd met de stomp van zijn linkerarm, waarvan het uiteinde met leer was afgebonden. 'Ik ben teruggegaan en heb aan de zijdeur staan luisteren, en toen ik daar stond werd die gecontroleerd – ik neem aan door vigiles – maar hij zat dicht, dus liepen ze verder.'

Magnus voelde aan de sleutel aan zijn riem. 'Servius heeft er goed aan gedaan de kopie te laten maken.' Magnus wist dat dat nog heel zacht uitgedrukt was; hij had geen idee hoe Servius, zijn raadsman en plaatsvervanger in de broederschap, precies een kopie had weten te bemachtigen van de enige sleutel van de zijdeur van het laatste magazijn in deze rij, maar hij was zeer bedreven in het vergaren van allerlei spullen en informatie, mede dankzij zijn meer dan veertig-jarige ervaring in de Romeinse onderwereld. Wat Magnus in elk geval wél wist was dat het niet goedkoop was geweest, maar senator Pollo had de onderneming gefinancierd. Uit het feit dat hij zich over de prijs helemaal niet leek te bekommeren bleek wel dat hij er zeer aan hechtte dat deze onderneming zou slagen en geheim zou blijven.

Terwijl Marius Cassandros uit het gat hees, kroop Magnus met de lamp voor zich naar de volgende zolder. Verderop, achter de balken die de terracotta dakpannen ondersteunden, was nog een muur waarin een gat was aangebracht; een paar ratten vluchtten in het duister weg. Hij keek achterom. 'Schiet op, Sextus.'

'Help eens een handje, Marius,' grapte Sextus, terwijl hij zich met zijn enorme lichaam door het gat probeerde te wringen.

'Heel grappig, broeder. De saturnaliën zijn pas over een paar maanden, en toch probeer je je grapje al uit.'

Met een holle lach greep Sextus Marius' hand beet en trok zichzelf uit het gat.

'Zachtjes, jongens,' siste Magnus. 'Trek de zak omhoog en leg de vloerplanken terug. De senator benadrukte nog dat niemand mocht merken dat er ingebroken is totdat de diefstal is ontdekt.'

Magnus pakte de zak, maakte die van het uiteinde van het touw los en gaf hem aan Sextus, op het zware stuk gereedschap wijzend dat ze hadden gebruikt om de bakstenen los te hakken. 'Neem ook de moker mee, Sextus.'

Marius en Cassandros legden de twee houten planken terug die tussen de dikke balken van het plafond lagen; ze spijkerden ze niet vast om geen onnodig lawaai te maken.

Zodra Magnus zag dat de planken netjes waren teruggelegd en dat vanuit het magazijn beneden niet meer zichtbaar zou zijn dat ze tijdelijk waren verwijderd, kroop hij verder over de tweede zolder. Hij wrong zich door het gat in de muur en kwam via een derde zolder bij het gat in de verste hoek waardoor ze zich toegang tot de ruimte onder het dak hadden verschaft. De stormladder die ze hadden gebruikt om naar binnen te klimmen stond vlak onder de vloer tegen de muur aan.

'Ga jij maar, broeder,' fluisterde hij tegen Sextus, die zich met de zak en de moker in zijn ene reusachtige hand bij hem had gevoegd.

Verrassend behendig klom Sextus in het donker van de ladder af. Nadat Magnus de andere twee broeders naar beneden had gestuurd legde hij de twee losse vloerplanken aan de rand van het gat op hun kant. Met zijn voet de ladder zoekend daalde hij een paar sporten af, totdat zijn hoofd vlak onder de vloer was. Hij trok de twee vloerplanken om en verschoof ze totdat de ene netjes op zijn plek viel, met de andere erbovenop. Hij trok de tweede plank over de resterende opening, daalde nog een trede af en verplaatste de plank met zijn vingertoppen zo ver dat die precies in het gat paste.

'Neem de ladder mee, broeders,' beval Magnus zodra hij op de grond stapte. Hij liep naar de deur, trok de sleutel uit zijn riem en liet hem in het slot glijden. Toen hij hem omdraaide klonk er een metalige klik die steeds luider tegen de muren weerklonk, maar even later overstemd werd door het gepiep van de deur, die op een kier openging. Magnus trok een grimas en tuurde in de richting van de haven, niet meer dan twintig passen rechts van hem. Het was weliswaar het zesde uur van de nacht, maar toch was het aan de havenkade een drukte van belang. In het licht van honderden branden fakkels werden tientallen vrachtschepen uitgeladen, die aan houten steigers in het kalme water lagen. Dag en nacht hadden in Ostia geen betekenis. De eetlust van Rome was onverzadigbaar en om te voorkomen dat de stad het van de honger uitschreeuwde, stopte de aanvoer van levensmiddelen nooit, zelfs niet voor een kort ogenblik. Hij stak zijn hoofd om de deur en keek naar links de straat in, weg van de haven; er was niemand te dicht in de buurt. Aan de overkant was een andere deur in een stenen muur, het spiegelbeeldige eind van een andere rij pakhuizen. Na nog een snelle blik naar rechts wierp hij de deur wijd open. 'Snel, jongens, maar niet rennen, dan trekken we de aandacht.' Hij deed een pas achteruit zodat zijn broeders door de deur naar buiten konden en stapte toen zelf de straat op, waarbij hij de deur achter zich afsloot.

Met snelle pas volgde Magnus zijn metgezellen naar links en vervolgens naar rechts de straat achter de magazijnen in. Deze straat liep evenwijdig aan de haven en in het schemerlicht dat uit de halfopen herbergen op straat doordrong waren de voetgangers slechts als schimmige gedaanten zichtbaar. Tegen de hoge muren op weerklonk dronkenmansgelal en schor gezang en de geur van geroosterd vlees vermengde zich met die van zweet, urine en rottend afval. Halverwege bleef Magnus staan; een groep van acht silhouetten was de straat ingeslagen en marcheerde in twee rijen op het verhoogde trottoir op hem toe. 'Verdomme! We kunnen niet terug. Dat zou te veel opvallen. We slaan ons erdoorheen als we tegengehouden worden, goed, jongens?'

De broeders mompelden instemmend en volgden hun leider in de richting van de vertegenwoordigers van de enige officiële politiedienst in Ostia.

Magnus kwam bij een reeks van drie grote stenen die dwars op de weg lagen, zodat de voetgangers met droge voeten konden oversteken, en de karren er nog steeds tussendoor konden. 'Marius en Cassandros, laat de ladder achter en blijf aan deze kant. Sextus, volg mij.' Samen met Sextus, die de zak droeg, stak hij de straat over, terwijl de optio van de vigiles zag dat Marius en Cassandros de ladder lieten staan. 'Niet omkijken, Sextus.' Magnus versnelde zijn pas en hoorde dat de optio zijn broeders aan de overkant van de straat tot stoppen maande en vroeg waarom ze een prima militaire stormladder hadden achtergelaten toen ze hem en zijn mannen in het vizier kregen.

Magnus wurmde zich tussen een groep lallende zeelui door, die ervan afzagen om zijn gedrag aan de kaak te stellen toen ze Sextus met een moker in zijn hand op hen af zagen stevenen.

Opeens klonk de kreet die hij vreesde: 'Halt!'

Magnus liep nog sneller door.

'Jullie daar! Die grote kerel met die zak en je maat – stop!'

Magnus wierp een blik opzij en zag vier van de vigiles in looppas over de stapstenen op hem afkomen, terwijl ze hun zware knuppels uit hun gordels trokken. Ondertussen gingen hun kameraden achter Cassandros en Marius aan, die van de afleiding gebruik hadden gemaakt om er in de tegenovergestelde richting vandoor te gaan. 'Rennen!' Met Sextus in zijn kielzog rende hij over het trottoir weg, zonder daarbij op de andere voetgangers te letten, van wie de meesten languit in de drek op de weg belandden.

Onder het rennen voelde Magnus de druk op zijn borst met elke pas toenemen en met afschuw realiseerde hij zich dat hij al vierenveertig was. Slechts een paar van zijn broeders waren jonger dan veertig; de meesten hadden vijfentwintig jaar onder de Adelaars in het leger gediend of, zoals in het geval van Marius, bij de marine. Hij wierp nog een blik over zijn schouder en zag dat de veel jongere vigiles dichterbij kwamen. 'We moeten ons omdraaien en het gevecht aangaan, Sextus.' Hij keek op en zag nu het einde van de straat. 'Jij gaat naar links en draait je dan meteen weer naar hen toe, ik sla rechtsaf.'

Sextus knikte, met een gefronste blik naar de zak in zijn ene en de moker in zijn andere hand kijkend, en bleef doorrennen.

'Die kant op,' schreeuwde Magnus, naar links wijzend. Hij vloog rechtsaf de hoek om, draaide zich meteen om en rende met zijn schouder omlaag terug. Op dat moment sloegen twee van de vigiles de hoek om. Magnus ramde zijn schouder in de borst van een van zijn achtervolgers, die met een verraste kreet naar achteren gekatapulteerd werd. Als een geofferd beest bleef hij met een stel gebroken ribben op de grond liggen. De andere man rende nog een paar stappen verder voordat hij zich realiseerde wat er was gebeurd; hij bleef staan en draaide zich om. Maar Magnus was op hem voorbereid en greep zijn rechterpols vast op het moment dat de vigilis zijn knuppel ophief. Terwijl hij die in een ijzeren greep hield dwong hij die omlaag en draaide hem rond. Magnus voelde de warme adem van de vigilis in zijn gezicht, naar wijn en uien ruikend, terwijl hij de man langzaam op de grond dwong. Hij haalde met zijn linkerhand naar Magnus uit en ramde zijn vuist tegen zijn jukbeen, zodat hij sterretjes zag en zijn greep een moment lang verzwakte. De vigilis profiteerde daarvan door zijn arm een fractie op te tillen. In het besef dat de jongere man in een langduriger krachtmeting de overhand zou krijgen, stootte Magnus zijn knie in zijn genitaliën en voelde hij tot zijn immense genoegen dat hij een testikel plette. Zijn tegenstander hapte naar adem en met uitpuilende ogen opende hij zijn mond in een geluidloze gil; zijn benen sloegen dubbel en hij zakte op de grond ineen, naar zijn kruis grijpend. Magnus diende hem nog een stevige trap in het gezicht toe, pakte zijn knuppel en rende naar de plek waar Sextus met zijn tweede aanvaller aan het worstelen was. De eerste lag op de grond en staarde met een holle blik naar de nachtelijke hemel, nadat zijn mond en neus door een enorme slag met de moker verbrijzeld waren.

Zonder zijn pas te vertragen sloeg Magnus Sextus' tegenstander met de zware knuppel op het achterhoofd. Hij voelde de schedel barsten en de man zakte in Sextus' armen in elkaar.

'Tijd om te vertrekken, Sextus,' riep Magnus, terwijl hij de zak oppakte en in de richting van het havengewoel holde.

'Magnus!' riep Gaius Vespasius Pollo met dreunende stem. Hij keek op van het ontbijt waarvan hij naast het knisperende haardvuur in zijn atrium zat te genieten. Hij stond niet op maar gaf met een mollige hand vol ringen aan dat Magnus in de stoel tegenover hem plaats moest nemen. 'Ik neem aan dat het allemaal gelukt is?' Hij legde een half hardgekookt ei in zijn mond en kauwde er stevig op, zodat zijn wangen en kinnen ritmisch mee wiebelden.

Magnus gaf zijn mantel aan de jonge, blonde portier en liep door het schemerig verlichte atrium op de senator toe; het eerste ochtendlicht viel door het raam van de binnentuin naar binnen. 'Zeker, senator.' Hij ging zitten en nam een beker warme verdunde wijn aan van een andere appetijtelijk ogende slavenjongen met Germaanse trekken.

'Maar je hebt het niet meegebracht, toch?'

'Natuurlijk niet, heer.' Magnus nam een slok van zijn wijn. 'Ik heb het in de herberg van de broederschap opgeborgen. Ik ben daar langsgegaan voordat ik naar u toe ging voor een... versnapering, als u begrijpt wat ik bedoel.'

Gaius grinnikte en wierp een bewonderende blik op de jongen die in hun buurt bleef wachten. 'Zeker weten. Hoeveel plakkaten lagen er?'

'Een paar dozijn.'

'Meer dan ik verwachtte. Ik neem aan dat je bij wijze van commissie ook wat voor jezelf hebt meegenomen?'

'Eén plakkaat.'

'Dat lijkt me redelijk, maar mondje dicht.' Gaius keek Magnus indringend aan. 'Hebben ze je gezien?'

Magnus zette zijn beker op tafel neer. 'Ja en nee. We werden uitgedaagd, maar pas nadat we het magazijn hadden verlaten; iedereen kon wegkomen, alleen... Eentje van ons zwaaide iets te enthousiast met een hamer rond en bezorgde een van de vigiles een vroegtijdige dood, maar dat kan juist positief uitwerken.'

'Hoezo?'

149

'Nou, we hebben niets achtergelaten wat op een inbraak wijst, dus de prefect van Ostia zal zich alleen druk maken over de vraag wie een van zijn schurkachtige voormalige slaven naar de veerman van de onderwereld heeft gestuurd.'

'Ja, maar het zou beter zijn geweest als er helemaal geen gedoe was geweest.'

'Dat is waar, maar als de diefstal ontdekt wordt en de eigenaar daarvan aangifte doet bij de autoriteiten, zullen ze het te druk hebben om een moord op een van de vigiles op te lossen om zich daarmee bezig te houden.'

Gaius trok een wenkbrauw op en liet een olijf tussen zijn vochtige lippen glijden. 'Dat betwijfel ik ten zeerste; niet als ze beseffen wie de eigenaar is.'

Magnus' maag speelde op. 'U zei dat het geen belangrijk persoon was.'

'Dat is hij ook niet, althans niet als het om de Romeinse politiek gaat. Maar hij heeft wel invloedrijke vrienden in de keizerlijke entourage.'

'Wie is het dan?'

'De Joodse prins Herodes Agrippa.'

'Ik heb gehoord dat hij Rome is ontvlucht omdat hij schulden had.'

'Hij is onlangs teruggekomen en is erin geslaagd een zeer succesvol gezantschap van Parthische dissidenten bijeen te brengen, waardoor hij weer in de gunst is gekomen, maar niet uit de schulden. Keizer Tiberius heeft hem beloond door hem tot privéleraar voor zijn kleinzoon Tiberius Gemellus te benoemen. Voor het geval dat de prefect een aangifte van diefstal van een belangrijk persoon toch serieus mocht nemen, stel ik voor dat je de plakkaten op een minder voor de hand liggende plek dan bij jou thuis verbergt. Temeer daar er ook nog een kleine kans is dat een van jouw mannen herkend is.'

Magnus dronk zijn beker leeg en hield die omhoog om weer te laten vullen. 'Kunt u zich er niet gewoon van ontdoen?'

'Ik ben bang van niet, Magnus; nog niet. Maar ik zal je binnenkort berichten wat ermee gedaan dient te worden.' Gaius verhief zich met zijn corpulente lichaam van de stoel, waarbij zijn tuniek zich om de enorme vleeskwabben spande, en bleef staan terwijl een derde slavenjongen – al even knap als de andere – zijn toga om hem heen drapeerde. 'Nu moet ik de rest van mijn cliënten begroeten en daarna heb ik een afspraak met domina Antonia, voordat ik naar de Senaat ga.'

'Verlangt ze een gunst van u?'

'Nee, zij moet mij een dienst bewijzen. Ze is tenslotte Tiberius' schoonzus, en ik hoop dat ze hem daarom kan overhalen om mijn neef Vespasianus toestemming te geven naar Egypte te reizen, zodat hij daar zaken kan doen als hij terugkomt uit Cyrenaica, nadat hij daar zijn jaar als quaestor heeft afgesloten. Zoals je weet is het senatoren verboden om zonder keizerlijke toestemming naar die welvarende provincie te reizen, en hij verleent die toestemming niet gemakkelijk.'

'U moet wel iets heel belangrijks voor haar hebben gedaan om dat te kunnen vragen.'

Gaius glimlachte, zijn gezicht lichtte op in de vuurgloed. 'Inderdaad, en wel dankzij jou, Magnus. Wat jij hebt gestolen, was de uiterst genereuze commissie die Herodes Agrippa van de dissidente Parthen heeft ontvangen voor zijn bemiddeling inzake hun gezantschap. Antonia gaat dat spul verkopen om de aanzienlijke schuld die hij nog bij haar heeft uitstaan in elk geval gedeeltelijk te innen. Misschien is ze wel in zo'n goed humeur dat je wordt ontboden.'

'Marcus Salvius Magnus, we zijn naar je toe gekomen omdat we hopen dat jij als leider van de kruispuntbroederschap in onze wijk het onrecht dat ons is aangedaan kunt herstellen.' De man die het woord voerde was Duilius, een man van in de vijftig, van wie Magnus wist dat hij zijn maandelijkse vergoeding aan de broederschap in ruil voor de bescherming van zijn sandaal- en riemenhandel in de buurt van de Porta Collina altijd trouw betaalde. In een smekend gebaar spreidde hij zijn handen naar Magnus uit.

Magnus keek naar de meute winkeliers, handelaren, inwoners en zakenlui voor hem, allemaal afkomstig van de Zuid-Quirinaal. Er waren heel wat mensen, meer dan in het zaaltje achter de herberg pasten dat hij gewoonlijk voor dergelijke bijeenkomsten reserveerde; vandaar dat ze zich rond de ruwhouten tafels buiten bij de V-vormige kruising tussen de Alta Semita en de Vicus Longus hadden opgesteld, waar het een drukte van belang was met ochtendhandel. Zo'n grote afvaardiging kon slechts één ding betekenen: dit was een serieus probleem, dat hij voor hen moest oplossen. Anders zou hij ernstig gezichtsverlies lijden of zelfs zijn functie verliezen – of misschien wel zijn leven.

Magnus merkte dat Servius op de bank naast hem een stukje verschoof. 'Spreek je namens iedereen, Duilius?' vroeg zijn raadsman terwijl hij met zijn klauwhanden over de losse, gerimpelde huid in zijn hals wreef.

'Zeker.'

'Zullen we dan met z'n drieën naar binnen gaan en de kwestie in alle rust bespreken?'

'Nee, Servius, iedereen moet van het gesprek getuige zijn.'

Magnus wierp een blik op zijn raadsman; de blik in zijn reumatische ogen bevestigde dat dit een ernstig probleem was, dat niet genegeerd kon worden. Hij keek weer naar de delegatie, zette zijn handen tegen elkaar en drukte ze tegen zijn lippen, terwijl hij zich over de tafel heen boog. 'Vertel, Duilius.'

'Al zeker een maand lang krijgen we niet genoeg graan toebedeeld. We hebben elke marktperiode recht op één *modius* graan per burger, en dat staat normaal gesproken gelijk aan een kuip van deze maat.' Hij gaf met zijn handen een kuip van ongeveer een voet doorsnede aan. 'De laatste tijd bleek de hoeveelheid vaak een *sextius* te weinig. Niet altijd, begrijp me goed, maar wel heel wat keren sinds we het opmerkten en we zijn gaan controleren.'

Magnus zag al aankomen waar dit op uitdraaide, en dat beviel hem helemaal niet: hij moest zich voorbereiden op een confrontatie met een persoon uit de senatorenstand. 'Dus je beweert dat de aedilis voor deze wijk jullie van één zestiende deel van de rechtmatige hoeveelheid berooft?'

'Ja, Magnus. We denken dat hij een deel van de modius-korenmaten kleiner heeft laten maken, omdat de publieke slaven die het graan uitdelen ze nog altijd tot aan de rand vullen, en toch krijgen we soms te weinig. Van kennissen die in de graanschuren hier in

Rome en in Ostia werken hebben we vernomen dat de graanvoor-
raad afneemt en dat we op een tekort afstevenen tot de komst van
de Egyptische graanvloot volgend jaar. En dat betekent altijd dat
de prijzen flink zullen stijgen. We geloven dat Publius Aufidius
Brutus ons rantsoen afroomt en dat voor zichzelf houdt, zodat hij
het graan kan verkopen als de prijs volgend jaar de pan uit rijst.'

Magnus knikte en zag de logica van het plan van de aedilis in; als
Rome inderdaad op een tekort afstevende, kon je met speculeren
een fortuin verdienen.

'Gebeurt dit in andere wijken ook?' vroeg Servius.

'Maakt dat uit dan? Feit is dat het ons in deze buurt overkomt.'

Magnus draaide zich om en keek Servius aan. 'Heeft een van de
jongens je hierover verteld?'

'Nee, maar als Brutus slim is, en dat is hij zeker, zal hij niemand
proberen te bedriegen van wie hij weet dat die lid van de broederschap is; hij zal er dan zeker voor zorgen dat de aangepaste maateen-
heden uitsluitend op bepaalde distributiepunten worden gebruikt.'

Magnus gromde zachtjes. 'Nou, zo slim is hij niet, als hij onze
wijkgenoten besodemietert, besodemietert hij ons ook.'

'Ik stel me voor dat hij een regeling met ons zal proberen te treffen.'

Duilius schraapte zijn keel. 'Dat dachten wij ook, dat hij zou
proberen jullie met een klein percentage van de enorme winst die
hij zou boeken zou omkopen, en dan zouden jullie ons gebrek laten
lijden.'

Magnus' blik werd opeens grimmig en hij stond op, waarbij hij
de bank bijna omduwde, met Servius erbij. 'We incasseren jullie
geld om twee redenen, Duilius.' Hij wees naar het altaar van de
kruispunt-lares dat in de muren van de herberg ingebed was; er
brandde voortdurend een vlam, die om de buurt door een van de
broeders brandende werd gehouden. 'Ten eerste om ons te helpen
bij onze heilige plicht tegenover de goden in deze buurt, ten be-
hoeve van het welzijn van de hele gemeenschap. Ten tweede om
jullie tegen overlast van elders te beschermen. Als je wordt opge-
licht, zorgen wij ervoor dat er recht wordt gedaan en dan laten we
ons niet door de dader omkopen, wie dat ook mag zijn – zelfs niet

als hij uit een familie komt die ooit het consulschap heeft vervuld. Begrijp je me goed, Duilius? Als ik ooit nog eens hoor dat je mijn eerlijkheid in twijfel trekt, dan kunnen sommige van je slaven wel eens in de problemen komen, en hoe zou het jou dan zakelijk vergaan, als je begrijpt wat ik bedoel?'

Duilius stak zijn handen omhoog. 'Vergeef me, patronus, ik bedoelde niet dat je de steekpenningen ook zou aannemen. Ik bedoelde alleen dat die je aangeboden zouden worden.'

Magnus ging weer zitten. 'Heel goed.' Hij keek de meute rond. 'Verder nog iets?' Er klonk ontkennend gemompel en sommigen schudden hun hoofd. 'Ik zal proberen een babbeltje onder vier ogen met Publius Aufidius Brutus te regelen en hem ervan te overtuigen dat hij met deze praktijk moet stoppen.'

'Daar zijn we niet tevreden mee, Magnus,' zei Duilius. 'We willen dat hij het graan teruggeeft dat hij al van ons heeft afgepakt, of het equivalent daarvan in geld.' Omdat hij wist hoe groot de hebzucht van de senatorenstand in Rome was – of eigenlijk van alle standen in de stad – achtte Magnus dat vrijwel onmogelijk. Maar om dat nu al te zeggen, nog voordat hij een poging had gewaagd, zou als een zwaktebod worden gezien. 'Heel goed. Ik stel voor dat jullie nu allemaal weer aan de slag gaan, want jullie hebben vast nog een hoop te doen.' Terwijl de menigte zich verspreidde, streek Magnus met zijn vingers door zijn grijzende haar en wendde zich tot Servius. 'Laat Terentius op het achtste uur bij me langskomen.'

Servius trok zijn wenkbrauwen op. 'Wat moet je met een hoerenjongenspooier in een zaak als deze?'

'Het gaat over dat andere actuele probleem.' Magnus stond op en schudde zijn hoofd. 'Hoe kan ik druk uitoefenen op een aedilis als hij mijn waarschuwing hoogstwaarschijnlijk zal negeren?'

'Senator Pollo staat nog bij ons in het krijt vanwege gisteravond, misschien kan hij zijn invloed aanwenden?' stelde Servius voor terwijl hij achter Magnus aan de herberg in liep.

'Ik betwijfel het.' Magnus liep naar zijn tafel in de hoek, waar hij een goed zicht op de deur had; de weinige drinkers op dit vroege uur maakten plaats voor hem en Servius. Cassandros stapte achter de met amforen omzoomde bar vandaan om een volle kruik wijn en twee bekers op tafel neer te zetten toen ze gingen zitten. 'Senatoren zitten elkaar niet graag dwars, tenzij ze er op zijn minst gedeeltelijk zelf profijt van trekken. Natuurlijk zal ik het de senator vragen, maar ik garandeer dat hij zal zeggen dat hij geen invloed op Brutus heeft, wat betekent dat hij er niets mee te winnen heeft.'

Servius schoof een volle beker over de tafel heen. 'Laten we er dan voor zorgen dat onze gedweeë senator er belang bij heeft om Brutus te vernederen. Ik geloof dat zijn oudere neef Sabinus erin geslaagd is om zich tot een van de aediles van het komend jaar te laten verkiezen.'

Magnus wilde net zijn beker aan zijn mond zetten, maar hield die halverwege stil; hij dacht even na, glimlachte en wees met zijn wijsvinger naar zijn raadsman. 'Dat is nog eens een goed idee, oude vriend.'

Magnus baande zich een weg door de menigte op het Forum van Caesar, met Marius en Sextus aan weerszijden van hem. Ze waren alle drie gekleed in hun effen witte burgertoga's. Geen van hen sprak een woord toen ze een doorgang zochten tussen de vele burgers die naar een zitting van een openluchtrechtbank stonden te kijken of verzoekschriften wilden indienen bij de stadsprefect of een van de lagere magistraten, die dagelijks onder het grote ruiterstandbeeld van de voormalige dictator dat het forum domineerde allerlei overheidszaken regelden.

Toen ze bij de magistraten aankwamen die onder de goddelijke Julius zitting hielden, zag Magnus een glimp van een jongeman in een senatorentoga, die aan een bureau zat. Zijn vrijwel zwarte haar was ingeolied en over zijn schedel naar voren gekamd, alsof hij probeerde zijn vroegtijdige kaalheid te verbergen. Magnus bleef staan om hem beter te kunnen bekijken. 'Die moeten we hebben, jongens.'

'Hij lijkt bijzonder met zichzelf ingenomen,' merkte Marius op toen Brutus opstond en grijnzend de onderarm van een oosterling in een witte hoofdtooi beetpakte, waarna hij hem op zijn schouder sloeg en een boekrol van hem aanpakte.

'Zaken brengen ook altijd een lach op míjn gezicht, broeder.'

155

Terwijl Magnus een stukje verder liep, voegde de stadsprefect zich bij Brutus en zijn oosterse relatie, waarbij hij de anderen op hun rug klopte en breeduit grijnsde.

'Ze doen vast goede zaken, als ze zo blij zijn,' merkte Sextus op zijn kenmerkende trage toon op.

Magnus wachtte tot de oosterling was vertrokken en Brutus was gaan zitten en de boekrol opende voordat hij naar hem toe liep. 'Aedilis?'

Brutus keek op van de boekrol. 'Hm. O, ben jij het. Magnus, toch?'

'U weet heel goed dat dat mijn naam is, aedilis.'

'Je toon bevalt me niet.'

'Dat vraag ik u ook niet, ik vraag u om te luisteren naar wat ik te zeggen heb.'

Brutus zuchtte. 'Je hebt het recht om tegen je magistraat te spreken, ik luister.'

'De inwoners van mijn wijk denken dat ze bij de graantoedeling worden benadeeld.'

'O ja?' Brutus trok zijn neus op. 'En waarom denken ze dat?'

'Ze hebben het graan dat ze ontvangen vergeleken met de juiste maateenheid en willen dat ik u vraag daar onderzoek naar te doen.'

'Ik heb van mijn bronnen gehoord dat een geniepig kereltje dat naar de naam Duilius luistert de mensen ophitst, hij is zonder twijfel de man die jou heeft gevraagd hierheen te komen. Maar goed, je hebt het me gevraagd en ik kan je verzekeren dat ze ongelijk hebben.' Brutus boog zich dichter naar Magnus toe. 'Wellicht ben je bereid om Duilius en zijn vrienden in ruil voor een kleine maandelijkse bijdrage aan de geldkist van je broederschap gerust te stellen?'

'Ik ben bang dat dat geen optie is, aedilis, dat is namelijk precies wat er volgens mijn mensen gaat gebeuren. En juist omdat ik het goed met u voorheb, vraag ik u nogmaals om de kwestie te onderzoeken.'

'Bedreig je me nu, Magnus?'

'Helemaal niet, aedilis, ik zou alleen niet graag voor uw veiligheid verantwoordelijk willen zijn als u in een buurt rondloopt waar de inwoners mogelijk een ongegronde wrok tegen u koesteren.'

Brutus keek spottend. 'Die mensen weten hun plaats, ze zouden een gekozen magistraat nooit iets aan durven doen.'

'U weigert dus?'

'Er valt voor mij niets te weigeren. De korenmaten voldoen allemaal aan de keizerlijke standaarden en zijn als bewijs allemaal van het keizerlijke stempel voorzien.'

Magnus bleef de aedilis een paar ogenblikken strak aankijken; geen van beiden knipperde met de ogen. 'Bedankt voor uw tijd, aedilis.'

Brutus snoof en las weer verder in zijn boekrol.

'Wat ga je nu doen, Magnus?' vroeg Marius terwijl ze zich in de drukte naar het Senaatsgebouw op het Forum Romanum begaven.

'Een senator verleiden om onze wil uit te voeren door hem voor te houden dat hij er baat bij heeft.'

De trap van het Senaatsgebouw was relatief rustig, vergeleken met de bedrijvigheid op het Forum van Caesar daarachter. Magnus liet zijn blik op de paar senatoren vallen die het oude regeringscentrum van de Romeinse wereld in of uit liepen. De deuren stonden open, zodat de eerbiedwaardige senatoren door het volk tijdens hun beraadslagingen gevolgd konden worden; de zaal was nauwelijks voor een achtste bezet. 'We zullen moeten wachten, jongens, hij komt zo meteen naar buiten.'

'Ik zou echt niet meer van de stadsprefect kunnen vragen,' vertrouwde Gaius Magnus toe, 'dan hem uit te nodigen voor een gezellige maaltijd voor twee en daarna nog wat vertier met mijn Germaanse jongens, dat zou aanmatigend zijn.'

Magnus liep naast zijn beschermheer, terwijl Sextus en Marius de weg voor hen vrijmaakten. 'Dat begrijp ik, senator, maar als hij zou vernemen dat dit probleem mogelijk tot ernstige rellen kan leiden, die er uiteindelijk voor kunnen zorgen dat hij in de ogen van de keizer zijn werk niet goed doet, dan zou hij mogelijk akkoord gaan met uw voorstel in de Senaat om opdracht te geven tot een onderzoek van alle modius-maateenheden die bij de graantoedeling in gebruik zijn.'

'Maar beste vriend, wat zou ik eraan hebben als ik Brutus door

157

Cossus Cornelius Lentulus laat ontmaskeren, behalve dan dat ik me de vijandschap van Brutus en zijn familie op de hals haal?'

'Als alle korenmaten in Rome gecontroleerd worden, en niet alleen die op de Quirinaal, zal Brutus geen reden hebben om te vermoeden dat uw aanbeveling tegen hem gericht was.'

'Maar ik zal mezelf dan verdacht hebben gemaakt zonder dat ik er persoonlijk iets mee opschiet. Het gaat wel om een consulfamilie, weet je.'

'Als de stadsprefect een zwendelarij ontdekt die een deel van de bevolking van haar rechtmatige privilege heeft beroofd, dan zou de populariteit die hij daarmee zou vergaren heel goed op de keizer die hem heeft aangesteld kunnen afstralen. Ik weet zeker dat Tiberius graag ziet dat er goed voor het volk wordt gezorgd; en aangezien hij nu al zijn tijd op Capreae doorbrengt, zal hij zeker dolblij zijn dat Lentulus in zijn afwezigheid zo goed bezig is. Dat zou Lentulus de zekerheid bieden dat hij zo'n uiterst lucratieve positie langdurig kon bekleden; hij zou dan bij u in het krijt staan. Als ik me niet vergis is Sabinus een van de aediles die voor het komende jaar zijn verkozen...' Magnus maakte zijn zin niet af.

Gaius likte zijn vochtig geworden lippen af terwijl hij het verband legde. 'Wiens taken door de stadsprefect worden toegewezen. Lentulus zou mijn familie zeker goedgezind zijn als ik hem had geholpen om zo'n listig bedrog tegenover zijn geliefde volk bloot te leggen.'

Magnus knikte, en uit zijn blik bleek dat hij dit volkomen begreep. 'Inderdaad, senator, hij heeft zijn leven in dienst gesteld van het volk, dat vervolgens op zo'n harteloze manier van het brood des levens wordt beroofd, en dankzij uw hulp zou hij dat weer kunnen rechtzetten. De tranen van dankbaarheid zullen bij hem opwellen zodra hij u ziet.'

'In die gemoedstoestand zal hij zeker aan zo'n onbeduidend verzoek voldoen en Sabinus de meest prestigieuze van alle aedilis-posten geven; dankzij zijn samenwerking met de prefect van de graanvoorziening zullen hij en zijn hele familie zeker in de publieke aandacht komen te staan.'

'Dat lijkt me wel het minste wat Lentulus kan doen. U zou dan flink wat krediet bij hem hebben opgebouwd, en dat is veel meer waard dan de vijandschap van een vernederde aedilis, ook al komt hij uit een consulfamilie.'

Gaius legde zijn mollige arm om Magnus' schouders. 'Ik geloof vast dat je gelijk hebt, beste vriend. Maar vertel me eens, hoe wil je van deze kwestie een potentiële bron van onrust maken, zodat Lentulus er serieus werk van maakt? Als het op de Quirinaal tot rellen komt, zullen de prefect en zijn stadscohorten zeker niet zachtzinnig optreden.'

'Zo denk ik er ook over.'

'En dus?'

'Nou, het schiet me toevallig te binnen dat er op de *ides* van oktober, overmorgen dus, een officiële openbare knokpartij is. Het zou jammer zijn als de vechtpartij tussen de inwoners van de Subura en die van de Via Sacra om het bezit van het afgehakte hoofd van het oktoberpaard uit de hand zou lopen.'

'U hebt verzocht om mij te spreken, Marcus Salvius Magnus.' De zachte stem was net hoorbaar tussen het geroezemoes in de herberg.

Magnus maakte zich los van het mollige jonge hoertje dat op zijn schoot zat, keek naar zijn bezoeker op en glimlachte. 'Jazeker, Terentius.' Hij haalde de hand van het hoertje onder zijn tuniek vandaan, schikte zijn kleding en stuurde haar met een speelse klap op haar billen weg, waarna hij zijn aandacht weer op zijn bezoeker richtte. 'Ga zitten.'

Terwijl hij plaatsnam streek Terentius met zijn handen van achteren over zijn dijbenen om zijn tuniek netjes strak te houden. Opmerkelijk genoeg droeg hij die zonder riem, zoals een vrouw zou doen. Met gemaakte elegantie sloeg hij zijn benen over elkaar en bescheiden glimlachend bedankte hij Magnus voor de beker wijn die hij aanbood. 'Dank je, Magnus.'

'Je ziet er goed uit, Terentius.'

Terentius veegde een streng lang kastanjebruin haar, die uit de paardenstaart waarin hij zijn haar had gebonden was losgekomen, uit zijn gezicht en schikte die achter zijn oor. 'Dank je, Magnus, ik doe mijn best.'

Dat was voor Magnus wel duidelijk. Hoewel hij inmiddels in de veertig was, zag de souteneur van jongenshoeren er nog patent uit: de bleke huid van zijn hoge jukbeenderen was nog altijd glad, zijn kin en hals waren nog steeds rimpelloos, zijn lippen waren vol en subtiel gestift en zijn grote ogen stonden helder en geïnteresseerd, ondanks het zware leven dat hij eerst als hoer en later als pooier had geleid. Heel appetijtelijk, dacht Magnus altijd meteen, en meteen daarna: als je ervan houdt.

Magnus boog zich over de tafel heen. 'Hoe gaan de zaken?'

'Heel goed.' Terentius nam een slok wijn en voegde er met opgetrokken wenkbrauw aan toe: 'Maar niet zo goed dat ik mijn bijdrage aan de broederschap kan verhogen.'

Magnus leunde lachend achterover, boog zich weer naar voren en legde zijn hand op Terentius' arm. 'Heel goed, ik snap wat je bedoelt, oude vriend. Ik wil niet om verhoging van je contributie vragen, maar om een gunst.'

'Voor jou doe ik alles, Magnus.'

'Ja, dat zal wel. Je moet iets een paar dagen veilig en in het geheim bewaren.'

Terentius hield zijn hoofd iets schuin, ten teken dat hij akkoord ging.

'Servius heeft het achterin klaarliggen; zoek hem op, dan zal hij je een paar mannen meegeven om je naar huis te vergezellen.'

Terentius nam nog een slok, zette zijn beker neer en stond op. 'Dus ik hoor binnenkort van je?'

'Zeker weten.'

Terentius draaide zich glimlachend om.

Magnus stak zijn hand op. 'O, nog één ding. Hebben jij of je jongens onlangs problemen gehad met te kleine korenmaten bij de graantoedeling?'

'Nee, Magnus.'

'Problemen met onze plaatselijke aedilis?'

Terentius tuitte zijn lippen en schudde zijn hoofd. 'Nee, Magnus. Ik zorg ervoor dat hij me uitermate gunstig gezind is; ik geef hem een paar keer vrije toegang tot mijn etablissement.'

'Echt waar?'

'O ja, het loont altijd de moeite om goed te zorgen voor degenen die macht over je hebben; je weet dat het aanbod ook voor jou altijd geldt.'

Terentius liep weg en onwillekeurig bleef Magnus' blik iets te lang op hem rusten. Hij schudde zijn hoofd en keek rond of hij het hoertje zag. Opeens voelde hij een dringende behoefte haar mee te nemen naar het kamertje dat hij als zijn huis beschouwde.

Terwijl het vale licht van de dageraad door de luiken drong en er voortdurend rumoer van de straat beneden klonk, ontwaakte Magnus langzaam uit het dromenrijk.

In het halfdonker keek hij omhoog naar de ruwhouten plafondbalken, naar de zachte ademhaling van het hoertje luisterend, en bedacht wat hij de komende twee dagen diende te bereiken: het was geen lange lijst, maar gecompliceerd was het zeker.

Toen zijn plannen hem duidelijk voor ogen stonden richtte hij zijn aandacht op de besognes van zijn beschermheer, senator Pollo. Hij was blij dat hij een bijdrage had geleverd om diens reputatie bij de machtigste vrouw van Rome, domina Antonia, te verbeteren.

Hij kende Antonia goed, wat gezien de enorme sociale kloof tussen hen verrassend was, maar anderzijds niet verwonderlijk, omdat ze dol was op boksen en ze graag van een privérondje genoot met de winnaar van het spektakelstuk na het banket, als haar gasten eenmaal vertrokken waren. Maar dat was al zeker tien jaar geleden, toen hij daarmee zijn brood verdiende na zijn diensttijd in de Romeinse legioenen, waarna hij zo gelukkig was geweest naar de stadscohorten te worden overgeplaatst. Dat betekende dat hij maar zestien jaar in dienst hoefde, en niet de volledige vijfentwintig. Toen hij zich eenmaal tot patronus van zijn broederschap had opgewerkt, vooral dankzij de inzet van het forse prijzengeld dat hij in zijn tweejarige boksersloopbaan had verdiend, was hij met die gruwelsport gestopt en was Antonia een tijdje uit zijn leven verdwenen. Nu liet ze hem gewoon bij zich komen als ze het op haar heupen kreeg en vanwege haar status zou het dwaasheid zijn om te weigeren; hij vertrok zijn gezicht bij de gedachte aan de volgende keer dat ze hem zou ontbieden, want ze werd er niet jonger op. Hij vroeg zich af hoe en aan wie ze de plakkaten zou verkopen, en wanneer senator Pollo van hem zou verlangen dat hij ze bij Terentius zou ophalen en... Toen hij Terentius weer voor zich zag, draaide hij het hoertje om en verdrong hem uit zijn gedachten.

'Magnus! Je wordt met het jaar knapper.'

En jij wordt met het jaar slanker, Aelianus.' Magnus greep de onderarm van zijn oude kameraad beet en voelde geen strakgespannen spieren meer, maar een slappe vleesmassa. 'De normen bij de stadscohorten worden blijkbaar steeds lager, als ze slapjanussen als jij onder hun vaandel laten paraderen.'

Aelianus wierp zijn kale hoofd naar achteren en lachte, zijn hand op zijn dikke buik leggend. 'Ik heb niet meer onder een vaandel gestaan sinds ze geen tunieken meer maken die mij passen, wat voor mij als kwartiermeester voor de cohorten gemakkelijk te regelen was.' Hij maakte een weids armgebaar naar zijn goed uitgeruste kantoor, compleet met verplaatsbare komforen, een paar klerken en een wanstaltig groot eiken bureau. 'Toen ik voor nog eens zestien jaar tekende, had ik een rustig en lucratief baantje in de magazijnen in gedachten, zonder al dat eindeloze gedraaf waarop de centuriones zo dol lijken te zijn.'

'Heel goed, oude vriend, door al dat gedraaf ontwikkelt een man nooit een fatsoenlijke pens.'

Aelianus stompte Magnus speels op zijn maag. 'Nog steeds stevig; je doet vast veel aan sport.'

'Horizontaal, Aelianus, horizontaal.'

'Vast. Maar wat kan ik voor je betekenen? Ik kan me niet herinneren dat ik bij je in het krijt sta.'

'Is ook niet zo, maar wat zou je ervan vinden als ik jou het een en ander verschuldigd was?'

'Dan zou ik 's nachts vast een stuk beter slapen, Magnus.'

Magnus wees op zijn oor en gaf aan dat Aelianus hem naar buiten moest volgen, buiten het gehoor van mogelijke luistervinken.

Ze liepen het kantoor uit en staken in het heldere zonlicht van een van de eerste herfstdagen de binnenplaats van het nieuwe magazijn van de stadscohorten langs de Tiber over; het vorige was acht jaar eerder afgebrand, helaas inclusief Aelianus' inventarislijsten en de volledige voorraad. De brand was een lucratief verzetje geweest voor Magnus en zijn broeders, die aan de overkant van de Tiber belangen hadden en die zoiets liever afhandelden zonder tussenkomst van de vigiles, wier voornaamste taak het was om branden te blussen. Hoe goed het de broederschap ook uitkwam, voor de stadscohorten was het een betreurenswaardig verlies. Omdat hij echter ruimschoots voor de brand gewaarschuwd was – Aelianus had die zelf op Magnus' verzoek aangestoken – had Magnus er alle vertrouwen in dat er niet veel waardevols in de vlammen verloren was gegaan – even afgezien van de kostbare inventarislijsten natuurlijk.

Ze sloegen links af de poort uit om de stank van de leerlooierijen langs de rivieroever te ontlopen; Sextus en Marius, die buiten hadden gewacht, volgden op gepaste afstand.

Toen ze de open ruimte van het Forum Boarium binnenliepen, in de schaduw van het Circus Maximus, sloeg Magnus zijn arm om de schouders van zijn oude kameraad. 'Wat is het verschil tussen een civiele en een militaire modius-korenmaat?'

'Niet veel, ze zijn allebei van brons en hebben allebei een inscriptie in overeenstemming met de keizerlijke regelgeving van gewichten en maten. Het enige verschil is eigenlijk dat op een militaire korenmaat het legioen, de cohort en de centurie waaraan die is verstrekt gegraveerd staan.'

'En als die aan geen enkel legioen is verstrekt?'

'Dan staat er geen militaire inscriptie op.'

'Dat dacht ik ook. Ik wil er een dozijn van hebben.'

'Een dozijn? Maar dergelijke zaken zijn streng gereguleerd; ze blijven het eigendom van de keizer. Je moet voor ontvangst en afgifte tekenen.'

'Ik wil die van de keizer helemaal niet hebben, dat kan ons in ernstige problemen brengen. Ik was van plan om de jouwe te nemen.'

'De mijne?'

'Ja, waarom niet?' Magnus verstevigde zijn greep om Aelianus' schouders. 'Ik zou toch denken dat er wel een paar verloren zijn gegaan bij die ellendige brand van een aantal jaren terug; ik wil daar een dozijn van hebben.'

'Ik heb nog maar een half dozijn over.'

'Dan moeten we het daarmee maar doen. Hoe zou je die één sextius kleiner kunnen maken?'

'Door er een valse bodem in te leggen natuurlijk.'

'Hoe lang duurt dat?'

'Ik ken wel iemand die ze alle zes in een dag kan doen, zonder lastige vragen te stellen.'

'Je klinkt zelfverzekerd.'

'Hij heeft dat eerder gedaan.'

Magnus bleef staan. 'Wanneer?'

'Een paar maanden geleden.'

'Voor wie?'

Aelianus haalde zijn schouders op. 'Dat weet ik niet, dat is via een reeks tussenpersonen gegaan. Ik doe alleen rechtstreeks zaken met een paar vertrouwde relaties, zoals jij. Ik kan echt niet gaan uitzoeken wie dat heeft gedaan, Magnus, want dan zet ik mijn anonimiteit en reputatie van geheimhouding op het spel.'

'Dat hoeft niet, beste vriend. Zorg dat de korenmaten uiterlijk morgenochtend geleverd worden, maar zeg tegen je mannetje dat hij die valse bodems niet al te vakkundig moet aanbrengen; ze moeten zichtbaar blijven.'

'Ze passen nooit precies.'

'Mooi.'

Aelianus wreef met zijn duim tegen zijn vingers. 'En hoe zit het met je-weet-wel?'

Magnus sloeg op zijn rug. 'Aelianus, ik geloof dat je je tweede zestien jaar binnenkort volgemaakt hebt en ik neem niet aan dat ze je terugnemen.'

'Nee, dat vermoed ik ook.'

'Je bent dus vast op zoek naar een veilige buurt vanwaaruit je discreet en ongestoord kunt opereren?'

Aelianus grijnsde en liet zijn vergeelde tanden zien. 'Ergens waar ik 's nachts rustig kan slapen?'

'Beste vriend, iedereen op de Zuid-Quirinaal slaapt 's nachts rustig.'

Het was bijna het zesde uur van de dag tegen de tijd dat Magnus, Sextus en Marius de thermen van Agrippa bereikten, maar dit was een ideaal tijdstip om quasitoevallig het soort mensen tegen te komen dat Magnus nodig had. Voor iedereen in de stad met een geregeld werkpatroon, of het nu om handel of om politiek ging, liep de werkdag van het eerste tot het achtste of negende uur. Daarna was er tijd om te ontspannen voor de hoofdmaaltijd van de dag, aan het einde van de middag. Na het achtste uur werden de baden dus door een ander publiek bevolkt dan eerder op de dag. Magnus wilde zich vandaag onder de vroege klanten mengen: de mannen die geen geregeld werkpatroon hadden, mannen die niet in de politiek zaten of in fysieke producten handelden, maar mannen die in een ander soort zaken handelden, en wel hetzelfde waarin Magnus handelde – angst en bescherming. Mannen die het zich konden veroorloven om de hele ochtend al luierend in de publieke baden van Rome door te brengen. Nadat ze hun kleren hadden uitgetrokken en in de vestibule aan een van de vele slaven ter bewaring hadden afgegeven, in ruil voor linnen handdoeken, ging Magnus zijn broeders voor naar de grote hal, waar de bezoekers trainden, zich ontspanden, gemasseerd werden, hun lichaamsbeharing lieten verwijderen of gewoon liepen te kletsen, te roddelen, of plannen beraamden.

'Loop gewoon wat rond en kijk uit naar leden van de Subura- of Via Sacra-broederschappen, jongens,' mompelde Magnus terwijl hij om zich heen keek. 'Niet wijzen, ik wil gewoon alleen maar weten wie hier zijn, en waar ze zijn.'

Magnus spreidde zijn handdoek op een met leer beklede bank uit en nam plaats voor een schoudermassage van een van de vele publieke slaven, terwijl zijn broeders door de hoge, gewelfde hal liepen, waarin het geroezemoes van honderden stemmen helder weerklonk.

Na een naar zijn smaak te korte sessie, waarin hij ingeolied, met vuisten bewerkt en gekneed werd, keerden Marius en Sextus terug.

'En?' vroeg Magnus, terwijl hij de slaaf met een handgebaar wegzond.

'We hebben een paar van die schurken uit de Centrale Subura gezien,' meldde Marius. 'Ze komen net uit het frigidarium en lijken op weg naar buiten te zijn. Dat uitschot van de oostkant van de Via Sacra is met gewichten in de weer en...'

'Is Dacien daar ook?'

'Ik heb hem niet gezien. Wel heb ik Grumio met een stelletje schooiers uit de West-Subura gezien, op weg naar het caldarium.'

'Nee, echt?' Magnus stond op, pakte de handdoek op en strekte krakend zijn schouders. 'Tijd voor een potje zweten, lijkt me, jongens.'

De hitte prikte in Magnus' ogen toen de zware houten deur van het caldarium achter hem dichtviel; hij keek rond in de schemerige ruimte, waar alleen via een venstertje in de muur tegenover hem licht binnenviel, en zag een groepje naakte mannen rond een corpulente man met een kaalgeschoren hoofd zitten. De man was ongeveer even oud als hij – begin veertig of iets ouder. Aan weerszijden van het groepje joegen twee slaven de hete lucht naar hen toe door krachtig met handdoeken boven hun hoofden te zwaaien. Alle ogen in de groep draaiden zich naar Magnus en zijn twee broeders toe toen ze op hen af liepen. Geen van beide groepen voelde zich bedreigd, want er gold een ongeschreven wet dat er in alle openbare baden geen conflicten werden uitgevochten – hoofdzakelijk omdat de enige optie die een man had om een wapen in te verbergen niet bepaald een comfortabele was.

'Grumio,' zei Magnus terwijl hij op een stenen bank plaatsnam, van de warmte onder zijn billen genietend.

'Magnus,' antwoordde Grumio, die in een weinig overtuigende glimlach zijn gouden tanden toonde.

Er kwam een slaaf aan, die Magnus en zijn broeders hete lucht begon toe te zwaaien, zodat ze al snel van het zweet parelden, dat overal op hun lichaam prikte.

Magnus legde zijn handen op zijn knieën en liet zijn hoofd zakken, zijn tegenstrever uit de West-Subura negerend.

Bij elke dalende beweging van de handdoek kreunde Sextus van genot.

Marius sloot zijn ogen en leunde met zijn hoofd tegen de muur, gedachteloos met de stomp van zijn linkerarm spelend.

'Het gerucht gaat dat je een probleem met de aedilis hebt,' merkte

Grumio uiteindelijk op. 'Ik heb gehoord dat je een delegatie op bezoek hebt gehad.'

'Dat heb je goed gehoord,' antwoordde Magnus zonder op te kijken.

'Lastige situatie.'

'Wat gaat jou dat aan?'

'Ik maak gewoon een babbeltje.'

'Als je dan toch wilt babbelen – ik heb gehoord dat er een graantekort op til is.'

'Ja, dat heb ik ook gehoord van mijn jongens in de graanschuren.'

'En toevallig heeft de Via Sacra-buurt precies het tegenovergestelde probleem als de Quirinaal; zij hebben te veel graan.'

'Dat heb ik niet gehoord. Hoe bedoel je?'

'Dacien aan de oostkant van de Via Sacra en de aedilis voor die buurt hebben de afgelopen maanden valse namen op de uitdelingslijst genoteerd.'

'Hoe doen ze dat? Ik probeer het al jaren.'

'Weet ik niet; dat moet je aan Dacien vragen, die het waarschijnlijk zal ontkennen. Maar ik neem aan dat het een stuk simpeler wordt als je de steun van een aedilis hebt. Die hebben ze blijkbaar, en Dacien en de aedilis slaan het overschot op, om dat tegen een veel hogere prijs te verkopen als er in de lente een tekort ontstaat voordat de eerste graanvloot arriveert.'

Grumio hoestte rochelend en spuwde. 'Dan zullen ze een fortuin verdienen.'

'Zeker, maar weet je wat nou zo grappig is?'

'Ga verder.'

'Als de aedilis gepakt zou worden, zou hij op zijn minst verbannen worden en was zijn politieke carrière voorbij. Maar als Dacien betrapt zou worden, zou hij gewoon een jaar of twee uit het zicht verdwijnen en wachten tot alle heisa voorbij is.'

'Dus Dacien heeft gedreigd de aedilis te verraden? Heel verstandig. Wat wil hij?'

'Nou, hij wil uiteraard dat zijn mensen tevreden zijn, dus wat zou hem gelukkiger maken dan dat hij dit jaar het recht zou krijgen om het hoofd van het oktoberpaard op te hangen?'

'Voor die eer moeten ze tegen ons en de andere Subura-broeder-schappen vechten, en de kans dat ze winnen is klein, omdat wij met meer zijn; hoe kan de aedilis daar iets aan doen?'

Magnus stond op en rekte zich uit. 'Zoals je weet was ik bij een van de stadscohorten in dienst en ik heb daar nog steeds contacten. Een van hen – ik kan om vanzelfsprekende redenen de naam niet zeggen – heeft me verteld dat de Via Sacra-aedilis een aanzienlijk bedrag aan enkele van de centuriones heeft betaald om hun mannen aan de kant van de Via Sacra te laten opdraven.'

Grumio ontplofte. 'Dat mogen ze niet. Het is altijd een eerlijk gevecht.'

'Uiteraard, en als het gewoon een gevecht was, zouden ze niet meedoen. Maar stel dat het in een oproer ontspoord was?'

'Hoe willen ze dat dan doen?'

'De boel laten ontsporen? Dat wist mijn contactpersoon niet, maar ze zullen vast iets bedacht hebben. Als ik jou was, zou ik mor-gen maar op mijn hoede zijn, Grumio; en vergeet niet dat ik jou heb gewaarschuwd.'

'Ja, goed, maar waarom waarschuw je me?'

'Laten we zeggen dat ik graag zie dat het oktoberpaardgevecht eerlijk verloopt. Het zou de hele stad ongeluk brengen als het festi-val ontaardde.' Magnus keek naar zijn broeders. 'Tijd om af te koe-len, jongens. Laten we deze eerbare heren verlaten, zodat ze kunnen overdenken wat de ides van oktober hun gaat brengen.' Met een kort knikje richting Grumio liep hij naar de deur.

'Wie heeft jou dan verteld dat de cohorten de kant van de Via Sacra wilden kiezen?' vroeg Sextus toen ze de baden verlieten.

Magnus grijnsde en sloeg zijn forsgebouwde metgezel op zijn brede rug. 'Ik zag aan je dat je ergens op broedde, broeder, want je kauwt al een uur op je onderlip en trekt vaker dan normaal een frons. Vertel het hem, Marius.'

'Niemand, broeder. Magnus heeft het verzonnen.'

Sextus' frons werd nog dieper. 'Hoe bedenk je zoiets?'

'Omdat ik dat moet, Sextus. Maar dat ik het verzonnen heb wil nog niet zeggen dat het niet zo zal gaan, of althans gedeeltelijk.

Marius, zoek onze oude vriend centurio Nonus Manilus Rufinus in het cohortenkamp op en zeg tegen hem dat ik hem een interessant zakelijk voorstel wil doen.'

'En wat schiet ik daarmee op?' vroeg centurio Nonus Manilus Rufinus, zich over de tafel buigend in de privéruimte achter de herberg, die Magnus voor zakelijke aangelegenheden gebruikte. 'Als ik mijn mannen in formatie laat opdraven alsof ze de Subura-facties in het gevecht gaan aanvallen, zal dat zeker tot rellen leiden. De schade zal aanzienlijk zijn en ik kan een hoop lastige vragen verwachten, dus het moet voor mij wel de moeite waard zijn.'

'Dat is een terechte opmerking, Rufinus.' Magnus liep naar een kluis in de verste hoek en stak een sleutel in het slot. Met een doffe klik ging het slot open; Magnus stak zijn hand in de kluis en haalde er een in jute gewikkeld pakje uit. 'Je zult ontdekken dat dit het voor jou de moeite waard maakt.' Hij legde het op tafel en wikkelde het open, waarna er een harsachtige substantie tevoorschijn kwam. Hij haalde zijn mes uit het foedraal, sneed het plakkaat doormidden en schoof het brok naar Rufinus toe.

Rufinus staarde er even naar. 'Wat is dit?'

'Dit is meer waard dan goud, beste vriend.'

'Ja, maar wat is het?'

'De sleutel tot het rijk van Morpheus. Het is de hars van een oosterse bloem die je naar een andere wereld voert. Dokters gebruiken het om bij een operatie de pijn te verzachten, maar alleen rijke patiënten kunnen het betalen, omdat het heel zeldzaam is. Het bereikt het rijk bijna nooit, en is onder medici zeer gewild.'

'Hoeveel is dat waard?'

'Zoals ik al zei: meer dan zijn gewicht in goud – als je weet waar je het moet verkopen. Ik vermoed dat de dokters van de praetoriaanse garde of de stadscohorten zeer geïnteresseerd zullen zijn, of misschien de dokters van de senatoren.'

Rufinus pakte het op en voelde het gewicht ervan in zijn hand; hij floot zachtjes. 'Magnus, beste vriend, zoals altijd is het een waar genoegen om zaken met je te doen.'

Magnus scheurde de jute doormidden en gaf Rufinus een stuk om zijn plakkaat hars in te wikkelen. 'Wacht tot het gevecht echt aan de gang is en dreig dan mee te gaan doen tegen de Subura, maar laat het daarbij. Dat zou ze tot een aanval op jullie moeten verleiden, en daarna is het vanzelf zelfverdediging geworden.'

Rufinus stopte zijn halve plakkaat in zijn tuniek. 'En als me nou gevraagd wordt waarom ik me in formatie tegen de Subura heb gekeerd?'

'Dan zeg je dat het gevecht tot een graanopstand dreigde te escaleren.'

'Waarom zou ik dat denken?'

'Maak je geen zorgen, vriend, er zal zeker bewijs voorhanden zijn. Laat dat maar aan mij over; het zal zelfs door de lucht vliegen.'

De ides van oktober begon helder, met een gouden zon die boven de oostelijke heuvels opkwam en langzaam de dauw deed verdampen die op de straatstenen en daken van Rome glinsterde. De stad zinderde van de spanning en er werden maar weinig zaken gedaan; in plaats daarvan begaf het grootste deel van de burgerij zich naar de Campus Martius, buiten de noordmuren van de stad, om het belangrijkste van de drie jaarlijkse, aan Mars gewijde paardenfestivals mee te maken. Dit was de dag waarop het oktoberpaard zou worden gekozen, na een reeks van wagenrennen met spannen van twee paarden op de Campus Martius; het rechterpaard van het winnende duo zou aan de oorlogsgod en beschermer van de landbouw geofferd worden, in een eeuwenoude rite om het einde van het landbouwseizoen en de militaire veldtochten voor dat jaar te vieren. Magnus en dertig van zijn broeders vertrokken nadat ze de ochtendrituelen bij het altaar van de kruispunt-lares hadden verricht. Zowel Sextus als Cassandros had een zak bij zich met daarin drie van de modius-korenmaten die Aelianus die nacht had afgeleverd. Na een korte wandeling kwamen ze bij het huis van senator Pollo en voegden zich bij zijn cliënten, die buiten de vensterloze voorzijde stonden te wachten om hun beschermheer naar de festiviteiten te begeleiden. Iedere man had een zakje munten bij zich, de inzet voor de weddenschappen van die dag, dat ze van hun beschermheer hadden ontvangen toen ze hem bij zijn ochtend-*salutatio* hadden begroet

– een formaliteit waarvan Magnus vanwege zijn religieuze verplichtingen op hetzelfde tijdstip was vrijgesteld.

Magnus stelde zijn broeders vóór de clientèle op, zodat ze de weg voor de senator en zijn entourage konden vrijmaken als ze zich in de festivalmassa begaven. Overal in de straat verzamelden zich andere groepen van verschillende grootte, afhankelijk van de status van de beschermheer.

De zware houten deur, die de enige opening naar de straat vormde in de simpele, okerkleurige muur, ging open en Gaius verscheen boven aan de trap, onder applaus van de lager geplaatsten die van zijn beschermheerschap afhankelijk waren. Hij hief als dankbetuiging zijn hand op en waggelde omlaag naar het trottoir, waar hij op Magnus toe liep, terwijl de meute voor hem uiteenweek; daarbij werden velen gedwongen op de vieze, modderige straat te springen.

Gaius liet een zware beurs in Magnus' hand vallen. 'Mogen de goden je geluk schenken, beste vriend.'

'En mogen zij u hetzelfde geven, patronus.'

Gaius grinnikte. 'Ik zou eerder denken dat ons geluk van onze eigen inspanningen afhankelijk is.'

'Nou ja, het kan geen kwaad om de goden ook geluk af te smeken.'

'Nee, nee, beste vriend, ik ben het helemaal met je eens; maar de rest van de stad is waarschijnlijk volop bezig de goden om hun zegen te smeken, en wie zullen de goden fortuin brengen? Ik zal het je vertellen: alleen de gokmakelaars en de paar verstandige lieden die eerder op vorm en fitheid wedden dan op de renfactie waarvan de strijdwagens deel uitmaken.'

'Maar dit zijn geen rennen van de facties.' Magnus gebaarde naar zijn broeders om te vertrekken, en de stoet liep de heuvel af.

'Natuurlijk niet, geen van de vier kleuren mag meer dan de andere door Mars begunstigd worden. Maar kom nou, Magnus, je weet net zo goed als ik dat, afgezien van de jongelingen die voor de familie-eer deelnemen, de meeste wagenmenners aspiranten van de Roden, de Blauwen, de Witten of de Groenen zijn en dat een groot aantal van de paarden geen oorlogspaarden uit families van stand zijn, zoals in vroeger tijden, maar veteranen van de oorlogen op de renbaan. Vertel me nou niet dat je niet weet welke wagens tot je geliefde Groenen behoren, alleen maar omdat ze niet in die kleur gekleed zijn!'

'Het is moeilijk om tegen de Groenen te wedden,' mompelde Magnus terwijl hij de zware beurs in zijn hand optilde.

'Ik meen me te herinneren dat je een paar jaar geleden op een Rode een-twee-drie wedde en daar zeker niet slechter van bent geworden.'

'Dat was zakelijk.'

Gaius wees op de beurs. 'Dit ook – je zult zien dat er aanzienlijk meer in zit dan ik normaal gesproken op een festivaldag aan jou en je mannen zou uitdelen.'

'Ik vroeg me dat ook al af; wat moeten we voor u doen, senator?'

'Jullie moeten morgen op het tweede uur naar het Huis van de Maan in de Steenhouwersstraat op de Caelius gaan en een van de plakkaten meenemen. Klop vier keer snel achter elkaar, tel drie hartslagen af en herhaal het klopsignaal. Als je om je naam wordt gevraagd, zeg je "Morpheus". Ik weet niet hoeveel mannen er binnen zullen zijn, maar minstens twee, vermoed ik. Je moet in je eentje gaan; de mannen die met je meegaan moeten aan het eind van de straat wachten. Als het goed is, zul je geen gevaar lopen.'

'Als het goed is? Dat klinkt niet bepaald als een volledige garantie.'

'Tja, wat is er in het leven wél gegarandeerd, beste vriend? Hoe dan ook, ze zullen het plakkaat onderzoeken en een monster nemen. Zeg tegen hen hoeveel je er nog meer hebt, en dan zullen ze een bedrag noemen. Weiger de eerste twee aanbiedingen meteen en zeg dat je over het derde aanbod moet overleggen, maar dat je over een paar uur ja of nee zegt. Snelheid is van essentieel belang nu de stadsprefect van de diefstal op de hoogte is gebracht.'

'Wát is hij?'

'De diefstal is gisteren opgemerkt en ik hoef je niet te vertellen dat Herodes Agrippa helemaal over de rooie was. Hij is zowel naar de prefect van Ostia als naar de stadsprefect hier in Rome gestapt en heeft onmiddellijke actie geëist. Ik weet niet wat ze echt kunnen ondernemen, maar het is het beste om de overeenkomst te sluiten en de plakkaten zo snel mogelijk uit de stad weg te halen en Antonia het geld in handen te geven.'

'Daar ben ik het helemaal mee eens, dergelijke zaken kun je het best zo snel mogelijk regelen.'

'Zeker. Maar vertel eens, hoe staat het met die andere kwestie van vandaag? Moet ik morgen in de Senaat opstaan en er bij de stadsprefect op aandringen om een onderzoek naar maten en gewichten in te stellen en dan om een dankbetuiging vragen?'

'Dat zal allemaal best lukken; een bevriende centurio in een van de stadscohorten zal zijn mannen een provocatie laten uitvoeren en met wat hulp van de jongens en mij zal dat de lont in het kruitvat zijn.'

'Stadscohorten, zei je? Hij steekt zijn nek behoorlijk ver uit, ik hoop dat je hem goed hebt betaald.'

'Maak u geen zorgen, senator, ik... O, verdomme. Ik heb hem omgekocht met de helft van dat plakkaat dat ik als commissie had meegenomen.'

Gaius draaide zich geschrokken naar Magnus toe. 'Heeft hij dat nog steeds in bezit?'

'Ik weet het niet, maar ik heb hem verteld aan wie hij het kon verkopen: artsen die senatoren, praetoriaanse officieren of stadscohortofficieren behandelen.'

'Gunst. Gezien de omstandigheden is dat de slechtste plek om naartoe te gaan.'

Magnus' oren tuitten onder het gejuich en gefluit van het volk van Rome, dat de twaalf ploegen aanspoorde in de laatste wedstrijd van het festival over de tijdelijke renbaan op het Trigarium, het oefenterrein voor paarden in de bocht van de Tiber, in de noordwesthoek van de Campus Martius. Hier hadden ze de hele ochtend genoten van paardenrennen op het hoogste niveau: een twaalftal rennen met twaalf duo's van de beste hengsten, die door hun wagenmenners tot het uiterste werden gedreven en elkaar het privilege betwistten om aan de allerlaatste wedstrijd ter ere van de god deel te nemen.

Tienduizenden bezoekers stonden opeengepakt rond het parcours, omringd door een massief houten hekwerk en afgezet met soldaten van de stadscohorten in volledig militair tenue, omdat het festival buiten het *pomerium* plaatsvond, de heilige grens van de stad Rome. Elk uitkijkpunt achter de toeschouwers, die twintig tot dertig rijen dik rond de driehonderd passen lange renbaan met een keerpunt aan beide uiteinden stonden, was bezet.

Nu de zeven overgebleven wagenspannen de laatste ronde naderden, waarbij de flanken en muilbanden van de paarden schuimden van het zweet en ze met rollende ogen en bonzende harten onder zweepslagen op hun schoften over de baan draafden, nam het kabaal tot een oorverdovende herrie toe. Maar Magnus merkte het niet; hij juichte niet. Magnus stond onbewogen in de schaduw van een ruiterstandbeeld van een reeds lang overleden patriciër op nieuws van Rufinus te wachten. Zijn broeders hadden de hele ochtend de Campus Martius afgezocht en hadden hem en zijn centurie uiteindelijk aan de oostkant van de baan aangetroffen. Maar nu de menigte zo opeengedrongen stond, konden zelfs de slaven van de gokmakelaars die het publiek afgingen om weddenschappen aan te nemen de voorste rijen niet bereiken. Magnus was dus gedwongen om te wachten en wist niet of Rufinus had geprobeerd om zijn helft van de hars te verkopen en of dat de stadsprefect ter ore was gekomen

Het gebulder was nu zo luid dat het de strijdkreet van de god zelf leek te evenaren, en tienduizenden vuisten werden in de lucht gestoken toen de winnende ploeg na zeven ronden over de eindstreep kwam. De wagenmenner leunde achterover aan de teugels, die rond zijn middel waren gewikkeld, om zijn winnende hengsten – twee vossen met zwarte manen en staarten – vaart te laten minderen. De soldaten van de stadscohorten, die onder Rufinus' commando aan de oostzijde van de renbaan opgesteld stonden, hielden hun schilden tegen elkaar in een poging tussen het juichende publiek een pad voor de winnaar vrij te maken. Vanuit de achterste gelederen van het publiek volgden Magnus en zijn broeders de processie op weg naar het altaar van Mars in het hart van de Campus Martius, waar *flamen Martialis* Gaius Iunius Silanus, de bejaarde hogepriester van Mars, met een van zijn heilige speren zwaaiend stond te wachten, gereed om het offer te brengen. Gekleed in toga met daaroverheen een met franjes versierde mantel van dubbeldikke wol, die bij de hals was vastgegespt, en op zijn hoofd een strakke leren kap, bevestigd met een kinband en bekroond met een puntig stokje van olijfhout aan de bovenzijde, riep hij de godheid op om het offer van het beste paard in de stad gunstig op te nemen.

De twee schitterende dieren stapten met hun hoofden schuddend, door de neusgaten snuivend en met de staarten zwaaiend statig over het pad dat door schilden met puntige knoppen voor hen was vrijgemaakt, waarbij hun hoefslagen en het gerammel van het tuig in het tumult verloren gingen. In de extase van het moment en ergens in hun paardenbrein beseffend dat de uitzinnige vreugde aan hun prestatie te danken was hielden ze hun hoofden hoog; en als ze eens vooruit schoten, werden ze met een harde ruk aan de teugels weer tot de orde geroepen, terwijl ze langzaam vooruitkwamen tussen de menigte die om hen heen wervelde.

Magnus, die Rufinus' helmbos van wit paardenhaar inmiddels had ontdekt, liep gelijk met hem op. Hij zorgde ervoor dat zijn broeders in de buurt bleven, in de wetenschap dat hij op zijn kans moest wachten om bij de centurio te komen.

Toen het rechterpaard bij het altaar aankwam werd het uit zijn tuig bevrijd, en de menigte, die onder de indruk was van de religieuze betekenis van dit moment, zweeg nu devoot. Het dier kreeg een met broodjes versierde krans omgehangen; twee priesters van Mars gingen aan weerszijden van het paard staan en grepen de teugels vast. De flamen Martialis liep het nietsvermoedende dier met trage, draaiende stappen tegemoet, zodat zijn mantel rond hem uitwaaierde, terwijl hij naar links en naar rechts zwaaide. Met zijn speer afwisselend in de lucht geheven en op de borst van het oktoberpaard gericht herhaalde hij een formule die zo oud was dat de betekenis van de woorden voor iedereen die niet in de rituelen van Mars geschoold was slechts vaag te begrijpen was. Nu was alleen nog maar de stem van de priester te horen, naast het gesnuif en getrappel van zijn nietsvermoedende slachtoffer.

Met een laatste oproep aan de hemel bracht hij zijn speer omlaag en terwijl hij die met beide handen zo stevig omklemde dat zijn knokkels wit zagen, stootte hij het wapen bovenhands in de borst van het paard. De priesters trokken hard aan de teugels om het krijsende, steigerende oktoberpaard in bedwang te houden; ondertussen grepen twee andere priesters, die de plooien van hun toga om hun hoofd hadden geslagen, de speer beet en hielpen ze de flamen Martialis om die helemaal naar binnen te duwen en het hart van de gift aan Mars te verscheuren. Doorboord door de speer en door de teugels in zijn vrijheid belemmerd wierp het dier zijn hoofd opzij, zodat de broodjes aan de krans heen en weer vlogen. Ondertussen stroomde het bloed uit het gat in zijn borst, maar dat duurde niet lang, doordat het hart van het offerdier, kapot gereten door de ijzeren speer, niet langer pompte en de druk zakte. De voorpoten van het enorme dier knikten en het zakte op het plaveisel, dat al glad van het bloed was, door de knieën en gleed naar voren; ondertussen trokken de flamen en zijn assistenten de heilige speer los. Nu het geen steun meer vond en de kracht in zijn spieren snel afnam rolde het oktoberpaard met zijn ogen, zodat alleen het geelwitte deel nog zichtbaar was, en met een onnatuurlijk gerochel uit de keel viel het op zijn linkerzij neer, krampachtig kronkelend. Je kon een speld horen vallen toen het offerdier zijn laatste adem had uitgeblazen; enkele momenten lang bleef iedereen doodstil staan, in de ban van het intense ritueel. De flamen Martialis verbrak de beklemmende betovering door een bijl van het altaar te pakken en naar de achterkant van het karkas te lopen. Een van zijn assistenten trok de staart recht en het ijzer flitste in het zonlicht. De staart werd afgehakt en vervolgens rechtop gehouden door de assistent-priester om te voorkomen dat het kostbare bloed eruit zou vloeien. Terwijl hij de staart omhooghield begaven de priester en twee collega's zich in steeds snellere pas door de uiteenwijkende menigte om de staart naar de Regia te brengen, waar de heilige speren en heilige schilden van Mars waren opgeslagen. Daar zou het bloed in de haard worden gesprenkeld.

Gebeden prevelend liep de flamen naar de voorzijde van het karkas, terwijl zijn overgebleven drie assistenten aan het hoofd trokken om de hals recht te krijgen. Er klonk een verwachtingsvol geroezemoes in de menigte, nu het tijdstip naderde waarop besloten werd waar het afgehakte hoofd een jaar lang bewaard zou worden: aan de Regia gespijkerd als de Via Sacra-broederschappen het gevecht wonnen of aan de even eerbiedwaardige Turris Mamilia in de Subura, als de broederschappen uit die wijk wonnen.

Met een laatste hese oproep aan de godheid liet de hogepriester van Mars de bijl door de lucht suizen, over zijn hoofd heen, en liet hij die met een harde klap neerkomen, alsof het om het hakmes van een slager ging, zodat de bijl diep in de nek drong. Met deze bijlslag was de taak van de flamen voltooid en hij liet het aan zijn jongere collega's over om het hoofd van het lichaam te scheiden. Zodra dat was gelukt werd de krans met broden op het altaar geworpen om door het vuur verteerd te worden en kringelde de rook als dankzegging voor de geslaagde oogst op.

Nu was het tijd voor het gevecht om het hoofd.

Daartoe aangezet door de stadscohorten verspreidde de menigte zich en trok die zich uit het gebied rond het altaar terug, zodat de verzamelde broederschappen uit de twee elkaar betwistende buurten zich met een tussenruimte van honderd passen konden opstellen. Beide contingenten bestonden uit enkele honderden strijders, al leek de Subura iets groter dan de Via Sacra; geen van beide partijen leek zichtbare wapens te hebben, op knuppels en boksbeugels na. Magnus zag Grumio in de voorste gelederen van de Subura argwanend naar de stadscohortcenturie van Rufinus en anderen daarachter kijken, die eindelijk van de druk van de omringende menigte bevrijd waren. Magnus gebaarde naar zijn broeders hem te volgen en begaf zich naar de centurio, terwijl de priesters het afgehakte paardenhoofd tussen de twee strijdende partijen door droegen. Ze hielden het hoog in de lucht, zodat iedereen het kon zien.

'Heb je al geprobeerd om die hars te verkopen?' vroeg Magnus zachtjes, terwijl hij zich naast Rufinus posteerde.

'Waarom vraag je dat?'

'Omdat de stadsprefect inmiddels is ingelicht; het is waarschijnlijk het beste om het een tijdje verborgen te houden.'

Rufinus keek naar de priesters die het hoofd op de grond legden en trok ietwat verontrust zijn wenkbrauwen op. 'Ik heb een tussenpersoon gevraagd om navraag te doen.'

'Houd hem tegen.'

Rufinus knikte terwijl de priesters zich uit de voeten maakten. 'Zal ik doen.'

De flamen Martialis hief zijn speer in de lucht en riep de godheid op om beide partijen te zegenen in hun heilige strijd om hun eigen doelen te bereiken, en hij smeekte hem om te erkennen dat Rome haar plicht tegenover hem had vervuld, ongeacht wie er mocht winnen.

Hij liet de speer zakken en met een enorm gebrul vlogen beide kanten naar voren voor een gewelddadige confrontatie, als twee oorlogszuchtige stammen van de primitiefste soort.

En het volk van Rome schreeuwde zijn kelen hees.

Het gevecht was nog niet begonnen of het bloed en de tanden vlogen onder veel geschreeuw door de lucht. De voorste twee of drie rijen – als je ze zo kon noemen – van elke partij verloren zich in een stuurloze matpartij waarin mannen alle kanten op vochten, en aangezien ze geen uniformen droegen of andere kenmerken hadden en dus aan hun gezicht herkend moesten worden, haalden ze naar alles uit wat kwaadaardige bedoelingen leek te hebben.

Het terrein waar het hoofd voor het laatst was gezien was compacter en hier was een enorme chaos ontstaan; de meute vechtenden bewoog zich worstelend heen en weer om het hoofd in bezit te krijgen van het eens zo trotse dier dat tot het belangwekkendste paard in Rome was uitgeroepen.

Terwijl hij toekeek en zichzelf voorhield zich op zijn opdracht te concentreren en zich niet te laten meeslepen door het plezier in het spektakel, leidde Magnus zijn broeders langzaam langs de flanken van het Subura-contingent.

De kluwen vechtenden verplaatste zich langzaam naar het zuiden, naar de stad toe – de richting waar beide partijen heen wilden – en liet een spoor van bewusteloze en gewonde deelnemers achter. De toeschouwers bewogen mee, net als de diverse centuries van de stadscohorten, die moesten voorkomen dat het gevecht zich in de voorname gebouwen langs de route over de Campus Martius voortzette.

Magnus en zijn broeders begonnen de Subura-factie te infiltreren, maar ze waagden zich niet in het centrum van de actie.

'Geef me een korenmaat,' zei Magnus, zijn hand naar Cassandros uitstekend.

De broeder dook in zijn zak en haalde er een bronzen modius uit.

Magnus woog die in zijn hand en glimlachte met toegeknepen ogen. Met zijn gestrekte arm wierp hij die hoog de lucht in boven het Via Sacra-contingent. Hij zag niet waar de modius precies terechtkwam, maar hij wist dat die zware of zelfs dodelijke verwondingen teweeg zou brengen. Hij keek naar rechts en zag dat Rufinus zijn mannen dichter bij elkaar had gebracht. 'Goed, jongens, nog vijf over; gooi die allemaal naar Rufinus' mannen toe.'

Binnen enkele ogenblikken waren vijf bronzen projectielen tussen de stadscohortcenturie neergevallen en waren twee mannen ondanks hun helmen, schilden en maliënkolder uitgeschakeld en hadden een paar anderen botbreuken opgelopen. Het antwoord kwam onmiddellijk. Schilden werden opgeheven, linies geformeerd en zwaarden getrokken, waarna de krijgers het linkerbeen naar voren zetten in de richting van de bron van de aanval: de Subura-factie.

Er trok een huivering door de Subura-groep die het dichtst bij Rufinus' centurie stond toen die de dreiging slechts enkele passen bij hen vandaan in het oog kreeg.

Magnus gebaarde zijn broeders om zich terug te trekken via de zwakker gegroepeerde flanken van de mêlee, en op dat moment splitste een sectie van de Subura zich met een verandering in het timbre van de strijdkreten af om de centurie aan te vallen. Die had zich zodanig opgesteld dat ze de kant van de tegenstander leken te kiezen, precies zoals hun was verteld.

En precies zoals Magnus had verwacht, zette de centurie twee passen naar voren. De mannen stampten met de linkervoet op de grond, hieven hun schilden op en ramden die in de gezichten van hun aanvallers, zodat die werden teruggedrongen, door bloedige verwondingen getroffen. Daarna sloegen ze met het gevest of de platte kant van hun zwaard op de kruinen van de belagers in, wier schedels onbeschermd waren. Toen ze zagen dat hun kameraden aangevallen werden, schoten andere eenheden van de stadscohorten Rufinus' mannen te hulp, waarbij ze ervoor zorgden hun flanken te

179

beschermen zodat ze niet in een plotselinge escalatie van het geweld onder de voet gelopen werden.

'Zo lijkt het me wel genoeg,' mompelde Magnus terwijl hij zag hoe de strijd zich opsplitste in de vechtpartij om het afgehakte hoofd aan de ene kant en de net aangestichte rellen in de richting van de stadsmuren aan de andere kant. Hij wendde zich tot zijn broeders. 'Goed, jongens; we lopen ieder apart rustig weg hier, diep gekwetst dat zo'n gewijd evenement in een aanval op de stedelijke autoriteiten is ontaard.'

Tevreden met wat hij tot nu toe had bereikt, liep Magnus drie stenen treden op en klopte hij op een met ijzer beslagen houten deur. Een fallus in erectie erboven duidde op het soort activiteiten dat binnenin plaatsvond. Er werd een kijkschuifje geopend en Magnus keek in de kille ogen van een man die van dreigen met geweld zijn professie had gemaakt.

'Goeienavond, Postumus,' zei Magnus. 'Ik ben hier met de mannen om Terentius te spreken.' Hij wees naar Marius en Sextus, die een stukje terug op de stoep stonden; achter hen was de straat verstopt met voertuigen op wielen, die overdag niet de stad in mochten en van de avondschemering profiteerden om hun lading af te leveren.

De deur ging knarsend open en Magnus en zijn broeders gingen naar binnen, langs een kolossale man die grijnzend zijn gebroken tanden toonde. 'Ik zal hem door een van de leerlingen laten halen, Magnus.' Hij sloot en grendelde de deur voordat hij Magnus via de vestibule naar een zoet geurend en sfeervol verlicht atrium leidde. 'Galen, de bediende van de meester, zal voor jullie zorgen terwijl jullie wachten.' Postumus wees op een man van middelbare leeftijd met een verzorgd, goed geconserveerd voorkomen; het was duidelijk zichtbaar dat hij rijkelijk cosmetica gebruikte.

'Meesters, jullie zijn van harte welkom, volg me alsjeblieft.' Terwijl Galen hen wegleidde riep Postumus een jongetje van acht of negen bij zich en stuurde hem om een boodschap.

Op de achtergrond klonken gevoelige, stijgende en dalende akkoorden van twee tokkelende lieren en in het hart van het vertrek, in het midden van het impluvium, ruiste onder een rechthoekige opening in het dak zachtjes een fontein. Rondom de vijver stond een hele reeks banken waarop schaars geklede jongelingen lagen, ieder met een andere combinatie van huidtint en haar- en oogkleur, maar allemaal in het bezit van een onmiskenbare schoonheid en aantrekkingskracht. Magnus kon zijn blik niet van hen af houden toen de bediende hen naar een groep tafels aan de overkant van het vertrek leidde.

'Een beker wijn, meesters?' stelde Galen voor terwijl hij hun aanbood aan een vrije tafel te gaan liggen. 'En misschien wat versnaperingen?'

'Alleen maar wijn.' Magnus posteerde zich en keek links en rechts naar de andere tafels; ze werden ingenomen door groepjes mannen die aan fijn bewerkte koperen en zilveren bekers nipten en van lekkernijen knabbelden die op schalen voor hen lagen, terwijl ze de beschikbare handelswaar van een afstandje bekeken. Hier en daar liet een cliënt een jongeling naast zich aanliggen om hem nader te inspecteren of om zich van zijn ervaring op bepaalde gebieden op de hoogte te stellen, voordat het muntgeld van eigenaar wisselde.

'Daar heb je geen tijd voor, Sextus,' waarschuwde Magnus grijnzend terwijl zijn broeder met open mond naar het elegante vertoon van lichamelijke verlokkingen keek. 'We zijn hier alleen om iets op te halen, en dan gaan we weer terug naar de herberg; daar mag je wel een hoertje of twee uitkiezen, als je daar zin in hebt.'

Marius pakte een beker van een dienblad dat hem door een afgeleefd ogende man van eind twintig werd voorgehouden, het was duidelijk dat hij niet meer aan de verlangens van de meeste klanten kon voldoen en hen nu alleen nog maar mocht bedienen. 'We hoeven ons niet echt te haasten, toch, Magnus? Ik bedoel, eh, het verrast me hoe... lekker sommigen van hen eruitzien. Niet allemaal, natuurlijk.'

'Nee, nee, natuurlijk niet.' Magnus nam een grote slok uit zijn beker. 'Maar ik ben bang dat dit voor jullie tweeën een veel te verfijnd etablissement is, jongens. Terentius zou het maar niks vinden als jij zijn handelswaar zou bevuilen, en hij zou er zeker niet blij mee zijn als je kolossale vriend Sextus een van zijn jongens in zijn enthousiasme pijnlijk beschadigde.'

'Ik weet zeker dat ze mijn jongens met het grootste respect zullen behandelen, Magnus.'

Magnus keek op; met zijn handen tegen zijn borst ineengevouwen stond Terentius voor hen. Zijn lange, kastanjebruine haar was in ingewikkelde vlechtjes op zijn hoofd geweven en werd door met juwelen bezette pinnen bijeengehouden, deels ging het schuil onder een rode damespalla. Zijn gouden oorringen reikten bijna tot zijn schouders, die dankzij de wijde hals van zijn geplisseerde donkerblauwe stola goed zichtbaar waren. Als hij glimlachte contrasteerden zijn gestifte lippen met zijn gebleekte tanden en zijn ogen waren aangezet met zwarte eyeliner. Heel begeerlijk, dacht Magnus, als het je smaak is.

'Ze mogen hier gerust op mijn kosten wat plezier maken, Magnus, terwijl ik je gastvrijheid bied in mijn privékamer en een zakelijk voorstel met je bespreek.'

Magnus keek naar zijn twee broeders en haalde zijn schouders op. 'Tja, als jullie echt interesse hebben, jongens?'

Marius en Sextus knikten, hun gretigheid met moeite verbergend.

Terentius gebaarde zijn bediende om zich bij hen te voegen. 'Dat is dan geregeld. Galen zal jullie helpen een keuze te maken, hij weet wat het beste is als dit je eerste keer is.' Hij leunde naar beneden en pakte de beker uit Magnus' hand. 'Ik kan je wijn van veel betere kwaliteit aanbieden, als je me wilt volgen.'

Nadat Marius en Sextus met Galen hun keuze uit het aanbod aan vermaak hadden gemaakt, liep Magnus achter Terentius aan, die parmantig het atrium uit beende. Ze kwamen in een verrassend grote binnentuin, waar een delicate geur van herfstvegetatie hing, en liepen verder door de zuilengang langs deuropeningen die met gordijnen waren afgeschermd en waaruit gezucht en gekreun klonk, tot ze aan het eind bij een dubbele deur kwamen.

Terentius leidde Magnus zijn privédomein binnen, dat er precies zo uitzag als je bij een succesvolle eigenaar van een respectabel jongensbordeel zou verwachten: een prachtige mozaïekvloer waarop talloze variaties van mannen in vereniging waren afgebeeld, fresco's met soortgelijke voorstellingen, maar dan met beroemde geliefden uit de Griekse oudheid als onderwerp en rijk bewerkt meubilair, dat van goede smaak getuigde.

'Maak het je gemakkelijk, Magnus.' Terentius schudde de kussens op een met wit linnen gestoffeerde bank op.

Terwijl hij zich begon af vragen wat zijn ware motieven waren geweest om hiernaartoe te komen nam Magnus op de bank plaats, met zijn arm op de leuning rustend, en genoot hij van de geurige dampen die het verplaatsbare komfoor verspreidde. 'Je kunt vertrekken,' beval Terentius, terwijl hij twee glazen wijn inschonk uit een donkerblauwe glazen karaf, waarvan de elegante lange hals te kwetsbaar voor de grote bolvorm leek.

Magnus keek verrast om en zag een oude slaaf de kamer uit gaan; hij had de man helemaal niet opgemerkt toen hij binnenkwam.

Hij draaide zich weer om en nam een bij de karaf passend drinkglas aan van Terentius, die in een hoge rieten stoel plaatsnam, gedrapeerd met een donkerrood damasten kleed; hij schikte zijn palla aan weerskanten zodanig dat een Romeinse matrone er zeker haar goedkeuring aan had gegeven.

'Op ons en onze zaken, mogen de goden van dit huis ons gunstig gezind te zijn.' Terentius hief zijn glas op en bracht een klein plengoffer op de vloer en daarna nog een op het komfoor, voordat hij een slokje nam.

'Op ons en onze zaken,' herhaalde Magnus. Hij proefde de volle, naar fruit geurende wijn, die zijn gehemelte met een rijke diversiteit aan smaken bestookte, en hoewel hij zelf allerminst een verfijnde smaak had, wist hij dat Terentius hem niet had misleid: dit was een van zijn beste wijnen. 'Best lekker.' Hij had meteen spijt van zijn ongepaste opmerking en verborg zijn gêne door een flinke slok te nemen. 'Goed, Terentius, wat voor zaken had je in gedachten?'

Terentius streek met zijn vinger langs de rand van zijn drinkglas en keek Magnus aan alsof hij zich afvroeg hoe hij het onderwerp ter sprake moest brengen. Hij sloeg zijn benen over elkaar en trok zijn zorgvuldig bijgewerkte wenkbrauwen op. 'Het gaat over de plakkaten die je bij mij in bewaring hebt gegeven.'

'Wat is daarmee?'

'Ik weet wat voor spul het is, Magnus, en ik weet waarvoor het wordt gebruikt.'

'Ja, en?'

'Ik weet ook wat er nog meer mee mogelijk is. Ik doel dan niet op de geneeskunst, maar op de mogelijkheden om het liefdesspel te stimuleren.'

'Het liefdesspel?'

'Jazeker, Magnus. De hars in die plakkaten kan werelden van genot blootleggen, die alleen aan Morpheus zelf bekend zijn; werelden die zo uitgestrekt zijn dat je je er dagenlang in kunt verliezen.'

'Echt waar?'

'Echt waar, en ik wil zulke plakkaten dan ook graag van je kopen. Ik kan daarmee zo'n intense ervaring bieden dat iemand die daarin ondergedompeld is zijn genot nooit meer elders zal willen zoeken. Ik zou een fortuin verdienen, en jij zou daarin kunnen delen, Magnus.'

Magnus dronk zijn beker leeg en stak die uit om hem weer te laten vullen. 'Hoe bedoel je?'

Terentius pakte de karaf en schonk hem in. 'Ik heb verhalen uit het Oosten gehoord, buiten de grenzen van het rijk, hoe je met deze hars de zintuigen kunt verrijken. Niet op de manier waarop onze dokters het gebruiken, als drankje of gewoon om op te kauwen; het gaat om een andere, veel effectievere methode.' Hij zette de karaf weer op tafel, stond op en liep naar een kist achter in de kamer. Hij haalde er een van de in jute gewikkelde plakkaten en twee messen met een breed lemmet uit en liep terug naar zijn stoel. 'Ik zal het je laten zien.' Hij maakte de rand van het plakkaat vrij, schaafde er een reepje af en legde de punten van de twee messen in het komfoor.

Magnus keek belangstellend toe terwijl Terentius een balletje van de reep maakte door die tussen duim en wijsvinger te wrijven. Hij gaf het aan Magnus en haalde de messen uit het vuur. Hij hield een mes voor hem op. 'Leg de hars op het puntje van het mes.'

Magnus gehoorzaamde; Terentius drukte er met het lemmet van het andere mes op. Meteen kringelde er rook op; Terentius boog zich voorover en inhaleerde die diep in zijn longen. 'Jouw beurt,' zei hij met een benauwde, bijna verstikte stem.

184

Magnus opende zijn mond en zoog de witte rook op die van de geplette hars tussen de messen opsteeg. Hij voelde een scherpe prikkeling in zijn keel en een aangename warmte in zijn borst.

'Niet uitademen,' zei Terentius met een stem die hoger klonk dan normaal doordat hij zijn adem had ingehouden.

Magnus hield zo lang mogelijk vol en blies een dunne straal rook uit. Hij keek Terentius aan. 'En nu?'

'Even geduld, Magnus; Morpheus moet eerst uit zijn sluimering gewekt worden voordat hij je zijn rijk zal tonen.'

Magnus nam een slokje wijn en wachtte af, het prachtige glas bewonderend. Het was echt schitterend, van een intense kleur blauw die hij nog nooit had gezien; het blauwste blauw dat er bestond. Daar waar de weerspiegelingen van de rode gloed van het komfoor erop speelden, verdiepte het blauw zich en werd paars, flikkerend over het glas, zodat de fijn bewerkte, met druiventrossen bezette wijnranken extra opvielen; keizerlijke wijnranken, mijmerde hij. Hij glimlachte bij zichzelf, van de gedachte genietend, en besefte ineens dat rode druiven vaak een paarse tint hadden, en dat deed hem weer denken aan... Maar nu trok de steel van het glas zijn aandacht: het blauwe glas, zo intens blauw, maar precies in het midden met een ragdunne paarse lijn; ook dat moest een weerspiegeling van het brandende komfoor zijn. Hij wierp een blik op het komfoor, nog steeds glimlachend. Ja, het brandde; heerlijk, toch? Hij hief zijn ogen op en trof de blik van Terentius. Hij had zijn ogen wijd open maar de pupillen hadden zich tot speldenprikken vernauwd, en ook hij glimlachte. Magnus wilde iets zeggen, maar werd daarvan weerhouden door de heersende stilte; het zou verkeerd zijn om zo'n vredige sfeer met hard gepraat te verstoren. Zijn blik ging omlaag. Met een steeds bredere glimlach bezag hij hoe de blauwe kleur van Terentius' stola met die van het wijnglas overeenkwam, als je dat in een bepaalde hoek vasthield. Hij hield het wijnglas in verschillende houdingen vast, zijn blik tussen het glas en de stola verdelend. Hij zag Terentius opstaan en langs hem heen lopen; hij hoorde de deur opengaan op het moment dat hij een fascinerende nieuwe hoek ontdekte om het glas in vast te houden. Er klonken stemmen, gevolgd door de zachte klik van de deur die weer werd gesloten. Terentius zweefde langs hem heen, een waas van blauwe beweging – zo mooi, dat blauw. De karaf zweefde naar hem toe en kantelde; met een trage, regelmatige straal klokte de wijn in het glas. Wat smaakte die wijn toch subliem. Hij keek op om Terentius te bedanken. Terentius glimlachte en bevoelde Magnus' schouders met zijn handen. Zijn palla was verdwenen; geen karmozijn meer, slechts blauw. En opeens was ook het blauw verdwenen en resteerde er slechts roomblanke huid, en Magnus begreep het. Hij hoorde de deur krakend opengaan en zachte stemmen van achteren naderen, zijn riem werd losgemaakt. Hij hief zijn beker op en dronk het laatste beetje wijn op; de beker werd van hem afgenomen terwijl hij de wijn door zijn mond liet rondgaan en zijn tuniek over zijn hoofd werd uitgetrokken. Een zachte hand op zijn borst duwde hem weer tegen de kussens op de bank aan – zacht, soepel en warm, zo warm. Hij voelde de hand door zijn haar strijken en opende zijn ogen; Terentius stond over hem heen gebogen; zijn huid glansde in de gloed van de vuurpot, en hij ging zitten, zodat er nog twee bevallige gedaanten zichtbaar werden, de ene blond en de andere donker, beide naakt. De ene hield de messen voor hem op; Magnus zoog de kringelende rook naar binnen en hield die in zijn longen vast. Terwijl hij zijn hoofd liet zakken en de zoete aanraking van diverse liefkozingen voelde, zag hij de poorten naar het rijk van Morpheus opengaan en zweefde hij met volstrekte kalmte en tevredenheid naar het dromenrijk weg.

Een vochtige, warme doek bracht hem terug in de werkelijkheid. Een tijdlang hield hij zijn ogen gesloten om van de reiniging met de heerlijk geurende doek te genieten.

'Wat vond je ervan?' fluisterde Terentius.

Wat vond hij? Hij dacht aan zijn ervaring terug: de beelden, de kleuren, de daden, de overgave, de bevrijding, het plezier; niets daarvan had hij ooit zo beleefd. 'Het was allemaal niet echt en toch leek het allemaal zo vanzelfsprekend, als je begrijpt wat ik bedoel?'

'Zeker wel, Magnus, en zie je nu hoeveel geld je hiermee kunt verdienen?'

'Een fortuin.' Magnus opende zijn ogen; Terentius was weer aangekleed en droeg zijn haar in een paardenstaart. 'Maar ik betwijfel of je zelfs maar één plakkaat zou kunnen betalen.'

'Hoeveel kosten ze per stuk?'

'Ik weet het niet precies, maar ze zijn duurder dan goud. Ik ga…' Hij ging zitten en keek rond; het vroege ochtendlicht viel door het raam naar binnen. 'Hoe laat is het?'

'Halverwege het eerste uur van de dag.'

'Verdomme! Waar zijn mijn kleren? En haal een van de plakkaten voor me. Zijn Marius en Sextus er nog?'

Terentius overhandigde Magnus zijn tuniek, riem en lendendoek. 'Ja. Ik heb ze laten wekken en heb ontbijt voor hen laten klaarmaken.'

'Ontbijt? Daar hebben ze geen tijd voor.'

Binnen enkele ogenblikken had Magnus zich aangekleed, zijn sandalen aangetrokken, en beende hij met een in jute gewikkeld plakkaat door de tuin, met Terentius in zijn kielzog. 'Kom in de schemering naar de herberg, dan heb ik wel een redelijk idee hoeveel de plakkaten waard zijn; ondertussen zoek jij uit hoeveel je met elk plakkaat kan verdienen; dan weten we of het gaat lukken.'

'Ik zal er zijn,' bevestigde Terentius, terwijl ze door het atrium liepen.

'Daar hebben we geen tijd voor, jongens.' Magnus pakte een homp brood van de tafel waaraan Marius en Sextus met genoeglijk gezelschap zaten te ontbijten. 'We zijn bijna te laat.' Hij haastte zich het vertrek door, de vestibule in. Postumus opende de deur en Magnus stapte de straat op met zijn broeders achter zich aan. Terwijl hij in de richting van de Caelius draafde, waar de bijeenkomst in het Huis van de Maan in de Steenhouwersstraat zou plaatsvinden, instrueerde hij Marius en Sextus zonder hen aan te kijken. 'Het lijkt me het beste als we niet zeggen waar of hoe we de nacht hebben doorgebracht.'

Het bleek niet moeilijk om het Huis van de Maan te vinden. Boven de deur was een inscriptie aangebracht van Luna, de goddelijke belichaming van de maan, wier mantel in de vorm van een maansikkel achter haar aan wapperde, terwijl ze in haar door ossen getrokken strijdwagen reed. Veel lastiger was het voor Magnus om zich op de zaken te concentreren. Zijn gedachten dwaalden voortdurend af toen hij tegenover een getinte man van in de dertig met een smal gezicht, dunne lippen, een haakneus en zwart kroeshaar zat; een Egyptenaar, had Magnus verondersteld toen de man zich met de naam Menes aan hem had voorgesteld. Menes snoof aan het plakkaat en keek Magnus over de tafel heen aan met een blik waaruit een nauwelijks verholen begeerte bleek.

'Hoeveel van deze plakkaten je baas had, zei je?'

Magnus verdreef de levendige beelden van de vorige nacht uit zijn gedachten en concentreerde zich op een van de twee forsgebouwde lijfwachten achter de Egyptenaar. 'Ik zei helemaal niks.'

Menes grijnsde hem zonder enige charme of vriendelijkheid toe. 'Goed dan, beste vriend, hoeveel wil je hiervoor?'

Magnus nam even de tijd om de vraag tot zich te laten doordringen. 'Doe me een aanbod.'

'Hoe kan ik aanbod doen als ik niet weet hoeveel te koop is? Als ik veel koop, jij moet speciale prijs geven.'

'Er is geen speciale prijs, beste vriend, degene die het hoogste aanbod doet mag er zoveel kopen als hij voor die prijs wil hebben. Geen kortingen, is dat duidelijk?'

Menes' glimlach verbreedde zich tot een gemene grijns, die hij gezien zijn manier van doen als een overtuigende glimlach beschouwde. 'Beste vriend, ik doe je mooi aanbod: drieduizend denarii per plakkaat.'

Magnus' adem stokte toen hij dat enorme bedrag hoorde, maar hij slaagde erin zijn verrassing te verbergen en pakte het plakkaat met een verontwaardigd gebrom van Menes af, die in zijn stoel achteruitdeinsde. 'Als je zo laag begint, heb ik de tijd van mijn baas verspild door hierheen te komen.'

Menes stond meteen op en hief zijn handen in de lucht, met de palmen naar Magnus toe. Hij lachte kil en geforceerd. 'Rustig maar, vriend, ik zie dat je serieus zakenman bent; ga toch zitten. Glas wijn?'

'Geen wijn, Menes,' zei Magnus, en hij schoof zijn stoel weer naar de tafel toe. 'En geen grappen, alleen de juiste prijs.'

'Jaja, juiste prijs.' Menes ging weer zitten en deed zijn best de indruk te wekken dat hij diep nadacht. 'Drieduizend vijfhonderd denarii.'

'Ik heb genoeg van deze flauwekul.' Magnus stond op, waarbij zijn stoel omviel.

'Vijfduizend!'

Magnus wachtte even en keek Menes aan. 'Vijfduizend per plakkaat?'

'Ja, mijn vriend.'

'Er zijn er nog drieëntwintig.'

Menes zette in een vertoon van onbeschaamde hebzucht grote ogen op. 'Ik neem ze allemaal voor honderdtienduizend denarii; ik kan het geld morgenochtend vroeg bij elkaar hebben.'

'Ik moet mijn baas raadplegen; vanavond laat ik je het antwoord weten.' Magnus maakte aanstalten om te vertrekken. 'Als je me probeert te laten volgen is de afspraak voorbij, net als je leven. En er is ook geen speciale prijs, vriend. Je betaalt honderdtwintigduizend voor alle vierentwintig; in aurei is dat…' Hij maakte uit zijn hoofd een snelle berekening door het bedrag door vijfentwintig te delen. 'Vierduizend achthonderd.'

'Ik twijfel er niet aan dat deze verontwaardiging werd aangewakkerd door een groeiend wantrouwen bij de inwoners van de stad die niet goed bekend zijn met de betrouwbaarheid van de korenmaten die in gebruik zijn bij de graandistributie.' Gaius Vespasius Pollo klonk vastberaden en de kracht waarmee zijn rechterarm bij zijn laatste woorden van boven zijn hoofd neerdaalde benadrukte dat nog eens. 'Waarom zouden de stadscohorten anders met bronzen modius-maten worden aangevallen, geachte collega's? Modius-maten die van valse bodems waren voorzien om ze één sextius kleiner te maken. We weten allemaal hoeveel graan er kan worden afgeroomd en opgepot als slechts een tiende van de modius-maten in de stad een zestiende te licht is. Niet dat een lid van dit huis ooit zoiets zou organiseren, geachte collega's, want op grond van het heilige gewoonterecht van onze voorvaderen is het ons als senatoren verboden aan de handel deel te nemen.' Gaius keek het Senaatsgebouw rond met een gezicht dat rood was van inspanning en gerechtvaardigde toorn; vele van de senatoren in de rijen aan weerszijden van de zaal knikten instemmend bij deze terechte verwijzing naar de gewoonten van de voorvaderen. 'Maar de ridderklasse is minder aan regels gebonden en voor sommigen onder hen is geld verdienen zo belangrijk dat ze op geen enkele manier met de mogelijke gevolgen rekening houden.' Hij zette een hoge borst op. 'En gisteren hebben we tijdens het feest van het oktoberpaard daarvan de gevolgen gezien!' Ditmaal strekte hij zijn rechterarm met gebalde vuist boven zijn hoofd, waarbij de dikke vetkwabben van zijn bovenarmen lillend meetrilden. 'Geachte collega's, we kunnen niet toestaan dat de vrede in het rijk zo wordt verstoord. We moeten Cossus Cornelius Lentulus, de prefect van Rome, smeken om een inspectie van alle korenmaten in de stad uit te voeren; hij is de enige die een acute crisis kan voorkomen.' Met het zoveelste krachtige retorische gebaar en een overmaat aan rondvliegend speeksel onderstreepte Gaius zijn laatste woorden. 'En ik doe hierbij een oproep om de keizer in een brief te bedanken voor zijn wijsheid om Lentulus op de post te benoemen.'

Met een laatste, woedende blik naar de hele zaal liep hij onder instemmend geroffel naar zijn plek terug en nam op zijn klapstoel plaats, die onder de druk van zijn immense achterwerk dreigde te bezwijken. Zijn naaste collega's klopten hem enthousiast op de rug en feliciteerden hem luidkeels; ze waren ongetwijfeld allemaal jaloers dat zij niet van de gelegenheid gebruik hadden gemaakt om zich zo geliefd te maken bij de stadsprefect.

Terwijl het instemmende gemompel voortduurde richtte iedereen zijn blik op Lentulus. Hij stond langzaam op en Magnus, die vanaf de trap van het Senaatsgebouw door de open deuren stond toe te kijken, zag dat hij Gaius dankbaar toeknikte.

'Waarde senatoren, ik ben senator Pollo dank verschuldigd dat hij zijn vertrouwen in mij heeft bevestigd en ik zal alles doen wat in mijn vermogen ligt om deze crisis af te wenden voordat die wortel schiet,' verklaarde Lentulus met luide stem, waarna Magnus zich met een tevreden blik omdraaide en de trap weer af liep om op zijn beschermheer te wachten.

'Vertrouw je Menes?' vroeg Gaius terwijl hij met Magnus over het Forum liep, voorafgegaan door Sextus en Marius.

Magnus' blik liet niets te raden over.

'Toch zullen we de overeenkomst doorzetten. Dat is ongeveer wat we hadden verwacht, beslist een heel mooie prijs. Daarmee kan Antonia een deel van Herodes Agrippa's rekening vereffenen. Ze zal er heel blij mee zijn, veel blijer dan jouw vriend Brutus met mijn toespraak was; je had moeten zien hoe hij me aankeek. En toen ik daarnet vertrok, kwam hij naar me toe en zei dat ik mijn laatste toespraak voor mijn natuurlijke dood had gehouden. Wat denk je dat hij daarmee bedoelde, met mijn "natuurlijke dood"? Hoe kan hij het tijdstip daarvan kennen?'

'Dat weet ik niet, senator, maar ik zou het als een dreigement opvatten. Ik zal een paar van mijn mannen voor uw huis posteren; gewoon voor alle zekerheid, als u begrijpt wat ik bedoel.'

'Ik ben bang van wel, ik heb er een serieuze vijand bij gekregen.'

'Maar de stadsprefect is nu een goede vriend,' merkte Magnus op.

'Dat is helemaal waar, het was een staaltje pluimstrijkerij van het zuiverste water van mij en ik vertrouw erop dat je probleem daarmee opgelost is, Magnus. Daar komt bij dat ik hiermee in de belangstelling van de keizer kom en hij eerder bereid zal zijn Vespasianus toestemming te verlenen naar Egypte te reizen als hij morgenochtend het verslag van de debatten van vandaag ziet.'

'Heeft Antonia het hem al gevraagd?'

'Ja, ze heeft het verzoek bij een brief gevoegd die ze die dag heeft verzonden. Hopelijk heeft ze al antwoord gekregen als je met het geld van de verkoop naar haar toe gaat.'

'Hoe bedoelt u? Ik dacht dat ik alleen hoefde te onderhandelen.'

Gaius sloeg een mollige arm om Magnus' schouders. 'Als ik bij zo'n dubieuze transactie gezien zou worden, zou ik de reputatie van de Senaat ernstig bezoedelen, en domina Antonia kan het zich al helemaal niet permitteren.'

'En Pallas dan, haar bediende?'

'O, die heeft de locatie voor de overdracht uitgekozen en zal in de buurt blijven om te garanderen dat de vierduizend achthonderd aurei veilig aan de dame afgeleverd worden als je de transactie eenmaal hebt afgehandeld.'

'Vierduizend zeshonderd,' corrigeerde Magnus hem.

'Hoezo? Het gaat om vierentwintig plakkaten.'

'We hebben een speciale prijs afgesproken; het volledige bedrag was vijfduizend denarii voor ieder, maar vierentwintig plakkaten voor de prijs van drieëntwintig.'

Gaius kneep in Magnus' schouder en keek hem schuins aan. 'Ik ben er zeker van dat Antonia geen ophef zal maken over tweehonderd aurei. Stuur een bericht naar de koper dat de levering morgenochtend bij zonsopkomst bij de tempel van Asclepius zal plaatsvinden.'

Magnus wilde nog protesteren, maar koos ervoor te zwijgen, en hij knikte langzaam bij wijze van bevestiging. 'Marius, ga naar het Huis van de Maan en zeg tegen hen: zonsopkomst bij de tempel van Asclepius op het Tibereiland.'

Terwijl Marius wegrende, boog Magnus zijn hoofd naar zijn beschermheer toe. 'Dat is heel slim van Pallas, senator; als mijn mannen de twee bruggen beveiligen, zal het voor Menes een groot probleem worden ons op te lichten en ervandoor te gaan.'

'We zitten met een groot probleem opgescheept,' meldde Servius zonder van het telraam en de boekrol met rekeningen op te kijken waaraan hij zat te werken terwijl Magnus door de deur van de herberg naar binnen kwam nadat hij een paar uur in de baden had doorgebracht. 'Onze aedilis is absoluut niet blij met de inspectie van alle korenmaten in de hele stad.' Hij wees over zijn schouder naar een man die ineengezakt in een donker hoekje van de bar lag.

Magnus trok een frons en liep naar hem toe. 'Duilius?' Er kwam geen antwoord.

'Dat was Duilius,' liet Servius hem weten, nog altijd zonder op te kijken driftig met het telraam tikkend, 'tot ongeveer een uur geleden.'

Magnus pakte Duilius bij zijn kin en bekeek zijn gezicht; er waren geen sporen van geweld te zien. Een snelle controle van de rest van zijn lichaam bracht geen verwondingen, blauwe plekken of bloed aan het licht. 'Er is helemaal niets aan hem te zien! Hoe is hij gestorven?'

'Ze willen ons laten denken dat hij een natuurlijke dood is gestorven. We hebben hem gevonden…'

'Een natuurlijke dood?'

'Ja. We hebben hem hierbuiten met zijn hoofd tussen zijn benen op het trottoir gevonden, alsof hij misselijk was. Niemand kan zich herinneren dat ze hem daar hebben zien zitten, al was er kort tevoren een bende dronkenlappen langsgekomen, dus die moeten het zijn geweest, met hun armen om Duilius' schouders, alsof hij ladderzat was.'

Ietwat onwillig bekeek Magnus het lichaam nog eens. 'Wat denk jij ervan?'

'Dit is een oorlogsverklaring; dit gaat over de vraag wie de macht in de Zuid-Quirinaal heeft. We mogen de stadsprefect dan wel zover gekregen hebben dat hij alle korenmaten in de stad inspecteert, zodat Brutus gedwongen is om met zijn bedrog te stoppen dan wel het gevaar loopt ontmaskerd en vernederd te worden, maar hij heeft ons op zijn beurt laten zien dat hij wraak kan nemen zonder argwaan te wekken en van moord beschuldigd te worden. Ik vermoed dat Duilius niet als enige hier in de buurt plotseling een natuurlijke dood is gestorven.'

Magnus ging zitten, nog altijd gefascineerd naar het ogenschijnlijk gave lijk kijkend. 'Ik denk dat je gelijk hebt, broeder. Brutus heeft onze senator met een spoedige natuurlijke dood bedreigd. Ik heb hem bewaking rond zijn huis beloofd en heb daar zes man gestationeerd. Als er nog een natuurlijke dood volgt, dan zal dat niet om ons of senator Pollo gaan; en is er een betere manier om je van een magistraat te ontdoen zonder dat er vragen worden gesteld? Hoe is het gebeurd?'

'Nou, Het heeft even geduurd, maar ik denk dat ik erachter ben.'

Terentius liep door de deur van de herberg naar binnen terwijl de zon in het westen onderging; Magnus stond van zijn tafel op en gaf aan dat hij en Servius hem naar de achterkamer moesten volgen.

'En?' vroeg Magnus terwijl ze plaatsnamen.

Terentius legde een schrijftablet van was op tafel. 'Elk plakkaat weegt tweeënhalve *libra*; aangezien er twaalf *uncia* in een pond gaan, levert dat een totaal van dertig op. Elk van die kleine bolletjes weegt een *obolus*, daarvan gaan er achtenveertig in een uncia, dus uit een plakkaat gaan er duizend vierhonderd...'

'... en veertig uit elk plakkaat.' Magnus floot zachtjes. 'Hoeveel zou je je klanten voor één bolletje kunnen vragen?'

'Voor die luxe en inclusief de jongen, zeker wel tien denarii.'

Terentius wees op het schrijftablet. 'Daar staat het allemaal op, Magnus.'

Servius pakte het op en las het snel. 'Hoeveel kun je voor één plakkaat krijgen, Magnus?'

Magnus schudde zijn hoofd; hij kon het gewoon niet geloven. 'Ik heb er net één gratis gehad, plus de halve die ik al heb, dat is...' Servius verplaatste een paar kralen op zijn telraam. 'Eenentwintig-duizend zeshonderd denarii of achthonderd vierenzestig aurei.'

'Maar het zal wat tijd kosten om zoveel geld binnen te halen; minstens een jaar en waarschijnlijk langer,' merkte Terentius op.

'Als je om te beginnen helemaal geen kosten maakt, doet dat er niet toe, vriend,' zei Magnus, met een stralend gezicht in zijn stoel achteroverleunend. 'Doe er net zo lang over als je wilt, dan doen we ieder de helft, dus vijf denarii voor ieder per verkocht bolletje.'

'Dat is heel genereus, Magnus.'

'Ik zou zeggen dat het eerlijk is. Jij levert de jongens en de faciliteiten en ik lever de hars; je kunt eens per maand afrekenen met Servius. Ondertussen zou ik je reuze dankbaar zijn als je ervoor kon zorgen dat aedilis Brutus bij zijn volgende bezoek aan jouw etablissement ook dat nieuwe genoegen mag smaken; je moet hem aanmoedigen een of twee bolletjes te nemen en me dan een bericht sturen, hoe vroeg of hoe laat het ook is.'

Terentius begreep het maar half. 'Zeker, Magnus.' Hij stond op om te vertrekken.

'Ik stuur een paar van mijn mannen met je mee terug om de rest van de plakkaten op te halen.'

'Natuurlijk, Magnus. Zie ik je straks nog?'

Magnus zag dat Servius zijn wenkbrauwen een fractie optrok en schudde zijn hoofd, afwerend met zijn hand gebarend. Toen de deur achter Terentius sloot wendde hij zich tot zijn raadsman. 'Tja, ik moest dat spul toch uitproberen voordat ik kon beslissen of ik er wel of niet in zou investeren.'

'Heel verstandig. En wat denk je?'

'Ik denk dat het zonde is om het alleen aan artsen te geven, het is veel meer dan alleen een medicijn.'

'Zullen we daarmee echt zoveel geld verdienen?'

'Vast en zeker, mijn vriend. Als degenen die het kunnen betalen het uitproberen, zal het hun grote moeite kosten om niet terug te komen en het nog eens te gebruiken.'

'En jij?'

'Nu ik weet hoe lekker het is, durf ik het niet nog eens te nemen; in elk geval niet als ik iets gedaan wil krijgen, als je begrijpt wat ik bedoel.' Magnus stond op, strekte zich uit en geeuwde. 'Laat alle mannen zich hier twee uur voor zonsopgang verzamelen; maak me dan wakker.'

'Magnus, wakker worden.'

Magnus zette zichzelf tot actie aan en opende een oog. Hij zag Servius over zich heen staan, met een lamp in zijn hand. 'Zijn alle mannen beneden?'

'Nee, het duurt nog een paar uur.'

'Waarom maak je me dan wakker?'

Servius wees met een hoofdknik naar de deur.

Magnus ging rechtop zitten in bed en kneep zijn ogen dicht in een poging scherp te zien. 'Rufinus! Wat doe jij hier?'

'Gisteren ben ik na het festival naar mijn tussenpersoon gegaan om hem te vertellen dat hij geen navraag meer naar de verkoop van die hars moest doen.'

'Mooi. En toen?'

'Ik kon hem niet vinden.'

'Verdomme!'

'Het is nog erger dan dat; ongeveer een uur geleden is hij gevonden. En dat nieuwtje deed heel snel de ronde in de cohort vanwege de toestand waarin hij verkeerde.'

'Ga verder.'

'Ze hebben hem eerst gemarteld en toen zijn keel doorgesneden. Ze wilden blijkbaar de schijn wekken dat ze de sleutels van de magazijnen van hem wilden afpakken omdat er wat spul miste, maar in mijn ogen niet genoeg om een moord te rechtvaardigen. En trouwens, ik ken Aelianus...'

'Aelianus? Natuurlijk, wie zou er een betere tussenpersoon zijn; hij kan alles kopen of verkopen.'

'Kon. Maar hij zou voor een sleutelbos zijn leven niet riskeren.'

'Maar wel om zijn reputatie van geheimhouding te kunnen bewaren.'

'Ik had hem gevraagd om een paar artsen te benaderen om te kijken of ze interesse hadden.'

'En een ervan was die van de stadscohort?'

'Precies.'

'En die is meteen naar de stadsprefect gelopen, die meteen een praatje met Aelianus heeft gemaakt, en omdat hij na marteling is gedood, kunnen we aannemen dat hij ze heeft gegeven wat ze van hem verlangden.'

'Ja, Magnus; ze kennen mijn naam.' Rufinus overhandigde zijn halve plakkaat hars aan Magnus. 'Hier heb ik niks aan; ik moet contant geld hebben. Ik verdwijn totdat dit gedoe voorbij is.'

'Heel verstandig, beste vriend.' Magnus nam het halve plakkaat, berekende de waarde en wist dat hij heel genereus kon zijn met Rufinus' zwijggeld. 'Servius, geef de centurio vijfentwintig aurei.'

Rufinus zette grote ogen op toen hij het bedrag hoorde, dat het equivalent was van tweeënhalf jaar soldij voor een gemiddelde legioensoldaat. 'Dat is heel aardig van je, Magnus.'

'Ik zal een vriend altijd helpen. Je krijgt nog eens vijfentwintig als je mijn naam niet hebt genoemd tegen de tijd dat alle ophef is weggezakt. Ga nu maar.'

'Dank je, Magnus.'

Servius bleef in de deuropening staan toen hij Rufinus naar buiten volgde. 'Er was een bericht van Antonia's bediende, Pallas. Hij zal een halfuur voor zonsopgang op de riviertrap onder de tempel van Asclepius zitten.'

'Zijn al uw mannen in gereedheid, meester?' vroeg Pallas toen Magnus de trap van de tempel van Asclepius naar de Tiber af liep; het gekerm van tientallen zieke slaven, die in het domein van de god van de geneeskunde door hun meesters waren achtergelaten om te sterven, omdat ze niet voor hun behandeling wilden betalen, vermengde zich met het geklater van de rivier.

'Ze staan gereed, Pallas.' Magnus keek naar de Griek met de volle baard en was zich ervan bewust dat hij een slaaf was, maar tegelijk had hij er ook ontzag voor dat hij met één vraag de volledige controle over de operatie had verkregen; maar daar was hij aan gewend. Gedurende zijn veelvuldige contacten – in diverse hoedanigheden – met de bediende van domina Antonia, had hij langzamerhand respect gekregen voor Pallas' beoordelingsvermogen en discretie. Magnus wist dat hij niet zomaar een slaaf was. 'Tien van mijn mannen schermen elke brug af en nog eens tien staan rond de tempel opgesteld, allemaal met orders om uit het zicht te blijven. Verder heb ik tien van mijn beste mannen bij me om de plakkaten te bewaken en vervolgens het geld te vervoeren. Menes zal niet kunnen vertrekken zonder het geld te overhandigen.'

'Tenzij hij per boot probeert te vertrekken, en daarom heb ik de voorzorg genomen de mijne mee te nemen.' Pallas stapte uit de rivierboot met zes riemen die hem naar het eiland had gebracht. 'Als de transactie eenmaal heeft plaatsgevonden zullen we over de rivier terugkeren. Neem je positie in; ik zal hier wachten.' Magnus knikte en zocht zijn weg de trap op tussen de massa dode en stervende slaven door.

'Daar heb je ze,' kondigde Marius aan toen een hoge wolkenbank door de eerste zonnestralen werd getroffen en de ribbels op het grijze wolkendek donkerrood kleurden. 'Ik zou zeggen dat er minstens een dozijn rond die wagen staan.'

Magnus keek naar de groep die vanaf de Campus Martius de Brug van Fabricius overstak, van de hoofdstraat die het eiland in tweeën deelde afsloeg en het voorplein van de tempel van Asclepius op trok.

'Beste vriend!' riep Menes, terwijl hij met open armen op Magnus af liep, alsof het om een hereniging van oude kennissen ging die elkaar na een veel te lange periode eindelijk weer terugzagen, maar de vreugdevolle blik op zijn gezicht leek eerder een verwrongen grimas.

Omdat Magnus hem niet wilde beledigen onderwierp hij zich aan de omhelzing, die niets meer dan een onhandige poging was om hem op verborgen wapens te fouilleren. Hij deed hetzelfde, en Menes bleek ongewapend.

'Heb je plakkaten, vriend?'

'Vanzelfsprekend.'

Magnus wees op de wagen. 'Vierduizend achthonderd aurei?'

Menes hield zijn hoofd schuin. 'In vierentwintig zakken van tweehonderd.'

'Haal er eentje van af; mijn baas verkoopt slechts drieëntwintig van de plakkaten.'

Menes probeerde met zijn gezichtsuitdrukking nu aan te duiden hoe geschokt en intens teleurgesteld hij was, maar zijn gezicht leek eerder het masker van een acteur in een treurspel. 'Maar vriend, we hadden toch een afspraak?'

'Voor tweehonderd aurei per plakkaat, en mijn baas heeft zojuist besloten er eentje zelf te houden. Kom, laten we dit afmaken. Sextus!' De broeder sjokte met een overvolle zak naar hen toe. 'Zet hier maar neer. Menes, stapel het geld ernaast op, dan zullen al onze mannen twintig passen naar achteren zetten, en controleren jij en ik de inhoud.'

Terwijl Menes keek naar Sextus die de zak neerzette, keerde zijn glimlach terug en riep hij iets in zijn eigen taal. Het zeildoek werd van de kar naar achteren getrokken en zes van zijn mannen begonnen de zware zakken die daaronder verborgen hadden gelegen uit te laden. Toen er drieëntwintig naast de plakkaten opgestapeld lagen knikten Magnus en Menes elkaar toe en gaven ze hun bewakers opdracht zich terug te trekken tussen de kluwen doodzieke slaven, die er te slecht aan toe waren om aandacht te schenken aan wat er om hen heen gebeurde. Toen ze eenmaal alleen in het midden van het voorplein stonden, trok Magnus een vierkant stuk leer uit zijn riem, spreidde het op de grond uit en leegde de inhoud van een willekeurig gekozen zak erop.

De inhoud werd met bedreven vingers snel geteld en na nog drie willekeurig gekozen zakken bleek dat er in elke zak tweehonderd aurei zaten. Het stemde Magnus tevreden dat Menes geen poging had ondernomen om de boel te bedonderen door te weinig te betalen. In het steeds fellere ochtendlicht onderzocht de Egyptenaar de laatste paar plakkaten. Magnus vond het moeilijk te geloven dat de schaamteloze hebzucht van de man hem er niet toe zou verleiden hem op te lichten.

'Heel goed, beste vriend,' liet Menes weten. Hij pakte het laatste plakkaat weer in. 'Nu gaan we, ja?'

Magnus knikte en riep zijn broeders terug. 'Marius, laat de jongens de zakken naar de boot brengen.'

Terwijl hij zich tegenover Menes opstelde, die breed bleef grijnzen, alsof hij wilde uitstralen hoe kalm en ontspannen hij was, hield Magnus de mannen van de Egyptenaar in de gaten. Ze draaiden hun wagen om en laadden de plakkaten onder het dekzeil.

Heel even wierp Menes gespannen een blik op de wagen, waarna hij bijna onmerkbaar zijn beenspieren spande, als voorbereiding om er snel vandoor te kunnen gaan, en dat was genoeg om Magnus te alarmeren; hij dook naar links, zodat Menes zich tussen hem en de wagen in bevond, en zag een pijl door de lucht vliegen, precies op de plek waar zich even daarvoor zijn hoofd nog had bevonden. 'Liggen!' brulde hij, terwijl er nog drie pijlen uit bogen die onder het dekzeil vandaan waren getrokken in de richting van zijn mannen vlogen. Twee van hen zakten op de grond.

Er vlogen nog meer gestroomlijnde projectielen door de lucht, en één broeder sloeg zo hard tegen de grond dat de zak die hij droeg openbarstte en de doffe gouden munten er rinkelend uit vielen.

Menes' mannen, die nu allemaal bewapend waren, renden met pijlen in hun bogen naar voren, hun projectielen op Magnus' broeders richtend.

'Leg die zakken neer, jongens, en trek je terug,' beval Magnus, die langzaam op Marius toe liep maar zijn blik op Menes gericht hield.

De grijns van de Egyptenaar had voor een blik van triomf plaatsgemaakt. 'Nu gaan we, ja? Maar we pakken ook het geld, goed?'

Magnus keek rond naar de twaalf met bogen bewapende mannen die zijn nog levende broeders onder schot hielden. 'Je kunt het proberen, maar ik waarschuw je: als je nu zonder het geld vertrekt, mag je de hars houden. Maar als je het geld niet aan ons laat, zijn jullie er allemaal geweest.'

Menes liet een kakelende lach horen. 'O, jij bent grappige man, beste vriend. Jij geeft het geld af of jullie sterven allemaal.'

Magnus haalde zijn schouders op en wees naar de laatste zakken op de grond bij Marius. 'Daar liggen er een paar, mijn mannen hebben de rest.'

Menes riep iets in zijn eigen taal, waarna zijn mannen behoedzaam naar voren liepen en over een stel op de grond liggende slaven heen stapten om de zakken op te pakken.

'Kalm blijven, mannen,' riep Magnus. 'Leg de zakken op de grond en laat ze die maar meenemen; het is niet ons geld, dus het is niet de moeite waard om daarvoor te sterven.'

'Heel verstandig, vriend,' zei Menes, die een zak van de grond tilde.

Op drie na waren alle mannen van Menes gedwongen hun bogen aan hun schouder te hangen om de munten op te pakken. Terwijl Magnus' broeders zwijgend toekeken, droegen ze de zware zakken weg, ervoor oppassend dat ze niet over de gedaanten struikelden die in het vale licht lagen te kreunen.

Opeens greep een hand een enkel vast, een lemmet flitste op en werd in een onbeschermde schaamstreek gedreven, zodat er een testikel werd doorboord en het bloed op een man golfde die tot op dat moment genegeerd was omdat hij er te slecht aan toe leek om iets uit te richten. Er flitsten nog meer messen van de grond op, er vloeide nog meer bloed en Magnus' broeders die tussen de stervende slaven hadden gelegen kwamen tot leven. Twee van hen vielen meteen weer op de grond, getroffen door pijlen, voordat de drie overgebleven boogschutters in een bloederige steekpartij uitgeschakeld konden worden.

Menes reageerde onmiddellijk en vluchtte naar de wagen toe, zijn mannen in de steek latend, die als wraak voor de gedode broeders een gruweldood te wachten stond. Magnus glimlachte bij zichzelf, gebaarde Marius en Sextus dat ze hem moesten volgen en liep achter de vluchtende Egyptenaar aan. De man sprong op de wagen en terwijl de koetsier het paard luidkeels aanspoorde, reden ze van het voorplein weg, rechtsaf de Brug van Fabricius op. Magnus maakte geen haast; hij wist dat daar geen reden voor was. Toen hij de hoofdstraat in liep, stak de wagen de brug over. Halverwege bleef hij staan.

'Dank je wel, Cassandros,' mompelde Magnus, terwijl hij zag hoe de wagen probeerde om te keren, met daarachter een rij silhouetten die de brug blokkeerden.

De koetsier sloeg het paard meedogenloos met de zweep in een poging helemaal om te draaien, maar dat was vergeefs. Het dier steigerde in zijn tuig en schraapte met de borst tegen de stenen balustrade, in paniek gebracht door de gloeiende zweepslagen op de rug.

Menes sprong van de wagen, greep de zak met plakkaten en stak zijn hoofd als een jong vogeltje naar links en naar rechts, alsof de situatie elk moment kon veranderen en hij op wonderbaarlijke wijze van de brug zou kunnen ontsnappen.

'Waar wilde je naartoe, beste vriend?' riep Magnus.

Menes verstijfde en vertrok zijn gezicht in een grijns van oor tot oor. 'Geen problemen, geen problemen, mijn vriend, geen problemen.'

Vijf passen van de Egyptenaar vandaan bleef Magnus staan. 'Kijk, dat is nou grappig, want er is wel degelijk een probleem. Je hebt een stel van mijn mannen gedood en een hoop geld gepikt.'

Menes lachte alsof het een kwestie van gering belang was, die bij een beker wijn gemakkelijk op te lossen viel.

'En daar zal ik je langzaam voor ter dood brengen, Menes, en dan zal er geen probleem meer zijn.' Magnus sprong naar voren, de Egyptenaar deed een stap achteruit, draaide zich om, sprong op de balustrade en wierp zich in de rivier onder hem, met de zak in zijn hand geklemd.

'Verdomme! riep Magnus uit, snel over de rand kijkend. Menes werd door de rivier meegesleurd, met één hand worstelend om te blijven drijven en met de andere hand nog steeds de zak omklemmend. Grijnzend keek hij naar Magnus op, terwijl hij hem in zijn eigen taal iets toeriep. Maar in zijn triomf over zijn ontsnapping had hij geen oog voor het gevaar dat vanaf de riviertrap op hem toe suisde. Op het moment dat een pijlpunt uit zijn rechteroog tevoorschijn kwam, met zijn oogbol erop gespietst, vertrok hij zijn gezicht in een strakkere en bredere grijns dan ooit. De gevederde schacht stak trillend uit zijn kruin en een paar passen van hem vandaan legde Pallas met een onbewogen blik zijn boog neer en droeg hij zijn roeiers op de rivier in te duiken, terwijl de plakkaten uit de hand van de levenloze Menes vielen.

'Je mag wel van een zeer geslaagde ochtend spreken, Pallas; dat de plakkaten gered zijn was een onverwachte bonus,' merkte Antonia op met een blik op de stapel geldzakken en de natte zak met plakkaten op de mozaïekvloer van haar kantoor in haar woning op de Palatijn. Ze keek Magnus aan met haar groene ogen, die voor iemand van zeventig nog verrassend levendig stonden en met haar hoge jukbeenderen harmonieerden, in een vertoon van verflauwende schoonheid die nog altijd maar weinig cosmetische verfraaiing vereiste. 'En ik heb ook veel aan jou te danken, Magnus. Ik zal het bloedgeld betalen voor je mannen. Pallas.' Ze wees op de zakken.

Pallas pakte er eentje op en gaf die aan Magnus.

'Dat moet genoeg zijn, lijkt me.'

'Dank u wel, domina,' mompelde Magnus.

'Wat is er aan de hand? Je lijkt er niet echt blij mee.'

Magnus keek naar de zak en vervolgens naar de plakkaten. 'Neemt u me niet kwalijk, domina, maar ik vroeg me af wat u ermee van plan bent.'

'Ik zal de stadsprefect ervan op de hoogte stellen dat ze in mijn handen zijn gevallen en dat ik ze aan de rechtmatige eigenaar zal teruggeven, zodat hij zich er niet meer druk over hoeft te maken. Dan zal ik ze weer aan Herodes Agrippa teruggeven, vanwege het genoegen dat ik aan zijn gezichtsuitdrukking zal beleven als ik een aanzienlijk vindersloon van hem eis. Ik denk dat hij zich op dat moment wel zal realiseren dat ik achter de diefstal zat en dat het misschien een goed idee is om zijn schuld aan mij af te lossen, teneinde verder ongerief in de toekomst te voorkomen.' Ze glimlachte bij de gedachte.

'Als dat het geval is, domina, zou ik dan de aurei voor een van de plakkaten mogen inwisselen?'

Antonia keek Magnus fronsend aan. 'En waarom zou je dat willen?'

'Laten we zeggen dat ik een gebruik ervan ken dat veel meer dan tweehonderd in goud waard is.'

'Hoe dan?'

'Nou… eh… als je de dampen inademt van een brandend stukje, voert het je mee naar een plek waar het genot geen grenzen kent, als je het met een ander deelt, als u begrijpt wat ik bedoel.'

'Ik denk van wel, Magnus.' Antonia glimlachte weer en keek naar Pallas. 'Laat ons alleen.'

Magnus probeerde tevergeefs zijn ontsteltenis te verbergen toen de bediende het vertrek verliet.

'Laat het me zien.'

Kort na zonsondergang liep Magnus met een plakkaat onder zijn arm de herberg binnen. Hij verlangde naar zijn bed, want het was een lange dag geweest, al was die inmiddels deels in een waas verloren gegaan. Hij keek over zijn tafel in de hoek heen en zag Servius over zijn telraam gebogen zitten; naast hem zat een zeer knappe jonge man.

Magnus ging zitten, keek naar de jongeling en daarna naar Servius. 'Is het echt waar?'

'Vertel het hem,' bromde Servius, met zijn telraam klikkend.

'De meester zegt dat ik u moet vertellen dat alles gereed is in de kwestie waarover u sprak.'

De vermoeidheid was in één klap verdwenen. 'Ren meteen naar hem terug en zeg dat ik eraan kom.'

'Ik ga met je mee. Ik heb Marius, Sextus en Cassandros er een halfuur geleden al naartoe gestuurd, zodra de boodschap arriveerde.'

'Dank je, beste vriend.' Magnus zwaaide met het plakkaat. 'Ik moet dit trouwens toch bij Terentius afleveren.'

Servius' ogen glinsterden in het lamplicht. 'Nog eens zo'n duizend aurei; slechts een fractie daarvan zal onze buurtbewoners voldoende compenseren voor het graan dat Brutus ze heeft afgepikt. Het is een mooie dag geweest.'

'Zeker, en het wordt alleen nog maar mooier.'

'Nou nou,' mompelde Magnus toen hij Brutus in Terentius' privévertrek op de bank zag liggen. 'Je lijkt je prima te amuseren, aedilis.'

Brutus keek met een wazige blik op en staarde Magnus een paar momenten met lodderogen aan. Hij leek hem niet te herkennen en richtte zijn aandacht weer op de geslachtsdelen van de kronkelende jongeling die wijdbeens over zijn heupen zat en hem enthousiast bereed. Terentius gebaarde naar een tweede jongeling, die met zijn tong een tepel van de aedilis beroerde, terwijl hij de andere liefkoosde; hij haalde de twee messen uit het komfoor en drukte ze aan weerskanten tegen een bolletje hars op de tafel ernaast. Er kringelde meteen rook op, die de jongeling aan de aedilis aanbood; zelfs in zijn schemertoestand zag Brutus de bron van zijn genot op hem afkomen en hij draaide zijn hoofd om de rook gulzig naar binnen te zuigen.

'Hij geniet er in elk geval volop van,' merkte Magnus op, terwijl de deur openging en Servius met een touw binnenkwam. Achter hem volgden Marius, Sextus en Cassandros, die met een grote kuip vol water sjouwden.

Servius wees op de vloer naast de bank. 'Zet daar maar neer.' Hij keek naar Brutus, die met een strakke grijns op zijn gezicht op de bank lag. 'Is hij zover?'

'Hij bevindt zich veel te diep in het rijk van Morpheus om ook maar iets te merken,' verzekerde Terentius hem. 'Jullie kunnen gaan, jongens.'

De kronkelende jongeling gleed van Brutus af, pakte zijn tuniek van de bank af en huppelde giechelend samen met zijn collega de kamer uit.

'Zet hem op zijn knieën voor de kuip, jongens,' beval Servius, terwijl hij het opgerolde touw op de bank gooide.

Sextus en Cassandros zetten Brutus rechtop.

204

'Helemaal vergeten, ik ben het vergeten,' mompelde de aedilis, die nu op zijn knieën voor de kuip werd neergezet. 'Ah, water, zoveel water.'

'Hoofd in het water en vasthouden, maar pas op dat je hem geen blauwe plekken bezorgt. Zodra hij dood is, hangen we hem ondersteboven op om al het water uit hem te laten lopen, drogen hem af en kleden hem aan, en dan lijkt hij een natuurlijke dood te zijn gestorven.'

Op het moment dat Brutus' hoofd onder water verdween draaide Magnus zich naar Terentius toe. 'Het is waarschijnlijk het beste als je hier niet bij blijft; de laatste keer dat je hem hebt gezien leefde hij nog.'

'En nog wel in zulke vaardige handen,' voegde Terentius er glimlachend aan toe, waarna hij wegliep.

Magnus keek hem even na voordat hij zijn aandacht weer op Brutus richtte, precies op het moment dat de stuiptrekkingen begonnen.

'Een natuurlijke dood?' Gaius was diep geschokt. Hij boog zich over het bureau in zijn studeerkamer heen, waarbij hij bijna een inktpot omstootte. 'Op zijn leeftijd? Hij kan niet ouder zijn geweest dan een jaar of vijfendertig.'

Magnus deed zijn best om even geschokt te lijken. 'Ik weet het, senator, maar het is echt waar. Hij is vanmorgen vlak na zonsopgang in de buurt van de Porta Viminalis gevonden, in de Via Patricius. Geen enkele zichtbare verwonding, dus mogen we aannemen dat hij dood is neergevallen na een of andere buitengewone inspanning in een van de bordelen daar.'

'Er moet een onderzoek komen.'

'Dat zal zeker volgen.'

'En als ze ontdekken dat het geen natuurlijke dood was, kunnen ze er dan achter komen dat jij er iets mee van doen hebt?'

'Dat betwijfel ik ten zeerste. Hij is op de Viminaal gevonden, en dat is niet mijn buurt.'

'Want als ze erachter komen, kan dat voor mij ook gevolgen hebben. Hoe heb je het gedaan?'

'Dat hoeft u niet te weten, senator, behalve dat het op dezelfde manier is gegaan als wanneer u door hem was omgebracht.'

'Hoe weet je dat?'

'Omdat mijn cliënt die de oorspronkelijke aanklacht tegen hem had ingediend, gisteren eveneens een natuurlijke dood blijkt te zijn gestorven, vlak nadat Brutus u had bedreigd. Ik denk dat hij nog veel vaker op natuurlijke wijze wraak had willen plegen.'

'Ja, nou, dan zal ik je vast dankbaar moeten zijn.'

'Ja, dat lijkt me ook, senator.'

'Niettemin denk ik dat je een poosje uit Rome weg moet blijven, terwijl ik de stadsprefect ervan probeer te overtuigen dat jonge mannen van zijn leeftijd voortdurend door natuurlijke oorzaken dood neervallen.'

'Gelukkig dat hij bij u in het krijt staat.'

'Ja, maar ik denk dat dit de wel de laatste gunst is die hij me verschuldigd is; hij heeft mijn verzoek toegewezen om Sabinus volgend jaar tot graan-aedilis te benoemen. Maar ik ben ervan overtuigd dat domina Antonia de betreurenswaardige tragiek van de hele zaak zal benadrukken, temeer daar het haar niet gelukt is voor mij de keizerlijke toestemming voor het bezoek van Vespasianus aan Egypte te verkrijgen.' Hij pakte een wastablet uit zijn bureau en keek er met een teleurgestelde blik naar. 'Ze heeft me vanmorgen daarover bericht.'

'Dan lijkt het me dat ik de juiste man ben om naar Cyrenaica te vertrekken om Vespasianus het slechte nieuws te vertellen.'

'Ja, beste vriend, daar lijkt het zeker op.'

Magnus stapte uit Gaius' rijtuig op de kade van Ostia, geholpen door een buitengewoon aantrekkelijke knecht. De lome blik en verlegen glimlach van de jongen negerend keek hij zonder enige vreugde naar het enorme vrachtschip waarop hij de komende twee weken zou doorbrengen. De verweerde romp verraadde de leeftijd van het schip, dat een stank van rottend afval verspreidde.

'Het spijt me, Magnus,' zei Gaius, 'maar iets beters was er op zo'n korte termijn niet te krijgen. Het vaarseizoen is voorbij en er zijn maar heel weinig schepen die in deze tijd van het jaar de oversteek maken.'

Magnus wierp een blik op de rij pakhuizen waarin hij nog maar zes nachten geleden de inbraak had georganiseerd, die hoe dan ook tot zijn gedwongen verbanning had geleid; hij vloekte hartgrondig.

Met een meelevende glimlach gaf Gaius hem een handvol boekrollen. 'Brieven voor Vespasianus.'

'Ik weet zeker dat hij er heel blij mee is.'

'Nou, ik moest maar eens terug naar de stad, want domina Antonia heeft mij en de stadsprefect voor het avondmaal uitgenodigd. Ik ben ervan overtuigd dat de hele kwestie bij je terugkeer vergeten zal zijn.'

Magnus pakte zijn tas van de knecht aan. 'Vast en zeker, senator.'

'Noem alleen mijn naam tegen de *trierarchus*; ik heb vooruitbetaald, dus dat levert geen probleem op.'

'Dank u'.

'Gaat het lukken?' vroeg Gaius, terwijl zijn blik op de benen van de knecht bleef rusten, die naast de al even bevallige koetsier plaatsnam.

Magnus grijnsde en sloeg zijn plunjezak over zijn schouder. 'Ik heb de komende veertien of vijftien dagen niets te doen, senator.' Hij klopte op een brokstukje, dat hij onder zijn tuniek verborgen hield. 'Maakt u zich geen zorgen om mij, ik zal de tijd goed gebruiken; ik heb de kans een heel nieuw rijk te verkennen.'

Het Alexandrijnse gezantschap

ROME, MEI 39

Marcus Salvius Magnus leek allerminst geïmponeerd. Op zijn gezicht stond een diepe frons en met zijn donkere ogen tuurde hij naar de beminnelijke man aan de overkant van het bureau. Ondertussen poerde hij agressief met zijn wijsvinger in zijn ene bloemkooloor. 'Hoor eens, Tatianus, ik ben niet helemaal hierheen gekomen om te vernemen dat de zending nog niet is aangekomen en misschien zelfs nooit zal aankomen.'

Tatianus haalde zijn schouders op; de twee dikke gouden kettingen om zijn hals glinsterden in het lamplicht. Hij sloeg een vlieg weg die het lef had gehad om op de mouw van zijn fijn gesponnen pastelgroene tuniek te landen en zag Magnus' vijandige blik. 'Magnus, ik vrees dat het daar toch op neer zal komen, want het is hier niet. Ik denk wel dat je overdrijft wanneer je beweert dat ik zou hebben gezegd dat het mogelijk nooit zal aankomen. Volgens mij heb ik je verteld dat het niet in de nabije toekomst zou arriveren.' Met uitgestoken pink nam hij elegant een slokje wijn uit een zilveren beker en liet die in zijn mond rondgaan, waarbij hij goedkeurend zijn wenkbrauwen optrok en zijn lippen tuitte.

Het kostte Magnus moeite om niet in woede uit te barsten. Hij had deze gladjakker nooit gemogen, maar als je bepaalde spullen wilde hebben, was je gedwongen hem als tussenpersoon in te schakelen. 'En wat bedoel je daarmee?'

'Met de nabije toekomst bedoel ik vandaag en morgen, dus logisch redenerend kun je uit mijn bewering concluderen dat je order op zijn vroegst over twee dagen zal arriveren.'

Magnus sloeg zo hard met zijn vuist op tafel dat de wijn uit zijn nog volle beker op het glimmende walnotenhout spetterde. 'Je hebt me beloofd dat ze hier twee dagen voor de ides van mei zouden zijn, en dat is vandaag.'

Magnus' stem dreunde zo luid in de kleine kamer dat Tatianus ervan ineenkromp. 'Mijn beste Magnus, hoe hard je ook tegen me schreeuwt, het zal geen enkele invloed hebben op de snelheid waarmee je bestelling de bewakers van de stadscohort bij de stadspoorten passeert. Een zending van vijftig zwaarden of een tiental Scythische composietbogen is niet zo'n probleem, want die kun je bijvoorbeeld onder een lading groente verbergen, maar een *scorpio*? Dat is een heel groot wapen om te verbergen. En in aanmerking genomen dat het voor iedereen, op de praetoriaanse garde en de stadscohorten na, al verboden is om in de stad een zwaard bij je te hebben, hoe illegaal zou het dan niet zijn om met zo'n pijlenwerper van de artillerie betrapt te worden?' Tatianus trok zijn wenkbrauwen op. 'Ik heb het nooit willen vragen, maar nu wint mijn nieuwsgierigheid het toch: waar heb je in Hades' naam in de stad een scorpio voor nodig? Je kunt zo'n wapen onmogelijk ergens in het openbaar monteren zonder dat het opvalt.'

'Ik zal je vertellen waarom ik dat ding de stad in wil brengen, Tatianus. Ik wil het de stad in brengen omdat ik je duizend denarii vooruit heb betaald en nu nog eens duizend bij me heb voor de restbetaling. Dat is de reden dat ik dat ding in de stad wil hebben.'

'En dat gaat ook lukken, Magnus, echt waar; maar niet vandaag. De centurio met wie ik een financiële regeling heb getroffen zal pas om middernacht van de ides bij de Porta Capena op de Via Appia zijn dienst beginnen; en aangezien je pakket op drie verschillende karren via die route de stad binnenkomt, zullen we de zending pas vroeg in de ochtend kunnen doorlaten. Je kunt het restant op het derde uur van de ides komen betalen; ik ben tot die tijd afwezig.' Tatianus trok zijn schouders op en spreidde in een verzoenend gebaar zijn handen. 'Tenzij je het geld natuurlijk liever hier veilig laat liggen, in plaats van te riskeren met zo'n groot bedrag in het donker naar de Quirinaal terug te lopen?' Hij gebaarde naar een massieve, met ijzer versterkte houten deur vol sloten achter zich. 'Ik heb een absoluut veilige kluis.'

'Jou het geld geven voordat je me de spullen geeft? Ammenooitniet! Ik heb vijf van mijn mannen meegenomen; dat gaat best lukken.'

'Ik probeer alleen maar te helpen,' mompelde Tatianus, nog een slokje wijn nemend. 'Vergeet niet dat ik de spullen maar een paar uur bewaar. Als je niet snel met het geld komt, geef ik ze aan de eerste gegadigde mee en ben je je aanbetaling kwijt. Mij maakt het allemaal niks uit.'

Magnus haalde diep adem, een reeks scheldwoorden inslikkend, en bekeek de beschilderde en vergulde meubelstukken in Tatianus' studeerkamer. De tafels en het dressoir getuigden ervan dat hier een welgesteld man met een goede smaak woonde: kostbaar glaswerk, dat in het flikkerende lamplicht een warme bruine en turquoise gloed kreeg, werd afgewisseld door fijn bewerkte afgodsbeeldjes; zoveel goden had Magnus nog nooit in een kamer bij elkaar gezien. Twee van de wanden waren bezet met planken vol boekrollen, bijna allemaal contracten, want Tatianus had zijn administratie graag bij de hand in deze kamer, de enige waarin hij zakelijke aangelegenheden behandelde. Tatianus ging nooit bij een ander op bezoek. Iedereen die zijn diensten nodig had moest zelf langskomen en belet bij hem vragen; dat was de enige manier om hem te kunnen spreken. De hele onderwereld van Rome was daarvan op de hoogte en ging ermee akkoord. 'Goed dan,' gaf Magnus toe, die nu iets gekalmeerd was en opstond. 'Ik kom terug op de ides en dan moet die bestelling hier liggen, anders…'

'Anders wat, Magnus?' Tatianus boog zich over het bureau heen en zette zijn vingers tegen elkaar, alsof zijn belangstelling opeens enorm was geprikkeld. 'Waarmee zou de patronus van de Zuid-Quirinale Kruispuntbroederschap mij kunnen bedreigen? Een aframmeling in een donker steegje of een bezoekje aan mijn huis om brand te stichten misschien? Dat laatste is meer jouw stijl, naar ik heb begrepen. Of je zou me zelfs met een schicht uit een scorpio kunnen doorboren als je iemand anders kon vinden die jou dat projectiel kon leveren; maar dat lukt je natuurlijk niet, hè?' Hij leunde achterover in zijn stoel en lachte Magnus vriendelijk toe. 'En dus is het "anders niets", toch, Magnus? En als je ooit nog eens "anders…" tegen mij zegt, zal dat het laatste woord zijn dat je ooit in deze kamer uitspreekt, omdat mijn diensten nooit meer voor jou beschikbaar zullen zijn. Is dat duidelijk?'

Magnus sloot zijn ogen en trok een grimas; ruzie met Tatianus kon hij zich beslist niet veroorloven. 'Mijn excuses, Tatianus, ik bedoelde er niets mee. Ik weet zeker dat je je best zult doen om mijn bestelling zo snel mogelijk hierheen te brengen.'

'Uiteraard, beste vriend, daar zal ik uiteraard voor zorgen,' zei Tatianus, die nu weer de vriendelijkheid zelve was. Hij stond op, liep om het bureau heen, sloeg een arm om Magnus' schouders en leidde hem naar de deur; hij was zeker een kop groter dan zijn gast. 'Het was me een genoegen, zoals altijd.' Hij opende de deur en schoof Magnus met een harde klap op zijn rug de kamer uit.

De deur sloeg dicht en ziedend van woede over de vernederende manier waarop hij was weggestuurd staarde Magnus opeens in een helder verlichte gang met marmeren vloer in de ogen van twee grijnzende bewakers. Zo waardig mogelijk baande hij zich een weg langs de twee mannetjesputters, waarna hij stampend de trap af liep en het huis door beende naar het atrium.

'Waar moet deze naartoe, Magnus?' vroeg Marius, een lange, kaalgeschoren kruispuntbroeder, met de in leer gebonden stomp van zijn linkerarm naar een kluis op de grond wijzend.

Magnus schudde zijn hoofd naar de vijf kruispuntbroeders die hem met het geld van de Quirinaal naar de Esquilijn hadden vergezeld. 'Leg maar weer terug op de kar, jongens; we vertrekken met lege handen.'

De grootste en gespierdste van de broeders draaide zijn handen om en tuurde naar de half opgegeten ui in zijn rechterhand.

'Dat is een uitdrukking, Sextus,' snauwde Magnus, lucht gevend aan zijn frustratie over de traagheid van begrip van de broeder, terwijl hij naar de vestibule liep om zijn mantel van de haak te pakken. De portier deed monter zijn plicht en Magnus stapte de lauwe, van miezerregen bezwangerde meiavond in. Hij trok zijn kap over zijn hoofd, gaf de slaaf van Tatianus die de handkar had bewaakt een trap en duwde hem in de goot – de man sloeg bijna met zijn hoofd tegen een passerende wagen –, waarna hij met grote passen verder liep over het hoger gelegen, duistere trottoir, andere voetgangers dwingend voor hem opzij te gaan. Zijn vijf broeders haastten zich achter hun patronus aan. Nadat ze de kluis onder een stapel lompen op de kar hadden gelegd manoeuvreerden ze de kar de eindeloze file van bezorgingsverkeer in, die de straten van Rome elke nacht weer teisterde. Ondertussen duwden ze ook de met modder bespatte slaaf terug de goot in.

'Dus hij had hem niet, Magnus?' vroeg Marius, toen ze hun leider eindelijk hadden ingehaald en de tempel van Juno Lucina passeerden, vlak bij de voet van de Esquilijn en in de schaduw van de Viminaal. 'Nee, hij had hem niet,' gromde Magnus, tegen een hondenkarkas schoppend.

'Wat gaan we nu dan doen?'

'We moeten het dak op, zodat we via het plafond kunnen inbreken. Zonder een scorpio kunnen we het touw niet naar de overkant werpen, en als we pas op de avond van de ides een scorpio hebben, zullen we het karwei tot dat tijdstip moeten uitstellen. Laten we er maar niet verder over doorzeuren en iets anders zoeken om ons in de tussentijd mee bezig te houden.'

Marius grijnsde. 'Daar heb je gelijk in, Magnus. We kunnen op de terugweg altijd nog bij een van de bordelen in de Via Patricius stoppen.'

'Nee, met zoveel geld op zak ga ik echt het domein van de West-Viminale Kruispuntbroederschap niet binnen; dat is vragen om…'

Hij werd onderbroken door een ijselijke pijnkreet.

Magnus draaide zich om en zag drie gedaanten op de twee broeders die de handkar voortduwden inhakken, terwijl Sextus twee andere aanvallers probeerde af te weren door hen met zijn reusachtige vuisten te bewerken. De vijfde broeder, die de kar had voortgetrokken, probeerde zich intussen aan de greep van een schurk te ontworstelen die met zijn vingers zijn keel omklemde. Magnus en Marius trokken tegelijkertijd hun messen uit de foedralen aan hun riemen en stortten zich in de strijd, terwijl er steeds meer aanvallers uit het donker opdoken. Met zijn linkerschouder naar voren, alsof hij een schild droeg, knalde Magnus tegen de ribbenkast van de dichtstbijzijnde dreigende schim. Hij stampte met zijn linkervoet op die van zijn tegenstander, diens voetbotjes brekend, en stootte zijn mes in militaire stijl met een korte, krachtige stoot naar voren, waarbij hij zijn onderarm laag hield. Terwijl het bloed over zijn pols stroomde, stootte de aanvaller rochelend zijn adem uit. Magnus draaide het mes naar links en vervolgens naar rechts, zodat de liesspieren scheurden. Zijn slachtoffer slaakte een jammerlijke kreet, die hem als muziek in de oren klonk. Ondertussen trof Marius naast hem met zijn in leer gebonden stomp zijn tegenstander vol op de mond, waarmee hij zijn tanden verbrijzelde en zijn bovenlip tot moes sloeg; met zijn dolk naar rechts uithalend sneed hij een van de schurken die op de broeder op de kar stond in te hakken dwars door de ruggengraat, en de man zakte als een slappe marionet op de grond.

Magnus rukte zijn wapen uit het kapotgescheurde weefsel los, waarna er een weeïge fecesstank uit de open buik opsteeg; hij wierp zijn stervende tegenstander opzij en draaide zich met opgeheven onderarm honderdtachtig graden om, de neerwaartse houw van een nieuwe vechtersbaas afwerend. Nadat hij de klap had opgevangen gaf hij met zijn arm iets mee, zodat de man dichter bij hem kon komen; meteen ramde hij zijn knie tussen zijn benen en verscheurde een testikel. Krampachtig hijgend sloeg de man dubbel. Tussen de toeschouwers, die geen aanstalten maakten om tussenbeide te komen, doken nog drie duistere gedaanten op, die rechtstreeks op de kar af snelden. Magnus voelde een mes langs zijn rechterwang suizen en dook instinctief in de tegenovergestelde richting weg, terwijl achter hem een gedaante met een mes uithaalde naar de plek waar een fractie eerder zijn hoofd nog was geweest. Hij draaide zich om en zag een gehurkte man met een schele blik naar een mes kijken dat trillend in zijn neusbrug stond. Met een snelle draai van zijn rechterpols sneed Magnus de keel van de man open, terwijl Marius zijn voorhoofd tegen het gezicht van een van de nieuwe aanvallers ramde, zodat hij naar achteren sloeg en het bloed uit zijn neus spoot; met een blik op zijn kameraden draaide hij zich snel om en rende weg. Onder het slaken van een monsterlijke brul pakte Sextus de laatst overgebleven aanvaller op en wierp hem achter de andere belagers aan, die razendsnel het hazenpad kozen.

Magnus keek rond. Niemand bedreigde hen nog en de toeschouwers verspreidden zich inmiddels, want die voelden er niets voor om bij een ruzie betrokken te raken waarmee ze niets van doen hadden. Twee van zijn broeders lagen dood op de grond tussen de lichamen van zes van hun belagers; een derde zat geknield te hoesten, zijn pijnlijke hals masserend. 'Gaat het, Postumus?' vroeg Magnus, terwijl hij de broeder omhoogtrok en Marius een woedend brullende Sextus verhinderde om achter de aanvallers aan te gaan.

'Redelijk, Magnus, en jij?' bracht Postumus piepend uit.

'Ik denk van wel.' Diep inademend draaide Magnus zich ineens om en rende naar de kar toe; de lappen waren opzijgeschoven. 'Bij Juno's gerimpelde reet!' vloekte hij, naar de lege laadbak van de kar kijkend. 'Die klootzakken hebben hem gejat; ze moeten geweten hebben wat we vervoerden.' Marius en Sextus kwamen bij hem staan, allebei nog steeds zwaar hijgend; hulpeloos keken ze naar de plek waar hun kluis had gelegen. Magnus werd afgeleid door gekreun op de grond. Hij keek omlaag en zag dat de man met de verbrijzelde tanden probeerde weg te kruipen. Magnus greep hem bij zijn kraag en sloeg hem zo hard met zijn hoofd tegen het plaveisel dat hij buiten westen raakte. 'Hier, jongens,' beval Magnus, het slappe lichaam omhooghoudend, 'leg hem op de kar en gooi die lompen over hem heen. Laten we onze herberg opzoeken voordat de vigiles opduiken en proberen te voorkomen dat we dat ventje hier een paar lastige, pijnlijke vragen stellen, als jullie begrijpen wat ik bedoel.'

De vragen waren niet zozeer lastig als wel pijnlijk; in feite waren ze heel eenvoudig en het waren er ook opmerkelijk weinig.

'Ik stel de vraag nog eens,' zei Magnus op montere toon, naar zijn gevangene glimlachend en hem amicaal op de wang kloppend. Toen hij de gloeiende pook in Marius' gehandschoende hand zag

begon de man te kronkelen van angst. Hij hing naakt aan zijn enkels aan een plafondbalk in een kamer ergens achter in de taverne
die als hoofdkwartier van Zuid-Quirinale Kruispuntbroederschap
fungeerde. 'Voor wie werk je en hoe wist je wat we vervoerden?'

Marius keek de man, die zijn ogen opensperde, over Magnus'
schouder grijnzend aan en liet hem het gloeiende ijzer zien, herhaaldelijk zijn wenkbrauwen optrekkend, alsof hij nauwelijks kon
wachten. Maar terwijl de man wanhopig tegen het touw vocht
waarmee zijn polsen achter zijn rug waren gebonden, hield hij zijn
gezwollen mond stijf dicht.

'Tss, tss.' In een gebaar van overdreven teleurstelling schudde
Magnus zijn hoofd, alsof hij een *grammaticus* was die van zijn meest
veelbelovende leerling het verkeerde antwoord had moeten aanhoren.
'Weet je wat: ik zal je de vragen voor de derde keer stellen, voor het
geval je ze niet goed hebt gehoord. Voor wie werk je en hoe wist je
wat we vervoerden?'

De gevangene schudde zijn hoofd en kneep zijn ogen dicht.

Met veel vertoon legde Marius de pook weer terug in het verrijd-
bare komfoor dat de kamer verlichtte, samen met een olielamp op
een tafel ernaast. De rijzige Sextus stond in de schaduw bij de deur,
waar het flikkerende schemerlicht van de gang erachter onderdoor
sijpelde; Postumus bleef achter de gevangene staan om te voorkomen dat hij ronddraaide.

'Misschien is hij zijn stem kwijt,' mompelde Magnus, aan zijn
kin krabbend. 'Waarom controleer je dat niet even, Marius?'

'Je hebt gelijk, Magnus.' Hij trok de pook, waarvan de punt inmiddels oranje opgloeide, uit het komfoor. Even later klonk er een
doordringend gegil, dat gepaard ging met de stank van verbrand
vlees.

Er verscheen een blij lachje op Magnus' gezicht. 'Zijn dijbeen ziet
er niet al te best uit, maar ik hoor niet dat er iets aan zijn stem mankeert,' merkte hij op, zich naar Sextus toe draaiend. 'En jij, Sextus?'

'Wat zeg je, Magnus?'

'Ik zei: hoor jij dat er iets aan zijn stem mankeert?'

'Eh... nee, Magnus, die klonk mij prima in de oren.'

'Dat dacht ik ook. En jij, Postumus, heb jij iets vreemds gehoord?'

'Die stem klonk mij als muziek in de oren, broeder.'

'In dat geval is het tijd om wat minder vriendelijk te worden. Zou je de billen van deze heer uit elkaar willen houden?'

Postumus grijnsde met oprecht plezier bij het vooruitzicht. 'Heel graag, Magnus.'

Magnus hurkte neer en bracht zijn gezicht vlak bij de gevangene, terwijl Postumus zijn benen uit elkaar trok. 'Luister nu, smerig stuk rattenstront. Ik ben in een pesthumeur en het interesseert me geen reet hoeveel of hoe lang ik jou moet pijnigen. Twee van mijn broeders zijn dood en een groot deel van mijn poen is zoek, en ik zal er alles aan doen om dat te vergelden. Geef antwoord op mijn vragen, dan zal Marius hier je achterwerk niet als schede voor zijn pook gebruiken.'

Nog steeds schudde de man zijn hoofd; zijn ogen puilden uit bij de aanblik van de roodgloeiende verschrikking die hem te wachten stond.

'Dat is een onverstandige keuze.' Magnus knikte naar Marius. 'Gewoon in de spleet en dan dichtknijpen, Postumus.'

Zodra Postumus het gloeiend hete uiteinde tussen de billen van de man had gebracht, duwde hij ze tegen elkaar. Terwijl het gesis van brandend haar en huid klonk en er rook omhoog kringelde slaakte de gevangene een langgerekte gil, waarbij zijn eerdere pijnkreet in het niet viel; het timbre ervan werd steeds hoger en rauwer, totdat het schor in zijn keel wegstierf.

Na een knikje van Magnus trok Marius het martelwerktuig terug en duwde het weer in de vuurpot; de gevangene begon te hyperventileren.

'Hij zal een paar dagen lang voorzichtig moeten zijn als hij zijn gat afveegt,' meende Magnus, de schade opnemend voordat hij weer op zijn hurken ging zitten en de gevangene bij zijn kin vastgreep. 'Wat zou je ervan vinden als we dat met je scrotum deden, strontvlieg? Ik kan je verzekeren dat we er allemaal met veel plezier naar zullen kijken en luisteren.'

De borst van de man ging op en neer en de tranen rolden over zijn voorhoofd; zijn gezwollen lippen weken terug, zodat zijn verbrijzelde gebit zichtbaar werd. 'Se... Sem...'

219

Magnus legde zijn oor dichter bij de mond van de man. 'Wie?'

'Semp...' Een paar momenten lang snakte hij naar adem. 'Sempronius.' De naam klonk als een lange zucht, maar was duidelijk hoorbaar.

Magnus' blik verduisterde. 'Sempronius,' gromde hij verbeten. 'Die kerel van de West-Viminale Kruispuntbroederschap?'

De gevangene knikte zwakjes, met zijn ogen gesloten.

'Hoe wist hij van dat geld af?'

'Ik... Ik weet... Ik weet het niet; hij heeft het...' Hij kromp ineen en spuwde bloed uit zijn zwaar toegetakelde mond; een rode druppel gleed in zijn neusgaten. 'Hij droeg ons op om jullie vanuit het huis op de Esquilijn te volgen en jullie aan te vallen zodra jullie in de buurt van ons domein kwamen, zodat we niet zo ver met de kist hoefden te lopen.'

'Dus hij wist van de kist af?'

De man knikte, met zijn ogen nog steeds gesloten.

Magnus stond met een grimmige blik op zijn gezicht op. Hij bleef een paar momenten peinzend staan, rukte de handschoen van Marius' hand, trok die zelf aan en haalde de pook uit het vuur. 'Omdat je een nette knul bent geweest en de vragen naar beste weten hebt beantwoord, zal ik mijn belofte nakomen: Marius zal je kont niet gebruiken als foedraal voor zijn pook.' Hij duwde Postumus opzij en terwijl hij de gloeiend hete staaf in zijn rechterhand rondzwaaide maakte hij met zijn linkerhand de anus van de man vrij. 'Maar ik wel!' Hij stootte de pook in de sluitspier en duwde hem met zijn handpalm zo ver mogelijk naar binnen. Onder een gehuil dat zijn twee eerdere pijnkreten tezamen nog zou hebben overstemd begon de gevangene te stuiptrekken en sloeg hij bijna helemaal dubbel, zodat hij Magnus boven zijn eigen scrotum met een van afgrijselijke pijn vervulde blik een moment lang aankeek. Daarna zakte hij weer omlaag en bleef slap hangen, bezweken aan de vlammende pijn en weerzinwekkende inwendige verwondingen.

'Snijd hem los, Marius,' beval Magnus, terwijl hij de kamer uit liep, 'en leg hem dan langs de grens van de West-Viminaal neer; Sextus en Postumus kunnen je daarbij helpen.' Magnus liep de deur door en draaide zijn hoofd nog eenmaal om. 'En zorg ervoor dat de pook een stukje uitsteekt en duidelijk zichtbaar is. Sempronius moet precies weten hoe ik over hem denk.'

'Uw gedweeë senator heeft een jongen op pad gestuurd,' zei een oude man met gekromde vingers en halskwabben zonder zijn blik van de boekrol af te wenden, die hij in het licht van twee lampen bestudeerde.

Magnus nam naast hem plaats aan de tafel in de hoek van de herberg, met het beste uitzicht op de deur in de volle, bedompte ruimte. 'Welke, Servius?'

'Welke jongen? Ik weet het niet, ik heb zijn naam niet gevraagd.'

'Nee, ouwe bok, welke senator?' Magnus tilde de beker en de kruik wijn op die de herbergier had gebracht. 'Bedankt, Cassandros.'

Servius keek op; zijn ogen zaten vol melkachtige vlekjes. 'O, die oude.'

'Senator Pollo?'

'Ja.'

'En?'

Servius keek weer naar zijn boekrol. 'Het gaat niet goed, Magnus; het duurt niet lang meer of ik ben blind. Alles is nu al onscherp en schemerig.' Hij schudde zijn kale hoofd en legde de rol op tafel. 'Ik wilde je niet storen terwijl je… in vergadering zat, maar de senator wil heel graag dat je 's ochtends zijn salutatio bijwoont en hem dan naar het Senaatsgebouw vergezelt; zijn neef Vespasianus heeft een baan voor je.'

'Wat voor soort baan?'

'De jongen kon het niet zeggen, maar senator Pollo zei dat je de komende drie dagen of daaromtrent vrij moest houden.'

'Drie dagen?'

'Of daaromtrent.'

Magnus schopte tegen de dichtstbijzijnde kruk. 'Verdomme! Net nu het druk begint te worden.'

Met een plooi van zijn simpele witte burgertoga over zijn hoofd geslagen verkruimelde Magnus een koekje van bloem en zout boven de vlam die voortdurend brandende werd gehouden op het altaar van de lares of huisgoden van het kruispunt, dat in de buitenmuur van de herberg was ingebed. Het onderhoud van deze heiligdommen was eeuwen geleden de oorspronkelijke reden geweest voor de oprichting van de broederschappen in de hele stad. Maar in de loop der tijden was hun taak uitgebreid tot het behartigen van de belangen en het welzijn van de plaatselijke gemeenschap, waarvoor ze van de buurtbewoners een wisselende vergoeding ontvingen, al naargelang de gevraagde bescherming. Hun woord was daarom wet in de wijk waar ze de scepter zwaaiden.

Terwijl de koekkruimels in de vlam opflakkerden prevelde Magnus een kort gebed om de goden van de kruising van de Alta Semita en de Vicus Longus te vragen het gebied te beschermen. Daarna hief hij een kom op en bracht een plengoffer voor de vijf bronzen figuurtjes die de huisgoden voorstelden, waarbij hij hun beloofde die avond hetzelfde offer te brengen, mits ze hun deel van de religieuze afspraak gestand deden. Hij trok de toga van zijn hoofd en klopte de broeder op de schouder wiens beurt het was om het vuur te verzorgen. Daarna liep hij door de ontwakende Alta Semita weg, met de eerste donkerblauwe ochtendgloed achter zich en Cassandros en een oosterling met een baard die in een broek gekleed was aan zijn zijde. Beiden droegen staven en sputterende toortsen.

Het was slechts een korte wandeling naar het huis van senator Gaius Vespasius Pollo en hoewel Magnus daar net voor zonsopgang aankwam, stond er al een flink aantal cliënten van de senator te wachten om tot zijn atrium te worden toegelaten. Ze waren daar om hun beschermheer goedendag te wensen, een bescheiden gift te ontvangen, te informeren of ze hem die dag van dienst konden zijn, en soms ook om voordeel uit de symbiotische relatie te putten door zelf de senator om een gunst te vragen.

'Cassandros en Tigran, jullie blijven hier.' Zonder zich om de volgorde van aankomst te bekommeren baande Magnus zich een weg door de menigte naar de voordeur, terwijl zijn twee metgezellen achter aan de rij bleven wachten. Niemand protesteerde ertegen dat hij voordrong, omdat iedereen wist dat deze gehavende ex-bokser bij hun beschermheer in hoog aanzien stond, ook al was hij uit een lage sociale klasse afkomstig.

Terwijl de zon aan de oostelijke horizon opkwam, bevrijd van de wolken van de vorige dag, en de stad der zeven heuvelen in het lentelicht baadde, werd de deur geopend door een zeer knappe jongeling met blond haar, waarvan de lengte omgekeerd evenredig was met die van zijn tuniek. Magnus was de eerste die door de deur binnenkwam.

'Magnus, beste vriend,' galmde Gaius Vespasius Pollo zonder op te staan uit de zware stoel die in het midden van het atrium voor het impluvium met de spetterende fontein stond. Hij veegde een zorgvuldig gekrulde, zwartgeverfde haarstreng uit zijn varkensoogjes, die in zijn opgeblazen gezicht glinsterden.

'Goedemorgen, senator; eh... u hebt een dienst nodig, geloof ik.'

'Jaja, maar daar spreek ik je straks nog over. In de tussentijd zal mijn bediende je een lijst met Joodse voorschriften geven.' Gaius gebaarde naar een iets oudere versie van de jongeling bij de deur, die zijn hoofd voor Magnus boog. 'O, en hij zal het ook door een van mijn jongens laten voorlezen, omdat jij, nou ja, je weet wel...'

'... niet kan lezen,' zei Magnus, bij wie de verwarring op zijn gezicht te lezen stond.

'Inderdaad,' antwoordde Gaius, die zijn blik al op de volgende cliënt in de rij had gericht.

'Philo!' riep Magnus uit terwijl hij naast Gaius van de Quirinaal af liep, met zo'n tweehonderd van zijn cliënten in een lange stoet achter hen aan. 'U bedoelt de broer van Alexander, de *alabarch* van de Alexandrijnse Joden?'

'Inderdaad,' pufte Gaius, die glinsterde van het zweet. Terwijl zijn halskwabben, borsten, buik en billen in verschillende ritmes onder zijn senatorentoga op en neer zwabberden, waggelde hij achter Cassandros en Tigran aan, die hun staven in de aanslag hielden om een pad voor hem vrij te meppen als er te veel volk in de weg liep.

'Wat doet hij in Rome?'

'Hij is hier al sinds het begin van het vaarseizoen. Hij staat aan het hoofd van een gezantschap van Alexandrijnse Joden, die bij de keizer willen klagen over de manier waarop Flaccus, de prefect van

Egypte, op de rellen tussen de Joden en de Grieken vorig jaar in Alexandria heeft gereageerd.'

'Ik heb ze gezien. Ik was daar met Vespasianus om voor Caligula Alexanders borstplaat uit zijn mausoleum te stelen, omdat Flaccus had geweigerd die aan ons te overhandigen.'

'Dat is waar ook. Dus je wist ook waar dat oproer om draaide?'

'Volgens Philo waren ze woest omdat – hoe zei hij het ook alweer? – de Joden door de laagste klasse van beulen met zwepen gegeseld werden, alsof ze inheemse plattelandsbewoners waren, in plaats van met roeden die door Alexandrijnse lictoren werden gehanteerd, zoals hun volgens hun stand toekwam.'

'Wat?'

'Ja, dat was zijn voornaamste klacht. Waar het in elk geval niet om ging, was dat zijn schoonzus door haar eigen echtgenoot uit haar lijden verlost moest worden nadat ze levend was gevild en geen enkele overlevingskans had, of dat bendes Grieken Joden naar het theater sleurden om ze te kruisigen en vervolgens de kruisen in brand te steken. Nee, hij maakte zich met name druk om de etiquette van de lijfstraffen en hoe sommige van zijn kennissen de waardigheid van de roede ontzegd werd, zoals hij het uitdrukte. Hij was een echte klootzak, voor zover ik kon vaststellen, en nog een opgeblazen kwal ook.'

'Tja, hij is wél de klootzak, of hij nou opgeblazen is of niet, voor wie jij in opdracht van Vespasianus de komende dagen moet... zorgen, zullen we maar zeggen.'

'Waarom?'

'Omdat niemand anders het doet. Hij heeft om religieuze redenen iedereen geweigerd of weggestuurd die Cossus Cornelius Lentulus, de stadsprefect, voor zijn beveiliging ter beschikking heeft gesteld. Omdat Lentulus de schuld niet in zijn schoenen geschoven wilde krijgen als er iets met Philo en zijn gezantschap gebeurde, heeft hij de verantwoordelijkheid doorgeschoven naar Corbulo, de junior consul, die er meteen Vespasianus mee heeft belast, in zijn hoedanigheid als stadsprefect van dit jaar. Corbulo weet heel goed dat Vespasianus sinds zijn tijd in Alexandria aan de familie gelieerd is en dus mogelijk een zekere invloed op Philo kan uitoefenen. Vespasianus is er daarom op gebrand dat Philo niet in zijn eentje zonder bewaking door de stad banjert, omdat hij overal waar hij komt problemen veroorzaakt.'

'Ja, dat is zeker. Waarom zet iemand hem niet gewoon op een schip en stuurt hij hem naar Alexandria terug?'

'Omdat Caligula, nadat hij hem een tijd had laten wachten, alsnog heeft besloten hem en zijn gezantschap te ontvangen en hij daarnaar uitkijkt; en daarom wil niemand er verantwoordelijk voor zijn om onze goddelijke keizer teleur te stellen door Philo toe te staan om zelfmoord te plegen. Blijkbaar wil Caligula graag weten waarom de Joden hem niet als een god accepteren.'

Magnus trok een boos gezicht. 'Ze accepteren helemaal niets als een god. De Grieken voerden dat als reden voor de rellen aan: ze zagen niet in waarom de Joden bij hen een gelijke status zouden moeten hebben als ze zich niet als gelijkwaardige burgers gedroegen en een offer aan de keizer brachten als ze hun jaarlijkse eed van trouw aflegden. En dat is precies de vraag die Caligula volgens mij aan Philo wil stellen: waarom zouden de Joden een gelijke status moeten genieten als ze zich niet hetzelfde gedragen als alle andere burgers in het keizerrijk?'

'Een delicate kwestie.'

'Ja, dus zorg ervoor dat hij in leven blijft en die vraag kan beantwoorden. Caligula is op de terugweg uit Antium en Vespasianus vergezelt hem; ze zullen over een dag of zo wel terug zijn, want Caligula wil op veldtocht in Germania gaan.'

Magnus gromde; hij leek niet echt blij met de opdracht. 'Als u het zegt, heer.'

'Het is geen bevel; ik vraag je slechts om een geringe gunst.'

'En wat staat daartegenover?' vroeg Magnus terwijl ze door een zuilengang liepen die uitkwam op het door Augustus gebouwde forum.

Gaius keek zijn cliënt schuins aan en trok in een veelzeggend gebaar zijn wenkbrauw op. 'Nou?'

'Hebt u wel eens van een zekere Quintus Tullius Tatianus gehoord?'

'Een ridder uit een lagere tak van het Tulliaanse geslacht?'

'Ik geloof het wel.'

'Degene die op elk wapen dat je maar wilt beslag kan leggen en het door de stadspoorten naar binnen kan brengen?'

Het verbaasde Magnus dat een senator van het bestaan van zo'n duistere figuur op de hoogte was, maar hij liet het niet merken. 'Die bedoel ik; wat weet u van hem?'

'Dat is alles; dat hij de hand kan leggen op alles wat je maar wilt en het de stad in kan smokkelen, tegen een bepaalde prijs natuurlijk: Scythische composietbogen, Thracische *rhompheroi*, Rhodische katapulten en de beste werpbijlen uit het barbaarse noorden, Joodse Sicari-dolken, je hoeft het maar te zeggen en hij levert het. O ja, en hij doet alleen zaken bij hem thuis en op zijn eigen voorwaarden. Waarom vraag je dat?'

'Ik wilde... eh... u op de hoogte brengen, als u begrijpt wat ik bedoel.'

'Hij heeft jou kwaad gemaakt en nu wil je zijn illegale onderneming bij mij aangeven, in de hoop dat ik ermee naar de stadsprefect zou stappen, of zoiets?'

Magnus was teleurgesteld. 'Dus u weet zelf al wat ieder ander inmiddels ook weet?'

'Als je met "ieder ander" de criminele onderbuik van Rome bedoelt, die een onstilbare honger heeft naar nieuwe methoden om elkaar te verslinden, dan luidt het antwoord ja.'

Terwijl Magnus daarover nadacht, begroette Gaius andere senatoren die eveneens op het forum van Augustus onderweg waren.

'Maar hoe komt het dat u ook van hem afweet?' vroeg Magnus zodra hij Gaius' aandacht weer had.

'Iedereen die praetor is geweest heeft van hem gehoord. Hij is een bekende figuur bij iedereen die op het gebied van recht en orde in Rome verantwoordelijkheid heeft gedragen.'

'En toch is er nooit actie tegen hem ondernomen?'

'Nee, we laten hem met rust.'

Magnus kon zijn verbazing niet verbergen. 'U bedoelt dat de autoriteiten hem geen strobreed in de weg leggen bij zijn praktijken?'

'Inderdaad. We bemoeien ons nooit met hem, zodat hij inmiddels meent boven de wet te staan en openlijk vanuit zijn studeerkamer zijn handeltje drijft.'

Magnus' verbazing groeide nu tot ongeloof aan. 'Dus de autoriteiten laten hem gewoon ongestraft wapens de stad in brengen?'

'Uiteraard.'

'Waarom?'

'Kom, Magnus,' zei Gaius met een bezorgde frons, 'je klinkt alsof je een deugdzame, verontwaardigde burger dreigt te worden. Het is volkomen logisch om hem ongestoord zijn gang te laten gaan. Immers, als hij verdween, wie zou dan zijn plek innemen en hoe lang zou het duren voordat wij daarachter kwamen? En zou het dan nog maar om één persoon gaan? Tatianus bewaakt zijn handel angstvallig, zodat iedereen die zijn zaken in gevaar brengt al snel het slachtoffer van de eigen handelswaar wordt. Hij regelt het allemaal heel netjes voor ons; zoals jouw kruispuntbroederschappen worden getolereerd omdat jullie de misdaad in je wijk binnen de perken houden, ook al zijn jullie zelf een stelletje schurken. Het is een bijzonder merkwaardige paradox.'

'Nu bent u toch niet helemaal eerlijk, senator.'

'O nee? Tja, als jij het zegt.' Terwijl er een glimlach op Gaius' gezicht verscheen betraden ze het forum van Caesar, waar de stadsprefect in de schaduw van een ruiterstandbeeld van de voormalige dictator verzoekschriften behandelde. Hij wees naar Lentulus, die achter zijn bureau een boekrol doornam. 'We zouden de prefect nu alles over Tatianus kunnen vertellen, en dan zou hij er alleen maar om lachen. Als Tatianus er niet was geweest, zou hij geen idee hebben hoeveel wapens er in de stad waren en in wiens bezit die waren, zodat hij af en toe de stadscohort op pad kan sturen om er een stel te confisqueren.'

Terwijl Magnus daarover prakkiseerde bereikten ze het Forum Romanum, waar Cassandros en Tigran gedwongen werden hun stokken te gebruiken om in de ochtenddrukte de weg vrij te maken. 'Bedoelt u dat Tatianus de prefect van elke zending die hij binnenbrengt op de hoogte stelt?'

'Natuurlijk niet – hoe zouden we hem ooit kunnen vertrouwen? Nee, dat zou een dwaas idee zijn; hij weet volstrekt niet dat we belangstelling voor hem hebben. Het is veel simpeler om gewoon uit te zoeken wie hij allemaal in dienst heeft en dan met allerlei onheil voor hun dierbaren te dreigen als ze ook maar één afgeleverd artikel vergeten. Momenteel lijkt Tatianus een stadscohortcenturio te gebruiken die deel uitmaakt van de sectie die bij de Porta Capena staat.'

'En die heeft op de ides toevallig dienst.'

'Aha! Dus dat is de datum waarop jouw zending binnenkomt, niet?'

'Nou, ik heb niet gezegd dat ik iets heb gekocht, senator. Ik zei alleen... Ach, ik heb niet echt iets gezegd, toch?'

'Het maakt niet uit, Magnus; maar je kunt er zeker van zijn dat de stadsprefect er morgen binnen een uur na aflevering van op de hoogte is dat er iets illegaals via de Porta Capena is binnengekomen. Dan hoeft hij alleen maar te kijken wie er Tatianus' huis binnengaan om een idee te hebben voor wie de zending bestemd is.'

'Bij Pluto's slappe zak!' Magnus realiseerde zich hoe ernstig zijn situatie was als hij zijn bestelling in bezit kreeg. 'En dan zal hij handelen zoals hem goeddunkt; is dat de manier waarop het gaat?'

'Dat komt heel dicht in de buurt, Magnus.'

'Dus als ik vlak nadat het illegale artikel is afgeleverd bij hem thuis langsga, kan ik een bezoekje van de stadscohorten verwachten en heb ik daadwerkelijk een hoop uit te leggen.'

'Precies, en dan zou het zelfs voor mij lastig zijn om je hulp te bieden. Is het nu duidelijker?'

'Dank u wel, senator; dit is bijzonder interessant. Uiteraard zal ik hierover zwijgen.'

'Magnus, de dag dat een van ons een vertrouwensafspraak schendt, zal beslist de laatste dag van onze wederzijds profijtelijke relatie zijn.'

Onder aan de trap van het Senaatsgebouw hielden ze halt, en Gaius nam afscheid van het merendeel van zijn cliënten, net als de andere senatoren in hun buurt. Vervolgens gaf hij instructies aan de weinige cliënten aan wie hij had gevraagd te blijven, met het oog op de belangen die ze die ochtend voor hem in het forum moesten behartigen. Nadat hij hen op pad had gestuurd richtte hij zijn aandacht weer op Magnus. 'Vespasianus zal contact opnemen wanneer hij in de stad terugkeert, en dat is waarschijnlijk morgen, tenzij Caligula besluit zijn bizarre interpretatie van de keizerlijke rechtspraak in elke stad langs de Via Appia uit te oefenen. Hopelijk kan hij de keizer ervan overtuigen om het Alexandrijnse gezantschap snel te ontvangen en kunnen we ze op een schip in Ostia lozen, zodat we van ze af zijn. Hou Philo tot die tijd uit de problemen.'

Magnus trok een grimas bij de gedachte dat hij minstens een paar dagen met Philo moest doorbrengen. 'Ik zal mijn best doen, senator. Waar kan ik ze vinden?'

'Heb ik je dat daarnet niet verteld? Welnu, de afgezanten verblijven allemaal in een villa in de Tuinen van Lamia, vlak buiten de Porta Esquilina.'

'En Philo?'

Gaius knikte in de richting van de voet van het Capitool. 'Die zit daarbinnen.'

'Waar? In het Tullianum?'

'Ja, hoewel hij niet in de cel zit; hij verblijft bij de cipiers. Er restte de stadsprefect geen andere mogelijkheid dan hem gevangen te nemen, totdat hij iemand had gevonden die hem ervan kon weerhouden naar elk standbeeld van onze goden dat hij passeert te spuwen. En aangezien jij hem hebt ontmoet en zijn familie flink bij jou en Vespasianus in het krijt staat, lijkt het erop dat jij die persoon bent.'

'Het is een schande!' Philo liet er geen misverstand over bestaan; dit was al de vierde keer dat hij Magnus zijn mening gaf, waarbij hij elke keer groter misbaar maakte. 'Ik, de leider van het gezantschap van de Joden van Alexandria bij de keizer van Rome, opgesloten als een ordinaire misdadiger, alsof ik van de laagste komaf ben; niet eens belangrijker dan jij, Magnus.' Philo's lange grijze baard hing schuin ten opzichte van zijn kin en bewoog voortdurend op en neer, steeds als hij zijn onderlip in zijn walging driftig naar binnen zoog. Zijn zware wenkbrauwen plooiden zich tegelijkertijd met het geknipper van zijn ogen, waarvan het ene door een blauwe kring was omgeven. 'Weet de stadsprefect niet wie ik ben? Is hij niet op de hoogte van de waardigheid van mijn stand? Weet hij niet welke literaire prestaties ik heb geleverd? Is hij er niet mee bekend dat mijn broer Alexander de alabarch van de Alexandrijnse Joden is? De alabarch, zeg ik je; niet een of andere vage titel zoals het hoofd van de Alexandrijnse Joden, of leider of voornaamste Joodse burger, maar alabarch. De alabarch! En ik, de broer van de alabarch en leider van het gezantschap, word gedwongen in het gezelschap van zulke ongemanierde cipiers te verkeren dat ik betwijfel of ze zelfs in jouw opinie geschikt gezelschap zouden zijn, Magnus. Begrijp je hoezeer ik beledigd ben, terwijl ik alleen maar aalmoezen probeerde te geven aan de Joodse bedelaars die tussen de graftombes op de Via Appia leven? Het is een schande.' Hij schikte zijn witte tulbandachtige hoofdtooi nog eens om zijn punt te benadrukken.

Magnus was een en al begrip. 'Ik kan me inderdaad niet voorstellen dat er voor jou iets ergers bestaat dan behandeld te worden alsof je mij was. Maar ik weet zeker dat het allemaal niets meer dan een misverstand was, omdat je precies op het verkeerde moment je keel schraapte, namelijk toen je een standbeeld van Mars passeerde. En mocht je daarbij een fluim voor de voeten van de god gedeponeerd hebben, dan was dat vast en zeker per ongeluk, en de woedende burgers die jou aanvielen en mishandelden reageerden echt zwaar overdreven op een toevallig kloddertje spuug.'

Philo trok zijn zwart-wit geblokte mantel strakker om zijn schouders. 'Ja, en om belaagd te worden door het plebs en klappen te krijgen van hun ongewassen handen was een schande die bijna niet te verdragen was; er bevond zich niemand van de ridderstand onder hen, laat staan een senator. Geen van mijn aanvallers was bevoegd om mij ook maar een haar te krenken, en toch zit ik nu onder de schrammen en blauwe plekken, mij toegebracht door de lagere klasse.'

'Tja, ik vrees dat er nooit zo op de relatieve status wordt gelet als het om mensen gaat die aanstoot nemen aan de daden van anderen, zelfs als die verkeerd uitgelegd worden. Aan de andere kant...' Magnus probeerde een ander gespreksonderwerp te bedenken terwijl ze met Tigran en Cassandros op de Porta Esquilina en de tuinen daarachter af liepen, maar er schoot hem niets te binnen en hij moest de hele tirade zelfs nogmaals vanaf het begin aanhoren, door-spekt met hernieuwd oplaaiende verontwaardiging. Hij bad tot de goden van zijn kruispunt dat de koerier die senator Pollo naar zijn broeders in de herberg zou sturen zijn boodschap had volbracht en dat er vier andere broeders in de tuin op hen zaten te wachten, zodat hij de onaangename opdracht aan Tigran en aan hen kon delegeren.

'Zorg ervoor dat ze het tuinencomplex niet verlaten, Tigran,' be-val Magnus toen Philo met de andere leden van zijn gezantschap werd herenigd. Elk van hen had een grijze baard en ze zagen er al-lemaal hetzelfde uit, gekleed in witte gewaden tot op de enkels, zwart-witte mantels en om het hoofd gewonden katoenen lappen. Hij nam de lijst met Joodse vereisten door die Gaius hem had ge-geven en gaf die aan Tigran. 'En dit is een opsomming van wat ze niet willen eten en wanneer ze bepaalde dingen niet doen – het is een hele waslijst. Je kunt toch lezen?'

Tigran keek glimlachend naar de boekrol. 'Ja, Magnus, dat heeft Servius me geleerd. Hij is een goede leraar,' voegde hij er meteen aan toe. 'Geen schaaldieren! Waarom dat nou weer?'

'Geen idee, en wat kan het schelen? En probeer niet tegelijk met hen te eten, want ze schijnen alleen aan tafel te willen zitten met mensen van hun eigen geloof. Niet dat ik veronderstel dat je van plan bent vriendjes met ze te worden.' Hij wierp een blik op Philo, die onder een pergola voor de villa was gaan zitten, midden in de tuin. Hij begroette ieder van zijn metgezellen apart en bracht hen stuk voor stuk uitvoerig van zijn beproeving op de hoogte. 'Laat de jongens de toegang naar de tuinen bewaken. Ik heb Philo uitgelegd dat ze voor hun eigen veiligheid hierbinnen moeten blijven en hem gewaarschuwd dat het plebs nog steeds kwaad op hem is, zodat hij het risico loopt op een nieuwe vernedering in de ongewassen han-den van *hoi polloi*, totdat ik met hun leiders heb gesproken en het misverstand heb opgehelderd dat de aanleiding van deze hele af-faire is.'

'Ben je dat echt van plan?'

'Geen denken aan. Nee, ik heb zaken met Sempronius te bespre-ken om een neerbuigende tussenpersoon van zijn voetstuk te stoten.'

'Een paar uur voordat ze het lijk vlak na zonsopkomst vonden, is Postumus verdwenen,' liet Marius aan Magnus weten toen hij op het middaguur weer in de herberg terugkwam. 'Ze hebben de pook eruit getrokken en het lijk naar Sempronius gebracht, die bij hun huisgodenaltaar aan het offeren was. Hij vertrok zodra hij het ritueel had volbracht en toen hij in zijn hoofdkwartier terugkwam zag hij eruit alsof hij die pook maar al te graag weer wilde verhitten om die zelf bij iemand in te brengen.'

Magnus nam een grote slok uit de beker met warme gekruide wijn die hij met beide handen omvatte en dacht een paar momenten na. Servius schoof zijn rekeningrollen op de tafel naast zich. 'Wat is er met Postumus gebeurd?'

Marius haalde zijn schouders op. 'We roken versgebakken brood, dus gaf ik hem wat geld mee om een paar broodjes en warme wijn te halen, maar hij is niet meer teruggekomen. Ik denk dat hij mijn geld in een bordeel aan de Vicus Patricius heeft uitgegeven; na die pooksessie was hij behoorlijk opgewonden.'

Magnus knikte instemmend. 'Hij komt wel weer opdagen, en dan kun je hem uitschudden voor dat geld. Wat Sempronius betreft reken ik op een vergeldingsactie. We moeten de bewaking langs onze grens met de West-Viminaal verdubbelen en daar een paar snelle koeriers posteren om berichten over te brengen. Ondertussen moet ik ervoor zorgen dat Sempronius bepaalde informatie krijgt, waaraan hij hopelijk geen weerstand kan bieden.'

'Wat dan, broeder?'

'Hij moet tot de ontdekking komen dat ik zakendoe met Tatianus en dat ik hem nog duizend denarii schuldig ben voor een levering die morgen moet binnenkomen, maar nu dat geld gestolen is, lukt het me niet om het bedrag op tijd te betalen. Tatianus heeft gezegd dat hij de zending aan de eerste de beste die hem het vereiste bedrag betaalt zal afgeven, ook al heb ik al duizend denarii aanbetaald.'

Servius wreef zijn troebele ogen uit. 'Tatianus staat erom bekend dat eerder te hebben gedaan. Hij zegt altijd dat de aanbetaling alleen garandeert dat hij de zending een paar uur bewaart en daarna verkoopt hij die aan de eerste persoon die met het juiste bedrag bij hem komt, zodat hij zichzelf niet in gevaar brengt omdat hij voor langere tijd illegale spullen in huis heeft.'

'Precies; we hebben een precedent, dus Sempronius zal dat zeker geloven. En ik wed dat hij het artikel dat voor mij bestemd was heel graag wil hebben, alleen maar om te voorkomen dat het in mijn bezit komt. En daar komt bij dat het hem groot plezier zal doen om mijn geld uit te geven.'

'Maar wat wil hij dan met een scorpio doen?'

'Doet er niet toe; het gaat erom dat hij in de veronderstelling verkeert dat hij ons heeft dwarsgezeten zonder dat het hem een denarius van zijn eigen geld heeft gekost.'

'En wat gebeurt er als hij die scorpio in bezit krijgt?'

'Dan zal hij zich daarvoor bij de stadsprefect moeten verantwoorden.'

'Maar dan gaat de klus niet door.'

Magnus nam nog een slok wijn. 'Uit wat ik zojuist van senator Pollo heb gehoord, maak ik op dat de klus sowieso niet doorgaat, tenzij ik heel diep nadenk om die terug te halen. Ik probeer gewoon zo veel mogelijk van de situatie te profiteren en Sempronius en Tatianus dwars te zitten. Maar eerst moet ik het zaadje planten.'

Servius hoestte hijgend. 'Het spreekt vanzelf dat je het zaadje het best kunt planten op de plek waar je het wilt laten groeien.'

Magnus trok een frons en dronk zijn beker leeg. 'Probeer je nou filosofisch te zijn? Zo ja, dan was dat een tamelijk sneue poging. Natuurlijk moet ik het bij Sempronius planten.'

'Maar dat is toch niet de plek waar je het echt wilt laten groeien?'

Magnus keek zijn raadsman aan, zijn opmerking overdenkend. In de loop van de vijftien jaar dat hij nu patronus van de Zuid-Quirinaal was, was hij de adviezen van zijn plaatsvervanger vooral gaan waarderen vanwege diens uitgebreide kennis van de bewoners van de duistere onderwereld van Rome. 'Je hebt gelijk, broeder: Het gaat me erom dat dat besef ook tot Tatianus doordringt. Als hij denkt dat ik het geld niet kan fourneren, zal hij zo snel mogelijk van de levering af willen.'

Servius waagde een lachje, maar het leek eerder een grimas op zijn verschrompelde gezicht. 'Precies, en als je ook weet over te brengen dat Sempronius mogelijk belangstelling voor de aankoop zou hebben, zou de hele kwestie heel snel vanzelf de wereld uit zijn.'

'Maar hoe regel ik dat zonder een officieel gesprek, waarin ik Sempronius expliciet noem? Tatianus zal hem vast vertellen dat ik hem heb voorgesteld, en dan zal hij binnen de kortste keren vermoeden dat het een valstrik is.'

'Waar gaat Tatianus zoal naartoe als hij geen zaken doet in zijn huis?'

Magnus dacht even na. 'De gewone plekken: de baden, het theater, de arena en dergelijke.'

'Ja, maar wat nog meer? Wat is je bij hem opgevallen, bijvoorbeeld aan de inrichting van zijn kamer?'

Na een korte denkpauze wees Magnus met zijn wijsvinger naar zijn adviseur. 'Die godenbeeldjes... daar heeft hij er een heleboel van.'

'Ja, hij is een zeer devoot man, dus hij vervult alle religieuze plichten.'

'Zoals alle festivals bijwonen, en morgen is de ides van mei.'

'Inderdaad, en dan vieren we de Mercuralia ter ere van Mercurius, de god van de kooplieden en handel, onder andere; en wat doen alle kooplieden op die dag?'

Magnus grijnsde en schudde langzaam zijn hoofd, vol ontzag voor de sluwheid van zijn adviseur. 'Ze besprenkelen hun hoofden, handelswaar en handelslocaties met water uit de bron bij de Porta Capena, en omdat ze het water zelf moeten halen, kunnen we ervan uitgaan dat Tatianus morgen op zeker moment bij de Porta Capena zal arriveren. Hij zei zelfs dat hij die ochtend tot het derde uur afwezig zou zijn, dus hij zal morgenvroeg al bij de poort aanwezig zijn. Ik moet alleen nog bedenken hoe ik daarvan kan profiteren.'

Het was al drie uur donker, maar het was nog niet stiller geworden in de straten van Rome. Magnus, die voor de gezelligheid en ter bescherming Marius en Sextus had meegenomen, keek naar een groepje van zes mannen dat in de Vicus Longus omhoogliep. Ze hadden allemaal hun hoofden bedekt en zagen eruit als mannen die met geweld vertrouwd waren; sommigen van hen liepen mank door oude verwondingen en eentje miste drie vingers van zijn linkerhand. Een ander had een volle zak over zijn schouder geslagen.

'Wisten de mannen die de West-Viminaal observeerden zeker dat ze uit het hoofdkwartier van die broederschap kwamen?' vroeg Magnus aan Marius, zijn stem verheffend om in het geratel en gekletter van door muildieren en ossen getrokken karren en wagens verstaanbaar te zijn.

'Ja, broeder. Zodra ze deze kant op leken te gaan, hebben ze een van de boodschappenjongens met het nieuws hierheen gestuurd. Er kan geen twijfel over bestaan dat ze in deze buurt niets goeds in de zin hebben.'

'Het lijkt er in elk geval niet op dat ze gewoon boodschappen aan het doen zijn, zoveel is zeker. Maar het zijn er niet genoeg om de herberg te bedreigen. Wat zouden ze dan van plan zijn?'

Toen de zes mannetjesputters vlak bij hen waren, wendden ze zich alle drie af en gingen tegen de open bar van een wijnverkoper aan staan.

'Alsjeblieft, Magnus,' zei de eigenaar, terwijl hij een kruik wijn en drie stenen bekers op de toonbank zette. Hij draaide zich naar de oude slaaf toe die bij hem werkte. 'Kom op, Hylas, luie donder, schiet eens op met dat vreten.' Hij keek verontschuldigend naar Magnus. 'Je krijgt brood met varkensvlees van me zodra die achterlijke slaaf van mij wakker wordt; helemaal gratis uiteraard.'

'Bedankt, Septimus,' zei Magnus. Hij keek om om de indringers beter te kunnen bekijken als ze passeerden, maar ze hadden hun kappen te ver over hun gezicht geslagen. 'Heb je die lui hier ooit eerder gezien?'

Septimus wierp een blik op de mannen terwijl ze langsliepen en wachtte tot ze buiten gehoorsafstand waren. 'Moeilijk te zeggen, Magnus. Ik kon hun gezichten niet zien, maar eerder vandaag hing hier een stel vreemdelingen rond, grote kerels die er als ex-gladiatoren uitzagen. Een van hen liep mank en toen ik ze bediende zag ik dat zijn kameraad een paar vingers miste, maar ik weet niet meer hoeveel en aan welke hand.'

'Heb je nog gehoord waarover ze spraken?'

'Niet echt, we waren op dat moment druk bezig en omdat Hylas zo lui is als een slaaf maar kan zijn zonder dood neer te vallen, moet ik mijn benen onder mijn lijf vandaan lopen en heb ik heel weinig tijd om te kletsen of anderen af te luisteren.'

'Jammer.'

'Het viel me wel op dat ze de hele tijd de heuvel op keken in de richting van jouw herberg, en nadat ze een paar kruiken van mijn zwaarste wijn ophadden zijn ze die kant op gegaan. Dat is alles, vrees ik, Magnus.'

'Maak je geen zorgen, Septimus. Dit kan heel nuttige info zijn. Hoe laat was dat ongeveer?'

'Het derde uur of zo.'

Magnus wendde zich tot Marius en Sextus. 'Ze hebben het lichaam van de pookjongen vlak na zonsopkomst gevonden en hebben dat werktuig meegenomen naar Sempronius, die het aan het einde van het eerste uur zal hebben gezien. De tijdstippen kloppen.'

Marius knikte, terwijl het Sextus, gezien zijn ingespannen blik, de nodige moeite kostte zo'n ingewikkelde redenering te volgen.

Magnus dronk zijn wijn op en pakte wat varkensvlees met een homp brood zodra Hylas het bord eten voor hem neerzette. 'Kom op, jongens, laten we die klootzakken achternagaan om te zien wat ze van plan zijn.'

Op een afstand van zo'n twaalf passen volgden Magnus en zijn metgezellen de verdachte groep door de Vicus Longus, de Quirinaal op. Vlak voordat ze bij de kruising met de Alta Semita aankwamen bleven de indringers staan en toonden ze opeens grote belangstelling voor een versterkte deur achter in een nis van een paar passen diep, onzichtbaar vanaf de hoofdstraat. 'Dat is een van de achterdeuren van de herberg,' siste Magnus, terwijl ze de mannen van een afstandje observeerden. 'Hoe weten ze dat? We hebben die deur al tijden niet meer hoeven te gebruiken.'

Nadat ze tevergeefs hadden geprobeerd de deur met een uit de zak gehaalde koevoet te forceren, liepen de indringers verder de heuvel op.

'Ik denk dat ze van plan zijn ons een pijnlijke verrassing te bezorgen door ons van achteren te grazen te nemen, jongens, als jullie begrijpen wat ik bedoel. Ik vermoed dat ze naar de achterdeur in de

Alta Semita op weg zijn om te zien of ze daar binnen kunnen dringen. Als we ons haasten, kunnen we er tegelijk met hen zijn.'

De groep liep verder de heuvel op langs de zuidmuur van de herberg, passeerde de tafels en banken voor het gebouw op de scherpe punt van de kruising en sloeg links af de Alta Semita in.

Terwijl Magnus in de schaduw van de zuidmuur bleef zag hij de indringers achter de noordmuur verdwijnen. 'Snel, jongens!' Hij rende tussen de tafels buiten door, de drinkende en dobbelende broeders gebarend hem te volgen, en rende zo snel door de voordeur de herberg binnen dat het dronkenmansrumoer daar verstomde. Hij draafde verder door de zaal, die geleidelijk breder werd doordat de straten langs de herberg uiteenweken, en liep vervolgens door een toegang met een gordijn de herberg weer uit, waarna hij in een duistere doorgang terechtkwam. 'Haal de wapenkist, Sextus,' beval Magnus, terwijl hij linksaf de kamer aan het eind van de gang insloeg, vanwaar hij de zaken van de broederschap bestierde.

'Haal de wapenkist – begrepen, Magnus,' antwoordde de broeder, de orders in zich opnemend. Hij pakte een zware kist op die vlak achter de deur stond, terwijl Magnus naar een andere deur achter in de kamer rende, waarvan de sleutel al in het slot stak, zodat ze snel konden wegkomen. Hij draaide de sleutel om, opende de deur, stak een andere, langere gang over en haastte zich door de donkere ruimte, waar nog altijd de stank van brandend vlees hing na de wreedheden die er de vorige nacht hadden plaatsgevonden.

Hier minderde Magnus vaart en bleef hij staan luisteren, naar de mannen die achter hem aan kwamen gebarend dat ze hetzelfde moesten doen. Vanuit de aangrenzende kamer was het luide geklop van metaal op hout hoorbaar. 'Deel ze uit, Sextus,' zei Magnus, naar de wapenkist knikkend die de broeder in zijn reusachtige vuisten droeg. 'En sluit de deur achter ons, Marius.' De eenhandige broeder duwde de deur zachtjes dicht, waardoor de kamer in bijna volledige duisternis werd gehuld.

Magnus greep het eerste zwaard uit de kist, kroop naar de deur links achter in de kamer en legde zijn oor te luisteren. Hij liet zijn hand over het hout glijden en vond de sleutel, die eveneens al in het slot stak om een snelle vlucht mogelijk te maken. 'Zo te horen zijn ze bijna binnen. Er is maar één manier om die kamer uit te komen, en wel via deze deur; laten we het ze gemakkelijk maken.' Hij draaide de sleutel om en het slot gaf een klik; even later klonk het geluid van versplinterend hout uit de kamer erachter. 'Blijf tegen de muur aan staan, jongens,' siste Magnus tegen de circa acht broeders in het schemerduister. 'Laten we proberen alle zes de klootzakken te pakken.'

Terwijl de hendel vanaf de andere kant werd bewogen trok Magnus zich in de tegenoverliggende hoek terug; er klonk een doffe klik en de deur werd op een kier geopend, zodat er een smalle spleet licht binnenviel. De kier werd breder en er werd het silhouet van een forse man zichtbaar. Hij bleef even staan luisteren – geen van Magnus' broeders durfde nog te ademen.

Na wat een eeuwigheid leek stapte de indringer de kamer binnen, met zijn handlangers vlak achter zich aan. 'We lopen deze kamer door en steken dan een gang over,' fluisterde hij, voorzichtig naar voren stappend, waarna de laatste schaduwen door de deur binnenslopen.

'Daar komt niks van in!' riep Magnus, terwijl hij de punt van zijn zwaard in het dichtstbijzijnde silhouet stak en zijn pols draaide, zodat vlees en spieren kapot gereten werden – een lange, gorgelende pijnkreet was zijn beloning. Zijn broeders volgden zijn voorbeeld en stootten vanuit alle hoeken toe, in het pikkedonker woest op de in verwarring verkerende binnendringers inhakkend, die zich ondanks hun nadelige positie al heel snel herstelden, waarbij de drie die nog op de been waren erin slaagden een rug-tegen-rughouding in te nemen. De wapens sloegen kletterend tegen elkaar, mannen gromden en vloekten in de duisternis en ergens lag een gewonde indringer meelijwekkend op de grond te jammeren. De drie overlevenden, die hun messen voor zich uit heen en weer zwaaiden om te voorkomen dat belagers zich te dichtbij waagden, schuifelden achteruit in de richting waaruit ze gekomen waren. Langzaam trokken ze zich terug, als schimmige gedaanten in het duister, terwijl ze elke aanval met razendsnelle tegenstoten afweerden. Daarmee leken ze Septimus' aanname dat ze voor de arena getraind waren te bevestigen.

'Kalm aan, jongens!' riep Magnus, die zich realiseerde dat ze in het bijna volledige duister op geen enkele manier door de verdediging van de gladiatoren heen konden breken. 'Trek je terug en laat die klootzakken gaan.'

Zijn broeders gehoorzaamden zijn bevel, waarop de drie overlevenden achterwaarts door de deuropening stapten, zich na een korte pauze als één man omdraaiden en wegrenden, de duistere straat in.

'Bij Minerva's droge tieten, die waren echt goed,' pufte Magnus, en hij sloeg de restanten van de geforceerde deur achter de drie wegvluchtende indringers dicht.

'Wat moeten we met die gewonde lummel doen, broeder?' vroeg Marius, terwijl hij de kreunende gedaante op de grond een trap gaf, zodat de man een kreet van pijn slaakte. 'Moet ik mijn pook soms in het vuur stoppen?'

'Nee, broeder, we weten waar hij vandaan kwam, maar zorg er wel voor dat hij niet terugkeert, als je begrijpt wat ik bedoel.'

Even later klonk er langdurig gegorgel, nadat een vlijmscherp zwaard door spieren en kraakbeen was gedreven, en toen Servius en een andere broeder ieder met een olielamp in de hand de ruimte binnenkwamen viel het vale licht op de stervende man, die met opengesneden keel in zijn eigen bloed lag te creperen.

'Is iedereen in orde?' vroeg Magnus, terwijl Servius neerknielde en de zak uit de inmiddels slappe vingers van de indringer trok.

Zijn broeders onderzochten hun eigen lichaam op verwondingen, maar tot hun verrassing waren ze allemaal ongedeerd.

'We hebben een paar problemen, Servius,' zei Magnus.

'Geen achterdeur,' antwoordde de raadsman, in de zak rommelend. 'Ik zal die deur voor de ochtend nog laten repareren en verstevigen; dat neemt Marius voor zijn rekening.'

'Nee, het gaat er meer om dat we geen achterdeur meer hebben waarvan anderen niets weten.'

'Dan kun je maar beter een nieuwe maken.'

'Waar dan?'

'Op een andere plek.' Servius knikte in de richting van de muur tegenover de vernielde deur. 'Wat is daar aan de andere kant?'

Magnus krabde op zijn hoofd en trok een frons. 'Ik denk dat het gewoon een verlaten binnenplaats vol troep is. Geweldig. Ik zal ervoor zorgen dat de jongens de muur doorbreken en een deur maken.'

Servius schudde zijn hoofd. 'Een deur is voor iedereen zichtbaar; ze moeten alleen de specie tussen de bakstenen vandaan halen, zodat een paar klappen met een voorhamer voldoende zijn om ze eruit te tikken.'

'Dat is een goed idee, broeder. Ik zal ze opdracht geven op een paar andere plaatsen hetzelfde te doen. Wat zit daarin?'

Servius liet de inhoud van de zak op de grond vallen. Er viel een aardewerken pot ter grootte van een mensenschedel uit, die in lappen was gewikkeld. 'Het lijkt erop dat ze van plan waren de herberg in brand te steken. Hij pakte een paar lappen op en hield die bij zijn neus. 'Olie.' Daarna trok hij de stop uit de pot, en er kwam een indringende geur vrij die Magnus niet herkende. 'Ik weet niet wat het is, maar ik gok dat dit spul uiterst brandbaar is; ik zal het op een veilige plek eens uitproberen.' Hij drukte de stop weer op de pot en keek op naar Magnus. 'Je zei toch dat we een paar problemen hadden?'

'Ja, het andere is dat ik me afvraag hoe de leider van die klootzakken in het donker de weg in dit gebouw wist. Ik hoorde hem zeggen: "We lopen deze kamer door en steken dan een gang over." Hoe wist hij dat zonder dat iemand hem dat had verteld?'

'Of zonder hier eerder te zijn geweest?'

'Zeker broeder, zeker. En dat is een nog verontrustender gedachte.'

De volgende ochtend was het vlak voor zonsopgang een drukte van belang bij de Porta Capena: drommen kooplui en handelaren duwden elkaar opzij om bij de bron te komen aan de voet van de Caelius tussen de stadsmuren en het aquaduct van Appia links van de poort. Iedereen was erop gebrand het water te tappen waarmee Mercurius hun onderneming voorspoed zou bezorgen en iedereen wilde het ritueel zo snel mogelijk uitvoeren, zodat ze zich meteen weer aan hun onderneming konden wijden. In de genadeloze wereld van de Romeinse handel was tijd altijd geld en daarom stonden goede manieren niet bepaald hoog op de prioriteitenlijst als je op je beurt moest wachten in de elkaar verdringende kluwen die voor een rij moest doorgaan. De priesters van Mercurius, die in het licht van fakkels op een podium stonden dat over de bron uitkeek, prevelden aan het begin van deze speciale dag dankgebeden voor hun geliefde god, maar ook hun aanwezigheid was niet voldoende om zelfs maar een begin van orde in deze volstrekt respectloze mensenmeute te brengen. Rechts van al deze chaos liet de centurio van de wacht elke kar die door de poort reed door de leden van de stadscohort onder zijn commando inspecteren. De meeste werden vluchtig bekeken maar af en toe werd er een willekeurige kar grondig doorzocht, tot ergernis van de voerman, die wist dat hij slechts een uur had om zijn vracht af te leveren en zijn wagen weer de stad uit te rijden voordat het verbod op door dieren getrokken voertuigen inging – tenzij hij natuurlijk over dure stallingsruimte in de stad kon beschikken.

'Ik vermoed dat hij weet welke karren niet al te zorgvuldig moeten worden doorzocht,' merkte Magnus op, terwijl hij met Marius keek naar de centurio die op een kar wees die met leren emmers was gevuld. 'Weet je, ik denk dat onze order er al doorheen is.'

Marius geeuwde en bromde iets onverstaanbaars, dat als een bevestiging klonk. Ze stonden onder een boog van het aquaduct van Appia tussen de Caelius en de Aventijn, binnen de Servische muren. Magnus stootte zijn broeder aan met de amfoor die hij bij zich droeg. 'Probeer wakker te blijven; je zult je rol niet echt goed kunnen spelen als je voortdurend wegzakt en begint te snurken.'

'Het spijt me, Magnus. Ik heb vannacht niet veel geslapen, en de nacht daarvoor ook niet door dat gedoe met die pook, en toen moest ik me ook nog van dat lijk ontdoen en zo.'

'Tja, we moeten allemaal wel eens hard werken en ons vak vormt daarop geen uitzondering. Hou nu je ogen open en kijk uit naar Tatianus.'

'Je hebt gelijk, Magnus,' zei Marius, terwijl hij een nieuwe geeuw onderdrukte en met zijn ogen knipperde.

Tegen de tijd dat de zon een uur boven de horizon uit was geklommen en de drukke doorgaande straten, lanen en stegen van Rome in het licht baadden, kostte het zelfs Magnus moeite om wakker te blijven, maar zijn waakzaamheid werd beloond toen hij een lange man ontwaarde, omringd door vier lijfwachten.

'Dat is hem, broeder,' siste Magnus, terwijl hij Marius weer aantikte en hem uit zijn halfslaap wegrukte. 'Kom mee.'

Ze slopen onder de boog van het aquaduct vandaan en liepen in looppas naar de bron, waar ze vlak voor Tatianus aankwamen. De menigte was op dit tijdstip tot nog maar twee of hoogstens drie rijen dik geslonken, omdat de meeste gelovigen die van de goedgunstigheid van de god wilden profiteren maar daarmee geen werktijd wilden verliezen inmiddels waren vertrokken. In elk geval was de bron nu helderder, voor aanbidders van Mercurius die tijdens het festival misschien iets minder door geldzucht werden gedreven.

'We zouden de hulp van de godheid dit jaar voor onze zaak heel goed kunnen gebruiken, hè, Marius?' zei Magnus met luide stem.

Marius keek hem vragend aan. 'Wat?'

Magnus gebaarde naar zijn broeder en trok bemoedigend zijn wenkbrauwen op, terwijl Tatianus vlak achter hen bleef staan om zijn beurt af te wachten.

Uiteindelijk begreep Marius de wenk. 'O, ja. Eh... Ja, Magnus, we kunnen alle hulp die Mercurius ons kan geven dit jaar goed gebruiken, nu er laatst 's nachts zoveel geld is gestolen. Denk je dat Sempronius het heeft gedaan?' Magnus knikte overdreven, met zijn gezicht naar Marius toe, zodat Tatianus achter hem het en profil zag. 'De patronus van de West-Viminale Kruispuntbroederschap? Zeker weten, broeder; hij heeft gehoord wat we probeerden te kopen en wilde dat zelf hebben. Door het geld van ons te stelen hoopt hij dat we in zo'n korte tijd niet genoeg meer bijeen kunnen brengen om hem te kunnen betalen.'

'En is dat zo?' vroeg Marius terwijl ze naar voren schuifelden.

'Het ziet er niet goed uit, broeder. De bank van de gebroeders Cloelius op het forum weigerde me gisteren een lening te geven en de rest van het geld van de broederschap zit op het moment vast. Ik zal bij Tatianus moeten langsgaan en hem als gunst vragen om onze zending nog een dag of zo vast te houden.' Magnus had nu de bron bereikt en gaf de amfoor aan Marius, en terwijl die hem rechtop hield pakte Magnus de emmer en goot het water erin.

'Denk je dat hij erop in zal gaan?'

'Misschien wel, omdat niet veel mensen volgens mij onze bestelling zouden aanschaffen voor de prijs die wij bereid zijn te betalen; behalve misschien Sempronius, die dat alleen al zou doen om mij een hak te zetten, en hij zou zich kapot lachen als ik mijn voorschot zou verliezen, terwijl hij het geld dat hij van mij heeft gestolen aan een artikel zou uitgeven dat ik daarmee had moeten betalen.'

'Dat zou wel heel gemeen zijn.'

Magnus ramde de stop in de amfoor. 'Absoluut, broeder, maar ook hoogst onwaarschijnlijk. Hoe zou Tatianus dat verband ooit kunnen leggen? Zo slim is hij nou ook weer niet.'

'Dat heb ik ook gehoord,' zei Marius instemmend, terwijl ze wegliepen en daarbij niet toegaven aan de neiging om achterom te kijken en van de ongetwijfeld hoogst verbolgen blik op Tatianus' gezicht te genieten.

Opeens werden de gesprekken bij de bron door hoorngeschal overstemd. Magnus keek in de richting van de bron ervan bij de Porta Capena en zag de opgestoken bijlen die met een roedebundel omwikkeld waren en door lictoren werden meegedragen. Er kwam een belangrijk persoon door de poort de stad in.

'Laten we ons uit de voeten maken, voordat we hier moeten blijven staan om die kerel toe te juichen,' zei Magnus. 'Ik kom liever niet in de buurt van iemand met lictoren, voor het geval ze me opmerken en willen lastigvallen.' Marius knikte en zette de amfoor op zijn schouders. 'Daar ben ik het helemaal mee eens, broeder; verder ben ik benieuwd of Servius al iets te weten is gekomen over de inhoud van die pot.'

Ze wendden zich van de naderende hoogwaardigheidsbekleder af en bleven opeens staan.

'Hé, Magnus, wat leuk om je te zien.' De stem klonk kalm en vriendelijk, met een ondertoon van oprecht plezier.

Magnus deed alsof hij verrast was. 'Tatianus! Ik had gedacht dat je het veel te druk had om een festival als dit te bezoeken.' Tatianus grijnsde, zijn tanden ontblotend. 'Integendeel, mijn beste Magnus, ik verwaarloos de aanbidding van de goden nooit, vooral niet als het om Mercurius gaat. Ik vraag hem altijd om mijn zaken te beschermen en word meestal beloond voor mijn vroomheid; sterker nog, hij heeft me vandaag al geholpen.'

'Het doet me genoegen dat te horen, Tatianus. Als medevolgeling van Mercurius doet het me genoegen om te zien dat hij zo'n verdienstelijke zakenman wil begunstigen.'

'Zeker. Ik zie ernaar uit je op het derde uur te ontmoeten, zodat we op zo'n dag vol voorspoed onze overeenkomst kunnen bezegelen.'

Magnus zoog lucht tussen zijn tanden door naar binnen. 'Nou, Tatianus, er is nog wel een probleempje. Stom genoeg heb ik de vorige keer je vriendelijke aanbod om mijn geld in jouw kluis te bewaren niet aangenomen, en helaas is het op de terugweg naar huis gestolen.'

Tatianus' bezorgde blik zou zelfs bij de meest ervaren huichelaar nog bewondering hebben afgedwongen. 'Wat vervelend om te horen, Magnus; echt vreselijk voor je.'

'Nou ja, het is mijn eigen schuld. Daarom vroeg ik me af of je me nog wat tijd kon geven om het geld bijeen te brengen.'

'Normaal gesproken bespreek ik geen zaken buiten mijn studeerkamer, Magnus, maar omdat het de dag van Mercurius is en gezien het feit dat hij mij al heeft begunstigd, zal ik nu een uitzondering maken. Kom morgen maar langs.'

Magnus' blik getuigde van diepe dankbaarheid en opluchting. 'Bedankt, Tatianus.'

'Geen dank, Magnus, beste vriend.' Met een stevige klap op zijn schouder liep Tatianus verder, terwijl vanaf de poort de eerste kreten klonken: 'Gegroet, goddelijke Caesar!'

'Verdomme!' siste Magnus. Hij draaide zich naar de poort toe. 'Als dat de keizer is, kunnen we maar beter blijven staan om hem toe te juichen; als ze zien dat je van Caligula wegloopt, ben je nog niet jarig. Bovendien heeft hij mijn leven ooit gered door te voorkomen dat Tiberius me in Capreae van een klif gooide.'

'Hoe kon het zover komen, broeder?' vroeg Marius, terwijl er een hoge, brede draagstoel die door zestien slaven werd gedragen – vier op elke hoek – de poort door kwam. Germanen met baarden, die als keizerlijke lijfwachten waren aangesteld, liepen aan weerszijden van de draagstoel mee om te voorkomen dat de juichende burgers, die volledige devotie aan hun leider betoonden, te dicht in de buurt kwamen.

'Dat vertel ik nog wel eens, broeder. Gegroet, goddelijke Caesar! Gegroet, goddelijke Caesar!'

Met de waardigheid van een vorstelijk heerser wuifde Caligula, op comfortabele kussens rustend, het publiek met zijn rechterhand toe. Met zijn hoge voorhoofd, afnemende haardos en diepliggende ogen, getekend door donkere, door slapeloosheid veroorzaakte wallen, zou Caligula een ongerijmde indruk hebben gemaakt, als hij niet gekleed was geweest in zijn gouden Mercurius-gewaad, dat zijn groot geschapen stijve penis, die hij met zijn linkerhand beroerde, nauwelijks verborg.

'Gegroet, goddelijke Caesar! Heil aan onze ster, onze rijzende zon! Gegroet, goddelijke Gaius!' riep de menigte met ongeveinsd enthousiasme, dank betuigend aan de vrijgevige schenker en organisator van onovertroffen spektakelspelen, waarbij alle voorgaande pover afstaken.

Het gejuich zwol nog verder aan, nu zich steeds meer toeschouwers langs de straat opstelden en Caligula zich oprichtte. Het volk was oprecht blij dat zijn keizer naar Rome was teruggekeerd en hoopte dat hij dat zou vieren met spontane wagenrennen in het Circus Maximus, dat de Porta Capena met zijn enorme bogen overschaduwde. Met een plotselinge beweging stak hij zijn rechterhand in een overvolle beurs en wierp tientallen gouden munten de lucht in, die op zijn bewonderende onderdanen terechtkwamen. Het gejuich maakte plaats voor gekrijs op het moment dat iedereen een aureus te pakken probeerde te krijgen, waarvan de waarde gelijkstond aan zes maanden soldij voor een legionair. Terwijl hij nog eens met een zwierig gebaar een goudkleurige regen liet neerdalen, begon Caligula steeds fanatieker aan zijn stijve penis te rukken. 'Pak aan, mijn schapen, daar hebben jullie je voer. Vreet, mijn kudde, vreet,' riep Caligula, vrijgevig ronddelend. 'Neem de zegeningen van je god aan, mijn schapen, en leef onder mijn handen.' Met een milde glimlach overzag hij kalm de chaos die de inhoud van zijn beurs had veroorzaakt. Maar opeens betrok zijn gezicht en maakte hij spastische bewegingen met zijn hoofd. 'Stop!' schreeuwde hij, en zijn dragers stopten abrupt. De talloze toeschouwers versteenden in de houding waarin ze zich bevonden en staarden naar hun keizer; Caligula wees met een trillende vinger naar een paar bedelaars met smerige doeken om hun hoofd gewikkeld, die op de grond rondgraaiden en zich duidelijk niet realiseerden hoezeer de algemene stemming veranderd was. 'Pak ze op,' beval hij de Germaanse lijfwacht die het dichtst bij hem stond.

De Germaan drong zich door de meute heen naar de twee bedelaars en trok hen aan de vuile kragen van hun gescheurde lange gewaden omhoog. Zodra ze beseften hoe hachelijk hun situatie ineens was, probeerden ze niet langer naar munten te grijpen en staarden ze de keizer met opengesperde ogen aan, dodelijk verschrikt door zijn woedende blik.

'Breng ze hierheen,' siste Caligula.

De Germaan sleepte de twee mannen naar hem toe en wierp hen voor de draagstoel op hun knieën. In hun lange, slecht verzorgde baarden mompelend, smeekten ze in het Latijn met een zwaar accent om genade.

Caligula keek hen een paar ogenblikken aan en richtte zich toen tot de menigte: 'Kijk naar hun neus, kijk naar hun hoofdtooi. Ze pakken het geld op dat ik uitdeel, en toch weigeren ze mij als godheid te erkennen.' Op de bedelaars neerkijkend sneerde hij vol walging. 'Wat zijn jullie?'

'B-b-bedelaars, *princeps*,' antwoordde een van hen zonder zijn ogen op te slaan.

'Dat weet ik! Maar wat zijn jullie voor mensen? Wat is jullie godsdienst?'

'Wij... wij zijn Joden, princeps.'

'Joden! Ik wist het. Noem me bij mijn titel.'

'Dat heb ik gedaan, princeps.'

Caligula toonde een grijns die Medusa zelf had doen verstenen. 'Vespasianus,' riep hij, terwijl hij zijn blik gericht hield op de twee bevende bedelaars, die nu deerniswekkend voor hem kropen.

Een gedrongen man in een senatorentoga stapte naar voren uit het keizerlijke gevolg van senatoren en praetoriaanse officieren. 'Ja, goddelijke Gaius.'

'Ze schijnen te denken dat ik hun gebrek aan respect voor mijn goddelijkheid niet opmerk.'

'Zeker, goddelijke Gaius; ze moeten wel tot de domste onder uw schapen behoren.'

Caligula dacht met een gefronste blik over deze opmerking na. 'Ja, dat moet wel zo zijn. Neem de munten in die ze hebben verzameld en zorg dat ze de stad uit gegooid worden. Er is geen plaats voor ongelovigen onder mijn kudde. Het wordt tijd dat ik inzicht krijg in de denkwijze van die mensen. Breng het Alexandrijnse gezantschap bij me nadat ik me door de Senaat heb laten verwelkomen.'

Terwijl Vespasianus aan de bevelen van zijn god en keizer gehoor gaf, trok Magnus zijn aandacht. 'Philo en zijn kameraden worden uit de problemen gehouden, heer.'

'Bedankt, Magnus. Kom over een paar uur naar me toe in het Senaatsgebouw.'

'Zet daar maar neer, Marius, en kom niet te dichtbij,' zei Servius terwijl Marius een aardewerken schaal midden op de vloer neerzette in de achterkamer waarin Magnus de zaken van de broederschap afhandelde. 'Je zult constateren, Magnus, dat er in deze schaal alleen maar natte vodden zitten.' Servius hield een druipende lap omhoog om zijn punt te benadrukken. 'Je zou niet verwachten dat zoiets in de fik kon vliegen.'

'Daar heb je gelijk in, broeder.' Magnus leunde in zijn stoel achterover en sloeg zijn armen over elkaar. 'Maar ongetwijfeld zul je me verrassen.'

'Hoe wist je dat?'

'Omdat je anders niet zo'n ophef over klamme lappen zou maken die normaal gesproken niet zouden branden.'

Met een teleurgestelde blik op zijn gerimpelde gezicht opende Magnus' raadsman de pot die hij uit de zak van de binnendringer had gehaald. 'Ik hoopte je te verbluffen en niet alleen te verrassen.' Hij pakte een natte lap en doopte die in de pot; toen hij die omhoogtrok, was die besmeurd met een donkere, kleverige substantie die half vast, half vloeibaar leek. Hij liet de lap in de kom zakken, pakte een droge doek en bewoog die boven de vlam van een olielamp heen en weer. Toen de doek vlam had gevat, gooide Servius hem naar de natgemaakte lap toe. Er rees meteen een vlam op en in een oogwenk brandde de vochtige inhoud van de kom alsof die kurkdroog was.

'Verbluffend, zeg,' bevestigde Magnus. 'Wat is dat voor iets?'

'Het komt uit het oosten, maar het is hier in het rijk heel zeldzaam en daarom erg duur. De inhoud van deze pot zou, als die vol was, evenveel hebben gekost als we voor de scorpio wilden betalen, zo niet meer.'

'Dat is niet mis. Hoe heet dat spul?'

'Ik heb gehoord dat ze het "vuur van de riviergod" noemen, maar wat de echte naam is weet ik niet. Maar...' Servius keek naar zijn patronus en trok een wenkbrauw op.

'Aha!' riep Magnus uit, die het opeens begreep.

'We kennen iemand die dat wél weet,' zeiden ze eenstemmig.

Met een wrange glimlach stond Magnus, zoals elke burger was toegestaan, bij de open deuren van het Senaatsgebouw toe te kijken terwijl senatoren elkaar in buitensporige vleierij probeerden te overtreffen bij de verwelkoming van hun in Rome teruggekeerde keizer. Dat hij slechts tien dagen afwezig was geweest leek het enthousiasme over de hereniging met hun goddelijke heerser allerminst te dempen.

'Senator Titus Flavius Vespasianus heeft het woord,' kondigde Gnaeus Domitius Corbulo aan, de consul die de vergadering voorzat. Hij had een lange neus, die prominent in zijn paardengezicht stond.

'Dank u, *junior consul suffectus*,' zei Vespasianus, terwijl hij opstond en een lach op het gezicht van Magnus bracht door Corbulo bij zijn volledige titel te noemen. Corbulo's nijdige gezicht in zijn *sella curulis* vergrootte Magnus' plezier nog, want hij meende dat hij nog pompeuzer was dan Philo. 'Ik wil ook graag mijn vreugde over de veilige terugkeer van de keizer in Rome uiten. Hoewel ik het geluk heb gehad hem op zijn reis te begeleiden en daarom nooit ver van zijn schitterende aanwezigheid verwijderd was, is het voor mij niettemin een opluchting om te weten dat hij zich weer in het hart van het keizerrijk op zijn rechtmatige plek bevindt en ons leven richting geeft. En ik hoop dat hij ons zo veel mogelijk van zijn kostbare tijd wil geven voordat hij op zijn goddelijke veroveringstocht naar Germania vertrekt.' Vespasianus richtte zich nu tot Caligula, die zich midden in de zaal op zijn draagstoel had genesteld. 'Dan zou ik nog een persoonlijke opmerking willen maken. Ik wil de keizer hartelijk bedanken voor het schitterende banket waarvoor hij me gisteravond had uitgenodigd. Het eten was voortreffelijk, de muziek was subliem, de gesprekken waren inspirerend en het entertainment was hoogst amusant.'

Caligula liet een schrille lach horen bij de herinnering. 'Ja, het was erg leuk; we moeten het vanavond nog eens doen. Annuleer het Alexandrijnse gezantschap – die spreek ik morgen op het vijfde uur – en laat een dozijn veroordeelde gevangenen naar het paleis brengen.'

'Zeker, goddelijke Gaius.'

Magnus zag hoeveel moeite het Vespasianus kostte om de vergenoegde uitdrukking op zijn gezicht te houden.

Het vooruitzicht op een avond vol pret en jolijt was concreet genoeg om Caligula van alle vleierij af te leiden en hij gebaarde zijn dragers zich van hun taak te kwijten. 'Je komt toch wel, Vespasianus?'

'Met het grootste genoegen, goddelijke Gaius.'

'Uitstekend.' Hij wendde zich tot Corbulo. 'En jij misschien ook, Corbulo? Wacht, nee, nee, ik ben niet goed wijs. Jij bent veel te saai.' Saaiheid was beslist een eigenschap waar Corbulo bij deze gelegenheid heel dankbaar voor was, veronderstelde Magnus, als hij op de gezichtsuitdrukking van de junior consul afging.

Caligula werd snel uit de zaal weggedragen, nog voordat de senatoren zelfs maar konden stemmen of ze uit dank voor zijn veilige terugkeer het zoveelste bronzen standbeeld moesten laten gieten.

'De keizer bedanken omdat hij u voor het banket had uitgenodigd was een schoolvoorbeeld van pluimstrijkerij,' zei Magnus, terwijl Vespasianus en Gaius zich onder aan de trappen van het Senaatsgebouw bij hem voegden, naast de lictoren van Vespasianus.

'Ja,' stemde Gaius in, 'echt heel goed gedaan. En je kreeg het zelfs voor elkaar om een nieuwe uitnodiging voor vanavond te versieren. Fantastisch geregeld, beste jongen.'

Vespasianus sloot zijn ogen en masseerde zijn slapen met zijn duim en middelvinger. 'Nou, oom, er is niets fantastisch aan om met een levende godheid te dineren die er vermaak in schept om tussen de gangen door misdadigers in stukken te scheuren.'

'Dan had u niet moeten zeggen dat het leuk was geweest,' merkte Magnus op.

'Magnus, heb je enig idee hoe moeilijk het is om de keizer te behagen, teneinde nog een kans te hebben om dat aan het eind van de dag te kunnen navertellen? Soms denk ik dat ik tot nu toe alleen maar aan zijn zuiveringen ontsnapt ben omdat hij me niet rijk genoeg vindt om te laten executeren.' Gaius' kwabben wapperden instemmend. 'Ja, armoede, of op zijn minst de schijn ervan, kan iemand het leven redden.'

Vespasianus wierp zijn oom een boze blik toe, beval zijn lictoren om naar de Palatijn verder te gaan en wendde zich weer tot Magnus toen ze wegliepen. 'Goed, zorg morgen vlak voor het vijfde uur voor een escorte naar de Palatijn voor Philo en zijn gezantschap. Ik zie je daar – als Caligula me tenminste niet met een crimineel verwart en ik het banket overleef – en hopelijk weet ik tegen die tijd waar Caligula ze zal ontvangen.'

'Ik zal er zijn,' bevestigde Magnus. 'Ondertussen moet ik u om een gunst vragen, heer.'

Vespasianus trok een weifelend gezicht maar kon zijn vriend het verzoek niet weigeren. 'Wat dan?'

'Zou u in uw functie als stads-praetor uw invloed bij de stadsprefect willen aanwenden om actie te ondernemen inzake een hoogst illegaal uitrustingsstuk waarover hij onlangs heeft vernomen?'

'Wat heb je gedaan, Magnus?'

'Dat is niet eerlijk, ik heb niks gedaan. Nee, het gaat om Quintus Tullius Tatianus.'

'De man die elk wapen dat ooit is uitgevonden kan leveren en de stad in kan laten smokkelen?'

'Die bedoel ik,' zei Magnus hoofdschuddend, 'jullie lijken hem allemaal te kennen. Ik heb het vermoeden dat hij op het punt staat om Sempronius, de leider van de West-Viminale Kruispuntbroederschap, een scorpio te leveren. Ik doel daarmee op een pijlenschieter, niet zo'n gemeen beest met een angel in zijn staart.'

'Dat zou een hoogst illegale transactie zijn. Wanneer is dat ding aangekomen?'

'Vannacht.'

'Dan zal de centurio van de stadscohort Lentulus inmiddels toch wel op de hoogte hebben gesteld, denkt u ook niet, oom?'

'Ongetwijfeld, beste jongen; tenzij hij zijn vrouw en kinderen beu is.'

Magnus schudde opnieuw zijn hoofd. 'Blijft er dan niets meer geheim?'

'Niet als het gaat om een gevaarlijke man als Tatianus,' zei Vespasianus. 'Maar waar moet ik Lentulus dan toe bewegen volgens jou?'

'Nou, ik neem aan dat hij stappen zal ondernemen om de scorpio te confisqueren, nu hij ervan afweet?'

'Dat zal hij vast en zeker doen.'

'Zou u hem in dat geval kunnen vragen om dat morgenochtend op het derde uur te doen?'

'Waarom precies op dat tijdstip?'

'Laten we zeggen dat ik op dat tijdstip in gesprek zal zijn met een geïnteresseerde partij, en juist met dat soort informatie zou ik hem een toontje lager kunnen laten zingen.'

Vespasianus zuchtte. 'Dus ik moet de stadsprefect ertoe over zien te halen dat hij de wet handhaaft op een tijdstip dat in jouw misdadige agenda past?'

'Tja, als je het zo formuleert, zal dat wel zo zijn, maar er is niets misdadigs aan.'

'Dat betwijfel ik ten zeerste.'

'En wat gebeurt er dan met zulke scorpio's als ze in beslag worden genomen?'

'Dat is aan degene die de leiding heeft over de actie.'

'De centurio?'

'Nee, een centurio zal de leiding hebben, maar de hele actie valt onder de verantwoordelijkheid van een magistraat.'

'Misschien een stads-praetor.'

Vespasianus trok zijn wenkbrauwen op. 'Dat is bekend. Ik zal kijken wat ik kan doen. Zorg er in elk geval voor dat Philo daar op het vijfde uur aanwezig is.'

'Komt in orde, heer,' zei Magnus bij wijze van afscheid. 'Ik vraag me af wat de straf is als je op het bezit van een scorpio wordt betrapt. Hoe dan ook, het zal Sempronius in elk geval flink pijn doen, als u begrijpt wat ik bedoel.'

'Daar gaan ze,' zei Magnus met zijn blik op een kar die in een smalle zijstraat van de Vicus Patricius bij toortslicht werd afgeladen. 'Ik wist dat die klootzak dat zou doen.'

'Wat dan, Magnus?' vroeg Sextus, terwijl hij zijn mantel strakker om zijn schouders trok, nu de temperatuur laat op de avond flink daalde.

Magnus nam niet de moeite om zijn slome metgezel te antwoorden, omdat hij ervan overtuigd was dat het korte antwoord voor hem onbegrijpelijk was en hij voor een langere uitleg de aandacht niet kon opbrengen. In plaats daarvan telde hij het aantal onderdelen dat onder het leren dekkleed van de wagen vandaan kwam, tot hij er zeker van was dat het inderdaad de scorpio was die bij de achterdeur van het hoofdkwartier van de West-Viminale Kruispuntbroederschap werd afgeleverd.

Magnus kwam even met zijn billen omhoog, die hun warmte inmiddels grotendeels aan het betegelde platte dak hadden afgestaan waarop hij en Sextus zich nu al drie uur lang schuilhielden. Hij liet zijn blik over het gebouw glijden waar zijn eeuwige rivalen gehuisvest waren. In tegenstelling tot de Zuid-Quirinale Kruispuntbroederschap had die van de West-Viminaal ervoor gekozen om zich niet te vestigen in de herberg op de kruising van de Vicus Patricius en de Timmermansstraat, die naar Magnus' domein leidde, maar in een gebouw van vier verdiepingen rond een binnenplaats, op zo'n vijftig passen van de kruising. Dat was een wijs besluit geweest, erkende Magnus: afgezien van het kleine ongemak dat het huisgodenaltaar geen deel van het gebouw uitmaakte, lag het op een veel gunstiger plek dan zijn eigen herberg, omdat er maar één muur

252

aan de hoofdstraat grensde, terwijl de andere drie op smalle zijstraten uitkwamen – in een daarvan werd nu de wagen afgeladen. Door die strategische ligging was het veel makkelijker om het hoofdkwartier te verdedigen, omdat de toegang tot die stegen gemakkelijk kon worden geblokkeerd en een aanval alleen via de ongetwijfeld zwaar gebarricadeerde hoofdingang mogelijk was. Terwijl hij het gemak betreurde waarmee zijn verdediging de vorige nacht was doorbroken kreeg Magnus opeens een ingeving. Hij richtte zijn blik omhoog naar het tien voet hoger gelegen dak van het gebouw, dat eveneens plat was. Er was een hok bovenop geplaatst, en Magnus wist dat dat stevig geconstrueerd was, omdat de West-Viminale Kruispuntbroederschap daarin vaak gevangenen opsloot. 'Tenzij iemand een scorpio had,' mompelde Magnus bij zichzelf.

'Wat zeg je, broeder?' vroeg Sextus.

Magnus glimlachte in het donker. 'Ik bedoelde, Sextus, dat ik zojuist een minder lucratief maar veel bevredigender gebruik voor een scorpio heb ontdekt.'

'Ik dacht dat we dat ding niet meer hadden, omdat het geld gejat was en zo.'

Magnus sloop langzaam achterwaarts, ervoor zorgend dat hij niet boven de balustrade uit kwam. 'Laat maar, broeder; als ik het zeg, maak je iemand dood, en het denkwerk laat je verder aan mij over.'

'Ik maak iemand dood als jij dat zegt en laat het denkwerk aan jou over,' zei Sextus nadenkend, achter Magnus aan sluipend. 'Je hebt gelijk, Magnus. Dat heb ik zelf ook altijd het beste gevonden.'

'Brave jongen, Sextus, brave jongen.'

'Je kent mijn voorwaarden,' zei Tatianus, terwijl hij zijn schouders ophaalde en zijn armen spreidde, alsof hij zelf ook niets aan zijn eigen regels kon veranderen. 'Als je niet binnen een paar uur met het geld voor die zending bij mij thuis langskomt, verkoop ik die aan de eerste de beste die me het bedrag betaalt. En je zou trouwens gisteren op het derde uur komen, niet vandaag.'

'Maar Tatianus, je zei dat ik vandaag moest komen, nadat ik je had verteld dat het geld van me was gestolen.'

Tatianus ontblootte zijn tanden in wat je een glimlach had kunnen noemen als zijn uitdrukking niet zo triomfantelijk was geweest. 'Ja, dat klopt inderdaad. Maar ik heb je niet beloofd dat je scorpio er nog altijd zou zijn, toch? Het is heel jammer voor jou dat je als vanzelfsprekend aanneemt dat hij hier nog zou liggen; je bent overduidelijk niet bepaald slim.' Tatianus' blik werd iets weifelender toen Magnus in zijn stoel achteroverleunde en zijn vingers achter zijn hoofd ineenstrengelde. Hij leek opmerkelijk kalm en zijn uitstraling leek op die van een man die een flink bedrag had gewonnen nadat hij in het Circus Maximus een weddenschap op een allerminst favoriete strijdwagen in een gemanipuleerde wedren had afgesloten.

'Wat zal de stadsprefect volgens jou doen als zijn mannen, die op dit moment Sempronius' hoofdkwartier binnenvallen, de scorpio aantreffen die je hem gisteren hebt verkocht?'

Tatianus kon zijn verrassing niet verbergen. 'Hoe wist je dat?'

'Omdat ik dat zaadje in je hoofd heb geplant bij de bron, weet je nog? Ik denk dat jij zelf ook niet al te slim bent. Tja, maar dat had ik gisteren ook al gezegd, niet?' Magnus stond op en maakte aanstalten om te vertrekken. 'Sempronius is hier eveneens van op de hoogte, maar ik kan jouw naam al dan niet noemen; de keuze is aan jou.'

Tatianus lache spottend. 'Hoe kun jij enige invloed op de stadsprefect uitoefenen?'

'Ik denk dat het vuur van de riviergod vast zijn aandacht zou trekken, niet? Kom naar me toe als je een besluit hebt genomen en vergeet niet mijn aanbetaling mee te nemen.' Hij draaide zich om en liep naar de deur.

'Wacht,' riep Tatianus op schrille, gespannen toon, 'we kunnen dit hier ter plekke bespreken, Magnus.'

'Helaas, Tatianus,' antwoordde Magnus zonder zich in de deur om te draaien, 'daar heb ik nu geen tijd voor; ik moet een Joods gezantschap bij de keizer brengen.' Terwijl Tatianus hem met een verbijsterde blik op zijn gezicht nakeek, grijnsde Magnus de twee lijfwachten in de gang toe. 'En u ook een fijne dag, heren.'

'Het is een schande!' riep Philo uit terwijl hij tussen Vespasianus en Magnus in van de Palatijn omlaag liep.

'Het is de wil van de keizer,' bracht Vespasianus hem in herinnering.

Philo gebaarde naar de leden van zijn gezantschap achter hem, onder begeleiding van Tigran en een paar van de broeders. 'Maar we wachten al maanden om onze zaak aan hem te kunnen voorleggen; we hebben de juiste steekpenningen betaald, maar nee, niks. En dan arriveert Isodorus met een gezantschap van de Griekse burgers van Alexandria en krijgt hij de keizer binnen twee dagen te spreken. Twee dagen, je hoort het goed; en bovendien mag hij tegelijk met ons bij de keizer op audiëntie, zodat mij het voordeel wordt ontnomen om onze zaak als eerste te bepleiten. Dat zou wel zo rechtvaardig zijn, want wij zijn de benadeelde partij en hebben ongetwijfeld ook veel meer aan steekpenningen betaald.'

Magnus was zijn gezeur zo zat dat hij Philo graag de mond zou snoeren, maar dat leek hem op dit moment niet verstandig.

'Ik ben bang dat er niets aan te doen valt, Philo,' zei Vespasianus, die zijn ergernis eveneens nauwelijks nog kon verbergen. 'De keizer meent kostbare tijd te kunnen besparen door jullie tegelijk te ontvangen voordat hij naar Germania vertrekt. Vanuit zijn gezichtspunt is dat volkomen logisch.'

'Maar Isodorus is een schurk van het allerlaagste allooi; zelfs Magnus zou op hem neerkijken.'

'Hij is vast en zeker een bruut,' meende Magnus, zijn hoofd schuddend en ongelovig lucht tussen zijn tanden door zuigend.

'Dat is hij zeker en het is een schande dat hij met evenveel waardigheid wordt behandeld als ik. Ik ben nota bene de broer van de alabarch van de Alexandrijnse Joden; een geletterd man van groot aanzien die een audiëntie bij de keizer van Rome moet delen met een ordinaire misdadiger, een moordenaar, een... een...' Philo was nu zo verontwaardigd dat hij niet meer uit zijn woorden kwam.

'Een man van nog lagere afkomst dan ik?' opperde Magnus behulpzaam.

'Precies! En om het nog erger te maken worden we zelfs niet ontvangen in het paleis, zoals een man van mijn stand zou verwachten. Nee! In plaats daarvan worden we naar de Tuinen van Maecenas meegenomen – waarom is dat?'

'Nogmaals, ik ben bang dat het de keizer tijd bespaart,' betoogde Vespasianus. 'Hij heeft besloten om een aantal verbeteringen aan de tuinen en de villa daarin aan te brengen en zal jullie ontvangen terwijl hij het huis en de tuinen inspecteert.'

'Dus ik zal de keizer van het onrecht dat de Joodse burgers van Alexandria wordt toegebracht op de hoogte moeten brengen terwijl hij zich met de inrichting van zijn huis bezighoudt en met zijn tuinman overlegt?'

'Daar komt het op neer, ja.'

'Het is een schande!'

De Tuinen van Maecenas waren weelderig aangelegd, zoals je mocht verwachten van een cultureel verfijnde vertrouweling van Augustus, die aan de macht was gekomen door de eerste keizer van sluw politiek advies te voorzien. Hij had als het brein van Augustus gefungeerd, zoals Agrippa zijn spierkracht had geleverd, en Augustus was daarvoor met grote rijkdom beloond. Dat bleek uit de schoonheid van de terrasvormige tuinen die hij op de Esquilijn had gecreëerd, langs de Servische Muur tussen de Esquilijn en de Porta Viminalis. Dat was inmiddels echter bijna vijftig jaar geleden en sinds zijn dood was er weinig onderhoud aan de villa in de tuinen gepleegd. Zelfs Philo kon niet betwisten dat het huis aan renovatie toe was toen ze in het atrium bij een muur stonden te wachten waarop de fresco's betere tijden hadden gekend. Aan de andere kant stond een groep grimmig ogende mannen met baarden, die in Griekse dracht waren gekleed en op gedempte toon met elkaar spraken, terwijl ze de Joden aan de overkant dreigende blikken toewierpen.

'En dit is te armoedig voor woorden!' Caligula's luide en opvallend hoge stem kondigde zijn komst aan en alle aanwezigen in het atrium draaiden zich naar het tablinum toe, waar het geluid vandaan kwam. 'De fresco's zijn scènes uit de *Aeneis*, walgelijk! Ik wil in vereniging met mijn medegoden en -godinnen geportretteerd worden.'

'Zeker, goddelijke Gaius,' zei een kleine, kalende Griek, die achter de keizer met zijn spichtige benen aan het atrium in trippelde, een aantekening op een wastablet makend. 'Wat voor soort vereniging?'

'Dat laat ik aan jou over, Callistus; wat maar het beste bij elke god lijkt te passen. Je kunt je voorstellen dat er een wereld van verschil is tussen vereniging met Venus en die met Neptunus.' Caligula bleef staan en zijn vale gezicht lichtte vol inspiratie op. 'Natuurlijk! Beeld de overwinning af die ik later dit jaar op Neptunus zal behalen, nadat ik de Germaanse stammen heb onderworpen. Ik ben van plan mijn legioenen de Noordelijke Zee in te voeren en hem daar te vernietigen, om vervolgens door te stoten en Britannia te veroveren.'

'Heel goed, goddelijke Gaius,' zei Callistus, alsof Caligula zojuist had aangekondigd dat hij langer dan gewoonlijk in bad zou gaan.

'Aha! De godenhaters.' Caligula's blik viel op het Alexandrijnse gezantschap.

Philo wierp zich onmiddellijk op de grond; zijn gezelschap volgde hem. 'Gegroet, Gaius Caesar Augustus.'

Caligula trok een frons en hield zijn hoofd schuin, alsof hij bang was dat hij het niet goed had gehoord. 'Zie je wel,' zei hij, naar Vespasianus en Magnus kijkend en met gestrekte arm naar de Joden gebarend, die nu weer opstonden. 'Geen enkele verwijzing naar mijn goddelijkheid.'

'Inderdaad, goddelijke Gaius,' antwoordde Vespasianus, terwijl Magnus mompelend zijn ongenoegen over de omissie uitte.

'Inderdaad, Vespasianus – en Magnus, toch? Durf je te ontkennen dat ik een god ben, Magnus?'

'Hoe zou ik dat kunnen, goddelijke Gaius? U hebt mijn leven gered.'

'Kijk eens aan: ik kan het leven zowel geven als afnemen. En nu vraag ik me af wat ik met het jouwe zal doen.' Caligula liep naar Philo toe en staarde hem aan alsof hij voor het eerst een vreemd, raadselachtig fenomeen bezag. 'Jullie zijn niet alleen godenhaters, maar menen ook dat ik geen god ben; hoewel alle naties mij reeds als god erkennen, wordt die benaming mij door jullie onthouden.' Hij hief zijn handen ten hemel. 'Eén god, verdomme! Zijn jullie soms krankzinnig?'

Het Griekse gezantschap begon te applaudisseren na deze voorstelling en overlaadde Caligula met eerbetuigingen, wat hem over-duidelijk groot genoegen deed.

Terwijl de keizer zich in de goddelijke vleierij verlustigde, stapte een man naar voren die blijkbaar de leider van de Grieks delegatie was. Met een onderdanige blik op zijn gezicht maakte hij een diepe buiging. 'Goddelijke meester, u zult tegen de mannen die nu voor uw aangezicht staan en tegen al hun landgenoten een gegronde, diepe haat koesteren als u over hun ongenoegen en ontrouw tegen-over u verneemt.' De toon van de Griek was flemerig en hij sprak met overdreven gebaren, met een zelfgenoegzaam lachje op zijn ge-zicht. 'Toen alle andere mannen dankoffers voor uw veilige terug-keer brachten, weigerden alleen deze lieden elk offer. En wanneer ik "deze lieden" zeg, bedoel ik ook de rest van de Joden.'

'Mijn heer Gaius! Princeps!' riep Philo. 'We zijn valselijk...'

Caligula snoerde hem met een driftig gebaar de mond en wees naar de grond. 'Callistus, dit mozaïek is veel te idyllisch. Laat het opnieuw leggen, met een krijgshaftiger thema. Beeld mij maar af terwijl ik de Germanen in de pan hak. Vespasianus, kom met me mee.' Hij keek achterom naar Philo. 'Ga gerust verder met je ge-klaag!' Daarop beende hij weg door een open gang met hoge ramen, met Callistus en Vespasianus naast zich en Magnus vlak daarachter.

'Wij worden vals beschuldigd, princeps,' riep Philo, terwijl hij met zijn gezantschap, dat nu elke schijn van waardigheid had ver-loren, achter zijn keizer aan liep, met de Griekse delegatie in zijn kielzog. 'We hebben vele malen offers gebracht. We hebben zelfs het vlees niet naar huis gebracht om aan tafel te nuttigen, zoals onze gewoonte is, maar hebben de geslachte dieren geheel als offergaven door het vuur laten verteren.'

Caligula liep een kamer met een hoog plafond in, die helemaal leeg was, op een paar versleten gestoffeerde banken en twee stand-beelden van Augustus en Agrippa na. Na een blik op het tweede beeld slaakte Caligula een gil: 'Weg daarmee! En laat de villa door-zoeken op nog meer evenbeelden van die... die...'

'Hij heeft er een hekel aan om aan zijn grootvader herinnerd te worden,' fluisterde Vespasianus tegen Magnus. 'Hij kwam uit een onbekende familie.'

'En Callistus, laat mijn standbeeld vervangen, maar zorg ervoor dat het groter is dan Augustus. Deze kamer moet rijk gemeubileerd worden in de...' Caligula stopte midden in de zin en keek achterom naar de deur waarin Philo stond, terwijl zowel Joden als Grieken over zijn schouders probeerden mee te kijken. 'Hoeveel?'

Philo keek verbaasd. 'Hoeveel waarvan, princeps?'

'Hoeveel keer heb je geofferd?'

'Driemaal, heer Gaius: eenmaal bij uw troonsbestijging, eenmaal toen u hersteld was van uw ziekte en onlangs nog in de hoop op uw overwinning op de Germanen.'

'Griekse stijl, Callistus,' zei Caligula, die zich met een ruk omdraaide en zich naar de deur bewoog, zodat Philo en alle anderen die zich daarin verdrongen in verwarring uiteenstoven. Callistus, Vespasianus en Magnus volgden hem op de voet, waardoor de wanorde in de twee delegaties nog toenam. 'Gesteld dat dit allemaal waar is,' zei Caligula, zijn spitse vinger in de lucht zwaaiend, terwijl hij door de gang verdween, 'en dat je inderdaad hebt geofferd, dan nog heb je aan een andere god geofferd en niet aan mij.'

'Maar we hebben namens u geofferd, princeps,' riep Philo vanuit de menigte, waar iedereen elkaar in de weg liep om gelijke tred met de keizer te houden.

'Wat heb ik daaraan?' Caligula bleef opeens staan en draaide zich om, zodat beide delegaties, die nu hopeloos door elkaar heen liepen, in hun voortgang gestuit werden, alsof ze tegen een onzichtbare muur waren gelopen. 'Je moet aan mij offeren, niet namens mij!' Hij draaide zich weer om. Terwijl de Griekse delegatie vergenoegd een kleine overwinning vierde, plukten Philo en de andere Joden met een sombere blik aan hun baard.

'Ze hadden er beter aan gedaan om thuis in Alexandria te blijven,' merkte Magnus op, terwijl hij met Vespasianus achter Caligula aan de volgende kamer betrad.

'Niet genoeg rood,' zei Caligula, zich plotseling weer omdraaiend, zodat Magnus en Vespasianus voor hem moesten terugdeinzen.

Haastig een aantekening makend liep Callistus achter zijn meester aan.

'Philo verkeerde in de foutieve veronderstelling dat de keizer hetzelfde rechtvaardigheidsgevoel als een ontwikkelde Jood zou hebben,' bromde Vespasianus. 'Toen hij met de werkelijkheid werd geconfronteerd, vond hij dat natuurlijk...'

'Een schande?' opperde Magnus. Vespasianus hield zijn hoofd schuin, waarmee hij aangaf het met Magnus' inschatting eens te zijn.

'Waarom eten jullie geen varkensvlees?' vroeg Caligula, wat tot geamuseerd gegrinnik onder de Grieken leidde. Philo opende en sloot zijn mond een paar keer. 'Eh, welnu, princeps, verschillende landen hebben verschillende wetten; van sommige zaken is het gebruik zowel voor ons als voor onze vijanden niet toegestaan.'

'Ha! Dat is waar,' zei Caligula, waarna het Griekse gelach wegstierf.

Philo verduidelijkte zijn punt nog. 'Een heleboel mensen eten geen lamsvlees, terwijl er toch geen malser vlees bestaat.'

Caligula lachte. 'Ze hebben gelijk, want het is helemaal niet lekker.' Philo stelde opgelucht vast dat hij de keizer eindelijk had weten over te halen ergens mee in te stemmen.

'Misschien ben je toch niet zo achterlijk,' mijmerde Caligula. 'Welke rechtvaardigheidsprincipes erkennen jullie in je grondwet?'

'En, hebben ze de scorpio gevonden?' vroeg Magnus terwijl Philo een diepgaande analyse van het Joodse recht gaf, zonder dat het hem ook maar een moment lukte om de aandacht van de keizer te trekken.

'Jazeker,' antwoordde Vespasianus met een vaag lachje. 'Sempronius kwijnt momenteel weg in de kerker van de stadsprefect, die erover piekert of hij hem tot de arena moet veroordelen, zoals hij verdient.'

'En?'

'En ze hebben de scorpio weggehaald.'

'Blijkbaar. Maar waar hebben ze dat ding naartoe gebracht?' vroeg Magnus, terwijl ze een indrukwekkende hal in het midden van de villa binnenliepen.

'Toevallig hebben ze die bij mijn huis afgeleverd.'

Magnus keek Vespasianus verbluft aan.

'Het is hier te koud, Callistus; laat glazen steentjes in alle ramen zetten, zodat het licht nog binnen kan komen.' Terwijl Caligula alweer naar de volgende ruimte liep, zette Philo zijn monoloog over alle aspecten van het Joodse recht voort, zonder dat hij het keizerlijk oor had.

'Hoe hebt u dat voor elkaar gekregen?' vroeg Magnus toen hij de informatie tot zich had laten doordringen.

'Op vrijwel dezelfde manier als Lentulus de verantwoordelijkheid voor Philo's gezantschap op Corbulo's schouders schoof toen de keizer er belangstelling voor bleek te hebben, waarna die mij er weer mee opzadelde, zodat een mogelijke fout mij in de schoenen kon worden geschoven, en niet hun.'

'Aha! Dus u hebt tegen Lentulus gezegd dat de keizer erbij betrokken was.'

'Ja, ik zei dat de keizer tijdens zijn reis op de Via Appia een gerucht had gehoord dat er iets de stad in gesmokkeld zou worden, waarbij zijn aankomst bij de Porta Capena als afleiding zou worden gebruikt, en dat hij mij had gevraagd dat te onderzoeken. En natuurlijk wist Lentulus niet hoe snel hij die verantwoordelijkheid op mij moest afschuiven.'

'Dat zal best.'

'Ik gebruikte dus de centurio die het pakket door de poort had toegelaten om het huis van Sempronius te doorzoeken, door hem uit te leggen dat aangezien hij wist hoe het pakket eruitzag, het voor hem veel gemakkelijker was het terug te vinden, voordat hij zou vergeten dat hij er ooit iets mee te maken had gehad.'

'Heel slim.'

'Wat zeg je?' vroeg Caligula opeens, zodat Philo er abrupt het zwijgen toe deed.

'Wat ik zei, princeps…'

'Haal de afbeeldingen van mijn vader die hij uit Syria heeft meegebracht en hang ze hier op,' zei Caligula, die zijn aandacht inmiddels op de kleine bibliotheek had gericht in plaats van op Philo.

'Ja, goddelijke Gaius,' zei Callistus, nogmaals een aantekening makend.

Caligula tuurde een tijdje naar het plafond voordat hij zich tot Vespasianus wendde. 'Die Joden lijken me niet zozeer verdorven als wel betreurenswaardige dwazen, door niet te geloven dat ik met een goddelijke natuur gezegend ben.'

'Inderdaad, goddelijke Gaius,' antwoordde Vespasianus, wiens blik even plechtig was als zijn stem.

'Princeps, mogen we onze zaak nu voorleggen?' vroeg Philo.

'Zaak? Wat heb je het afgelopen halfuur dan gedaan? Je hebt je zaak aan mij voorgelegd en ik heb besloten dat je misleid bent omtrent mijn goddelijkheid en geen kwade bedoelingen hebt, en daarom mag blijven leven. Je kunt gaan.' Hij draaide zich op zijn hielen om en liep weg, met Callistus achter zich aan. Philo probeerde zich intussen uit alle macht te beheersen en zijn mening over de manier waarop hij behandeld werd pas te uiten als Caligula buiten gehoorsafstand was.

'Heren,' zei Vespasianus met een geamuseerde blik op zijn gezicht, 'het is tijd om naar huis te gaan. We brengen jullie morgen naar Ostia om een schip voor de terugweg te vinden.'

'Het is een schande!' riep Philo, die zich niet langer kon inhouden.

'Als je doelt op het feit dat je nog in leven bent, Philo, dan zullen er vast mensen zijn die het daarmee eens zijn. Maar als ik jou was zou ik aan boord gaan van een schip richting Alexandria en je god danken dat je de keizer in een genadige bui hebt aangetroffen.'

'Maar we zijn hierheen gekomen om over onze slechte behandeling te praten.'

'Nee, Philo; je bent hierheen gekomen om je slechte behandeling van de keizer te verdedigen en in zijn edelmoedigheid heeft hij je vergeven.' Hij leidde Philo richting uitgang; de rest van het Joodse gezantschap volgde hen, geplaagd door de spot van de zegevierende Grieken.

'Wat die scorpio betreft,' zei Magnus, terwijl ze terugliepen.

'Ja?'

'Weet u toevallig waar precies die in uw huis ligt?'

'Nee,' zei Vespasianus weinig behulpzaam.

'O.'

'Maar ik kan je wel vertellen dat die vannacht op het vierde uur op een kar op het erf achter mijn huis ligt, zonder enige bewaking.'

'Dat is echt een heel vreemde plek om dat ding te laten liggen.'

'Niet als je wilt dat het wordt gestolen en er nooit meer iets mee te maken wilt hebben. Ik weet zeker dat de stadsprefect veel beter zal slapen als hij weet dat dat ding verdwenen is en hij er niets meer mee van doen heeft.'

'En zelf pieker ik er niet over om de rust van zo'n belangrijke man te verstoren, als u begrijpt wat ik bedoel.'

'Zeker, Magnus; dus als je klaar bent met wat je met die scorpio van plan bent, vernietig je hem, en dan staan we quitte wat betreft de gunst die je me verleende door Philo uit de problemen te houden totdat de keizer over zijn lot beschikte.'

'Leg er een stevige knoop omheen, Sextus, en maak hem vast met een spijker die er niet helemaal doorheen gaat.'

'Een stevige knoop en een spijker, helemaal goed, Magnus.'

Terwijl Sextus zijn instructies uitvoerde keek Magnus vol bewondering in het maanlicht op het dak tegenover het hoofdkwartier van de West-Viminale Kruispuntbroederschap naar de scorpio, die nu weer volledig was gemonteerd.

'Wat een mooi ding, hè, Magnus?' zei Marius, met zijn hand over de groef glijdend waarin de twee voet lange schicht gelegd werd.

'Dat is zeker waar, broeder,' zei Magnus instemmend, terwijl hij de van dierlijke pezen gemaakte torsieveren onderzocht, waarin de boogarmen waren geplaatst. 'De kracht daarvan zal voor ons doel ruim voldoende zijn. Ben je zover, Tigran?'

De oosterling trok grijnzend zijn tuniek uit, zodat hij alleen zijn broek nog aanhad, met aan de riem een zakje. 'Hoe minder gewicht, hoe beter, zou ik zeggen, Magnus.'

'Jij bent de lichtste van ons allemaal en het zal zeker lukken, broeder; deze schicht zal zo hard in dat hout daar slaan dat die er onmogelijk weer uit getrokken kan worden. Ik heb gezien hoe die schichten door twee barbaren op rij vlogen en in een derde bleven steken. Echt een genot om naar te kijken.' Hij probeerde de stabiliteit van het wapen uit, dat op vier gespreide poten rustte, alsof het boven op een piramide stond. 'Perfect. Goed, Cassandros, wind hem op.'

De Griek bevestigde de klauw van het mechaniek aan de boog-
pees en wond vervolgens twee lieren aan de achterkant van het wapen op, zodat dat strak tegen de torsieveren zat.

'Sextus, de schicht,' zei Magnus, op het moment dat het wapen zo
strak mogelijk gespannen was.

'Alsjeblieft, broeder.' Sextus pakte de duimdikke schicht op, die
een vervaarlijk ogende ijzeren kop had, met drie leren vleugeltjes
aan de achterkant. Met een strakke knoop was daar een henneptouw
aan vastgebonden, en vlak achter de knoop was een grote spijker in
de schicht geslagen.

'De scherpe punt aan de voorkant,' zei Magnus behulpzaam toen
Sextus in verwarring leek. 'En zorg ervoor dat de spijker rechtop
staat.'

Toen de schicht eenmaal op zijn plek lag, keek Magnus erlangs
en richtte hem op het doel. Nadat hij nog een paar aanpassingen
aan het wapen had verricht sloeg hij op het ontspanmechaniek.

Met een knal die tegen de omringende gebouwen weerklonk
schoten de twee strakgespannen boogarmen naar voren en sloegen
tegen de blokkerende staanders, zodat de schicht in het donker weg
zoefde, met het snel afrollende touw erachteraan. Vlak daarna weerklonk de doffe klap van de schicht die in het houten gebouw op het
dak ertegenover sloeg, meteen gevolgd door het gezoem van de trillende schicht, die stevig in het doel verankerd stond. Magnus pakte
het touw beet en trok er een paar keer aan voordat hij er met zijn
hele gewicht aan ging hangen; het brak niet. 'Bind hem met een
mooie strakke knoop vast, Sextus.'

'Als je het niet erg vindt, broeder, doe ik dat liever zelf,' hield
Tigran vol. 'Dan kan ik alleen mezelf de schuld geven als ik op
straat beneden uiteenspat.'

'Dat is waar,' zei Magnus terwijl Tigran het touw aan een dak-
balk vastmaakte, die hij had blootgelegd door een paar dakpannen
weg te halen.

Toen alles stevig vastzat ging Tigran ondersteboven aan het touw
hangen, met zijn benen eromheen geslagen. Hij verplaatste zijn gewicht, waardoor het touw lichtjes heen en weer zwaaide, maar het
schoot niet los. 'Op hoop van zegen.' Hij grijnsde en met zijn handen

om beurten het touw vastgrijpend trok hij zichzelf omhoog. Toen hij bij de rand van het dak kwam mompelde hij een kort gebed, waarna hij zich over de straat heen trok, waar het lawaai van het nachtelijke verkeer en het dronkenmansgelal van feestvierders klonk.

Met ingehouden adem keek Magnus toe terwijl het silhouet langs het touw verder kroop, waarbij hij ervoor zorgde dat het niet heen en weer begon te zwaaien, met het risico dat de schicht losschoot. Langzaam maar zeker schoof Tigran over de twintig voet brede kloof, tot hij het touw tot grote schrik van Magnus opeens losliet en op het andere dak neerkwam, vlak onder hem.

'Gelukt,' verzuchtte Magnus opgelucht.

Even later viel het touw omlaag, op het moment dat Tigran het van de pijl losmaakte. Hij maakte het aan een steviger punt opnieuw vast, zodat het weer strakgespannen stond.

'Brave jongen,' mompelde Magnus. 'En nu de deur openmaken.' Het krakende geluid van hout dat met een koevoet werd geforceerd bevestigde dat Tigran daar inderdaad mee bezig was, en even later zag Magnus de deur van de gevangenis van de West-Viminaal openzwaaien, en een paar schimmen kwamen naar buiten. 'Ze kunnen daar blijven of hierheen komen, mij maakt het niks uit,' zei Magnus tegen de broeders die samen met hem stonden te kijken.

Beide mannen, die inmiddels van Tigran hadden vernomen wat zijn bedoeling was, besloten liever de oversteek te wagen dan op het dak te blijven. Terwijl de eerste man aan het touw ging hangen, zag Magnus al een oranje glinstering in het houten bouwwerk, die al snel in een gloed veranderde. Tegen de tijd dat de eerste man de overkant had bereikt, sloegen de vlammen uit het gebouw en het zou niet lang meer duren voordat die de dakbalken onder de tegels bereikten, die Tigran hopelijk met zijn koevoet van de vloer van de gevangenis had weggehaald.

Het vuur verspreidde zich en Magnus wreef in zijn handen. 'Sempronius zal nooit vermoeden dat wij het aangestoken hebben; hij zal denken dat de gevangenen het op de een of andere manier hebben gedaan – als hij tenminste niet tot de arena wordt veroordeeld.'

De tweede man was halverwege de oversteek toen Tigran de gevangenis uit rende en het touw vastgreep, terwijl de vlammen zijn naakte bovenlichaam beschenen. 'Schiet toch op, lummel.' De ontsnappende gevangene maakte meer vaart; zodra hij bij Magnus op het dak neerkwam, greep Tigran het touw vast en gleed hij bijna helemaal omlaag.

'Zo, kijk eens wat we hier hebben, Magnus,' zei Marius, de net ontsnapte gevangene bij zijn pols grijpend. 'Vuile schurk, waar is mijn geld?'

'Aha! Dus zo wisten ze de weg door onze herberg,' zei Magnus, die het gezicht van de man herkende. 'Hebben ze je pijn gedaan, Postumus, of was je zo vriendelijk ze gratis de weg te wijzen?'

'Het spijt me, Magnus, maar ze hebben me in een van hun bordelen opgepakt; ik was zo stom om daar naar binnen te gaan. Ze hebben me in hun gevangenis gegooid en Sempronius heeft me met een gloeiend hete pook bedreigd. Dat vond ik maar niks.'

'Laatst vond je het anders nog best leuk.'

'Maar niet om er het slachtoffer van te worden. Hoe dan ook, ik dacht dat het niet veel kwaad kon om hem de indeling van de herberg te vertellen; ze wilden alleen maar de weg weten.'

Een hoofdknikje van Magnus was voor Marius en Sextus genoeg om de schreeuwende Postumus op te tillen. Marius keek even de straat in voordat hij naar zijn broeder knikte. Postumus slaakte een ijselijke gil toen hij de diepte in werd gesmeten en klapte op de straatstenen neer, terwijl Tigran de oversteek waagde en veilig terugkeerde, met het dak achter hem in lichterlaaie.

'Wat is er met hem gebeurd?' vroeg de oosterling terwijl hij de pot met het vuur van de riviergod aan Magnus overhandigde.

'Hij heeft anderen de weg gewezen, wat hij helemaal niet mocht. En daarom hebben we hem de snelste weg de straat op gewezen. Jullie kunnen je maar beter bij hem voegen, maar ik beveel wel aan de trap te nemen, ook al duurt dat iets langer.' Hij pakte een lap en smeerde de scorpio helemaal met de restanten van het goedje uit de pot in. 'Toe maar, Cassandros.'

Cassandros streek een paar keer behendig over zijn vuursteen, zodat er een hele reeks vonken in zijn tondeldoos viel, waarin na enig zacht geblaas al snel een vlammetje opflakkerde. Magnus stak zijn lap met de brandende tondel aan en legde die tegen de scorpio aan.

266

Het hout vatte vlam en al snel stond het wapen in brand. De vlammen lekten langs de schichtgroef en schoten vervolgens naar links en naar rechts naar de boogarmen en omhoog en omlaag naar de torsieveren.

Magnus keek spijtig naar de hevig brandende scorpio. 'Jammer, maar het zou onverstandig zijn om een belofte aan Vespasianus te verbreken, hoe kostbaar ook.' Achter de scorpio was het dak van het hoofdkwartier van de West-Viminale Kruispuntbroederschap in een inferno veranderd en terwijl het vuur zich verder verspreidde, klonken vanuit het gebouw paniekkreten. 'Toch heeft die scorpio goed werk verricht. Tijd om te gaan, Cassandros.' Met de lege pot in zijn armen, zodat die veilig was, draaide Magnus zich om en snelde hij de trap af. Aan de overkant van de straat klonk het kabaal van de eerste dakbalken die op de vloer vielen.

'Op een graanschip? Ik? Het is een…' Philo begon te hakkelen, zo woedend was hij. Het lukte hem niet meer het woord uit te spuwen en vol afschuw staarde hij naar de enorme romp van het vlaggenschip van de Egyptische graanvloot.

'Dit is het enige beschikbare schip,' antwoordde Magnus, die probeerde zijn irritatie niet te tonen. 'De haven ligt bijna helemaal vol met het eerste graankonvooi van het seizoen, en van de weinige andere schepen die hier aangemeerd zijn vaart er geen een naar Alexandria. Je kunt het geloven of niet, maar dat heeft de havenaedilis me verteld.'

'Dan wachten we tot er een schip arriveert dat passender is voor een persoon van mijn stand.'

'Dat zou ik niet aanraden, Philo,' zei Vespasianus vanaf zijn klapstoel onder een geïmproviseerd zonnescherm. 'Ten eerste weet je niet hoe lang je op zo'n schip zou moeten wachten en ten tweede is de vraag waar je dan zou moeten verblijven,' Hij wees op het havengewoel en de verstopte straten eromheen. 'Ik betwijfel of je hier iets zou vinden wat je geschikt acht.'

'We gaan terug naar de Tuinen van Lamia.'

'Nee, dat gaat niet gebeuren, Philo. Ik kan niet toestaan dat je de stad weer in gaat.'

267

'Waarom niet?'

'Omdat ik je veiligheid niet kan garanderen, en vanwege mijn vriendschap met je broer wil ik je niet in gevaar brengen.'

'Maar gisteren heeft de keizer...'

'Wat de keizer de ene dag doet, heeft geen enkele relatie met wat hij de volgende dag kan doen. Als hij zou horen dat jij in de stad terug was, zou het best mogelijk zijn dat hij vergeten was dat hij jou al heeft gevraagd waarom je zijn goddelijkheid niet erkent.'

'Dan zou ik alsnog de kans hebben om mijn zaak tegen Flaccus en de Grieken voor hem te bepleiten.'

'Nee, Philo, zo zit het niet; maar Caligula zou tot een andere conclusie kunnen komen dan gisteren. Dus vergeet Flaccus, vergeet alle verontwaardiging waaraan je ten prooi was en ga aan boord van dat schip.'

'Maar...'

'Geen gemaar, Philo,' zei Vespasianus, terwijl hij opstond om te benadrukken dat het hem ernst was. 'Ga gewoon aan boord, vaar terug naar Alexandria en dien een schriftelijk protest tegen Flaccus bij Caligula in. En als ik de kans krijg, zal ik de keizer er ondertussen aan herinneren dat Flaccus Alexanders borstplaat niet aan mij wilde overhandigen en hem laten weten hoe rijk Flaccus in zijn functie als prefect van Egypte is geworden. Dat is de beste manier om met een godheid om te gaan die al het geld dat hij bijeen kan schrapen nodig heeft voor zijn veldtocht in Germania.'

'Maar hij is geen god.'

'Ja, dat is hij wel, Philo, en je zou er verstandig aan doen dat te onthouden. Als de keizer, die over leven en dood van ons allemaal kan beschikken, zichzelf als een god beschouwt, dan is hij een god, en ik zal zelf de eerste zijn om die aanspraak te honoreren.'

'Dus je gelooft niet echt dat hij een god is?'

'Wat ik geloof doet er niet toe. Ga nu.'

Philo liet zijn handen langs zijn baard glijden, zijn keuzen overdenkend. 'Heel goed, ik zal je advies opvolgen.' Hij gebaarde zijn medegezanten om aan boord van het gereedliggende schip te gaan en ging dichter bij Magnus en Vespasianus staan. 'Ik wil jullie bedanken voor de hulp die jullie allebei ons – mij – hebben geboden.

Het was voor mij moeilijk om niet in overeenstemming met mijn positie behandeld te worden, zodat ik uit onmacht een paar keer in woede ben uitgebarsten. Daardoor hebben jullie mogelijk een verkeerde indruk van me gekregen.' Hij haalde een zware beurs onder zijn mantel vandaan. 'Als blijk van dank en als voorschot op wat jullie voor ons zullen doen om Flaccus in het verderf te storten, wil ik jullie mijn laatste geld geven dat we voor steekpenningen hadden gereserveerd.' Hij bood de tas aan Vespasianus aan. 'Neem dit aan, er zitten honderddrieënvijftig aurei in.'

Vespasianus duwde het zakje weg. 'Ik kan in het openbaar geen geld van je aannemen, maar er is absoluut geen reden waarom Magnus het geschenk niet zou accepteren, en dan zullen we het geld later delen.'

'Heel goed,' zei Philo. Hij gaf de beurs aan Magnus, die hem met een ernstig gezicht aanpakte. 'Ik wens jullie beiden het allerbeste en zal uw groeten aan mijn broer en zijn zonen overbrengen.'

'Doe dat, Philo,' zei Vespasianus meelevend, 'en zeg tegen hem dat Magnus en ik op een dag naar Alexandria zullen terugkeren, zodat hij de schuld die hij aan ons heeft met zijn gastvrijheid kan inlossen.'

Philo boog, draaide zich om en liep de loopplank op.

'Heb ik u goed verstaan, heer?' vroeg Magnus, terwijl ze bleven toekijken. 'Ik zou zweren dat u zei dat we het geld zouden verdelen.'

'Inderdaad. Ik dacht aan een derde voor jou en twee derde voor mij.'

'Eenenvijftig aurei, dat is heel gul.'

'Niet echt; nu sta je weer bij mij in het krijt, en zo zie ik het graag.' Vespasianus draaide zich om. 'Kom op, laten we teruggaan naar Rome – als daar tenminste nog iets overeind staat.'

'Hoe bedoelt u, heer?' vroeg Magnus, die tevreden voelde hoe zwaar de beurs in zijn hand was.

'Ik bedoel dat ik heb gehoord dat een deel van de Viminaal vannacht is afgebrand. Vreemd genoeg ging het om hetzelfde gebouw dat de stadscohorten een dag eerder waren binnengevallen.'

'Tja, het is verbazingwekkend hoe fel een scorpio kan branden.'

269

'Ik hoop dat ik nooit de gelegenheid krijg om erachter te komen, en dat geldt ook voor de stadsprefect, als je snapt wat ik bedoel.'

'Zeker, heer; en ik kan u beloven dat het niemand ooit nog zal lukken zo'n wapen de stad in te brengen; alles zal gewoon net als vroeger zijn gangetje weer gaan.'

'Mooi. Zorg ervoor dat iedereen dat begrijpt.'

'Gaat zeker lukken, heer.'

'Tatianus, wat een aangename verrassing,' zei Magnus met een stem die precies het tegenovergestelde suggereerde; hij stond niet op toen Marius de tussenpersoon zijn kamer achter in de herberg binnenleidde. Servius ging naast hem zitten. 'Dit is vast een gezelligheidsbezoekje, want ik weet dat je buitenshuis nooit zaken bespreekt.'

'Normaal gesproken is dat ook zo, zei Tatianus, terwijl hij tegenover Magnus plaatsnam en een kluisje op de tafel tussen hen in zette.

'Maar vandaag niet; hoe dat zo?'

Tatianus ontblootte grommend zijn tanden. 'Je weet heel goed waarom, Magnus, dus laten we stoppen met die flauwekul en ter zake komen: je zei dat het in je vermogen ligt om mijn naam al dan niet aan die scorpio en het vuur van de riviergod te verbinden. Vertel eens?'

Magnus boog zich naar voren, liet zijn ellebogen op tafel rusten en zette zijn vingers tegen elkaar, met zijn vingertoppen tegen zijn lippen. 'Hm, riskant. Per slot van rekening heb je me bedrogen.'

'Dat is niet waar; ik heb gewoon mijn normale zakelijke praktijk gevolgd, en dat weet je best.'

'Tja, Tatianus, ik zal je vertellen wat ik weet: de stadscohorten zijn gisteren Sempronius' huis binnengevallen en hebben daarbij zowel een scorpio als Sempronius zelf meegenomen. De stadsprefect weet alles over jouw zaak, maar knijpt een oogje dicht omdat hij het veel beter in de gaten kan houden als hij weet wanneer er spullen de stad in worden gebracht. Een scorpio was echter een stapje te ver en nu is hij lichtelijk op zijn pik getrapt, op zijn zachtst gezegd, en als ik de pot van het vuur van de riviergod aan mijn patronus zou geven om aan hem te overhandigen, zouden jouw dagen geteld zijn, als je snapt wat ik bedoel.'

'Jazeker. Dus wat stel je voor?'

'Ik stel voor dat je me het voorschot teruggeeft waarmee je me hebt bedonderd, plus tweehonderdvijftig denarii genoegdoening, en dan geef ik jou in ruil de pot terug. Vervolgens is mij gevraagd dit bericht over te brengen: je gaat ermee akkoord nooit meer iets gevaarlijkers dan zwaarden, katapulten, bogen en dergelijke de stad in te brengen, en dan zal de stadsprefect je zonder enig probleem je gang laten gaan.'

'Dat is simpel zat.'

'Er is echter één uitzondering.'

Tatianus keek Magnus recht over de tafel aan. 'En dat ben jij, naar ik veronderstel.'

'Inderdaad, Tatianus. Je levert me alles waar ik om vraag – behalve een scorpio natuurlijk – omdat ik dat de stad in kan brengen zonder dat de autoriteiten erachter komen.'

'Hoe dan?'

'Daarvoor hebben we gedweeë senatoren.'

Tatianus keek naar zijn kluisje en schoof dat over de tafel naar Magnus toe. 'Akkoord. Twaalfhonderdvijftig denarii, betaald in goud.'

Magnus opende het deksel en telde de munten. 'Vijftig aurei, heel goed, Tatianus. Servius, geef de heer zijn pot terug.' Servius bukte zich en haalde de pot onder de tafel vandaan; Tatianus pakte die meteen aan en trok de stop eraf. 'Hij is leeg!' Beschuldigend kneep hij zijn ogen toe.

Magnus haalde zijn schouders op en leunde achterover in zijn stoel. 'Natuurlijk is hij leeg. De afspraak was dat ik je de pot terug zou geven; ik heb geen belofte gedaan dat er nog steeds iets in zat, toch? Ontzettend jammer voor jou dat je dat als vanzelfsprekend aannam. Sempronius heeft het spul, of althans, hij heeft het over zijn dakbalken laten smeren, waarna iemand zo onvoorzichtig was er een brandende lap op te laten vallen. Nu heeft hij alleen nog maar een skelet over, dat hem veel meer zal gaan kosten dan de duizend denarii die hij van me heeft gestolen, als de stadsprefect hem tenminste ooit nog vrijlaat.'

'Jij bent een smerige pyromaan!'

Magnus lachte, maar zijn ogen stonden ernstig. 'Misschien heb ik genoeg van het vuur van de riviergod bewaard om te bewijzen dat die bewering over jouw huis klopt, Tatianus. Zoals je al zei, sta ik bekend om mijn neiging om brand te stichten. Je kunt vertrekken.'

Tatianus pakte de pot op en gooide die door de kamer; hij viel tegen de achtermuur in scherven. Zonder een woord te zeggen draaide hij zich om en beende weg.

'Ik zal je laten roepen als ik je nodig heb,' riep Magnus hem achterna. 'Ik doe het liefst hier zaken, op mijn voorwaarden.' Magnus gromde tevreden toen hij Tatianus door de gang hoorde stiefelen. Hij liet de vijftig aurei op tafel vallen en keek naar Servius. 'Vijftig aurei van hem en eenenvijftig van Philo; het lijkt erop, broeder, dat we één aureus extra hebben verdiend.'

'Ik zal dat in mijn grootboeken opnemen.'

'Doe dat, broeder; en ondertussen zal ik een andere manier proberen te bedenken om in Tatianus' kluis te komen zonder een scorpio te gebruiken.'

De keizerlijke triomftocht

ROME, SEPTEMBER 44

Een meedogenloos gebrul verwelkomde de veroordeelden die naakt de arena in werden gedreven. Om hun leven smekend – of althans om een minder gruwelijke dood – zocht de haveloze groep in het zand steun bij elkaar. De zweepslagen van de opzichters daalden zowel op mannen als op vrouwen neer, zodat ze gedwongen waren de open ruimte in te vluchten, waar het bloed dat van hun kapotgeslagen ruggen vloeide de vraatzucht zou opwekken van de beesten die onder het Circus Flaminius op de Campus Martius op hun maaltijd wachtten.

Een paar laatste klappen met de soepele leren zweep op de schouders en de billen van de achterste gevangenen waren voldoende om de doorgang bij de hekken vrij te maken, die gesloten werden zodra de opzichters haastig naar binnen waren gerend. Het vijftigduizendkoppige publiek begon nog harder te brullen, zich verlustigend in de slachting die zich voor hun ogen zou afspelen.

In de keizerlijke loge op de tribune kwam Tiberius Claudius Augustus Germanicus, keizer van Rome en veroveraar van Britannia, moeizaam overeind. Doordat hij voortdurend zijn hoofd krampachtig in een tic vertrok, slingerde het kwijl dat aan zijn kin hing heen en weer, maar allen die dicht genoeg bij hem zaten om dat te zien deden alsof ze het niet zagen. Claudius stak een bevende hand op om het publiek tot zwijgen te brengen, zodat alleen het gejammer van de gevangenen nog te horen was. Niemand schonk daar verder enige aandacht aan. 'V-v-v-volk van Rome! Ik, uw keizer, geef u ter ere van de zevende en laatste dag van de Romeinse S-s-spelen een voorproefje van wat er over drie dagen op het programma staat, als ik mijn t-t-t-triomf vier, mij door de Senaat toegestaan ter ere van mijn verpletterende overwinning op de g-g-g-gezamenlijke stammen van B-B-Britannia.' Claudius zweeg even om het publiek de gelegenheid te bieden zijn militaire dapperheid te prijzen, ook al kon een groot deel van de menigte uit de weinig krijgshaftige uitstraling van hun keizer de conclusie trekken dat het pure pocherij was: de echte strijd was door echte soldaten geleverd. Weer hief hij een bevende arm op om de menigte tot rust te brengen. 'Daar, in de arena, staat een aantal van de miserabele g-g-gevangenen die ik bij mijn laatste overwinning voor de poorten van Camulodunum heb opgepakt; de rest, wier aantal in de duizenden loopt, zal in mijn triomftocht meegevoerd worden en zal dan ter veiling worden aangeboden, dan wel als gladiatoren voor jullie plezier in de arena optreden. Laten we ons tot die tijd met deze ellendige lieden vermaken, die voor niets anders deugen dan de kaken van wilde beesten.' Met een breed armgebaar gaf hij een teken aan de poortwachters, waarna de met ijzer versterkte houten deuren openzwaaiden.

Het hele stadion hield de adem in toen er vanuit de duistere catacomben van het circus een massaal, beestachtig gegrom opklonk, gevolgd door de verschijning van een tiental uiterst merkwaardige dieren met lange nekken en een rare bult op de rug. De dieren draafden zonder omwegen de zandvloer in de arena op en keken hooghartig rond, terwijl ze kalmpjes kauwbewegingen maakten, zodat het publiek vrolijk begon te joelen over hun verschijning en de veroordeelden een moment lang weer hoop koesterden.

Op de dertiende rij, rechts van de keizerlijke loge, zat één man die het onmogelijk vond in de algemene hilariteit mee te gaan: Marcus Salvius Magnus zat met zijn kin op zijn handen en zijn ellebogen op zijn knieën toe te kijken; zijn gezichtsuitdrukking verraadde dat hij met een probleem worstelde. Het was een probleem dat hem al kwelde sinds hij een halve maan geleden in Rome was teruggekeerd om zijn leiderschap over de Zuid-Quirinale Kruispuntbroederschap te herstellen, nadat hij bijna drie jaar afwezig was geweest.

'Moet je dat zien!' schreeuwde een boom van een vent, die naast Magnus overeind sprong. 'Wat zijn dat, Magnus? Ik heb nog nooit in mijn leven zulke lelijke, lompe schepselen gezien.'

'Dan heb je nog nooit goed in de spiegel gekeken, Sextus. Dat zijn kamelen en ze stinken net zo erg uit hun bek als hun uiterlijk doet vermoeden. Het zijn geen vechtersbazen, maar ze maken mensen aan het lachen.'

'Zeker weten, broeder, het lijkt me geweldig om te zien hoe ze die...' Sextus zweeg midden in de zin en vertrok zijn gezicht in een grimas, alsof hij een moeilijke stoelgang had.

Omdat hij zijn metgezel al kende sinds ze meer dan dertig jaar eerder op dezelfde dag voor de dienst onder de Romeinse Adelaars hadden getekend en zich bij hun terugkeer in Rome bij dezelfde broederschap hadden aangesloten, herkende Magnus de tekenen. 'Je bent zeker aan het nadenken, broeder? Je vraagt je natuurlijk af hoe de kamelen korte metten met de gevangenen kunnen maken als ze nauwelijks vechten.'

Sextus vertrok zijn gezicht nog meer. 'Hoe wist je dat?'

Magnus onderdrukte een geërgerde zucht. 'Gewoon een gokje, en het juiste antwoord is dat ze dat niet kunnen.' Hij wees naar de rechthoekige open luiken in de arena, waar de hellingbanen vanuit de donkere cellen uitkwamen. 'Maar daar komen beesten uit die dat wél kunnen.'

Of de troep slanke katten, waarvan sommige zwart en andere gevlekt waren, van de honger gromde toen ze het licht in liepen bleef onhoorbaar tussen de juichkreten van het publiek en het angstgeschreeuw van de gevangenen toen die de bezielde werktuigen zagen die hun een gruwelijke dood zouden bezorgen. Alleen de kamelen leken zich niet om de verschijning van de meedogenloze jagers te bekommeren – de kamelen, en Magnus dus, die zijn voorhoofd fronste en zijn hoofd liet zakken, terwijl hij met zijn vingers door zijn dunner wordende haar streek.

'Je mist wat, broeder,' riep Magnus' buurman aan de andere kant boven het lawaai uit terwijl hij zijn schouder met de in leer gebonden stomp van zijn linkerarm aanstootte en naar de slachtoffers wees. 'Ze laten hun pis en stront gewoon lopen.'

Magnus zoog lucht tussen zijn tanden door en schudde zijn hoofd. 'Geniet jij maar lekker, Marius, maar ik heb er vandaag geen zin in. Ik ben niet in de stemming om te worden vermaakt, en de reden daarvan is dat ik moet bedenken hoe we uit de penarie kunnen komen.'

'Waarom ben je dan meegegaan?'

'Omdat ik hier veel beter kan nadenken dan in de herberg, waar die oude zak van een Servius me voortdurend aan mijn kop zeurt om meteen met een oplossing te komen.'

'Tja, hij is verantwoordelijk voor de financiën van de broederschap, dus dat kun je hem niet kwalijk nemen – woeha, moet je eens kijken, ze hebben die mensen omsingeld en laten die vreemde beesten met rust – en wij moeten een oplossing vinden zonder bekend te maken hoeveel we de handelaren in onze buurt voor onze bescherming gaan rekenen.'

Magnus trok een grimas, terwijl het geschreeuw van de menigte steeds verder aanzwol en Sextus zich aan zijn andere zijde driftig begon af te trekken. 'Ik weet het, broeder, en ik heb zelf de aankoop gedaan die ons in deze ellende heeft gebracht, dus nu moet ik ook een oplossing zoeken; ik heb alleen tijd nodig om na te denken.'

Marius stompte met zijn stomp in de lucht. 'O jaaah! Ze hebben die meute uiteengedreven en nu rennen ze overal rond.' Het publiek slaakte collectief een kreet van ontzag. 'Hij heeft met één hap haar hele gezicht verscheurd, heerlijk! Ooh, en moet je dat zien, die twee vechten om die dikke smeerlap.' Marius lachte schamper. 'Moet je toch eens kijken, broeder, ze trekken hem helemaal uit elkaar en nu beginnen die vreemde beesten heel erg onrustig te worden, zo te zien.'

'Jaja.'

'Kijk, Magnus, het is echt niet jouw fout dat Claudius, vlak nadat je op de terugweg uit Britannia zo'n uitstekende overeenkomst had gesloten met die aankoop van dat stel Germanen, opeens besluit dat hij alle gevangenen uit Britannia hier in Rome direct na zijn triomftocht zal verkopen.'

'Maar ik had het moeten zien aankomen. De prijs van huishoudelijke slaven is gekelderd; en als het om gladiatoren gaat, kun je nog niet eens de helft van het bedrag krijgen dat ik voor die Germanen heb betaald, met het idee ze na mijn terugkeer aan een van de opleidingen hier te verkopen. Prima kerels, tienduizend sestertiën elk, en nu mag ik blij zijn als ik er drieduizend voor terugkrijg, dankzij die kwijlende dwaas die de markt met slaven overspoelt. Dat is een verlies van bijna honderdduizend.'

'Ze storten zich nu op een van die... Hoe heten ze ook alweer, Magnus?'

'Kamelen, broeder, kamelen.'

'Jemig, ze hebben er een op de grond gedrukt en nu rent de rest in blinde paniek rond... Bij alle goden, ze hebben die kreupele gewoon vertrapt... Man, je mist de beste voorstelling van de hele spelen.'

Maar Magnus toonde geen belangstelling, zoals hij voor de hele Romeinse Spelen geen belangstelling toonde. Nadat hij de stad was binnengekomen met een twaalftal – in zijn opinie – perfect gebouwde potentiële gladiatoren, had hij een paar dagen later een verpletterende dreun moeten incasseren toen hij hoorde dat de keizer van plan was meer dan tienduizend gevangengenomen Britten, van wie meer dan de helft krijgers, in Rome te veilen, in plaats van de grote meerderheid ter verkoop naar de markten in de provincie te sturen. Door dat besluit was de slavenmarkt in de stad zo sterk ingezakt dat vele van de slavenhandelaren bankroet waren gegaan of gedwongen waren naar de periferie van het rijk te verhuizen, waar de rampzalige effecten van Claudius' beleid beperkt bleven.

Voor Magnus was dat echter geen optie, en nu zat hij opgescheept met een twaalftal gezonde mannen in de vechtersleeftijd, die niet alleen onverkoopbaar waren, tenzij je een enorm verlies voor lief nam, maar ook een geweldige eetlust hadden – om te voorkomen dat hun waarde nog verder afnam, was hij gedwongen hen elke dag van enorme hoeveelheden voedsel te voorzien. Dit was bepaald niet de situatie waarin hij had verwacht terecht te komen toen hij de slaven op de terugweg naar huis in Aventicum, in het land van de Helvetii in Germania Superior, op het ouderlijk landgoed van zijn vriend Vespasianus had gekocht. De verkoop was afgedwongen door de dood van Vespasianus' vader drie jaar daarvoor en de daaropvolgende verhuizing van zijn moeder, Vespasia Polla, naar het huis van haar broer, senator Gaius Vespasius Pollo, in Rome. Vespasia had besloten haar bezittingen te gelde te maken en had het gehele landgoed verkocht; Magnus had de slaven voor een relatief klein voorschot aangekocht, onder de voorwaarde dat hij het restant direct na zijn aankomst in Rome zou betalen. En daar lag het probleem: hij was een cliënt van Vespasia's broer, Gaius Vespasius Pollo, en het zou ondenkbaar zijn om een schuld aan zijn familie niet af te lossen.

Hij was nu al bijna een halve maand terug in de stad maar had zich steeds schuilgehouden, zodat de senator nog niet eens wist dat hij terug was. Maar hij wist wel dat deze situatie niet kon blijven duren en dat hij de volgende ochtend open kaart moest spelen, want dan zou hij de ochtend-salutatio van zijn beschermheer moeten bijwonen. Senator Pollo zou ongetwijfeld vragen hoe het met de honderdduizend sestertiën zat die hij zijn zus verschuldigd was, en dan zou Magnus hem met de onaangename waarheid moeten confronteren. Het was een situatie die in een rampzalige breuk tussen Magnus en zijn beschermheer kon uitmonden, die in het verleden al talloze malen zijn invloed had gebruikt om te voorkomen dat Magnus en zijn broederschap in de klauwen van de sterke arm der wet eindigden.

En terwijl de ongelukkigen in de arena in stukken werden gescheurd en voor het plezier van het volk van Rome werden opgevreten, kon Magnus zich er niet toe zetten van het spektakel te genieten, zo terneergedrukt voelde hij zich bij het vooruitzicht te moeten uitleggen dat hij het geld niet had en in de nabije toekomst waarschijnlijk ook niet zou hebben. Met een diepe zucht hakte hij uiteindelijk de knoop door. 'Kom op, jongens, we gaan terug,' riep hij, terwijl hij opstond en langs Sextus liep, die net grommend klaarkwam en vlekkerige spetters op de rugpanden van de mantels van het echtpaar voor hem achterliet.

'Er is werk aan de winkel.'

'Maar het is een officiële feestdag, broeder,' protesteerde Marius.

'Voor het publiek wel, maar wij zijn het publiek niet, wij zijn de Zuid-Quirinale Kruispuntbroederschap en wij hebben maling aan het publiek en doen alles op onze eigen manier; en vandaag – zojuist zelfs – heb ik besloten om over een paar uur bij elkaar te komen.'

Marius keek smachtend naar de actie in de arena. 'Maar nu komen de verminkingen.'

Magnus wees naar de plek waar Marius' linkerhand was afgehakt. 'Ik zou denken dat je inmiddels wel op genoeg verminkingen was getrakteerd. Kom mee en doe wat ik zeg. Ik wil met Servius overleggen voordat ik de rest van de broeders toespreek.'

'Er is hier een handelaar van verderop in de Vicus Longus die je wil spreken, Magnus,' zei een knoestig oud mannetje met troebele ogen tegen hem toen hij de herberg aan de scherpe kruising van de Vicus Longus en de Alta Semita binnenstapte, die als hoofdkwartier van de Zuid-Quirinale Kruispuntbroederschap fungeerde. 'Ik heb gezegd dat hij bij de achterdeur moest wachten.' Hij gebaarde met de vaagheid van een blinde naar een man die in de verste hoek van de volle gelagkamer zat, waarin de rook van het houtfornuis achter de bar bleef hangen.

Magnus tuurde ingespannen naar de man; het was te schemerig om zijn gezicht goed te kunnen zien. 'Wat wil hij, Servius?'

'Gewoon een gunst.'

Magnus zuchtte. 'Niet nu, ik heb te veel aan mijn kop.'

'Dat weet ik, we zitten zwaar in de penarie maar dat betekent niet dat we onze verplichtingen tegenover de buurt kunnen verwaarlozen. Als bekend wordt dat je je zaakjes niet meer op orde hebt zullen Sempronius en die klootzakken van de West-Viminaal binnen een paar dagen aan onze stoelpoten beginnen te zagen; je weet hoe graag hij zijn broederschap naar ons domein wil uitbreiden. En Primus, zijn nieuwe plaatsvervanger, wil zichzelf heel graag bewijzen.'

Magnus liet zich in de stoel tegenover zijn raadsman en plaatsvervanger zakken. 'Je hebt gelijk, Servius, maar eerst moet ik iets drinken.' Hij gebaarde naar de broeder die achter de bar stond en hem toeknikte. 'En terwijl ik wat te drinken neem, moet jij alle broeders berichten dat ze hier over een paar uur bijeenkomen. Maar eerst een gesprekje met die handelaar – hoe heet hij?'

'Quintus Martinus.'

'Marcus Salvius Magnus, ik kom naar je toe in je functie als patronus van de broederschap van de buurt waarin ik woon, in de hoop dat jij kunt voorkomen dat mij onrecht wordt aangedaan.' Quintus Martinus wrong zijn vuile handen, die overdekt waren met littekens van brandwonden, en tilde zijn hoofd zo op dat hij recht in de donkere ogen van Magnus en vervolgens naar de blinde Servius keek; ze zaten allebei met een beker wijn in de hand aan het bureau in de achterkamer van de herberg, die voor zakelijke aangelegenheden van de broederschap werd gebruikt. 'Ik heb mijn contributie altijd op tijd en volledig aan jou betaald en heb je nooit eerder om een dienst gevraagd; daarom wil ik je nu, nadat ik twintig jaar onder jouw bescherming heb gestaan, vragen om me deze ene gunst te verlenen.'

Magnus zou hem gezien zijn uiterlijk op eind veertig schatten, maar hij vermoedde dat de vale huid, het grijze haar en het uitgemergelde gezicht eerder het gevolg van een zwaar leven vol eindeloze arbeid en strijd waren dan een teken van ouderdom, en hij was in werkelijkheid inderdaad tien jaar jonger. Hij wees op een stoel. 'Je kunt gaan zitten, Martinus, en om je gunst vragen.'

De handelaar glimlachte dankbaar en nam plaats. 'Bedankt, patronus. Mijn probleem heeft te maken met de huisbaas van de huurkazerne waar ik met mijn familie woon en mijn kettingmakerij heb, op de hoek van de Vicus Longus en de Kettingmakersstraat.'

Magnus had meteen al geen enkele belangstelling meer, maar besloot dat niet te laten merken. 'Wil hij de huur verhogen?'

'Nee, patronus, precies het tegenovergestelde: hij heeft me vandaag verteld dat hij ons over drie dagen op straat zet.'

'Dat kun je best fideel noemen.'

Martinus haalde zijn schouders op. 'Dat is waar, want hij had het ook met onmiddellijke ingang kunnen doen.'

'Waarom doet hij dat? Heb je een huurachterstand?'

'Nee, Magnus, de zaken gaan momenteel goed. Nu hier zoveel

gevangenen zijn voor de triomftocht, stijgt de prijs van kettingen en handboeien.'

'Ik ben blij dat te horen. Maar waarom schopt hij je eruit?'

'Dat heeft hij me niet verteld.'

Servius nam een slok van zijn wijn. 'Hij hoeft je geen verklaring te geven.'

'Dat weet ik,' erkende Martinus.

Magnus trok aan een van zijn bloemkooloren, die tezamen met zijn gebroken neus van zijn tijd als bokser getuigden. 'Hoe heet die kerel, Martinus? Ik zal een paar mannen naar hem toe sturen om een babbeltje met hem te maken.'

'Dat is het nu juist, patronus, dat weet ik niet.'

Magnus fronste, alsof hij zich afvroeg of hij het wel goed had gehoord. 'Wat weet je niet?'

'Zijn naam, Magnus. Ik heb die nooit geweten sinds hij het huizenblok een paar maanden geleden van de vorige verhuurder heeft gekocht. Hij communiceert met zijn huurders via een slaaf die hij met een boodschap op pad stuurt.'

'En die slaaf wil de naam van zijn meester niet onthullen?'

'Precies.'

'Hoe zit het met de andere huurders in het blok?'

'Niemand kent zijn naam en we worden allemaal op straat gezet.'

Magnus pauzeerde even om na te denken. Zijn belangstelling was inmiddels gewekt. 'Waarom zou hij dat dan doen, vraag ik me af. Hij heeft nu helemaal geen inkomsten meer uit het huizenblok. Ik zou nog kunnen begrijpen dat hij alleen van jou af wil, Martinus, omdat hij mogelijk iemand heeft gevonden die meer wil betalen voor jouw werkplaats. Maar om van alle huurders af te willen die daar wonen is een andere kwestie.'

'We denken dat hij het gebouw wil afbreken en er een nieuw wil neerzetten.'

Servius schudde langzaam zijn hoofd, afwezig naar de muur achter Martinus starend. 'Dat zal hij niet doen. Geen huurbaas die bij zijn volle verstand is zou een huizenblok dat nog niet vanzelf is ingestort opnieuw optrekken. Waarom zou je zonder noodzaak zoveel kosten maken? Overigens heb ik gehoord dat er de afgelopen maand twee soortgelijke voorvallen in ons gebied zijn geweest, maar in die gevallen zijn de huurders rustig vertrokken, zonder bij ons te komen, dus daar heb ik je niet mee lastiggevallen, Magnus, maar toch zou ik graag willen weten of er een patroon is.'

Magnus schonk nog een beker in. 'Nou, als we erachter willen komen, zullen we toch allereerst die slaaf zo beleefd mogelijk moeten vragen wie zijn meester is, als je begrijpt wat ik bedoel. Servius, laat een paar mannen dat huis in de gaten houden en hem bij zijn kladden grijpen zodra hij weer verschijnt.'

'Heel goed.'

'Als ik te laat ben om jouw huisuitzetting te voorkomen, Martinus, zal ik ervoor zorgen dat je een alternatief hebt.'

Martinus stond op. 'Bedankt, Magnus, je bent een eerlijk man.'

Magnus grijnsde grimmig toen Martinus de kamer verliet, de deur achter zich sluitend. 'Dat is de eerste keer dat ik ervan beschuldigd word eerlijk te zijn – heb je ooit iemand zoiets over mij horen zeggen, Servius?'

'Nee, Magnus, wel heel wat andere dingen, maar dat nooit.'

'Goed, broeders,' besloot Magnus zijn uitleg, 'zo is de situatie dus. Nu de prijs van de slaven zo laag blijft, resteert mij geen andere keuze dan aan senator Pollo te vragen wat hij in plaats van de schuld wil aannemen of dat hij kans ziet om uitstel van betaling te verlenen. Hoe dan ook, ik zal op zeer korte termijn met een plan moeten komen om veel geld te verdienen, en dat zal ik ook zeker doen.' Hij keek de gezichten langs van de circa vijftig broeders, om te zien of hij ergens een ontevreden blik over zijn leiderschap ontdekte. Hoewel hij niet had toegegeven dat de hachelijke situatie zijn schuld was en hij de keizer met zijn maatregel als boosdoener had aangewezen, wist hij heel goed dat de slimmeriken onder de broeders zouden oordelen dat hij onbezonnen te werk was gegaan door zo snel na de verovering van een nieuwe provincie slaven aan te kopen, ongeacht hoe lucratief dat had kunnen blijken te zijn.

'Ik heb een vraag,' zei een broeder met een geverfde puntbaard, die een geborduurde broek en een knielange tuniek in oosterse stijl droeg.

'Ja, Tigran.'

'Vind je dat je in deze kwestie blijk hebt gegeven van een goed inzicht?'

Magnus verstijfde; dit was een scherp geformuleerde vraag van een broeder die ambities koesterde. Als hij naar waarheid zou antwoorden, zou dat een uitnodiging zijn om zijn positie te betwisten, maar hoe kon hij zich met bluf hieruit redden? 'Ik heb die slaven met een mooie korting gekocht; we zullen er zeker profijt van hebben.'

Tigrans blik werd nog iets kritischer. 'Maar voorlopig niet, en ondertussen hebben we het niet veel beter dan paupers.'

Magnus meende een zacht instemmend gemompel te horen, maar wist het niet zeker. 'Zoals ik al zei: we zullen er zeker aan verdienen en in de tussentijd zal ik de slaven op de meest profijtelijke manier aan het werk zetten. Als dit voorbij is, is dat misschien een goed moment om me te vragen of ik van een goed inzicht blijk heb gegeven.'

Deze opmerking kreeg de steun van de overgrote meerderheid van de broeders, zodat Tigran gedwongen was zich met een oosterse buiging en zijn handen op zijn borst terug te trekken.

Magnus haalde opgelucht adem nu de dreiging afnam. 'Sextus en Marius, jullie gaan morgenochtend allebei met me mee; ik wil voor zonsopgang bij het huis van de senator zijn.'

'Magnus, beste vriend, je bent terug,' riep senator Pollo met dreunende stem toen het Magnus' beurt was om zijn beschermheer in zijn atrium te begroeten, tezamen met een paar honderd andere cliënten van de invloedrijke ex-praetor. 'Goed om je weer te zien.' Senator Pollo verhief zich uit zijn stoel en deed Magnus de eer aan om ter verwelkoming zijn onderarm te grijpen, wat vele anderen in het vertrek jaloers maakte.

'Het is goed om terug te zijn en u weer te zien, senator.'

'Jaja. Ik vroeg me al af wanneer je langs zou komen, want je moet het een en ander voor me doen.' Senator Pollo wendde zich tot een knappe jongeling die met een stylus en wastablet zwaaide en een tuniek droeg die een jongen die twee of drie jaar jonger was al nauwelijks zou passen. 'Siegimerus, ik wil Magnus als laatste zien, want we hebben veel te bespreken.'

'Waarom heeft het je bijna een halve maand gekost om bij mijn salutatio aanwezig te zijn, oude vriend van me?' Senator Pollo boog zich over het bureau in zijn studeerkamer heen, zijn zorgvuldig bijgewerkte wenkbrauwen vragend optrekkend. Een dienblad met vers gebakken honingkoeken verspreidde een heerlijk zoet aroma in de kamer.

Magnus slikte. 'Ik... eh... Hoe wist u dat, senator?'

'Kom op, Magnus. Allereerst heb ik brieven van de rentmeester van Vespasia in Aventicum in bezit, waarin staat dat jullie een overeenkomst hadden gesloten over twaalf Germaanse slaven; hij schrijft mij omdat ik de zaken van mijn zuster regel nu Vespasianus en Sabinus in Britannia zijn. Ik wist dus wanneer je uit Germania Superior vertrok en dus ook wanneer ik je ongeveer in Rome mocht verwachten. Verder is het bij terugkomst voor jou natuurlijk niet echt gemakkelijk om op de Quirinaal door niemand opgemerkt te worden, en omdat dit ook mijn buurt is – hoewel ik in hogere kringen dan jij verkeer, dat wel natuurlijk – zal de terugkeer van de leider van de plaatselijke broederschap mij altijd ter ore komen.'

Magnus schraapte zijn keel en bereidde zich op de onaangename waarheid voor.

'Maar maak je geen zorgen,' vervolgde senator Pollo voordat hij iets kon zeggen, 'ik weet precies wat het probleem is, en dat heeft alles te maken met Claudius die de slavenmarkt overspoelt, nietwaar?'

'Eh, jawel, senator, en nou ben ik zwaar de lul, want ik heb het geld niet.'

De senator grinnikte weer. 'Je had echt eerder naar mij moeten komen, oude vriend, want er is beslist een manier om dit met wederzijds profijt op te lossen.'

'Denkt u?'

'Ik weet het zeker, omdat ik zelf in een lastige situatie zit. De keizerlijke triomftocht over een paar dagen heeft nog veel meer implicaties dan alleen de dalende prijs van de slaven – wat overigens binnen een paar maanden weer goed zal komen; we weten allemaal hoe graag Claudius ziet dat er in de arena rijkelijk bloed wordt vergoten. Maar de gevangenen zijn niet de enigen die in de triomftocht worden meegevoerd, dat geldt ook voor alle buit, zoals huiden, vachten, graan, jachthonden en goud, zilver, tin en ijzer uit de mijnen.' De senator zweeg even om een honingkoek te pakken en hapte er gulzig in. 'Al dat spul komt in de verkoop, behalve de edelmetalen, die in de schatkist worden gestort om de veldtocht te betalen, die enorm veel geld heeft gekost; de verantwoordelijke man voor de verkoop is natuurlijk onze oude vriend Pallas, de keizerlijke beheerder van de schatkist.'

'Dat klinkt logisch,' zei Magnus met een onderdanig lachje. 'En ik neem aan dat u in stilte al met Pallas hebt gebabbeld?'

'Ik geef toe dat we de afgelopen tijd veel te bespreken hadden. Een van de punten die ons allebei interesseerde was wat er met de enorme massa wapens, helmen en schilden zou gebeuren die zullen worden meegevoerd, omdat niemand daar veel aan heeft, behalve dan de allermooiste exemplaren, die in de tempel van Mars worden ondergebracht.'

'En u hebt Pallas natuurlijk voorgesteld dat u hem een gunst zou kunnen verlenen door hem van die last te bevrijden.'

'Vanzelfsprekend had hij al heel wat aanbiedingen om te helpen gekregen, maar gezien de langdurige banden tussen Pallas en ons gezin meende hij dat ik de voor de hand liggende keuze was om al dat ijzer in ontvangst te nemen – voor een klein percentage van de winst, uiteraard.'

'Vanzelfsprekend.'

De andere helft van de honingkoek verdween tussen zijn vochtige lippen. 'Na de triomftocht zullen er dus heel wat wagens in mijn handen vallen, gevuld met duizenden steek- en slagwapens waar niemand iets aan heeft, tenzij ze worden omgesmolten tot zwaarden en dolken voor legionairs en aan de kwartiermeesters in Britannia worden verkocht. Die smachten namelijk naar nieuwe uitrusting voor de zware veldtocht die daar nog steeds aan de gang is.'

'En ongetwijfeld zal Pallas, als hoofdbeheerder van de schatkist, een gunstige overeenkomst mogelijk maken.'

287

De senator trok een ernstig gezicht en pakte nog een honingkoek. 'Hij heeft de ideale functie daarvoor; ik mag blij zijn dat hij mijn zakenpartner is.'

'Hoe zit het met de helmen en schilden?'

'Hoofdzakelijk van ijzer en deels ook brons, dat gesorteerd en gesmolten moet worden, zodat we dat kunnen verkopen, uiteraard weer met de vriendelijke medewerking van Pallas.'

Magnus begon te begrijpen wat zijn rol in dit verhaal was.

'Maar...'

De varkensoogjes van senator Pollo glinsterden in het lamplicht. 'O, Magnus, wat begrijp je het toch goed. Inderdaad, er is een groot "maar"...'

'Senatoren mogen geen handelstransacties verrichten, of in elk geval niet zichtbaar.'

'Jij zegt het, Magnus. Ik ben dus op zoek naar een betrouwbare persoon die voor mij het vuile werk op kan knappen, en ik geloof dat jij de ideale keuze zou zijn, aangezien geheimhouding hierbij van groot belang is. Het mag niet overal bekend worden dat ik van plan ben duizenden zwaarden en dolken te produceren, naast een hoop ijzeren staven en bronzen gietvormen, want dan kunnen we net zo'n prijsval verwachten als bij de slavenmarkt.'

'Ik begrijp het, senator; ik sta zeker tot uw beschikking.' Magnus deed zijn best een onschuldig gezicht te trekken. 'En wat mijn probleempje betreft...'

Senator Pollo maakte een verzoenend handgebaar. 'Dat lijkt me vooral van later zorg. Eerst moeten we al dat wapentuig verwerken, en daarvoor heb je een bedrijfsruimte nodig, en niet zo'n kleintje ook. Het liefst hier in de buurt, zodat ik makkelijk een kijkje kan nemen.'

'Hoe dichterbij, hoe beter. Hebt u suggesties?'

'Niet meteen, maar het zou me niet verbazen als er vlak om de hoek in de Granaatappelstraat een huis leegstaat; aan de voorkant zijn twee winkels, waarvan er eentje van een smid was. Die zou je gemakkelijk tot een gieterij kunnen verbouwen waar je zoveel metaal kunt verwerken. Met de andere winkel zou je hetzelfde kunnen doen, al zal dat wel meer inspanning vergen. En de ruim bemeten woning daarachter kunnen we gebruiken om alle wapens en omgesmolten metaalstaven op te slaan. Het heeft ook een groot erf met een paardenstal aan de achterkant waar je onopvallend kunt in- en uitladen. Ik geloof dat het eigendom is van een zekere Lucilius Celsus, een ridder van twijfelachtige reputatie die bekendstaat om zijn ongebreidelde hebzucht.'

'Een zakenman dus. Op de terugweg naar de herberg zal ik er een kijkje nemen, senator.'

'Goed, Magnus. Zorg dat het op de ochtend van de triomftocht beschikbaar is en neem voor mij een paar smeden in dienst die voor het leger hebben gewerkt.'

'Ik weet het niet, Magnus, we hebben hem al een tijd niet gezien,' zei de bakker op de hoek van Granaatappelstraat en de Alta Semita tegen Magnus.

'Jullie huur wordt toch door een rentmeester geïnd, Anistius?'

'Inderdaad, en zelfs als ik zou willen weten waar Lucilius Celsus woonde, betwijfel ik of zijn vertegenwoordiger me dat zou vertellen.'

Magnus keek achterom de Granaatappelstraat in, waar Marius en Sextus zo'n vijftig passen verderop de veiligheid van het leegstaande, dichtgetimmerde pand aan het onderzoeken waren; publieke slaven waren bezig heuvelopwaarts op gezette afstanden tafels neer te zetten, ter voorbereiding op de festiviteiten na de triomftocht. 'Hoe lang staan de twee bedrijfsruimten al leeg?'

De bakker krabde op zijn hoofd en trok een frons. 'Langer dan een jaar, waarschijnlijk zelfs meer dan twee jaar, zou ik zeggen. De een was een smid en de ander maakte kaarsen; ze zijn allebei verhuisd toen Celsus' rentmeester de huur verhoogde.'

'Waarom zijn ze daarmee niet naar mij gekomen? Ik had die Celsus een paar dingen kunnen uitleggen.'

'Jij zat in Britannia, en daarom zijn ze met het probleem naar je raadsman Servius gegaan, maar hij kon er niets aan doen omdat Celsus op dat moment op zakenreis was en de rentmeester beweerde dat hij niet bevoegd was de besluiten van zijn meester terug te draaien, zelfs niet nadat Servius hem stevig had aangepakt.'

'Juist, ik begrijp het. Goed, bedankt, Anistius. Gaan de zaken goed?'

De handelaar grijnsde. 'Niet zo goed dat een verhoging van het beschermingsgeld dat ik betaal gerechtvaardigd is.'

'Maar nu zoveel volk de stad bezoekt voor de triomftocht, zullen ze zeker nog een stuk beter gaan.'

'Dat is waar. Iedereen zal blij zijn met de triomftocht.'

Magnus' gezicht betrok. 'Niet per se, Anistius, niet per se.' Hij stopte het verse brood onder zijn arm, riep Marius en Sextus om met hem mee te komen en beende weg.

'Ik kon verder geen informatie aan hem ontfutselen, Magnus,' bevestigde Servius toen ze die middag op een bankje voor de herberg van de warme septemberzon genoten. Ondertussen waren Sextus en Marius bezig de vlam te verzorgen die altijd op het altaar van de lares van het kruispunt brandde. Overal in de Vicus Longus en de Alta Semita waren publieke slaven druk met de voorbereidingen voor de festiviteiten bezig; ze bouwden keukens en luifels op en brachten kleurige versieringen aan. De sfeer werd steeds feestelijker nu er veel volk van het platteland via de Porta Collina de stad binnenkwam, slechts tweehonderd passen verderop, om van de vrijgevigheid van de keizer te profiteren. 'Ik geloof dat hij ons alles heeft verteld wat hij wist.'

'Dus Celsus heeft zijn huis op de Esquilijn verhuurd voordat hij naar Gallia vertrok, een jaar vóór de invasie van Britannia, om legersandalen aan de legioenen te leveren?'

'Dat is alles wat hij wist, zelfs met een paar gebroken vingers.'

'Hm.' Magnus zag iets opvallends op straat; hij knikte een jonge broeder toe die aan de tafel naast hem zat te dobbelen en wees op een welvarend ogende familie die door de Alta Semita liep. 'Festus, bied jij onze diensten eens aan die deugdzame mensen aan, die zonder lijfwachten naar onze stad gekomen lijken te zijn. Ik geloof dat ze zich wel een denarius per hoofd kunnen veroorloven om vervelende ongelukken te voorkomen, als je begrijpt wat ik bedoel.'

De jonge broeder glom van trots dat hij deze opdracht mocht uitvoeren. 'Zeker, Magnus.'

Terwijl Festus wegliep, gaf Magnus een teken aan een broeder van eind middelbare leeftijd, die een baard in Griekse stijl droeg en een flinke houw over zijn linkerwang had. 'Loop daarheen en zorg dat hij het niet verkloot, Cassandros.'

'Heel graag, Magnus.'

'En waag het niet je smerige Griekse handen naar hem uit te steken.'

Cassandros grijnsde en boog zijn vingers. 'En ook niet in hem?'

Magnus schudde huiverend zijn hoofd. 'Rare Griekse gewoonten, het is gewoon niet natuurlijk.'

'Je moet hem in de gaten houden, Magnus,' zei Servius op gedempte toon, 'hij toonde gisteravond namelijk begrip voor Tigrans standpunt.'

Magnus keek zijn raadsman niet-begrijpend in zijn troebele ogen. 'Hoe weet jij dat nou?'

'Ik ben misschien blind, maar mijn andere zintuigen zijn nog prima in orde. Gisteravond klonk er kort instemmend gemompel met Tigran; heel zachtjes, zeker, maar ik heb het zeker goed gehoord en het leek me dat het Cassandros was.'

Magnus keek naar de Griek, die met een dreigende blik achter Festus bij de tot stoppen gedwongen familie stond; er wisselde geld van eigenaar. 'Ik zal hem in de gaten houden.' Hij krabde op zijn hoofd om te bedenken waarover ze voor dit intermezzo hadden gesproken. 'Dus niemand heeft sindsdien iets over die Celsus vernomen?'

'Wat?' Servius nam even de tijd om naar het onderwerp terug te keren. 'Nee, inderdaad. Het verrast me dat hij niet is teruggekomen voor de triomftocht; je bent toch niet goed bij je hoofd als je zoveel kansen laat liggen nu al die rijkdom de stad binnenkomt?'

Magnus sloeg zijn plaatsvervanger op zijn schouder. 'Hoe dan ook, hij is er niet, dus we moeten het heft in eigen handen nemen.'

'Magnus!'

Magnus draaide zich om in de richting van de kreet; Quintus Martinus kwam door de Vicus Longus aanrennen. 'Wat is er, Martinus?'

'De twee mannen die je bij mijn woning hebt geposteerd zeiden dat ik jou moest halen. Ze houden de slaaf van de huisbaas vast.'

Magnus wierp een blik op de slaaf, die met een zak over zijn hoofd en zijn handen en voeten vastgebonden in de hoek van het atelier van Martinus zat, en richtte zich tot de twee broeders die hem hadden opgepakt. 'Waarom houden jullie hem in godsnaam hier vast?' riep hij boos.

De mannen wierpen elkaar een verwarde blik toe en keken de werkplaats rond, die vol hing met kettingen en gereedschap, alsof daar het antwoord op de vraag te vinden was.

'Servius zei tegen ons dat we hem moesten oppakken zodra hij weer langskwam, Magnus, en hem moesten blinddoeken,' legde de oudste van de twee uit, verdedigend zijn kin naar voren stekend.

'En waar moest je hem vervolgens vasthouden, broeder? Nou?'

'In de buurt; maar we dachten dat...'

'Jullie dachten? Wanneer was de laatste keer dat iemand jullie heeft laten nadenken? Servius heeft jullie uitgekozen vanwege jullie spierkracht en niet om jullie verstandelijke vermogens, die zo beperkt zijn dat zelfs Sextus jullie te slim af zou kunnen zijn.'

De broeder keek nu iets minder uitdagend en liet zijn hoofd zakken, en op zijn voorhoofd vormde zich een beledigde frons. 'Dat is niet eerlijk, Magnus; we hebben gewoon gedaan wat ons verteld werd.'

Magnus spande zijn spieren, alsof hij op het punt stond een uitval te doen, waarna hij diep ademhaalde en overdreven geduldig verder sprak: 'Dat is de tweede fout.' Hij wees naar de gevangene. 'Nu kent hij mijn naam; dan mag hij de jouwe natuurlijk ook kennen, Laco.' Hij liep naar de slaaf en scheurde de zak van zijn hoofd. 'Nou, dan mag hij ook wel weten hoe we er allemaal uit zien; wat maakt dat nog voor verschil?'

Laco keek naar de doodsbange slaaf, die net de tienerleeftijd was ontgroeid. 'Helemaal niks, denk ik, omdat ik inderdaad jouw naam heb genoemd, Magnus.' Hij keek zijn patronus berouwvol aan. 'Het spijt me; dat was stom van me.'

'Ja, dat was het zeker, maar niet zo stom als hem hier in Martinus' werkplaats vast te houden, want hij zal zeker aan zijn eigenaar laten weten dat Martinus erbij betrokken was, en dat was de reden dat Servius je vertelde om hem in de buurt vast te houden.'

'Ik zal niets zeggen, meester, ik beloof het,' smeekte de jonge slaaf. 'Laat me gewoon gaan; ik zal niets tegen mijn eigenaar vertellen.'

'O nee? En wie is dat dan?'

Na enig nadenken besloot de slaaf dat hij niets te verliezen had. 'Lucius Favonius Geminus.'

'Wie is dat?'

'Een rijke zakenman die in gebouwen in de hele stad investeert.'

'O ja? Waar woont hij?'

'Aan de kust bij Antium.'

'Heeft hij geen huis in Rome?'

'Een heleboel, meester, overal in de stad.'

'En waar verblijft hij als hij in de stad is?'

'Dat hangt ervan af; ze worden allemaal verhuurd, dus hij verblijft bij een van zijn huurders, van wie de meesten ook zijn cliënten zijn.'

Magnus dacht even na en wees naar de slaaf. 'Waar woon jij dan, als je niet bij je meester bent?'

'Ik heb een kamertje in een van zijn huurkazernes.'

'En hij stuurt jou daar berichten om je te vertellen wat hij verlangt?'

De slaaf knikte, nog altijd met opengesperde ogen van angst. 'Ja, hij heeft me vanochtend een bericht gestuurd met de vraag hoe het met de uitzetting gaat; ik moet hem het tweede uur van de avond antwoord geven.'

'Dus er komt iemand langs om je antwoord op te halen?'

'Ja, meester.'

'In welk blok woon je?'

'In de Subura, in de Vollerstraat. Er is daar een herberg met het teken van de maan op de deur, op de begane grond. Mijn kamer ligt daar vlak achter.'

Magnus knikte en krabde achter op zijn hoofd. 'Goed. Laco, reken met hem af.'

De slaaf probeerde op te springen, maar doordat hij aan zijn enkels was vastgebonden, viel hij op zijn gezicht op de grond. 'Maar meester, ik heb u geholpen!'

'Dat weet ik, maar ik kan je niet laten gaan. Geef Laco maar de schuld; hij heeft je ter dood veroordeeld op het moment dat hij besloot om je hier vast te houden. Wees aardig voor hem en doe het snel, Laco, en probeer je van het lijk te ontdoen zonder het te verkloten.' Magnus draaide zich meteen om en liep diep in gedachten de werkplaats uit.

De verkeersaders van Rome liepen vol toen de avond over de stad viel. De uitgelaten feeststemming ging gepaard met een flinke toename van de hoeveelheid kots en pis in de straten, dankzij de plattelanders die hun spaargeld in de vele kroegen opmaakten. Allemaal waren ze ruim bevoorraad voor bezoekersaantallen die maar eens in de zoveel jaar voorkwamen. Magnus leunde tegen de op straat uitkomende toonbank van de Maantaverne en deelde een kruik wijn, een bord geroosterd varkensvlees en een homp brood met Marius en Sextus. Op zijn rechterelleboog steunend hield hij zijn blik op de armzalige ingang van de vier etages hoge huurkazerne gericht waarin de herberg bijna de helft van de begane grond innam; hij nam voortdurend slokjes van zijn wijn tegen de strontlucht die in de schemerig verlichte straat hing.

'We moeten een paar smeden vinden die bedreven zijn in messen,' zei Magnus, zonder zijn oog van de toegangsdeur af te wenden.

'Smeden? Inderdaad, Magnus,' antwoordde Marius met zijn mond vol varkensvlees, terwijl Sextus verward een frons trok.

'Dat zijn mannen die met ijzer werken, Sextus,' zei Magnus tegen zijn broeder voordat hij zich tot Marius wendde. 'Er zitten er een paar in onze omgeving. Zoek morgen uit wie er wapens voor het leger hebben gemaakt en wie van hen ons de meeste gunsten verschuldigd is; zorg dat ze klaarstaan om na de triomftocht een hoop ijzer te smeden.'

'Komt voor elkaar, Magnus.'

Magnus wierp een blik op Sextus, die nu nog meer in de war leek. 'Het zou te lang duren om het jou uit te leggen, broeder, drink jij je wijn nou maar gewoon.'

Sextus zocht meteen geestelijke opluchting in zijn beker.

Een gedaante vlak achter Sextus' schouder trok Magnus' aandacht. 'Kijk niet om, maar de deur van de huurkazerne wordt nu door een vrijgelatene geopend.'

Magnus keek toe terwijl de man met een *pileus* – de vilten kap van een vrijgelatene – naar binnen ging en de deur achter zich openliet. 'Loop langs en kijk of hij naar de achterkamer is gegaan, Marius.'

Met een knikje zette de eenhandige broeder zijn drankje neer, slenterde ontspannen naar de deur en keek naar binnen toen hij passeerde. Na een zestal stappen draaide hij zich om en liep kalmpjes terug. 'Hij is naar binnen gegaan.'

'Nou, hij zal het daar even leeg aantreffen als wij het hebben achtergelaten.'

Even later verscheen de vrijgelatene weer en hij keek naar links en naar rechts de straat in; er viel hem blijkbaar niets op en hij begon ongedurig heen en weer te lopen, voortdurend ingespannen turend of de slaaf die hij zou ontmoeten al in aantocht was.

Terwijl Magnus en zijn broeders in een kalm tempo hun maaltijd beëindigden, raakte de vrijgelatene steeds geagiteerder omdat zijn afspraak er nog steeds niet was. Uiteindelijk beende hij weg.

Magnus trok zijn kap over zijn hoofd. 'Blijf een beetje op afstand, jongens. Ik volg hem als eerste, dan kom jij, Marius, en neemt het van me over, en dan Sextus; om de vijfhonderd passen wisselen we.'

Met hun prooi steeds tussen de tien en twintig passen voor zich volgde Magnus hem door de chaotische Subura, zonder te letten op de lokroep van de hoertjes van beide seksen, het gesmeek van kreupelen om een aalmoes en alle andere geluiden en afleidingen van het overbevolkte domein van de armoedzaaiers, waar de levenskwaliteit eerder in de afwezigheid van ellende werd gemeten dan in de overvloed aan geluk.

Ze liepen door nauwe straatjes en steegjes, voortdurend van positie wisselend, maar op zeker moment sloeg de vrijgelatene naar het noorden af en beklom hij de Viminaal in de richting van de grootste doorgaande weg daar, de Vicus Patricius. Magnus vloekte bij zichzelf omdat hij besefte dat ze het gebied naderden waar zijn rivalen van de West-Viminaal-broederschap de dienst uitmaakten.

Al snel kwam hij bij die straat aan, in heel Rome befaamd vanwege de rijke keuze aan bordelen voor elke smaak, en sloeg hij rechts af in de richting van de Porta Viminalis, waarachter de kazerne van de praetoriaanse garde stond. Magnus trok zijn kap verder over zijn gezicht om te voorkomen dat hij herkend werd in het fakkellicht bij de ingangen van de hoerenhuizen aan weerszijden. Na nog een paar honderd passen sloeg de vrijgelatene een bredere straat met indrukwekkend grote huizen in. Toen de achtervolgde het vijfde huis aan de rechterkant bereikte, bleef Magnus staan en vloekte hij nogmaals toen hij hem iets hoorde zeggen tegen de twee imposante bewakers, van wie er eentje op de deur klopte. Hij draaide zich meteen om en liep weg, terug naar Sextus en Marius.

'Verdomme, broeders, dat is alles wat ik kan zeggen. Verdomme! Verdomme! Verdomme!'

'Wat is er, Magnus?' vroeg Marius, die zich omdraaide en gelijk op met hem verder liep.

'Ik zeg "Verdomme" omdat het lijkt alsof Lucius Favonius Geminus bij de nieuwe nummer twee van Sempronius' West-Viminaalbroederschap te gast is: Primus.'

'Verdomme,' zei Servius terwijl Magnus zijn conclusies over de gebeurtenissen van die dag trok. 'Het ziet er helemaal niet goed uit.'

'Ik weet het, broeder, iemand die aan Sempronius gelieerd is probeert in ons gebied te infiltreren.'

Servius schudde zijn hoofd; de vlam van de olielamp op de tafel tussen hen in werd weerspiegeld in zijn lege ogen, die zonder iets te zien de drukbezette herberg rond staarden. 'Dat is nog niet de helft, Magnus. Weet jij wie Lucius Favonius Geminus is?'

Magnus dacht even na en haalde zijn schouders op; hij wist dat zijn raadsman een encyclopedische kennis over de Romeinse onderwereld bezat. 'Ik heb nog nooit van hem gehoord, is dat raar?'

'Nee, dat is precies het punt: slechts heel weinig mensen weten echt wat hij uitspookt.'

'Wat doet hij dan?'

'Hij is een knoeier.'

'Een wat?'

'Hij is gespecialiseerd in het knoeien met de buurtgrenzen.'

Magnus gromde en leek het niet te begrijpen.

'Ik zal bij het begin beginnen. Geminus heeft als tribuun in de vigiles een fortuin verdiend omdat hij vaker dan statistisch waarschijnlijk was als eerste bij een brand aankwam.'

'Aha. Bedoel je dat hij ze zelf had aangestoken?'

'Ik wil hem er niet van beschuldigen dat hij dat persoonlijk heeft gedaan, maar ik beschuldig hem er wel van dat hij ruim tevoren al wist waar en wanneer er een brand zou zijn. Hoe dan ook, zoals we allemaal weten van het manipuleren van wagenrennen is voorwetenschap uiterst nuttig, en als je met je vigiles-ploeg al ter plaatse bent om de brand te blussen zodra je met de eigenaar een prijs bent overeengekomen, ongeacht wie er in het gebouw allemaal levend verbrandt, dan bevind je je in een heel lucratieve positie.'

'Tja, dat is de vaste praktijk. De vigiles blussen nooit een brand tenzij ze er goed voor worden beloond. Ik bedoel, waarom zouden ze hun eigen leven in gevaar brengen als ze niet betaald worden? Dat klinkt toch redelijk?'

'Ik ben het helemaal met je eens: een kleine vergoeding voor een gevaarlijke taak is absoluut begrijpelijk. Maar hij ging verder dan dat, veel verder.'

Magnus krabde aan zijn kin en begon het te begrijpen. 'Hij heeft hetzelfde als Crassus gedaan.'

Servius grinnikte en leunde naar voren. 'Nee, hij ging zelfs nog verder. Crassus had zijn eigen privébrandweerlieden voordat de vigiles werden gevormd, en in plaats van een vergoeding te bedingen om de brand te blussen, onderhandelde hij over een verkoopprijs voor het onroerend goed en werd hij bijgevolg de grootste grondeigenaar in de stad.'

'Hoe kun je nog verder gaan dan dat?'

'Nou, als de eigenaar van het gebouw de verkoop afwees, haalde Crassus zijn schouders op en vertrok hij gewoon; als de eigenaar wilde dat zijn bezit tot de grond toe afbrandde, moest hij het verder zelf maar weten. Ondertussen waren de buurtbewoners natuurlijk bezig de brand met alle mogelijke middelen te bestrijden, opdat ze niet alles kwijtraakten als de brand zich uitbreidde; soms lukte hun dat, maar meestal niet. Hoe dan ook, Crassus is een eeuw geleden in

Carrhae gestorven, en geen van zijn opvolgers leek een even geld-beluste mentaliteit te hebben als het om het blussen van branden ging, vooral niet sinds Augustus de vigiles als nachtelijke brand-weer instelde.'

'Tot Geminus dus?'

'Jij snapt het, broeder. Geminus bewonderde de methoden van Crassus, maar meende dat ze iets te veel van het toeval afhankelijk waren; je kon niet weten waar de volgende brand was en de eigenaar van het gebouw kon altijd weigeren om te verkopen.'

Magnus mompelde instemmend. 'Als je het zo bekijkt, hangt het inderdaad nogal van Fortuna af.'

'Inderdaad, dus bracht Geminus nog een kleine verfijning aan, afgezien van het feit dat hij kon voorspellen waar de brand begon, om het zo maar te zeggen: hij zou de radeloze eigenaar een bod doen, en als die weigerde zou hij niet weglopen met zijn vigiles, maar hen de brand laten blussen, op voorwaarde dat de eigenaar hen hielp. Uiteraard is het levensgevaarlijk om zo dicht bij een bran-dend gebouw in actie te komen, en geen enkele eigenaar die wei-gerde om zijn grond te verkopen overleefde het als hij de vigiles hielp om de brand te blussen. Geleidelijk aan raakte dat bekend en uiteindelijk kocht Geminus elk door brand verwoest gebouw op de Viminaal en Esquilijn dat hij wilde hebben.'

Magnus floot zachtjes. 'Een fortuin.'

'Ja, maar hij was een slimme man. Hij kocht alleen de gebou-wen langs de grenzen tussen de broederschappen, zodat de broe-derschappen in de betreffende buurt bereid waren extra te betalen om de buurtbewoners daar onder te brengen, en uiteraard wilde ook de aangrenzende broederschap extra betalen en mensen uit hun buurt daarin huisvesten, zodat ze hun invloed konden uit-breiden. Via hem konden de broederschappen dus hun macht en invloed vergroten, door meer bewoners op een bepaalde plek te huisvesten. Hij was verantwoordelijk voor de West-Viminaal en slaagde erin twee hele straten van de oostelijke rivalen af te nemen; dat gebeurde allemaal in Sempronius' begintijd als patronus, voor-dat hij met de stadsprefect botste over die ballista-affaire en bijna met een daverend slotoptreden in het circus was beloond als hij er niet in was geslaagd om zich tegen een enorm bedrag vrij te kopen.'

Magnus zag het gevaar. 'Heeft Geminus ooit zoiets hier op de Quirinaal geprobeerd?'

'Nee, broeder; en daarom heb je er waarschijnlijk ook nog nooit over gehoord. Zijn vigiles-cohort had alleen jurisdictie over de Viminaal en de Esquilijn. Maar goed, zijn methoden werden zelfs onze gewaardeerde stadsprefect Lucius Volusius Saturninus een beetje te gortig, en hij kreeg de keuze om zich uit het openbare leven terug te trekken of aan de keizer – dat was toentertijd Caligula, die zoals we weten een echte geldwolf was – een verklaring te geven hoe hij aan zijn vermogen was gekomen en hoeveel hij bereid was aan de schatkist bij te dragen. Uiteraard trok hij zich terug en betaalde hij de stadsprefect een aanzienlijke commissie, teneinde te verzekeren dat de keizer, die een paar maanden later vermoord zou worden, nooit zou vernemen hoe vermogend hij was.'

'En hij is vast en zeker nog steeds schatrijk.'

'Inderdaad, rijk genoeg om huurkazernes in onze wijk met contant geld te betalen, zonder dat hij ze als aansporing voor de eigenaars in brand hoeft te steken. Maar het gaat niet alleen om onze buurt; ook aan de grens en...'

Magnus zoog de lucht tussen zijn tanden naar binnen. 'En je zei dat er de afgelopen maand twee gelijksoortige huisuitzettingen zijn geweest.'

'Klopt, en nu ik erover nadenk: die waren allebei vlak bij het blok van Martinus.'

'Iedereen in het blok moest vertrekken?'

Servius knikte.

'En die huurders betalen – of liever gezegd betaalden – ons voor bescherming?'

'Klopt, en ik denk dat zelfs Sextus kan raden wie de nieuwe huurders zullen zijn.'

'Je zou wel eens gelijk kunnen hebben, broeder; Sempronius en Primus zullen hem vast betalen om hun mensen in onze wijk neer te poten.'

'Ja, en als je nog iets over hem weet, is het meteen duidelijk waarom.'

'Wat dan?'

'Hoe luidt Primus' volledige naam?'

Na enig nadenken werd het Magnus duidelijk. 'Natuurlijk! Marcus Favonius Primus.'

'Precies, Primus is de oudste en Geminus is zijn tweelingbroer; ze zijn zeker niet identiek aan elkaar, maar toch zijn het tweelingen. Dankzij het geld van Geminus was de vrijheid van Sempronius gegarandeerd, als onderdeel van de overeenkomst tussen Geminus en de stadsprefect toen hij zich terugtrok. Sempronius' wederdienst bestond erin dat hij Primus tot zijn raadsman benoemde, zodat de weg voor hem openligt om patronus van de West-Viminaal te worden als hij zelf stopt, wat binnenkort het geval is. Geminus wil er duidelijk voor zorgen dat zijn tweelingbroer een invloedrijk man in de buurt wordt.'

'Het is een ambitieus duo.'

'Zeg dat wel.'

'En nu hebben ze hun pijlen op ons gericht.'

'Daar lijkt het wel op. Maar het echte probleem is dat die paar huurkazernes aan het eind van de Vicus Longus niet veel verschil zullen maken; we verliezen misschien wel de invloed in een halve straat of zo.'

'Klote, zeg! Wat heeft hij allemaal gekocht?'

'Inderdaad klote, broeder, want ik weet het niet – maar ik weet wel dat hij er een heleboel kan betalen.'

'Hoe komen we daar dan achter?'

'Dat lukt ons niet, maar we hebben wel een gedweeë senator die dat kan.'

'Het hangt helemaal af van de manier waarop Geminus de wettelijke eigendom van die panden heeft verkregen,' zei senator Pollo tegen Magnus terwijl hij de volgende ochtend met zijn gevolg van cliënten de Quirinaal af liep.

Magnus keek zijn beschermheer niet-begrijpend aan; Sextus, Marius en vier andere broeders liepen voor de groep uit, met stokken zwaaiend om een weg door de menigte te banen, die zich al voor het festival van de volgende dag aan het verzamelen was.

'Welnu, er zijn drie manieren om eigendom van onroerend goed over te dragen: je kunt een formele overdracht regelen, waarbij jij en de verkoper een mondeling contract sluiten, met vijf burgers als getuigen. Of je kunt het voor een aedilis regelen, waarbij je de eigendomstitel opeist en de verkoper dat erkent; daarna zal de aedilis een uitspraak doen waarin hij verklaart dat je eigenaar bent. En ten slotte, als je het pand langer dan twee jaar in bezit hebt is het ook van jou, tenzij je het via diefstal of geweld hebt verkregen of zelf huurder was.'

Magnus moest hierom grinniken. 'Dat laatste is uitgesloten; dus welke van de andere twee past beter bij zijn aankoopmethoden?'

Met een doek depte senator Pollo het zweet dat rijkelijk op zijn voorhoofd parelde, ondanks de koele ochtend en hun rustige tempo. 'Allebei. In het eerste geval hadden de vijf getuigen enkele van zijn vigiles kunnen zijn, die immers allemaal vrijgelatenen zijn, en dus burgers. Op die manier had de overdracht ter plekke geregeld kunnen worden. Maar dat is ook het geval als de lokale aedilis deel uitmaakte van de zwendelarij en samen met Geminus elke locatie bezocht.'

'Dat is meer dan waarschijnlijk; ik geloof niet dat ik ooit een eerlijke plaatselijke aedilis heb meegemaakt.'

'En daar heb je zelf ook talloze malen baat bij gehad, als ik me goed herinner.'

'Tja, je moet roeien met de riemen die je hebt.'

'Dat heb ik zelf ook altijd gevonden.'

'Maar goed, ik ben er niet zozeer in geïnteresseerd hoeveel huizen hij heeft gekocht toen hij tribuun was bij de vigiles; ik maak me er vooral druk over hoeveel panden hij de laatste tijd in mijn sector van de Quirinaal heeft aangekocht.'

'Dan moet je eens een praatje met de plaatselijke Quirinaal-aedilis gaan maken; hij kan je in ieder geval vertellen of hij onlangs nog bij een eigendomsoverdracht betrokken is geweest.' De senator stapte met zijn corpulente lichaam opzij om een enorme hondendrol te ontwijken, maar een van zijn cliënten vlak achter hem trapte er middenin.

'Ik vermoed eerder dat onze lokale aedilis het momenteel te druk heeft met de triomftocht,' merkte Magnus op, terwijl de man uitgleed en in de smerige hoop belandde, en de rest van de cliënten hem passeerde, 'veel te druk om zonder goede reden met lieden als ik over recente onroerendgoedtransacties te praten, als u begrijpt wat ik bedoel.'

'Ik snap het helemaal, oude vriend. Ik kom hem vast vanochtend in de Senaat nog wel tegen. Dan zal ik het ter sprake brengen en kijken of ik iets uit hem kan wringen. Ik weet zeker dat hij in ruil daarvoor wel een gunst van mij vraagt. Hoe staat het trouwens met mijn probleempje?'

'Nou, het blijkt dat Celsus zijn huis op de Esquilijn heeft verhuurd voordat hij naar Gallia vertrok om de invasiemacht van schoeisel te voorzien, maar hij is nog niet teruggekeerd.'

'Zijn huis verhuren? Waarom zou hij dat doen?'

'Ik neem aan dat hij van plan was een tijdje weg te blijven.'

'Maar hij moet toch een huis hebben om naar terug te keren? Niemand die bij zijn volle verstand is en een fortuin aan die barbaren in Britannia heeft verdiend wil daar nog maar een moment langer blijven.'

'Dat is zeker waar, en Servius gaat ervan uit dat hij, als hij zijn zaken in Britannia eenmaal heeft geregeld, snel in de stad terug zal zijn om van de zakelijke kansen die de triomftocht hem biedt te profiteren en hij zal... Ah... natuurlijk.'

De senator bleef opeens staan, zodat de chaos achter hem nog toenam. 'Oei, ik zie nu waar je naartoe wilt, beste vriend; hij zal in de Granaatappelstraat zijn intrek nemen. Dat kunnen we niet toestaan. We moeten hem ertoe dwingen dat pand te verkopen, ik heb het zelf nodig.'

Magnus zweeg nadenkend, maar even later klaarde zijn gezicht op. 'Maakt u zich geen zorgen, senator, u heb me daarnet iets reuze interessants verteld. Ik heb misschien wel een idee, maar dat kost een aureus, dus als u een mogelijkheid ziet om mij dat bedrag te doen toekomen...'

Het Forum Romanum was verfraaid met schitterde versieringen. De beelden, die al in levensechte kleuren beschilderd waren, waren bekroond met bladeren en met rode, witte of gouden mantels omhuld; felgekleurde banieren in allerlei tinten hingen aan de kleurige fronten van de openbare gebouwen. Al die okergele, felrode, donkerbruine en intens blauwe kleuren deden pijn aan Magnus' ogen. Senator Pollo nam afscheid van zijn cliënten en liep samen met zijn collega's de trap van de Curia op. Ze droegen allemaal een klapstoel en maakten zich op om de keizer voor zijn triomftocht uitvoerig te prijzen en elkaar te overtreffen in loftuitingen over de krijgskunsten van een man die voortdurend spastische bewegingen maakte en kwijlde, terwijl hij op zijn zwakke, misvormde benen voortwaggelde.

Maar zo'n lonende invulling van de tijd was voor Magnus en een handvol van zijn broeders niet weggelegd. Ze baanden zich een weg over het forum, langs ploegen publieke slaven die de houten barrières oprichtten. Deze werden normaal gesproken op marktdagen in het Forum Boarium voor de dierenstallen gebruikt, maar dienden nu om de tienduizenden toeschouwers die voor het spektakel werden verwacht in bedwang te houden. In het centrum van het keizerrijk waren de verwachtingen hooggespannen en het enige gespreksonderwerp in het hele complex betrof de triomftocht en de geschenken die gul zouden worden uitgedeeld, ten koste van de barbaarse wilden ver in het noorden.

Behalve natuurlijk voor één groep; zij hadden veel belangrijkere dingen om te bespreken. 'We moeten de bewoners van elk gebouw in het hele grensgebied met de West-Viminaal vragen of er de afgelopen maanden een nieuwe eigenaar is gekomen,' zei Magnus terwijl ze het Huis van de Vestaalse Maagden naderden. 'Marius, jij leidt de mannen systematisch door de buurt. We mogen absoluut geen huis overslaan.'

'Komt voor elkaar, Magnus.'

'Begin met de straten die direct aan de West-Viminaal grenzen, en werk dan in afstanden van drie- of vierhonderd passen. En laat een van de jongens op de uitkijk staan bij het huis in de Granaatappelstraat; ik wil weten of onze vriend nog opduikt voordat ik terug ben. Ik zie je daar als je klaar bent.'

Marius knikte ten teken dat hij zijn taak begreep. 'Komt in orde, broeder.'

'Brave jongen. Sextus, jij komt met mij mee.'

'Ik kom met jou mee,' mompelde Sextus, langzaam de bevelen in zich opnemend. 'Komt voor elkaar, Magnus. Waar gaan we naartoe?'

'Als ik je dat nu vertelde, zou het geen leuke verrassing meer voor je zijn, niet?'

Sextus' gezicht klaarde langzaam op. 'Ik hou echt van verrassingen.'

'Dat is maar goed ook, met zo'n geheugen als het jouwe,' merkte Magnus op, terwijl hij wegliep in de richting van het Forum Boarium en de Brug van Aemilius aan het eind.

De menigte die over de Brug van Aemilius de stad in trok had de doorgang in de tegenovergestelde richting nog tot een tijdrovende aangelegenheid kunnen maken, maar dankzij Sextus' kolossale gestalte en de grimmige blikken van hem en Magnus konden ze bijna ongehinderd verder lopen. De weinige ongelukkigen die in de weg liepen kregen meteen spijt van hun dwaasheid – een van hen verdween zelfs in de kolkende Tiber.

Nadat hij een paar keer links en vervolgens rechts was afgeslagen in de wirwar van steegjes waaruit de lugubere Trans Tiberim-buurt in de stad bestond, bleef Magnus bij een deur staan die hij al een keer of zes was binnengegaan. Hij klopte en wachtte even totdat er een kijkschuifje werd geopend en hij door een donker oog onderzoekend werd aangekeken.

'O, ben jij het,' mompelde degene aan wie het oog toebehoorde, waarna ze de grendel naar achteren trok en de krakende deur opende.

'Hallo, Laelia,' zei Magnus tegen het gebochelde oudje dat voor hem verscheen, 'zo te zien gaat het goed met je.'

Laelia spuugde op de vloer. 'Als je denkt dat je door vleierij een betere prijs krijgt, Magnus, dan zit je er helaas helemaal naast; ik weet heel goed dat ik mijn beste tijd gehad heb en er elke dag slechter aan toe ben. Wat moet je van me?'

Magnus stapte het duistere huis binnen, terwijl hij probeerde de doordringende stank van verschaalde pis die de bewoonster omringde te negeren. 'Het gaat over je diensten; wat willen de mensen zoal van je?'

Laelia deed de deur dicht. 'Mijn prijzen zijn gestegen.'

'Dat zal best, nu er zoveel mensen in de stad zijn voor de triomftocht.'

'Welke triomftocht?'

Magnus keek Laelia aandachtig aan, maar niets wees erop dat ze een gebbetje maakte. 'Je weet het echt niet, hè?'

Laelia gebaarde naar de buitenwereld en schuifelde weg, haar huis in, waar slechts één kaars brandde. 'Wat daar allemaal gebeurt is mijn zorg niet.' Ze leidde Magnus en Sextus naar een duistere kamer vol met aardewerken potten en hangende bossen gedroogde kruiden, de tafel in het midden stond vol met borden en kannen rond een enorme vijzel met stamper. Op het vuur in de hoek stond een dampende pan. 'Wie is het doelwit?'

Magnus maakte een wegwerpgebaar. 'Ik heb geen belangstelling voor een van je drankjes, Laelia, ik ben hier voor de sleutels.'

'Die geef ik niet aan anderen, dat weet je.'

'Dat verwacht ik ook niet van je.'

Laelia keek naar haar dampende pan en vervolgens naar wat er in de vijzel zat. 'Ik ben bezig.'

'Wanneer kun je komen?'

'Over een uur of vier.'

'Dan verwacht ik je rond het middaguur. Ik zal Sextus bij je laten om je naar de Granaatappelstraat op de Quirinaal te brengen.'

'Wat moet er worden geopend?'

'Drie deuren; één huisdeur en twee werkplaatsen. Het huis dateert uit de tijd van Sulla.'

Laelia mompelde afkeurend. 'Ik weet niet wat je van plan bent, maar ik hoop voor jou dat het de moeite waard is; het kost je een aureus.'

Magnus grijnsde, ondanks de exorbitante prijs, stak zijn hand in zijn beurs en haalde er een aureus uit. 'Ik dacht al dat je dat ging zeggen, dus ik was erop voorbereid.'

'En...' Laelia wees met haar hoofd naar Sextus.

'Ik wist ook dat dat een deel van de prijs was, en ook daarop ben ik voorbereid; Sextus zal alles doen wat je hem zegt terwijl je pot staat te borrelen, als je begrijpt wat ik bedoel. Nietwaar, Sextus?'

'Eh, doen wat ze me vertelt.' Hij zweeg even om daarover na te denken, maar hij leek het nog niet ten volle te begrijpen. 'Komt voor elkaar, Magnus.'

'Brave jongen, Sextus, brave jongen.' Magnus stak de munt uit. 'Ik zie je op het middaguur.'

Laelia pakte de gouden munt aan, beet erop en keek Sextus goedkeurend aan; het vuur brandde weer in haar bejaarde ogen. 'Ik ben er een uur na de middag.'

Op de terugweg naar de Quirinaal maakte Magnus zich zorgen over de vertraging, maar hij kon Laelia onmogelijk tot grotere haast bewegen; ze werkte altijd in haar eigen tempo en kon zich dat ook veroorloven: als de Hoedster der Sleutels – de grootste set lopers die bij de Romeinse onderwereld bekend was en die ze in haar jeugd met haar vader had gemaakt – stelde ze haar eigen voorwaarden en bepaalde zij de agenda. Het verhaal ging dat er geen deur in Rome was die niet met een van haar sleutels te openen viel.

'Je mag echt blij zijn dat ze vandaag wilde komen,' zei Servius nadat Magnus hem bij zijn terugkeer in de herberg van de afspraak op de hoogte had gebracht. Hij knikte naar twee mannen die bij een karaf wijn in het midden van de herberg zaten. 'Dit zijn de twee smeden; ze zijn ons allebei om verschillende redenen gunsten verschuldigd, niet in het minst omdat we hebben afgerekend met de man die de dochter van de man rechts had verkracht.'

'O ja? Wat hebben we dan gedaan?'

'Wat we altijd doen.'

Magnus huiverde en gebaarde de twee mannen naar zijn tafel te komen.

'Orfityus,' zei de man rechts, zich voorstellend.

'Minos,' zei de andere smid, die een baard had en met een zwaar Grieks accent sprak.

'Nou, mannen, ik ben blij dat jullie zover zijn dat je je schuld aan de broederschap kunt aflossen. Hebben jullie ooit voor het leger gefabriceerd, zwaarden en dergelijke?'

Beide mannen verzekerden hem dat ze daarin ervaring hadden.

'Jullie moeten aan het begin van het achtste uur met je gereedschap en slaven in de Granaatappelstraat zijn. Ik meen dat er al een smeltoven is in een van de werkplaatsen die we overnemen, maar die is vast en zeker niet groot genoeg. Hoe makkelijk is het om nog zo'n oven te installeren?'

'Dat hangt ervan af hoe groot die moet zijn, Magnus,' antwoord-de Orfityus, terwijl er een knappe jonge slaaf met lang vlashaar de herberg binnenkwam en naar Servius toe liep.

'Groot genoeg om een heleboel dolken tot wapens van militaire kwaliteit te smeden en om meer ijzer dan je ooit hebt gezien tot staven om te smelten,' zei Magnus, die zag dat de slaaf zijn raads-man iets in het oor fluisterde, zich omdraaide en vertrok.

'Waarom kunnen we niet gewoon in onze eigen smidsen wer-ken?'

'Omdat dit geheim moet blijven, beste man; niemand mag weten dat er zo'n grote hoeveelheid ijzer op de markt komt, anders krijgen we net zo'n enorme prijsdaling als bij de slaven.'

De twee smeden keken elkaar aan en richtten daarna hun blik weer op Magnus. 'Als we een paar dagen de tijd hebben,' opperde Minos.

'Dus een dag en een nacht is genoeg?'

'Eh... ik denk het wel, Magnus.'

'Goed, aan de slag dan, want het ijzer zal op de avond van de tri-omftocht arriveren. Wees erop voorbereid dat het een tijdrovende klus wordt, maar jullie zullen goed worden beloond.'

De twee mannen gingen met een hoofdknik akkoord en Magnus zond hen met een handgebaar weg.

'En?' vroeg Magnus aan Servius.

'Dat was een van senator Pollo's jongens.'

'Dat weet ik, ik ben niet blind... O, neem me niet kwalijk, broe-der.'

'Goed, goed, het lijkt erop dat onze senator vanochtend met de plaatselijke aedilis heeft gesproken, die hem heeft gemeld dat hij in de afgelopen drie maanden getuige is geweest van zeven eigen-domsoverdrachten van huurkazernes in ons gebied, allemaal aan het eind van de Vicus Longus gelegen, bij onze grens met de West-Viminaal.'

'Bij Jupiters slappe voorhuid! Klote!'
'Inderdaad klote, broeder, klote.'

'Er is niemand in de buurt geweest, Magnus,' meldde de broeder die bij het huis in de Granaatappelstraat op wacht stond toen Magnus vlak na de middag arriveerde.

'Nou, dat is in elk geval goed nieuws, Laco. Heb je Marius nog gezien?'

'Ja, broeder, hij was hier daarnet met een paar van de jongens en is naar de dichtstbijzijnde kroeg vertrokken om wat te eten en drinken. Hij zei dat hij zo terug was.'

'Goed. Is het nog gelukt om het lijk van die slaaf van gisteren te laten verdwijnen?'

'Zeker wel, gewoon in de Tiber en het hoofd in een riool. Het spijt me, Magnus, ik dacht gewoon niet goed na.'

'Dat is juist het probleem: je dacht wél na, maar je kunt beter helemaal niet nadenken en alleen orders opvolgen. Het was een ernstige fout, broeder, levend hadden we veel meer aan hem gehad dan dood, want ik denk dat hij veel meer wist dan hij vertelde.'

Laco mompelde nog een verontschuldiging, maar dankzij de komst van Marius bleef hem een verdere vernedering bespaard.

'Ik heb geen goed nieuws, Magnus, helemaal geen goed nieuws,' meldde de eenhandige broeder terwijl hij zijn mannen voorging de heuvel op.

'Laat me raden: je hebt zeven woningen gevonden die van eigenaar zijn gewisseld.'

'Zeven? Nee, broeder, meer dan tien, en ze hebben allemaal gisteren of zo bevel gekregen om op te rotten en ze moeten de woningen morgen allemaal ontruimd hebben. Het ziet ernaar uit dat we aangevallen worden.'

'Dat lijkt me ook, broeder, en het wordt tijd om terug te vechten. Maar eerst moeten we deze handel op gang brengen. Waar blijft Sextus toch? Het is vast al een uur na de middag.'

Toen Sextus arriveerde verraste hij Magnus, want niet alleen de oude Laelia leek de kalmte zelf, hetzelfde gold voor de sullige krachtpatser. 'Ze kent een hoop leuke trucjes, Magnus,' gaf hij toe toen hij nader over het onderwerp werd bevraagd. 'Als je je ogen sluit, zodat je haar niet ziet, en niet op de stank probeert te letten, zal het je verbazen wat ze allemaal kan. Een eersteklas hoer van twee denarii is lang niet zo vindingrijk en zou beslist ook meer tanden hebben.'

Magnus huiverde bij de aanblik van het gebochelde oudje en probeerde haar zich niet voor te stellen tijdens een intiem samenzijn, maar dat lukte hem niet, omdat hij zelf ooit aan haar gulzige attenties onderworpen was geweest, die een vast onderdeel van haar beloning vormden. Na die eerste keer dat hij van haar diensten gebruik had gemaakt had hij het fysieke deel van haar beloning altijd door een van zijn broeders laten verzorgen; Sextus was de eerste die zo van haar vaardigheden leek te genieten dat hij er echt genot aan beleefde. 'Ik weet zeker dat je gelijk hebt, Sextus, maar het lijkt me beter als je je mening daarover voor jezelf houdt; het is voor mij nogal pijnlijk, als je begrijpt wat ik bedoel.'

Sextus snapte het niet, maar onthield zich van verder commentaar, met een verbaasde blik op de oude vrouw die in de leren zak die over haar schouder hing grabbelde.

'Welke deur is het, Magnus?' Laelia haalde een verbazingwekkende bos sleutels uit de zak.

'Kom met me mee,' zei Magnus, die blij was dat hij zijn gedachten kon verzetten na alle verontrustende beelden die Sextus bij hem opriep. Hij wendde zich tot de overige broeders. 'Blijf hier, jongens, we mogen niet te veel de aandacht trekken.'

'Als je mijn diensten nog eens nodig hebt, Magnus,' zei Laelia terwijl ze achter hem de heuvel op schuifelde, 'dan zal Sextus een onderdeel van mijn beloning zijn. Hij is heel gewillig; sterk en hard, precies zoals een man moet zijn.'

Magnus mompelde iets onsamenhangends en koos ervoor zijn gedachten daarover voor zichzelf te houden. Ze kwamen bij een huis van twee verdiepingen met aan weerszijden van de voordeur winkels, die met luiken afgesloten waren; de donkerblauwe verf schilferde af, zodat het kale hout zichtbaar werd. 'Deze is het.'

Laelia bukte zich en onderzocht het slot, met haar ogen er niet meer dan een handbreedte vandaan. Nadat ze het nauwkeurig had bekeken en met een paar van de sleutels aan haar bos had vergeleken, keek ze naar Magnus op. 'Het huis mag dan in de tijd van Sulla gebouwd zijn, maar dit slot is moderner; dit is het werk van Blassus uit Tusculum, uit de tijd dat Augustus net keizer was.'

'En houdt dat in dat je het kunt openen?'

'Natuurlijk, maar niet met deze sleutels.' Ze stopte de sleutels weer in de zak, haalde er een nog grotere verzameling uit en bekeek elke sleutel, tot ze er eentje vond met drie smalle vertandingen op gelijke afstanden, elk met een kleine horizontale verlenging op een andere hoogte. 'Hiermee moet het lukken; ik heb deze met mijn vader gemaakt nadat we meer dan tien van Blassus' ontwerpen hadden bestudeerd. De derde tand was altijd hetzelfde.' Ze stak de sleutel in het slot en tot Magnus' grote opluchting ging dat met een metalige klik open.

Laelia grijnsde naar Magnus, haar tandeloze mond ontblotend, en duwde de deur open. Daarna schuifelde ze naar de twee winkels, die ze allebei na een korte inspectie met andere sleutels opende. 'Als je de sloten wilt vervangen, stuur Sextus dan met twaalf denarii naar me toe en geef hem een paar uur vrijaf, dan zal ik hem drie nieuwe geven, en bij elke twee reservesleutels.'

'Dat is een heel goed idee; hij kan ze komen ophalen als hij je terugbrengt.'

Ze keek naar Sextus, die aan het eind van de straat met de andere broeders stond te wachten. 'Nee, hij moet morgen terugkomen, Magnus. De sloten zijn er nog niet als we vanmiddag terugkomen; ik moet ze nog maken.'

'Juist! Ik begrijp wat je bedoelt, Laelia. Hoe laat schikt het je dan?'

'Zo vroeg mogelijk is altijd goed; dan kun je er voor de rest van de dag weer tegen.'

'Hij zal er zijn, maar stuur hem vanmiddag terug zodra je met hem klaar bent, want er is werk aan de winkel voor hem.'

Laelia grinnikte met glinsteroogjes en draaide zich om. 'Dat weet ik, Magnus, dat weet ik heel goed.'

'Dat lijkt me wel geschikt,' zei Orfityus tegen Minos terwijl hij de grote oven in de rechterhoek aan de straatkant van de smidse bekeek; de rook werd via een metalen pijp door een gat in de muur erboven afgevoerd. Dat het gebouw al twee jaar lang verlaten was bleek uit de lagen stof en de spinnenwebben. 'We kunnen een tweede oven in de andere hoek plaatsen met nog een rookkanaal door de muur en in de werkplaats hiernaast hetzelfde doen.'

'En kunnen jullie dat morgenvroeg bij zonsopkomst allemaal geregeld hebben? En is alles dan schoon?' vroeg Magnus op een toon die geen ontkenning duldde.

'Ja, Magnus,' bevestigde Minos. Hij wees op vier potige slaven in de deuropening. 'Het zijn harde werkers, ze weten wat ze moeten doen, want ze zijn al meer dan vijf jaar bij ons.' Achter de slaven liep de ene na de andere broeder van Magnus het huis in en uit om kisten met huishoudelijke spullen en andere noodzakelijke attributen om een huis in te richten naar binnen te brengen.

Magnus liep tevreden naar de deur. 'Aan de slag, jongens, er zal de komende dagen een hoop ijzer verwerkt moeten worden.' De slaven gingen voor hem opzij toen hij de straat op stapte. 'Marius! Stuur een van de jongens terug naar de herberg en vraag Servius om de Germaanse slaven hierheen te brengen. We gaan deze huurkazernes eens goed bekijken.'

'Deze vier aan de linkerkant, die drie daartegenover en dan nog drie op de hoek in de Kettingmakersstraat,' legde Marius uit toen ze de grens met het domein van de West-Viminaal bereikten, aan het eind van de Vicus Longus.

Ondanks de feestelijke sfeer, nog benadrukt door alle versieringen en de straatkeukens die overal voor de festiviteiten waren ingericht, was dit een naargeestig gedeelte van de straat. Voor alle huurkazernes van drie verdiepingen die Marius had aangewezen stonden handkarren, volgeladen met bezittingen van de huurders die op straat waren gezet; overal waren kinderen aan het huilen en zuigelingen aan het krijsen; ze leken te beseffen dat hun toch al moeilijke dagelijkse leven alleen maar zwaarder zou worden.

Magnus bekeek het tafereel, de lucht tussen zijn tanden door naar binnen zuigend, en schudde langzaam zijn hoofd. 'We worden voor schut gezet; zelfs de huurders die niet op straat worden gezet zouden zelf voor de West-Viminaal kiezen als ze hun mensen eenmaal hierheen hebben verhuisd, omdat ze zelf zien dat we hen op geen enkele manier kunnen tegenhouden.'

'Tja, het ging allemaal ook wel erg vlug, Magnus.'

'Dat weet ik, broeder, maar dat zullen ze niet als excuus zien. We moeten onze buurt beschermen en dat hebben we in dit geval duidelijk verzuimd.'

'Wat ben je nu van plan?'

'We zijn nu te laat om de huisuitzettingen tegen te houden, en bovendien heeft Geminus het recht om met het pand te doen wat hij wil. Als hij er inwoners van de West-Viminaal wil onderbrengen, kunnen we daar weinig aan veranderen, hij zal niet zwichten voor onze dreigementen.'

'Dus we zijn de lul?'

'Zoals de situatie er op het moment voor staat zeker, broeder. Zwaar de lul. Maar we zouden er toch veel beter voor staan als we de gebouwen in eigendom hadden of als ze niet bestonden, als je begrijpt wat ik bedoel?'

'Kopen is uitgesloten, zelfs als Geminus zou overwegen de panden aan ons te verkopen, waar natuurlijk geen sprake van is,' zei Servius, terwijl de Germaanse slaven onder gerinkel en geschraap van hun kettingen over de straatstenen het huis in de Granaatappelstraat in schuifelden. 'Dan resteert ons nog maar één optie.'

Magnus trok een teleurgesteld gezicht. 'Dat lijkt mij ook.'

'Maar we kunnen van de gebeurtenissen van morgen profiteren.'

Magnus trok een frons. 'Op welke manier?'

'De triomftocht.'

Magnus' gezicht klaarde op. 'Natuurlijk, het wordt een chaos morgen.'

'En de paar dagen daarna.'

'Onze lokale vigiles zullen het heel druk hebben.'

'En door alle openbare festiviteiten zullen de straten vol obstakels staan.'

312

'Veel meer dan normaal.'

'Inderdaad, broeder. Het lijkt erop dat er overal in de buurt barricades zijn opgeworpen; het zal voor hen verdomd lastig worden hun pompen snel te verplaatsen.'

Magnus' gezicht klaarde nog wat meer op. 'Verdomd lastig, vooral als ze kunnen hebben meegenieten van de twaalf amforen met de sterkste wijn die we kunnen vinden, en die we als broederschap morgenochtend ter ere van de triomftocht van onze geliefde keizer aan onze lokale vigiles zullen schenken.'

'Dat zou een buitengewoon genereus en tegelijk passend gebaar zijn, broeder, gezien de rijke traditie van filantropie waarom de Zuid-Quirinale Kruispuntbroederschap in geheel Rome bekendstaat. Ik zal het regelen zodra ik in de herberg terug ben.'

'En ik zal de mannen voorbereiden op een verhitte werkdag morgen, die naar ik aanneem in een robbertje vechten zal eindigen, zodra Geminus, Sempronius en Primus ervan vernemen. Stuur Martinus een boodschap dat hij een paar kettingen op lengte moet maken en die in zijn werkplaats moet laten liggen.'

De dag van de triomftocht begon koud, en Magnus' adem vormde wolkjes terwijl hij met de andere cliënten voor het huis van senator Pollo stond te wachten. De in toga geklede meute besprak met lichte opwinding welke geschenken ze van hun beschermheer mochten verwachten, ter ere van de grootste dag in de geschiedenis van Rome sinds Caligula zijn overwinning op Neptunus had gevierd. Hij had de godheid toen in de zee ten noorden van Gallia verpletterend verslagen en was als bewijs daarvan met karrenvrachten schelpen naar Rome teruggekeerd. Toen de eerste rossige zonnestralen de weinige wolken van onderen beschenen werd de deur geopend en stapte de buitengewoon knappe portiersjongen naar achteren om de menigte door te laten. In volgorde van belangrijkheid traden ze naar binnen, en in dezelfde volgorde schuifelden ze op rij langs senator Pollo, waarbij ze hem veel gezondheid en een vreugdevolle dag wensten en hij hun met munten gevulde zakjes van verschillende grootte schonk, al naargelang de status van de cliënt.

'Ah, Magnus!' riep de senator met dreunende stem. 'Ik wil je na de salutatio even onder vier ogen spreken. Er staat ons heel wat te wachten vandaag.'

'Pallas zal de wapenkarren van de rest van de meegevoerde buit scheiden zodra de parade op de Campus Martius is teruggekeerd, dat zal in het Flavisch amfitheater gebeuren. Hij geeft je een doorgangsbewijs voor elke kar zodat de bewakers die niet doorzoeken als jullie ze na donker door de poorten terugbrengen; het is natuurlijk niet de bedoeling dat je erop wordt betrapt wapens de stad in te smokkelen.'

'We weten wat er gebeurt als je opgepakt wordt; die arme Sempronius die met die ballista werd betrapt, wat een pechvogel. Maar ik weet zeker dat u uw invloed kunt gebruiken als we door de stadscohort worden opgepakt, zoals ook zijn weldoener deed.'

'Laten we hopen dat het niet zover komt. Ik wil hier zo veel mogelijk winst uit halen.'

'En terecht. We gebruiken de Porta Salaria op de Quirinaal, dan kunnen we de drukste buurten vermijden en rijden we de karren zonder al te veel gedoe naar de Granaatappelstraat.'

'Mooi. Er zijn er in totaal zes, dus vergeet niet genoeg dekzeilen mee te nemen. Laad ze zo snel mogelijk uit en begin meteen met smeden en smelten; hoe eerder het klaar is, des te sneller ik er geld mee kan verdienen. Is alles in het huis in gereedheid?'

'Zeker.'

'Geen teken van de eigenaar?'

'Tot nu toe niet.'

'Mooi. Ik kom morgenochtend daar langs om te zien hoe het gaat.'

'Het gaat ons lukken, senator, als u me tenminste een brief en een certificaat kunt leveren.'

'Hoe bedoel je?'

De senator vertrok zijn vlezige gezicht in een brede grijns toen Magnus hem inlichtte. 'O, heel goed, Magnus, ik begrijp absoluut wat je bedoelt. Ik zal de brief meteen opstellen en je krijgt het certificaat zodra je de wagens na de triomftocht ophaalt.'

De Porta Triumphalis, die alleen werd gebruikt voor deze heilige processie en de eenvoudiger versie, de *ovatio*, zwaaide later die ochtend vlak na het tweede uur open, onder begeleiding van hoorngeschal en een massa ritmisch weerklinkende trommels. Rustig voortstappend in het tempo van de muziek kwamen de muzikanten de stad binnen. Er rees een ongekend gejuich op uit de kelen van iedereen die er zicht op had, dat zich door de menigte langs de hele route voortzette, zoals een vlam een oliespoor volgt. Al snel juichte de hele stad de triomf toe van de man die aanspraak maakte op de verovering van een eiland waarvan de strategische waarde te verwaarlozen was en de financiële opbrengst alleen maar negatief. Desondanks juichte het volk en zwaaide het met de kleuren van de renfacties – Rood, Groen, Wit en Blauw – want in dergelijke hoogdravende overwegingen was niemand op straat geïnteresseerd; ze dachten vooral aan hun maag, hun geldbuidel en hun geslachtsorganen – niet noodzakelijk in die volgorde.

Na de muzikanten volgden de eindeloze rijen haveloze gevangenen, die gebukt gingen onder de last van kettingen en in een ellendige stoet langs een meute van honderdduizenden toeschouwers trokken, wier gezamenlijke krijgsmoed aanzienlijk geringer was dan die van de tienduizend ooit zo trotse krijgers die ze beschimpten. Maar voor hen uit liep geen koning of illustere hoofdman; slechts een kleine groep lage edelen van onbeduidende stammen zouden later die dag ritueel gewurgd worden, want de triomftocht was een schijnvertoning: een groot deel van de stammen van Britannia vocht nog altijd door en bood fanatiek weerstand aan de invasie van Claudius. Caratacus, hun leider, was absoluut nog niet onderworpen. Maar daarover maakten Magnus en zijn broeders zich niet druk toen de gevangengenomen vrouwen en kinderen in een jammerende stoet achter de mannen aan door de poort strompelden, want de problemen die Magnus aan zijn hoofd had waren alleen maar gemakkelijker af te handelen dankzij de afleiding die de hele stad dankzij deze klucht werd geboden.

'Jij neemt de Kettingmakersstraat met je mannen voor je rekening, Tigran; en wij pakken deze straat,' zei Magnus, terwijl hij met een twaalftal broeders vier handkarren door de Vicus Longus voortduwde. Afgezien van de publieke slaven die in de net geïnstalleerde keukens werkten was de straat vrijwel verlaten, op wat kreupelen en dronkaards na, maar die werden zo door hun eigen besognes in beslag genomen dat ze zich niet druk maakten over een paar passerende broeders. Magnus bleef naast de tijdelijke keuken op de kruising met de Kettingmakersstraat staan. 'Denk eraan, Tigran: gewoon het middelste huis, en verzeker je ervan dat er voor het huis een keuken is geplaatst. We komen na de triomftocht in het Circus Flaminius met de rest van de broeders bij elkaar.'

De oosterling knikte instemmend en leidde Cassandros en twee andere broeders de smalle straat in, waar nog meer keukens en tafels waren neergezet, afgedekt met de kleuren van de Blauwe renfactie. Magnus rochelde en spuwde toen hij de banieren in het oog kreeg. 'Marius, jullie nemen de middelste van de drie aan deze kant voor je rekening, en wij nemen de middelste twee van de vier daar verderop.'

'Komt voor elkaar, Magnus. Veel succes bij je pogingen om Sextus zover te krijgen dat hij zich met zijn beperkte brein op het huidige probleem weet te concentreren.' Met een grijns in de richting van de breedgeschouderde Sextus, die duidelijk nog altijd in de ban was van zijn ochtendlijke bezoek aan Laelia om de nieuwe sloten op te halen, leidde de eenhandige broeder zijn drie mannen naar het pand in kwestie, langs de keuken op de stoep buiten, waar slaven varkensvlees aan het uitsnijden waren voor het rooster.

'Deze kant op, mannen,' zei Magnus tegen Sextus, Laco en een derde broeder, terwijl hij de straat overstak naar de tweede van de vier huurkazernes. Op een normale dag zou het in de twee bedrijfsruimten – een herberg en een bakkerij – aan weerszijden van de ingang een drukte van belang zijn geweest, maar vandaag zat alles potdicht; wie wilde zijn geld aan eten en drinken besteden als er gratis voor iedereen genoeg zou zijn? Daar kwam bij dat de nieuwe huurders nog steeds hun intrek in de nieuwe woning moesten nemen, omdat er vandaag veel grotere attracties waren die de aandacht vroegen. Magnus liep onopgemerkt naar het gebouw. 'Laat ze dichterbij komen, Laco,' beval hij, naar de publieke slaven wijzend die de kookvuren in de keuken aan die kant van de weg opstookten.

Hij verdween in het huis; Sextus, nog altijd met een weemoedige blik op zijn gezicht, volgde met zijn kar en de derde broeder.

De gang was vochtig en donker, en er drong alleen licht door via de kieren van de deur. De stank was zo hevig dat je die bijna leek te kunnen vastgrijpen. Een trap die even steil was als een ladder voerde door het lage plafond naar de eerste verdieping, een duistere ruimte waar geen licht kon ontsnappen en alleen het geluid van druppelende vloeistof klonk.

'Zet daar maar neer,' zei Magnus, op een donkere hoek aan de linkerkant vlak achter de deur wijzend.

Sextus draaide de kar rond en duwde die naar de plek die hem bevolen was, trok het leren dekzeil naar achteren en haalde er samen met de andere broeder een handvol vodden uit, die hij over de vloer verspreidde, helemaal tot aan de voordeur.

Magnus haalde een amfoor onder de resterende lompen in de kar vandaan, gooide die de trap op en hoorde die op de overloop van de eerste verdieping in stukken vallen. 'Dat lijkt me wel genoeg, jongens, tijd om naar de buren te gaan.'

Laco had de publieke slaven inmiddels met de nodige bedreigingen overgehaald om hun keuken naar een plek hoger op de heuvel te verplaatsen toen Magnus uit het eerste gebouw kwam. 'Neem je kar mee, Laco,' beval hij, zich langs een van de slaven wurmend, die een luifel verplaatste.

Het aanpalende gebouw zag er vanbinnen vrijwel hetzelfde uit; het enige merkbare verschil was de dode hond. Het dier was 's nachts blijkbaar naar binnen gekomen nadat het in een gevecht fors was toegetakeld. Ditmaal leidde Magnus hen door de krakende doorgang naar een achterdeur en zo naar de minder bedompte, maar wel groezelige binnenplaats van nog geen twintig bij twintig passen, die op beide gebouwen uitkeek. De muren waren grotendeels met mos bedekt, dat ook omhoogkroop langs de stam van een reeds lang dode boom, waarvan de takken de met luiken afgesloten ramen van de beide huizen op de eerste verdieping raakten. 'Daar, Laco, tussen die boom en de muur.'

Laco voerde het bevel uit en ze verspreidden de lompen weer rond de kar, en weer pakte Magnus een amfoor van de resterende stapel op de kar. Maar ditmaal pakte hij ook een stuk touw mee. Hij gaf de amfoor en het touw aan de derde broeder, een tengere jongen die nog maar een tiener was. 'Omhoog, Lupus.'

Met Sextus' handen als opstapje klom Lupus de boom in en hij maakte de amfoor zo aan een hoge tak vast dat die recht boven de kar hing; nadat hij de stop van was had verwijderd liet hij zich weer omlaag zakken.

'Goed gedaan, knul,' zei Magnus, de handkar nog een klein stukje verplaatsend. 'Kom, broeders, tijd om te vertrekken en eens te gaan kijken wat we straks in ontvangst zullen nemen.'

Tegen de tijd dat Magnus en zijn broeders zich door de drukte heen hadden gedrongen en een goed uitzichtpunt hadden bereikt, had het einde van de drie mijl lange stoet slaven de Via Sacra bereikt. De zwepen knalden neer op de laatste rijen huilende vrouwen en hun jammerende kroost en het gejoel en gescheld van de menigte maakte plaats voor gefluit en gejuich toen de eerste van de praalwagens in zicht kwam. Onder bewonderend gejuich van de geïmponeerde massa werd de invasievloot uitgebeeld in de vorm van vier triremen – oorlogsschepen –, waarvan de riemen door slaven in een strak ritme werden bediend. Elk van de vier wagens met schepen, die op een kwart van de ware grootte waren nagebouwd, werd door zware ossen getrokken. Op de dekken stonden acteurs, verkleed als legionairs, die heldhaftige poses aannamen en op het eerste schip werd de keizer uitgebeeld, die zijn mannen fier naar het mysterieuze land aan de overkant van het water dirigeerde.

'Ik was erbij toen we aan land gingen,' schreeuwde Magnus boven het lawaai van de menigte uit tegen zijn broeders, 'en ik kan je verzekeren dat hij niet eens in de buurt was.'

Vervolgens werd de invasie zelf uitgebeeld. Terwijl angstaanjagende stamleden met enorme zwaarden naar legioensoldaten zwaaiden die in het zand gestrand leken te zijn, sloeg Claudius in een ander tafereel een stamhoofd met een schitterende gevleugelde helm neer. Ook dit was een politieke verdraaiing die geen relatie met de werkelijkheid had: het leger was bij de invasie op geen enkele tegenstand gestuit.

Steeds meer praalwagens trokken langs, elk met een tafereel waarin een fase van de verovering werd uitgebeeld: het eerste contact nadat de legioenen westwaarts tussen een heuvelrug en de monding van de Tamesis waren opgerukt en de Britse stammen dankzij Claudius' moedige optreden ver hadden teruggedrongen; de dood van Togodumnus, de broer van Caratacus, die in een gevecht van man tot man door de keizer was verslagen; de veldslag om de Afon Cantiacii over te steken, waarover Claudius eigenhandig een brug had gebouwd. Het hield niet op: de oversteek over de Tamesis, geleid door de keizer, het neerslaan van het laatste verzet, de val van Camulodunum en de overgave van de koningen en stamhoofden. Alleen aan deze laatste gebeurtenis had Claudius daadwerkelijk deelgenomen, maar de suggestie die in dit tafereel werd gewekt dat iedere koning op het hele eiland zijn zwaard aan de keizer zou hebben aangeboden was schromelijk overdreven. Maar de menigte kon dat niet schelen en het volk juichte de kelen schor voor de meest krijgshaftige van alle caesars, als je de praalwagens mocht geloven.

En nu volgde het ware bewijs van de verovering. Magnus vroeg zich bezorgd af of hij zijn beschermheer niet een belofte had gedaan die hij nooit waar kon maken, want de wagens met het wapentuig van de verslagen krijgsmacht waren tjokvol geladen; het waren er zes, elk twintig voet lang en bijna zes voet hoog. 'Het kost al meer dan een maand om die wagens te lossen, laat staan om alles te verwerken,' merkte Magnus op terwijl de moed hem in de schoenen zonk.

'We hoeven ze niet allemaal tegelijk te lossen, Magnus,' zei Marius op geruststellende toon. 'Ze passen nog net in het stallencomplex als we de ossen uitspannen en ze naar binnen rijden.'

'Dat zal best, broeder, maar het bevalt me gewoon niet dat we zo'n enorm karwei voor de senator moeten verrichten...' Hij zweeg even omdat hem iets te binnen schoot. 'Maar ik geloof dat senator Pollo dat zelf ook vindt. Dat is een interessant punt, en ik denk dat ik dat op een geschikt moment bij onze beschermheer ter sprake zal brengen.' Nu hij in elk geval enig idee had hoe hij zijn problemen moest oplossen kalmeerde Magnus en richtte hij zijn aandacht weer op de parade, waarin nu de rest van de buit langsreed: volgeladen wagens met huiden, tinnen staven, zilver en goud, kooien met enorme blaffende jachthonden, kisten met juwelen en andere rijkdommen, weggehaald bij het zoveelste volk dat door Rome was beroofd.

Nu alle goederen die bij de invasie waren buitgemaakt aan het volk waren getoond veranderde de toon: de krijgsklanken van hoorns en trommels maakten plaats voor een massa lieren, waarvan de snaren in lieflijke akkoorden trilden, begeleid door fluiten die hoge tegenmelodieën speelden.

Omgeven door deze melodieuze klanken kwamen de overwinnaars in zicht: eerst de senatoren, meer dan vijfhonderd in getal en gekleed in krijtwitte toga's, afgezet met dikke purperen biezen. Elke senator droeg de onderscheidingen die hem waren toegekend: militaire kronen, de regalia van triomftochten en andere parafernalia van de elite. In het midden van de stoet waggelde senator Gaius Vespasius Pollo mee. Hij zweette hevig en deed zijn best om er waardig uit te zien met de regalia waarmee hij was onderscheiden. Dat gold overigens ook voor de honderd andere senatoren die Claudius naar Britannia vergezeld hadden, wat de waarde ervan aanzienlijk verminderde. Elke senator die op dat moment een functie als magistraat bekleedde werd voorafgegaan door zijn lictoren; wierookvaten verspreidden zoete rook, zodat hun reukorgaan niet op de proef werd gesteld door de stank van de overwonnenen voor hen. Toen het volk van Rome de Senaat in het oog kreeg, nam niet alleen het volume van de toejuichingen toe, maar gaven ze ook blijk van hun waardering door varenbladen en bloemen in de lucht te werpen, die als een veelkleurige regen op de parade neervielen. En het gejuich en de bloemenhulde werden nog intenser toen na de lange rij senatoren de persoon voor wie al deze bewieroking uiteindelijk bedoeld was in het zicht kwam, staande in een wagen met vierspan. Gekroond met laurieren, gekleed in de purper- en goudkleurige *toga picta*, met rode laarzen aan zijn voeten en zijn gezicht ter ere van Jupiter Capitolinus in dezelfde kleur beschilderd verscheen de met een spastische tic behepte, kwijlende Claudius. Beverig met zijn ene hand wuivend bedankte hij het publiek voor de toejuichingen, terwijl hij met zijn andere hand de teugels vasthield. Dat laatste was slechts toneelspel, omdat met elk van de paarden die de quadriga trokken een staljongen meeliep die het vasthield, zodat er geen gevaar was dat de dieren plotseling opzijsprongen en de hele vertoning niet alleen maar een farce voor het oog maar ook een fysieke aanfluiting werd.

Varens, bloemen en nu ook rozenblaadjes daalden neer op de keizer en op de bereden officieren achter hem, van wie slechts weinigen echt hadden gediend in een van de legioenen die in het strijdperk waren getreden, maar ze lieten zich er door dat detail niet van weerhouden om hun aandeel in de roem op te eisen. Slechts de twee logge witte ossen achter hen hadden een echte reden voor hun aanwezigheid, en de offerlinten die om ze heen waren gebonden getuigden daarvan. Ten slotte verschenen de soldaten van de zegevierende keizer in de bloemenregen; ze waren gekleed in effen witte burgertoga's en zongen luidkeels marsliederen met brutale teksten die aan Claudius gericht waren, maar waarin elke verwijzing naar zijn fysieke gebreken ontbrak. Er werden nog meer bloemen en bladeren uitgestrooid, terwijl de vrouwen van Rome hun bewondering voor zulke krijgshaftige mannen lieten horen, waarbij sommigen van hen hun borsten ontblootten om hun leuzen kracht bij te zetten, terwijl de talloze hoeren in het publiek hun tunieken omhoogtrokken om te laten zien wat er allemaal te koop was met de giften die onder de legionairs uitgedeeld zouden worden. Uit de gezichten van vele van de soldaten bleek dat ook zij meenden dat dat een uiterst lonende transactie zou zijn.

En zo passeerden de soldaten, maar er waren er veel minder dan je in een triomftocht zou verwachten, omdat geen van de krijgers die nu in de legioenen in Britannia dienden aanwezig kon zijn – in de provincie werd immers nog altijd zwaar gevochten. De legionairs die door het volk van Rome werden toegejuicht waren gerekruteerd uit de praetoriaanse garde, hoofdzakelijk soldaten die actief waren op het paradeterrein en die Claudius naar het eiland hadden vergezeld en daar hadden deelgenomen aan een geënsceneerde veldslag, zodat de keizer de waarheid slechts gedeeltelijk geweld aandeed als hij beweerde dat hij een ontketend leger had aangevoerd. Maar nogmaals, al deze overwegingen werden terzijde geschoven omdat de stad van de vrije dag genoot en de triomftocht gepaard ging met muziek, wierook en spijs en drank, zoals bleek uit de rijke aroma's van geroosterd vlees die uit de honderden keukens in de hele stad opstegen.

Toen de laatste rijen met legioensoldaten passeerden, gevolgd door de laatste schare muzikanten die de eerdere krijgsritmes van trommels en hoorns in een crescendo combineerden met de melodieuze klanken van de lieren en fluiten, maakte het publiek zich op om de stoet te volgen teneinde de offers en alle pracht en praal in het Forum te kunnen aanschouwen.

'Tijd om te vertrekken, jongens,' zei Magnus, de andere kant op draaiend, 'de voorhoede van de parade zal nu ongeveer op de Campus Martius terug zijn.'

De overige broeders van de Zuid-Quirinaal verzamelden zich in de buurt van het Circus Flaminius, terwijl Magnus en de broeders die hem vergezelden zich al duwend en trekkend een weg door de chaos op de Campus Martius baanden. Alle onderdelen van de triomftocht werden naar de diverse opslagplaatsen gebracht. Slaven, van wie velen nu naakt waren, werden in kooien gedreven om daarin de massale veilingen af te wachten die de komende dagen zouden plaatsvinden; de praalwagens werden ontmanteld terwijl de hoog opgetaste wagens met oorlogsbuit de arena van het circus zelf in werden gereden.

'Nog iets van Pallas gehoord?' vroeg Magnus aan Tigran, die bij de open toegangspoorten aankwam op het moment dat er een wagen vol jankende jachthonden doorheen hobbelde.

Tigran wees met zijn hoofd naar de tunnel die dankzij de open poorten zichtbaar was. 'Hij is daardoorheen gegaan; hij zei dat je hem moest opzoeken zodra je hier arriveerde.'

'We gaan samen, we moeten praten.'

De oosterling knikte en volgde Magnus de schemerige doorgang in, die onder de tribunes door naar de zandpiste voerde.

'Je hebt niet genoeg steun, Tigran,' zei Magnus op normale gesprekstoon.

'Wat bedoel je, broeder?'

'Neem me niet in de maling, je weet precies waar ik het over heb, en als je zo doorgaat zul je misschien helemaal geen steun meer nodig hebben, als je begrijpt wat ik bedoel.'

'Bedreig je me nu, Magnus?'

'Nee, broeder, ik wijs alleen op de feiten zoals ik die zie: je hebt me gisteravond openlijk bekritiseerd en de enige die openlijk zijn steun betuigde was Cassandros. Wij kennen elkaar al heel lang. We hebben samen in de legioenen gediend en als het erop aankomt, zal ik op zijn loyaliteit mogen rekenen, ongeacht wat jij hem mogelijk hebt aangeboden. Ik weet dat hij ambitieus is, net als jij, maar dit is niet het moment om te proberen mij opzij te zetten.'

'Wie zegt dat ik dat probeerde?'

'Dat zegt niemand, maar mijn oordeel in twijfel trekken staat gelijk aan je afvragen of ik wel geschikt ben om de patronus van onze broederschap te zijn. Ik heb tot dit moment gewacht om er met jou over te praten, want ik weet nu dat onze problemen allemaal opgelost zullen zijn en dat elke mogelijke clandestiene steun waarop je meende te kunnen bouwen dan is verdwenen.'

Tigran wreef zijn baard tussen zijn duim en wijsvinger, maar zei niets.

'Je hebt nu drie keuzes, broeder: mij volledig blijven steunen, Rome verlaten of doorgaan met zeuren en mopperen, en dan zal je lichaam op een dag stroomafwaarts richting Ostia drijven en je hoofd in een van de riolen in de stront wegzakken.' Magnus glimlachte – maar niet met zijn ogen – en legde vriendelijk zijn arm om Tigrans schouders. 'Maar we willen toch niet dat het zover komt, beste vriend? Jouw tijd komt ook nog wel, maar voorlopig niet.' Magnus kneep nog eens in zijn schouder en liet los toen ze in de arena weer in het daglicht kwamen. Het stond er propvol met wagens, ossen loeiden luid en overal waren mensen druk bezig. 'Nou, wat wordt het?'

Tigran antwoordde meteen: 'Ik blijf, Magnus.'

'Brave kerel om niet te aarzelen. Goed, ik ben niet achterlijk en weet dat als een man honger heeft je hem het beste te eten kunt geven. Ik zal je daarom meer verantwoordelijkheden geven, broeder, wat op zijn beurt weer voor groter financieel profijt zorgt. En laat ik nooit meer horen dat ik niet voor mijn eigen broeders opkom.'

'Dank je, Magnus.'

'Mooi. Ik zal je een paar dozijn mannen meegeven; je kunt beginnen met de verantwoording op je te nemen voor de zending die we binnenkort in bezit krijgen. Je brengt die na zonsondergang door de poorten naar binnen, brengt die naar de paardenstallen achter het huis en begint met afladen, zodat de smeden aan het werk kunnen. Ik zie je in de Granaatappelstraat zodra ik de zaken in de Vicus Longus heb afgehandeld.'

'Je kunt op mij rekenen, broeder.'

'Dat weet ik – en daar hebben we de man op wie we moeten rekenen om ze weer terug in de stad te brengen.'

'Ah, Magnus,' zei Pallas, de keizerlijke beheerder van de schatkist. Zijn stem klonk vlak en zijn gezichtsuitdrukking achter zijn volle baard, die hier en daar zilvergrijs was, viel niet te duiden; zijn lichtblauwe tuniek onder zijn toga was van de fijnst gesponnen wol gemaakt. 'Met deze doorgangsbewijzen kunnen de wagens na zonsondergang de poort door.' Hij overhandigde zes wastabletten aan Magnus, die ze aan Tigran doorgaf. 'Kunt u ze ergens kwijt?'

'Ze blijven bij de mannen buiten,' antwoordde Tigran.

Pallas knikte goedkeurend. 'Mooi, want zodra het donker wordt moeten die wagens verdwijnen.'

'Zullen de mensen ons niet zien als we ze hiervandaan meenemen?'

'Zeker wel, en daarom zullen ze moeten geloven dat ze iets anders zien.' Pallas wees op een flinke stapel kleding in de buurt, waar een vreselijke stank af kwam. 'Ik heb vele van de gevangenen hun kleren laten uittrekken, en nu laat ik de kleren van de gevangen over de dekzeilen van de wagens verspreiden.'

Magnus grinnikte. 'Perfect. Niemand zal er veel aandacht aan schenken, laat staan dat ze die troep in die stinkende stapel willen doorzoeken.'

'Zeker weten.' Pallas haalde een boekrol uit de plooi van zijn toga tevoorschijn. 'Senator Pollo heeft me verteld dat u dit nodig hebt.'

'Dat is, eh…'

'Het is een certificaat dat de datum bevestigt waarop u een be-

324

paald pand in de Granaatappelstraat op de Quirinaal in bezit hebt genomen.'

'En is het ook... eh...'

'Jazeker, het is ondertekend en van een datum voorzien door de aedilis die er op dat moment mee bezig was.'

'Het is verbazingwekkend hoe zo'n document opeens kan opduiken nadat het zo lang zoek was.'

'Dat vond ik ook al, maar met enige pressie bleek het geheugen van de man die zijn functie als aedilis volgend jaar voor het praetorschap wil inruilen opeens een stuk beter dan eerst. Hij liep zijn studeerkamer in en slaagde er al heel snel in om niet alleen het relevante document op te sporen, maar ook het duplicaat ervan, mocht dat ooit in de rechtbank nodig zijn.'

Magnus rolde de boekrol open en keek er aandachtig naar. 'Niet dat ik ook maar een woord kan lezen, maar voor mij ziet dit eruit als precies hetzelfde document dat hij me heeft gegeven – en dat ik daarna heb verloren – om te bevestigen dat we een leegstaand huis niet illegaal in bezit hadden genomen. Bedank hem van me, Pallas.'

'Dat heb ik al gedaan. Goed, Magnus, zorg nu dat deze wapens zo snel mogelijk verwerkt worden, dan zult u er goed voor beloond worden.'

Magnus trok opeens een ernstig gezicht. 'De dankbaarheid van mijn beschermheer is voldoende beloning.'

'Zal ik hem dat vertellen?'

'Eh, nee, het lijkt me beter dat voor onszelf te houden.'

Pallas moest daar bijna om glimlachen en liep weg om toezicht te houden bij het uitladen van de zwaarbewaakte karren met goud en zilver, dat in stevige kisten werd gestopt.

'Weet je, Tigran,' zei Magnus met een blik op de onwelriekende stapel oude kleren, 'het is altijd het beste om zelf het voortouw te nemen; geniet jij dus van het verbergen van de karren, dan neem ik de andere mannen mee naar de Vicus Longus.'

In de straten van Rome werd al volop feestgevierd en de chaos was compleet. Met de hebzucht van de misdeelden die onbeperkt te eten en te drinken kregen wierp het volk van Rome zich op het brood, de wijn en het geroosterde vlees dat hun beloning was voor het verheerlijken van hun keizer. En ze maakten gretig gebruik van deze buitenkans, alsof het hun laatste avond in deze wereld was – wat voor een aantal van hen ook het geval was. Ze schrokten en slempten, kotsten en hoereerden erop los; en toen de zon boven Rome onderging en de lange schaduwen voor het duister plaatsmaakten, verdween elk besef van recht en orde.

'Perfect,' mompelde Magnus tegen zichzelf toen hij met dertig van zijn broeders bij de kruising van de Kettingmakersstraat en de Vicus Longus arriveerde. De publieke slaven die de keukens bemanden waren nog steeds vlees aan het bereiden en brood aan het bakken, terwijl anderen amforen met wijn aan de steeds lavelozere feestvierders uitdeelden. De soldaten van de stadscohorten, die in duo's de keukens moesten bewaken, konden algauw geen weerstand meer bieden aan alle verlokkingen van deze avond en met hun discipline en plichtsbesef was het snel gedaan. Hoeren deden hun werk zonder enige schaamte gewoon op straat, want als ze een cliënt naar een verborgen plekje moesten brengen ging er kostbare tijd verloren, die ze beter konden gebruiken om een paar bronzen muntjes te verdienen.

'Marius, neem een dozijn mannen mee en controleer de oliesporen; als je meer olie nodig hebt, kun je die altijd uit de keukens halen.'

Marius grijnsde. 'Komt voor elkaar, Magnus, het zal niet lang meer duren voordat ze er niets meer aan hebben.'

'Zo is het maar net, broeder. Als je klaar bent, zie ik je bij die keuken een paar honderd passen hoger op de heuvel.'

Met een vrolijke armzwaai verdween Marius in de chaos, terwijl Magnus zich tot Sextus wendde. 'Jij blijft hier met Laco en een zestal mannen en ontmoedigt iedereen die tussenbeide probeert te komen. Ik vermoed dat veel van die lui hier de nieuwe West-Viminaalhuurders zijn, omdat ze lijken te denken dat dit hun domein al is en ik de meesten van hen niet herken.'

'West-Viminaal ontmoedigen, ik snap het, Magnus.'

'Maar hou ze niet tegen als ze ervandoor gaan, want het nieuws moet zich zo snel mogelijk verspreiden.'

Sextus liet deze mededeling even tot zich doordringen. 'Het moet zich snel verspreiden, ik snap het.'

'Brave jongen. Als je klaar bent wacht je bij de werkplaats van Martinus.'

Dat bleek iets te ingewikkeld voor Sextus om meteen te snappen, maar uiteindelijk had hij het door en knikte langzaam naar zijn patronus. 'Ik snap het, Magnus.'

Magnus sloeg Sextus tevreden op de schouder en leidde de resterende broeders de Vicus Longus op. Ze moesten zich nu met het nodige duw- en trekwerk door de meute heen dringen, omdat de buurtbewoners zo dronken waren dat ze de leider van de plaatselijke broederschap niet meer herkenden en niet het fatsoen hadden om plaats voor hem te maken.

'Ga je gang, broeders; alleen wijn, geen eten,' zei Magnus toen ze bij een keuken hoger op de heuvel kwamen. Hij trok een paar dronkaards opzij die tegen een schraagtafel leunden en gebaarde de slaven dat ze een paar amforen uit hun winkel naar zijn wachtende broeders moesten brengen; de stadscohortbewakers hieven hun bekers op naar Magnus en begroetten hem met dubbele tong, wat blijkbaar zoveel moeite kostte dat een van hen begon te wankelen en de schouder van zijn maat vastgreep om niet op de grond te vallen.

De wijn werd snel verdeeld, er werd om nog meer amforen verzocht en tegen de tijd dat Marius ook de heuvel op was geklommen, een halfuur later, voelden de leden van de Zuid-Quirinale Kruispuntbroederschap inmiddels de effecten van de drank op hun lege maag.

'Perfect,' mompelde Magnus nog eens tegen zichzelf terwijl hij bezag hoe zijn mannen van het sap van Bacchus genoten.

'Alles is gereed,' meldde Marius. Hij nam de volle beker aan die Magnus hem aanbood.

'Aan de slag dan, broeder.' Zo luid mogelijk hief hij het meest populaire marslied aan dat die dag over Claudius was gezongen. Het was een oud lied over de noodzaak om je dochters op te sluiten wanneer de triomferende generaal, die de reputatie had een oude bok te zijn, naar huis terugkeerde; het was ooit populair gemaakt door de soldaten van Julius Caesar, maar was sindsdien al vele malen weer tot leven gebracht – al was het onderwerp van deze versie misschien wel het meest onwaarschijnlijke. Maar dat deed er niet toe, want het was een echt feestnummer met een lompe tekst, perfect geschikt voor mannen onder invloed, van wie velen onder het vaandel van de Adelaar hadden gediend en het dus goed kenden.

Luidkeels zingend en in het ritme zijn vuist in de lucht stekend begon Magnus zijn broeders de heuvel weer af te leiden. Naarmate ze verder liepen pikten steeds meer feestvierders het refrein op en brulden ze de vele strofen mee, op hun dijen slaand en hun bekers in het ritme heen en weer zwaaiend, waarbij ze de vereiste schunnige gebaren bij het refrein maakten. Zo leidde Magnus het spontaan gevormde koor de heuvel af, en steeds meer mannen sloten zich aan bij dit eerbetoon aan de gulle gever die hen zo rijkelijk had bedeeld. En wie kon beweren dat dit geen gepast eerbetoon was? Was dit niet het meest voor de hand liggende lied om te zingen bij een feest waarop een triomf werd gevierd? De schorre menigte zwol steeds verder aan en begon anderen te attaqueren: dronkenlappen werden tegen deuren aan geworpen, stelletjes die stonden te vrijen werden van de muren weggetrokken en op de grond geworpen, honden die zo dapper waren om naar restjes op zoek te gaan werden opzij geschopt en keukens werden omvergeduwd, zodat de amforen in een vonkenregen van omgegooide ovens en vleesroosters op straat in stukken braken. Dit alles schrikte Magnus niet af, integendeel zelfs. Hij begon nog luider te kwelen en stak zijn vuist nog driftiger in de lucht, en toen ze de kruising van de Vicus Longus en de Kettingmakersstraat naderden liep hij naar links, bleef staan en liet de menigte om hem heen groeien, terwijl de keukens voor de twee woningen die hij die ochtend had bezocht door Laco's toedoen werden vernield.

Het was een razendsnelle, spectaculaire actie. Het vleesrooster ging om, zodat de roodgloeiende houtskooltjes op straat terechtkwamen, waar het door een glibberige vloeistof spekglad was. Er volgde een lichtblauwe flits, die flikkerend in de richting van de deur van de dichtstbijzijnde woning trok; daarachter werd al snel een oranje gloed zichtbaar op het moment dat de lompen die ze hadden verspreid vlam vatten. Met een steekvlam vlogen de opgestapelde lappen in de kar in de fik en even later had het vuur ook de trap bereikt, waarna de overloop op de eerste verdieping vlam vatte. Met immense voldoening keek Magnus naar de andere kant van de straat, waar boven de hoofden van de zingende menigte die nog steeds door de straat trok de onmiskenbare gloed van een oplaaiend vuur in de ertegenover gelegen huizen zichtbaar werd.

Het duurde niet lang of hij hoorde tot zijn vreugde dat ene woord roepen. Opeens klonk er een schrille kreet: 'Brand!', als de klap van een katapult die tegen een ijzeren helm sloeg. Al snel namen anderen de kreet over en het schunnige lied was snel vergeten. Toen de eerste vlammen uit de vensters lekten en uit het huis oprezen raakte de meute bevangen door paniek en stoof iedereen doelloos uiteen, op Magnus' broeders na; sommigen renden naar voren, anderen naar achteren, maar de meerderheid zocht links een uitweg door de Kettingmakersstraat. De straat was zo smal dat die al snel helemaal volliep en toen de laatste keuken werd omgegooid veroorzaakte dat nog grotere paniek, omdat daardoor het pand dat Tigran die ochtend had bezocht en dat Marius kort daarvoor nog had geprepareerd meteen vlam vatte.

'Terug de heuvel op, jongens!' riep Magnus zodra hij een onheilspellende rode gloed in de Kettingmakersstraat zag. Met talloze anderen holden ze zonder in de massa op te vallen weer naar boven, terwijl de buren van de getroffen gebouwen om de vigiles begonnen te roepen. Maar vooralsnog waren de vigiles nergens te bekennen, want de straten zaten inmiddels geheel verstopt, en daar kwam bij dat ze zich allemaal hadden laten vollopen met Servius' cadeautje, zodat ze veel te traag reageerden op de oproep.

Toen de branden eenmaal volop woedden keek Marius achterom en zag hij in het schijnsel ervan waarop hij gewacht had. 'Eropaf, jongens, en meteen vol aan de bak, zoals je van een organisatie als de onze, die echt om de burgers geeft, mag verwachten.'

Hij rende voor zijn broeders uit door de straat omlaag en toen ze bij de brand aankwamen, leek het alsof ze daar die avond voor het eerst waren. 'Snel, Marius!' riep Magnus overdreven paniekerig uit. 'Zoek emmers en laat de mannen rijen vormen.'

'Wie ben jij?' schreeuwde een stem achter hem.

Magnus draaide zich om en zag een man van middelbare leeftijd, wiens voorname kledij door zijn grote consternatie geheel in de war was geraakt. 'Ik ben de man die deze branden probeert te blussen: Marcus Salvius Magnus, de patronus van de plaatselijke broederschap. En wie ben jij?'

'Ik ben de man die eigenaar is van deze gebouwen: Lucius Favonius Geminus.'

Magnus deed zijn best om een verraste indruk te maken. 'Is dat even toevallig. Hoeveel ben je bereid om mij en mijn mannen te betalen om deze branden te blussen, nu de vigiles zich met andere zaken lijken bezig te houden?'

Geminus wierp Magnus een blik vol afschuw toe. 'Jou betalen? Blus die brand gewoon, anders zal de hele buurt in vlammen opgaan, en het is jouw buurt, dus jouw verantwoordelijkheid.'

Magnus deed alsof hij diep nadacht. 'Je hebt gelijk, Geminus, het is belangrijker om de buurt te redden dan om te proberen een wanhopige eigenaar nog wat geld te ontfutselen.'

Hij draaide zich om en zag Marius en een paar mannen met emmers op hem toe rennen. 'Dat is niet genoeg, broeder, we kunnen daarmee onmogelijk alle drie de branden blussen. We zullen drastische maatregelen moeten nemen: brandgangen. We moeten de gebouwen aan weerskanten neerhalen en voorkomen dat het vuur zich verspreidt.'

'Je hebt gelijk, Magnus, wat stel je voor?'

'In de Kettingmakersstraat ligt genoeg spul dat we kunnen gebruiken: kettingen met grijphaken, koevoeten, enzovoort. Laat de jongens de winkeldeuren openbreken.'

'Dat kun je niet menen,' riep Geminus terwijl Marius wegliep om de daad bij het woord te voegen.

'Dit is het enige wat je kunt doen om de buurt te redden, zoals je zelf al zei.'

'Maar ik ben ook eigenaar van de belendende panden!'

Magnus keek hem ongelovig aan. 'Van allemaal? Alle zes de gebouwen aan weerszijden van de drie die in lichterlaaie staan?'

Geminus knikte, zijn ogen opensperrend.

'Nou, dat is dan jammer, maar wat kunnen we anders doen?'

'Je zou allereerst met je onschuldige praatjes kunnen stoppen, Magnus,' merkte een nieuwe stem op. Er doemde een enorme gedaante uit het donker achter Geminus op, met nog vele andere gedaanten achter zich.

Magnus' ogen vernauwden zich zodra hij de patronus van de West-Viminaal herkende. 'Sempronius. Wat doe jij op het grondgebied van de Zuid-Quirinaal?'

'Ik zou jou dezelfde vraag kunnen stellen: wat doe jij op het grondgebied van de West-Viminaal?'

'Dit is altijd de Zuid-Quirinaal geweest.'

'Totdat mijn broer deze panden kocht.' Primus stapte uit Sempronius' schaduw, één bonk spieren en zwaar behaard. 'Panden die jullie zojuist in brand hebben gestoken en waarvoor je nu zult betalen.' Hij stak zijn hand onder zijn mantel, trok het mes uit het foedraal onder op zijn rug, liet het in de lucht ronddraaien en ving het zonder te kijken weer op; het lemmet vlamde goudkleurig op.

Magnus wierp een blik over zijn schouder en zag dat zijn broeders zich nu verzamelden. 'Als je liever wilt vechten dan de buurt te redden vind ik het prima; dit is zelfs precies waarop ik had gehoopt.' Hij wendde zich tot Marius, die nu naast hem stond. 'Zijn we klaar?'

Met een zware ketting voor zich uit zwaaiend keek de eenhandige broeder hem met een grimmige grijns aan. 'Geen enkele ontbrekende schakel, broeder.'

'Ik snap wat je bedoelt, broeder; heel goed, echt heel goed.' Laco gaf hem een ketting van drie voet lang; hij pakte die aan en wikkelde het ene uiteinde om zijn vuist. 'Ik denk dat we er klaar voor zijn, Primus; en jij, Sempronius?'

De patronus van de West-Viminaal deinsde achteruit bij de aanblik van meer dan dertig tegenstanders die opeens met in de vuurgloed glinsterende kettingen stonden te zwaaien en ging snel een paar passen achter Primus staan. Maar Magnus was niet van plan om zijn goed voorbereide valstrik door de aarzeling van Sempronius te laten bederven; hij dook naar voren en greep Geminus bij zijn scheenbenen beet. Met een plotselinge ruk haalde hij hem onderuit.

331

De broeders van de Zuid-Quirinale Kruispuntbroederschap stormden naar voren, met de angstaanjagende wapens boven hun hoofd zwaaiend, terwijl Magnus zijn met de ketting omwikkelde vuist tegen Geminus' slaap aan sloeg, zodat die bewusteloos bleef liggen.

De eerste zware schakels werden in de gezichten en lichamen van de West-Viminaal geramd, met gebroken kaken en gebarsten schedels als gevolg; er vloog een oog door de steeds hogere vlammen, met een spoor van donkere druppels bloed erachteraan, wangen scheurden in tweeën, zodat de stompjes van gebroken tanden bloot kwamen te liggen, terwijl uit rood schuimende kelen jammerkreten van ondraaglijke pijn klonken. Meedogenloos hakten ze op hun vijanden in, zodat die in een orgie van geweld waaraan niemand zich kon onttrekken voor de vlucht kozen of in elkaar zakten; Sempronius trok zich nog verder achter Primus terug en sloeg toen op de vlucht. Magnus sprong van de gestrekt op de grond liggende Geminus naar zijn tweelingbroer op; Primus stond als aan de grond genageld, verbijsterd over de omvang van het geweld dat plotseling was opgelaaid. Omdat hij nog nooit met zwaaiende kettingen geconfronteerd was wist hij niet hoe hij zich moest verdedigen; zijn mes was in elk geval niet op de taak berekend. Hij keerde zich om en vluchtte in het kielzog van zijn patronus weg; maar op dat moment maakte Magnus de ketting los zodat die niet langer om zijn vuist zat en zwaaide hem boven zijn hoofd rond; hij liet los op het moment dat het uiteinde zich op één lijn met Primus' hoofd bevond. De ketting suisde horizontaal door de lucht, om zijn eigen as draaiend, en wikkelde zich met een dof geklik van de ronddraaiende schakels om Primus' schedel. Primus schreeuwde het uit en viel met gebogen rug en zwaaiende armen op zijn knieën op straat, waarna hij languit op de grond viel; nog eenmaal stuiterde hij op en toen bleef hij stil liggen.

Zijn broeders konden het niet meer aanzien en vluchtten weg, met achterlating van hun dode en bewusteloze kompanen.

'Roep de jongens terug, Marius! Ze moeten nu de brand blussen!' riep Magnus boven het gebrul van de overwinnaars uit, terwijl er vanaf de heuvel een nieuwe ploeg ter plaatse kwam. 'Aha, ik vroeg me al af wanneer ze zich eindelijk door de meute heen hadden gedrongen.' Hij pakte een weggeworpen ketting op en knielde naast de bewusteloze Geminus neer, terwijl tien groepen van acht vigiles met een paar handpompen op wielen en wagens met gereedschap de heuvel af renden. Hij sloeg Geminus een paar keer in zijn bebloede gezicht en bracht hem weer bij bewustzijn. 'Kom op, vuile smeerlap met je landjepik, je hebt de keuze: of je accepteert mijn aanbod van honderd denarii per huurkazerne, wat heel genereus is gezien het feit dat ze allemaal tot de grond toe zullen afbranden of door onze dappere vrienden van de vigiles zullen worden afgebroken, of je zult nooit meer geld nodig hebben, als je begrijpt wat ik bedoel.'

Langzaam bijkomend richtte Geminus zijn blik op Magnus, terwijl Marius de broeders in brandweerploegen indeelde. 'Klootzak!'

'Ben ik een klootzak? Heb ik soms geprobeerd om in het domein van een andere broederschap te infiltreren? Nou, vertel op! Als ik het eigendomsrecht goed begrijp, is een mondelinge overeenkomst die in het bijzijn van vijf burgers wordt gesloten een juridisch bindend contract; of wil je liever een klap op je kop met deze tamelijk zware ketting?' Magnus hield de ketting voor Geminus omhoog.

Hij keek naar de schakels die vlak voor zijn ogen heen en weer zwaaiden en zuchtte. 'Goed, ik doe het. Maar wel voor tweehonderd.'

'Honderd, niet meer. Maar ik zal niet te gierig zijn.' Hij wees naar het gebouw links van de woning, dat toegang gaf tot de binnenplaats; geen van beide had al vlam gevat. 'Dat ene gebouw kunnen we misschien nog redden, en zelfs als de vigiles ons helpen, zal het ons moeite kosten alle branden te blussen, ook omdat we zoveel tijd hebben verspild met ruziën. Als je ons kunt helpen dat gebouw te redden, mag je het houden en dan geef ik je tien denarii voor elk van de andere negen percelen, die door de brand beschadigd zijn.'

Met de berustende blik van een man die in een hopeloze situatie nog iets probeert te redden kwam Geminus op zijn ellebogen overeind. 'Afgesproken.'

'Marius! Kom hierheen met de centurio van de vigiles en vier van de broeders!' Terwijl Marius de getuigen verzamelde, trok Magnus Geminus overeind.

'We moetuh wel betaald krijguh, weet je dat,' liet de centurio aan

Magnus weten; hij trok een frons en bekeek hem nog eens goed. 'O, jij bennut, Magnush.' Hij gebaarde naar zijn mannen om met de klus te beginnen. 'Noggun amfoor of twee van die wijn sou besst lekker ssijn, trouwus.'

'Die zul je zeker krijgen, Densus, maar eerst moet je voor getuige spelen. Marcus Favonius Geminus stemt ermee in om mij, Marcus Salvius Magnus, zeven panden in zijn eigendom op de Vicus Longus en drie panden in de Kettingmakersstraat te verkopen voor honderd denarii elk of voor tien denarii elk als we een gebouw weten te redden, dat hij dan in plaats van het verschuldigde saldo zou houden. Ga je daarmee akkoord, Geminus?'

'Jawel.' Geminus herhaalde de exacte voorwaarden van de overeenkomst en de getuigen bevestigden de gang van zaken nog eens. Ondertussen werd er fanatiek water in de vlammen gepompt en werden er touwen aan de gebouwen bevestigd die neergehaald moesten worden.

Nu het akkoord eenmaal was gesloten vroeg Magnus zich af hoe het mogelijk was dat Rome niet volledig was afgebrand in de periode dat Crassus huiseigenaren die moesten toekijken terwijl hun panden afbrandden tegen afbraakprijzen hun eigendommen afhandig maakte. Hij rende naar het gebouw met de binnenplaats toe, waar de brandweerlieden al bezig waren touwen aan de bovenverdieping te bevestigen. De rook steeg inmiddels uit de voordeur en een paar ramen op, maar er was nog geen onheilspellende oranje gloed te zien.

'We moeten dit huis snel neerhalen, Densus! Ga jij hier verder, dan maken wij touwen aan de achterkant vast.' Hij rende door de deur, met Marius achter hem aan, en trok intussen Geminus met zich mee. Met het hoofd omlaag en hun ogen toeknijpend tegen de prikkende rook renden ze door de gang de binnenplaats op; de vlammen lekten al uit de ramen van het belendende pand en overal kringelde rook op. De bovenste takken van de boom waren aan het verkolen en sommige twijgen stonden in brand. Magnus bleef staan, terwijl Marius Geminus stevig vasthield.

Geminus keek rond. 'Wat doen we hier? Waar zijn de touwen die we nodig hebben?'

De kille blik op het gezicht van Magnus zei hem genoeg.

'Maar we hadden een overeenkomst!'

'Dat weet ik, een prima overeenkomst, die nu ook wettig beves-tigd is – wat er ook gebeurt.'

Geminus zag het mes niet dat door de rook op hem afkwam en hem vlak onder de ribben in de borst trof, helemaal tot in zijn hart, maar uit de pijn in zijn starende ogen bleek dat hij een intense pijn voelde.

'Je weet hoe het gaat, Geminus, je hebt het in jouw tijd vaak ge-noeg zelf gedaan. Ik heb zojuist jouw zwendel nog iets geperfectio-neerd; niet alleen degenen die weigeren te verkopen betalen met hun leven, zoals bij jou de gewoonte was, maar degenen die wel verkopen laten óók het leven als de overeenkomst eenmaal is be-krachtigd.' Hij draaide het mes naar links en rechts en trok het uit zijn borst; het bloed stroomde op de grond.

Geminus zakte in elkaar; het leven week snel uit zijn ogen. Ma-rius liet hem los en duwde hem op de stapel lompen in de handkar, terwijl de eerste vonken uit de boom vielen nu het vuur van de twijgen naar de takken oversloeg. Magnus pakte een smeulende tak op en blies, zodat die opgloeide. Hij stak hem in de stapel lompen en binnen enkele momenten stond de hele kar in brand.

Door de rook opkijkend zag Magnus dat het vuur inmiddels de tak had bereikt waaraan de amfoor met olie was vastgebonden. Hij zag de vlam verder kruipen en het touw bereiken; het begon te branden. 'Wegwezen!' Hij rende de gang weer in, met Marius vlak achter zich; ze wapperden allebei met hun armen om nog iets te kunnen zien. Ze renden de straat op, die door de vlammen verlicht werd, terwijl steeds meer inwoners in het pandemonium van de brandbestrijding te hulp schoten om te voorkomen dat het vuur naar hun eigendom oversloeg.

'We kunnen hem niet weghalen!' schreeuwde Magnus tegen Densus.

'Wie?'

'Geminus! Er is een tak op hem gevallen. Ik moet een paar van je mannen lenen.' Op het moment dat Magnus dat riep, hoorde hij een doffe dreun. Hij draaide zich om en zag nog net de vlammen door de deur slaan, op het moment dat de met olie gevulde amfoor op het lichaam van Geminus in stukken brak. 'Te laat!' schreeuwde hij, en hij sloeg met zijn vuist in zijn handpalm, waarna hij zachtjes verzuchtte: 'Net op tijd.'

'Nou, Magnus,' zei senator Pollo met dreunende stem, 'dit ziet er allemaal heel goed uit; echt heel goed.'

Het was de ochtend na de brand, en ze stonden in het inmiddels gemeubileerde atrium van het huis in de Granaatappelstraat; overal om hen heen werd hard gewerkt. Een paar geketende Germaanse slaven brachten onder streng toezicht van Tigran en Cassandros hele ladingen wapens van de karren in de paardenstallen naar binnen, die ze in de kamers naast het atrium opborgen; daar ontdeden drie andere slaven onder het toeziend oog van Marius en Sextus de lemmeten van leer, hout of brons, voordat weer twee andere slaven ze naar de smidsen in de twee werkplaatsen aan de voorzijde brachten, waar zich een enorme hitte verspreidde en het intens naar gloeiend heet ijzer stonk.

'Tigran heeft dit allemaal voor elkaar gekregen; ik had elders werk te doen.'

'Ik zal je hiervoor bedanken, Tigran.'

Tigran boog zijn hoofd. 'Ik kijk ernaar uit, senator.'

'Laat me de rest zien.'

Tigran leidde Magnus en de senator langs een paar slaven die met kunstig gevormde zwaarden en dolken sjouwden naar de werkplaatsen. Daar waren de smeden en hun slaven bezig de wapens tot wapens van legerkwaliteit om te smeden; onophoudelijk hamerend vormden ze gloeiend hete lemmeten tot een geheel, zodat het zachtere metaal dat de Britse stammen hadden gefabriceerd tot keihard Romeins ijzer werd versterkt.

'Heel goed, Magnus,' riep senator Pollo nog eens met dreunende stem boven het aambeeldgekletter uit; het zweet stroomde van zijn gezicht. Zijn aandacht werd getrokken door een gedaante die in de hoek met kleinere metalen onderdelen bezig was. 'Wat is hij aan het doen?'

'Martinus? O, die is kettingmaker. Hij smeedt de resten weer tot één geheel, wat heel nuttig is, omdat er een tekort aan kettingen in de stad is; door al die gevangenen stijgt de prijs namelijk flink.'

Met een grote zakdoek veegde de senator het zweet van zijn gezicht – het was een vergeefse strijd – en hij waggelde naar de deur. 'Uitstekend! Hoe lang doen ze erover om de hele vracht te verwerken?'

'Nou, dat is precies het probleem, senator: de smeden rekenen op vier maanden. Ik denk niet dat u en ik ons hebben gerealiseerd hoeveel werk erbij kwam kijken, als u begrijpt wat ik bedoel.'

Senator Pollo zweeg en keek Magnus veelbetekenend aan. 'Ik denk het wel. Hoeveel wil je hebben?'

'Nee, senator, nee, niets voor mezelf. Maar de afgelopen nacht heeft er in mijn buurt in de Vicus Longus en ook in de Kettingmakersstraat brand gewoed.'

'Ga verder.'

'Drie van de gebouwen in de Vicus Longus zijn verwoest en een paar andere moesten neergehaald worden. Maar in de Kettingmakersstraat zijn ze erin geslaagd de brand te blussen voordat die al te veel schade aan de aangrenzende gebouwen toebracht.'

'Jaaa?' zei de senator vragend terwijl hij de straat op liep, waar overal nog de rommel van de festiviteiten opgehoopt lag.

'Nou, de werkplaatsen in die straat zijn allemaal van kettingmakers – smidsen zogezegd, en een ervan is van Martinus. Met wat geld kan ik ze weer aan het werk zetten en we kunnen dan van hen gebruikmaken om het metaal van de helmen en schilden te smelten; we kunnen dat allemaal 's nachts doen, zodat het niet opvalt. Dat zal het werk aanzienlijk versnellen.'

'Aha! Juist. Dus je wilt…?'

Magnus haalde zijn schouders op. 'Duizend zou genoeg moeten zijn…'

'Wat is hier verdomme aan de hand?'

Magnus keek rond en zag een kalende man in een riddertuniek en toga, afgezet met een smalle purperen bies. 'En wie bent u?'

Het gezicht van de man was paars van verontwaardiging. 'Ik ben Lucilius Celsus, de eigenaar van dit huis.'

'Ik vrees dat u zich ernstig vergist. Ik heb dit verlaten gebouw meer dan twee jaar geleden aangekocht en bezit een certificaat van de toenmalige aedilis om te bewijzen dat het wettig is verkregen en niet door diefstal of geweld.'

'Wat zeg je?'

Gaius stapte naar voren. 'Ik weet niet of je eerder de eigendom van het gebouw hebt opgeëist, maar als dat zo is, moet je je schamen: toen je eruit vertrokken was, werd het huis het domein van allerlei schurkachtige types. Als bezorgde bewoner heb ik Magnus hier – ik geloof dat hij de brief nog steeds in bezit heeft – als patronus van de plaatselijke broederschap op de hoogte gebracht, en hij heeft zijn burgerplicht gedaan door al dat tuig eruit te gooien en het gebouw belangeloos weer opgeknapt.'

Magnus plooide zijn gezicht in zijn beste glimlach. 'Inderdaad.' Hij wees door de open voordeur naar het fraai gemeubileerde atrium. 'Zoals je kunt zien wordt het al een tijdje bewoond, al meer dan twee jaar zelfs.'

Senator Pollo zette in een vertoon van autoriteit zijn borst op. 'En wettelijk gezien betekent dat... Het spijt me, ik heb uw naam niet gehoord.'

'Lucilius Celsus!'

'Mijn beste Celsus, het pand is nu zijn eigendom. Je bent te laat.'

'Ik wil die documenten zien.'

Gaius knikte; het zweet droop van zijn dubbele kin. 'Uiteraard. Wie zou dat in jouw positie niet willen? Ik zei onlangs nog tegen Pallas dat als de oorspronkelijke eigenaar zich ooit zou melden...'

'Pallas? Marcus Antonius Pallas, de keizerlijke beheerder van de schatkist?'

'Ja, die bedoel ik; hij was hier omdat we zakenpartners zijn. Hij zei dat als de oorspronkelijke eigenaar ooit zou komen opdagen, die vast op de een of andere manier schadeloos gesteld kon worden, omdat het pand voor onze doeleinden zo nuttig is geweest. Zal ik een gesprek voor je regelen met de man zich met de opbrengst van de triomftocht bezighoudt of kibbel je liever nog een tijdje door over de eigendom van een onbeduidend pand?'

Celsus leek niet overtuigd. 'Hoe kan ik erop vertrouwen dat u enige invloed op hem hebt?'

'Dat kun je niet; maar jij zult de strijd over de vraag wie de wettige eigenaar van dit huis is nooit winnen. Mijn naam is Gaius Vespasius Pollo en ik woon hier vlakbij. Kom over twee dagen naar mijn salutatio, dan zal ik dat lucratieve gesprek voor je gearrangeerd hebben. Ga nu, voordat ik alsnog besluit niet zo behulpzaam te zijn.'

Celsus' verontwaardiging was nog niet weggezakt, maar de mogelijkheid dat de man die de schatkist van het keizerrijk beheerde hem gunstig gezind zou zijn was te aantrekkelijk om voorbij te laten gaan. 'Tot over twee dagen dan, ik zal er zijn.' Onder het uiten van bedreigingen en bezweringen over de actie die hij zou ondernemen als hij werd gedwarsboomd beende Celsus weg, waarbij hij Servius passeerde, die net door Lupus de heuvel op werd geleid.

'Gaat u die afspraak met Pallas voor hem regelen?' vroeg Magnus de senator.

'Ja, Pallas is je een gunst verschuldigd voor de discretie die je in deze kwestie hebt getoond.'

'Nu we het daar toch over hebben: hoe zit het met die duizend?'

'Die krijg je van me, als het werk daarmee sneller gaat.'

'Het zal binnen twee maanden klaar zijn.'

'Uitstekend!'

'Ik vrees dat niet alles zo uitstekend is, Magnus,' zei Servius.

'Wat is er mis, broeder?'

'Helaas heeft de stadsprefect de oorzaak van de branden gisteravond onderzocht.'

Magnus haalde zijn schouders op. 'Hij gaat zijn gang maar, wij hebben niets verkeerds gedaan.'

'Was het maar waar, broeder, was het maar waar. Het lijkt erop dat twee mannen van de stadscohorten hebben gezien dat jij met zingen bent begonnen en de meute de heuvel af hebt gevoerd; vervolgens hebben de publieke slaven van de keukens waar de branden zijn begonnen onder marteling allemaal verklaard dat ze hun keukens hadden moeten verplaatsen. En sommigen van hen hebben jou als de aanstichter aangewezen.'

'Dat zijn slechts veronderstellingen.'

'Was het maar waar, broeder, was het maar waar. Helaas heeft

339

Densus, de vigiles-centurio, die aan zijn tribuun moest verklaren hoe zijn brandweerlieden er afgelopen nacht aan toe waren, toegeven dat wij hun al die wijn hebben gegeven en heeft hij beweerd dat jij al ter plekke aanwezig was toen hij arriveerde. Nou zou dat nog niet zo erg zijn, maar hij heeft ook verklaard getuige te zijn geweest bij jouw eigendomstransactie met Geminus, vlak voordat je met hem een gebouw binnenging waaruit hij niet meer naar buiten is gekomen; en zoals ik je al vertelde, heeft de stadsprefect zaken met Geminus gedaan en weet hij alles over dergelijke aangelegenheden. Als hij hiervan op de hoogte wordt gebracht, zal hij vast een babbeltje met je willen maken.'

'Tjonge!'

'Inderdaad, broeder.'

'Misschien moet ik... eh?'

'Ik denk dat dat misschien wel het beste is.'

'Ik zal doen wat ik kan om het misverstand uit de wereld te helpen,' zei de senator.

'Dat is heel vriendelijk van u, senator. Ik veronderstel dat ik voorlopig terug moet naar Britannia.'

'Dat is de veiligste plek voor jou, Magnus.'

Aan de blik op Magnus' gezicht te zien was hij daarvan niet helemaal overtuigd. 'En dan is er nog dat probleempje met het geld dat ik uw familie voor de slaven verschuldigd ben, senator.'

'Mijn beste Magnus, maak je geen zorgen over dergelijke pietluttigheden. De zaken gaan daar prima voor hen; ik zorg ervoor dat ze je daarmee niet lastigvallen, en dan staan we quitte. Je bent alleen het voorschot kwijt dat je hebt betaald, dat is alles.'

Magnus glimlachte vanbinnen, in de wetenschap dat hij niet lang zonder zijn voorschot zou zitten. Hij probeerde zo onschuldig mogelijk te kijken, wat hem slecht afging.

'En hoe zit het met het huis?'

'Wat is daarmee?'

'Nou, senator, het lijkt erop dat ik de rechtmatige eigenaar ben.'

'Wacht even, ik was...' Senator Pollo stopte halverwege de zin en dacht nog eens na. 'Je hebt gelijk, denk ik; jij bent de enige die dat certificaat voor het gerecht kunt gebruiken. Ik zal je vertellen wat ik zal doen: in ruil voor mijn stilzwijgen over deze kwestie zullen we het verkopen en de opbrengst gelijkelijk verdelen als het werk afgerond is.'

'Daarmee zouden de kosten van de herbouw van de panden die bij de brand verloren zijn gegaan wel gedekt zijn; goed, ik ga akkoord. Geef het geld aan Servius, die regelt het verder voor me. Enig idee aan wie we het kunnen verkopen?'

'Jazeker. Mijn neef Vespasianus heeft een huis nodig als hij uit Britannia terugkeert en ik heb hem beloofd dat voor hem te zoeken; dit lijkt me prima geschikt voor hem.'

'Dat is geweldig.'

'Zeker, maar als je hem in Britannia tegenkomt hoef je hem niet te vertellen dat hij het van ons koopt, anders zal hij beslist een flinke korting eisen, en dat willen we toch niet, hè, Magnus?'

'Nee, senator, dat zouden we zeker niet willen. Absoluut niet.'

De opvolging

ROME, AUGUSTUS 51

'Marcus Salvius Magnus, het is al een hele tijd geleden dat ik je in je functie als patronus van de plaatselijke broederschap om een gunst heb gevraagd.' De verzoekster, die begin twintig was, stond handenwringend voor Magnus' bureau in de achterkamer van de herberg, die als hoofdkwartier van de Zuid-Quirinale Kruispuntbroederschap diende. Zelfs in het vale licht van de twee olielampen – eentje aan het plafond en de andere op het bureau naast een kruik wijn en drie bekers – was goed te zien dat ze een blauw oog en een snee in haar onderlip had.

Door de rook van de lampen was het nog benauwder in de toch al bedompte ruimte, maar Magnus wilde zelfs midden in de zomer geen raam openen, uit angst dat op straat te horen was wat de broederschap hier allemaal bekokstoofde. Hij veegde het zweet van zijn voorhoofd en gebaarde naar de stoel tegenover hem. 'Ga zitten, Tacita.'

Met een dankbaar knikje stapte Tacita naar voren, terwijl ze gedachteloos door haar ravenzwarte haar streek, dat in navolging van de kapsels van rijke vrouwen hoog opgestoken en met goedkope sieraden bezet was; met haar kleding imiteerde ze de hogere klasse eveneens, maar haar palla en stola waren van goedkopere stof gemaakt. Nu ze meer in het licht kwam, kon Magnus zien dat haar gezicht een vriendelijke, meisjesachtige uitstraling bezat, hoewel ze het rijkelijk had beschilderd, eveneens in een poging om haar status te vergroten.

Een vrouw die grote waarde aan haar uiterlijk hecht, meende Magnus, terwijl hij haar in gedachten uitkleedde, haar vrouwelijke rondingen bewonderend.

Hij schudde zijn hoofd om de verleidelijke gedachte te verdrijven, nam een slok wijn en keek naar de oude man met troebele ogen en kromme jichtvingers die naast hem zat. 'Wat hebben we in het verleden voor Tacita gedaan, Servius?'

Servius, die voortdurend piepend ademhaalde, groef in zijn fabelachtige geheugen, aan de losse huid onder zijn kin krabbend. 'Afgelopen mei vier jaar geleden hebben we ervoor gezorgd dat de toenmalige aedilis van de Quirinaal haar echtgenoot Tuscus vrijsprak van de beschuldiging dat hij als astroloog actief was.'

'Ja,' bevestigde Tacita, 'en hij heeft toen een eed gezworen dat hij zich daar nooit meer mee zou bezighouden. Sindsdien heeft hij een kaarsenmakerij opgebouwd, die een groot succes is geworden en prominente klanten trekt, zoals de huidige aedilis zelf en vele van de senatoren en ridders die op de Quirinaal wonen. En ook dat was aan jou te danken, Magnus, omdat jij het bedrijf aan zulke belangrijke mensen hebt aanbevolen.'

'O ja?' De vraag was meer bedoeld voor Servius, die als zijn raadsman en plaatsvervanger van alle activiteiten van de broederschap op de hoogte was.

'Je hebt de senatoren Pollo en Vespasianus, evenals de keizerlijke vrijgelatene Antonia Caenis, gevraagd om hun bedienden bij Tuscus inkopen te laten doen, omdat hij de enige kaarsenmaker in ons domein is. Omdat de zaak dicht bij onze grens ligt hebben niet alleen prominenten van de Quirinaal, maar ook van de Viminaal die gewoonte opgenomen, zodat Tuscus' inkomen flink is gestegen, en daarmee ook de financiële bijdrage die hij aan ons betaalt, te weten meer dan tien denarii per maand.'

Magnus krabde over de baardstoppels op zijn gezicht en keek weer naar Tacita. 'Dus de zaken gaan goed?'

Tacita knikte. 'Heel goed, maar dat is misschien ook de oorzaak van mijn probleem.'

Magnus boog zich naar voren, met zijn ellebogen op het bureau en zijn kin op zijn vuisten, en staarde Tacita met zijn goede oog aan, terwijl de glazen replica in zijn linkeroogkas hol over haar hoofd heen staarde. 'Ga verder.'

Tacita moest even pauzeren omdat Servius' borst omhoogkwam en hij pijnlijk rochelend begon te hoesten. Magnus moest de uitgemergelde grijsaard, die hevig schudde, bij zijn schouders vastgrijpen om te voorkomen dat hij van de stoel viel. Na nog een paar stuiptrekkingen hoestte Servius een grote klodder slijm in zijn hand op.

'Er zit bloed in,' zei Magnus met een blik op de smerige smurrie.

'Dat weet ik, broeder; ik kan het proeven.'

'Hier,' zei Tacita, terwijl ze een rafelige zakdoek uit haar palla tevoorschijn haalde en voor hem ophield.

Magnus pakte de doek aan en veegde de smurrie uit Servius' hand. 'Hoe lang hoest je al bloed op, broeder?'

'Al een paar maanden, maar het wordt de laatste tijd alleen maar erger.' Servius nam een grote slok wijn en klokte die met een opgelucht gezicht naar binnen. Hij gebaarde in Tacita's richting. 'Niks aan de hand; ga verder.'

Tacita keek naar Magnus, die knikte. 'Goed, nu de onderneming van mijn man zo'n succes is, houdt hij natuurlijk flink wat geld over na betaling van de huur voor de winkel en ons onderdak – en nadat hij zijn bijdrage aan de broederschap heeft betaald, uiteraard.'

'We zijn beslist heel blij met zijn bijdrage,' erkende Magnus, 'daarom zullen we jullie allebei graag op alle mogelijke manieren helpen.'

Tacita keek niet zo opgetogen als je zou verwachten na zo'n opmerking. 'Nou, ik ben hier voor mezelf, niet namens mijn echtgenoot, maar hij is wel de reden voor mijn komst. Weet je, nu hij zoveel geld heeft, zet hij dat niet opzij, zodat we een nieuwe slaaf kunnen kopen om ons met de zaak te helpen, maar verbrast hij het aan wijn en hoeren langs de Vicus Patricius op de Viminaal.'

Magnus spreidde zijn handen en mompelde begripvol, hoewel hij van mening was dat dit een heel verstandige en lonende besteding van het geld was, al had hij liever gezien dat Tuscus de bordelen

347

bezocht die hij zelf beheerde. Het leek hem echter beter dat niet op te merken.

Tacita onderdrukte een snik. 'We zijn helaas nog niet met kinderen verblijd. Ik heb de hoop nog niet opgegeven, maar hij besteedt steeds minder aandacht aan mij, hoeveel moeite ik ook doe, en wanneer ik probeer er met hem over te praten wordt hij agressief en schreeuwt hij tegen me; en toen hij gisteravond dronken en naar de hoeren stinkend thuiskwam, deed hij me dit aan toen ik daarover klaagde.' Ze wees op haar blauwe oog en gescheurde lip.

Magnus probeerde opnieuw zijn medeleven te tonen, maar ditmaal lukte hem dat minder goed. 'Waarom ben je daarmee naar ons toe gekomen? Dat is een privékwestie; wat er tussen een man en zijn vrouw gebeurt gaat alleen hen tweeën aan en heeft niets met de broederschap van doen. Jij bent wettelijk zijn eigendom en hij heeft het recht om je te behandelen zoals hem goeddunkt; hij kan je zelfs doden als hij dat wil. Het spijt me, maar ik zie geen reden om me hierin te mengen.'

Tacita kon haar snikken niet inhouden en verborg haar gezicht in haar handen. 'Je moet me echt helpen, Magnus, want jij bent de oorzaak hiervan.'

Magnus leunde achterover in zijn stoel, niet goed wetend of hij haar wel juist had verstaan. 'Wat? Zeg je nou dat ik er verantwoordelijk voor ben dat je man je mishandelt nadat hij aan de zuip en naar de hoeren is geweest?'

'Ja, natuurlijk. Jij hebt toch al die belangrijke mensen overgehaald om zijn winkel te bezoeken? Als je dat niet had gedaan…'

'Dan waren de zaken vast minder goed gegaan, zodat wij er minder profijt van hadden getrokken en jij arm was geweest.'

'Ik was liever arm geweest dan dat ik in angst voor mijn man moet leven.'

'Dus zonder die mooie kleren, je kapsel en je cosmetica, zodat je de schijn kunt ophouden dat je een dame van stand bent?'

'Dat is mijn goed recht; maar mijn man heeft niet het recht mij te slaan als ik klaag dat hij me niet genoeg geld geeft om me behoorlijk aan te kleden, omdat hij al zijn geld aan de hoeren uitgeeft.'

'Aha, dus dat is het werkelijke probleem? Niet genoeg mooie spulletjes.' Magnus had er genoeg van; hij stond op, liep om het bureau heen naar de deur en opende die. 'Sextus, laat de dame uit.'

'Laat de dame uit,' herhaalde Sextus, zoals altijd zijn orders langzaam uitsprekend, terwijl hij met zijn enorme lichaam de hele deuropening innam. 'Komt in orde, Magnus.'

Tacita sprong sissend en spuwend overeind, met haar nagels naar Sextus uithalend toen hij op haar af liep. 'Ik vertrek niet! Ik vertrek niet voordat je me het hebt beloofd, Magnus!'

Verrast door de agressieve uitval deinsde Sextus terug. Zijn gespierde onderarmen zaten opeens onder de bloedende krassen. Snel reagerend greep hij Tacita's bovenarmen met zijn enorme handen beet en tilde haar van de grond, zodat haar benen nu haar voornaamste wapen werden. Magnus wist die vast te grijpen voordat ze echt schade aan Sextus' schenen konden toebrengen. De twee mannen sleepten de hevig kronkelende vrouw, die nu als een krankzinnige gilde, de deur door en de schemerige doorgang in, aan het eind waarvan een trap naar boven voerde. Daartegenover was een met een leren gordijn afgeschermde deur, waarachter gelach en dronkenmansgeklets te horen waren. Nog steeds met de benen van de vrouw worstelend duwde Magnus het gordijn opzij en liep de kroeg binnen. Terwijl iedereen hem aanstaarde en de gesprekken stilvielen, beende hij door de volle zaal.

Magnus' oog viel op een man met een oosters uiterlijk, die een hennabaard had en een geborduurde broek droeg. 'Tigran, maak de doorgang vrij.'

Tigran rende naar de deuropening en duwde een paar vrijgelatenen opzij die tegen de deurlijst aan stonden. Terwijl Tigran de weg voor hen baande, liepen Magnus en Sextus in steeds grotere vaart met de hevig spartelende vrouw verder; ze verdwenen door de open deur naar buiten, waar ze onder de bloedhete augustuszon langs een stel tafels op het kruispunt van de Alta Semita en de Vicus Longus af stevenden. Daar deponeerden Magnus en Sextus Tacita pardoes op straat. Met haar haren in de war en terwijl haar ogen woest heen en weer schoten krabbelde ze op en begon luid te snikken, naar hen opkijkend. 'Help me toch, Magnus; help me!' Ze pakte een handvol aarde op en smeet die in Magnus' richting, maar ze miste en trof in plaats daarvan Tigrans fijn geborduurde, knielange tuniek. Zonder zich ook maar een moment te bedenken trok Tigran zijn mes, dat hij zowel om te vechten als om te eten bij zich had, en liep vastberaden op de jammerende vrouw af.

Magnus klemde een hand om zijn schouder. 'Niet doen!'

Tigran schudde zich los en draaide zich naar Magnus toe. 'Ze smeet een hoop stront naar me toe, en wie dat doet, overleeft dat niet.'

'En niemand pleegt in mijn domein zonder mijn toestemming een moord, en in dit geval krijg je die toestemming niet.'

Ze keken elkaar grimmig aan.

'Denk je nou echt dat ik jouw toestemming nodig heb?'

'Wees voorzichtig, Tigran; vergeet niet dat ik jou de afgelopen jaren steenrijk heb gemaakt. Gooi nou niet je eigen glazen in.' Magnus zag de trotse, koppige oosterling worstelen met het besef dat zijn laatste uur geslagen had als hij zijn patronus in het openbaar weerstond. Tigran krabbelde terug en stak zijn mes met een driftige beweging in zijn foedraal. Over zijn schouder kijkend spuwde hij naar Tacita en liep door de Alta Semita weg. Niemand volgde hem.

Magnus keek op Tacita neer, die het speeksel van haar gezicht veegde. 'Na deze vertoning kan ik niet anders dan het volledig met je man eens zijn, en ik heb er groot respect voor dat hij zich heeft ingehouden en je niet meer dan een blauw oog en een gescheurde lip heeft bezorgd. Als je hier nog eens terugkomt, zal ik zelf zijn werk afmaken, als je begrijpt wat ik bedoel.'

'Sempronius van de West-Viminaal zou een vrouw niet zo laten vallen, en zijn domein begint aan het eind van de straat waar ik woon.'

Magnus grijnsde spottend. 'Sempronius van de West-Viminaal zou precies hetzelfde hebben gedaan als ik, en hij zou je ook nog terug naar je man hebben gesleept en hem precies hebben verteld wat je hebt uitgevreten, omdat hij in tegenstelling tot mij wél een echte klootzak is. En nou oprotten!'

Magnus keek naar een tafel waaraan vier mannen zaten te dobbelen. 'Cassandros, zorg dat ze niet meer binnenkomt en zonder heibel te trappen vertrekt.'

Een van de broeders aan tafel stond grijnzend op. Hij was evenals Magnus begin zestig en droeg een zilvergrijs gevlekte baard in Griekse stijl, die op de linkerwang vanwege een groot blauw litteken onregelmatig groeide. 'Met alle plezier, Magnus. Ik schep er alle genoegen in om zo'n kreng af te ranselen.'

Magnus keek hem boos aan. 'Als je dat maar laat! Het enige wat je moet doen is ervoor zorgen dat ze ons terrein niet betreedt. Als je haar slaat, zal ik de volgende jongen die je naait betalen om je ballen af te bijten.'

Cassandros hield zijn handen omhoog. 'Rustig maar, Magnus, het was maar een grapje.'

Magnus slikte een sarcastische opmerking in en zag een welgesteld ogend paar door de Alta Semita lopen dat kennelijk geen enkele bewaking had. 'Lupus!' gromde hij tegen een jongere broeder van begin dertig. 'Waar ben jij verdomme mee bezig? Waarom bied je onze diensten niet aan die heer en zijn deugdzame dame aan? We willen toch zeker niet dat hun op het grondgebied van de Zuid-Quirinaal iets vervelends overkomt? Ga erop af en zorg dat je amulet van de Zuid-Quirinale broederschap zichtbaar is, zodat ze begrijpen met wie ze van doen hebben. Als je met minder dan vijf denarii terugkomt, zul jij de volgende zijn die Cassandros te grazen neemt.' Magnus was nu echt pissig en keek naar Lupus die op het paar af liep, de hanger met de wolf tevoorschijn trok waarmee hij zijn lidmaatschap van de broederschap kenbaar maakte en hen tegenhield, terwijl andere broeders zich om hem heen verzamelden. Zodra hij zag dat de zaak normaal werd afgehandeld liep Magnus naar de herberg terug, iedereen die hem zelfs maar een blik toewierp woedend aankijkend, al waren dat er maar weinig, want het was duidelijk dat hij in een pesthumeur was.

Hij schopte de deur naar de achterkamer open. 'Wat is er toch met iedereen aan de hand vandaag? Het komt vast door de hitte, broeder.'

Servius staarde hem met zijn troebele ogen aan, maar zijn raadsman deed er verder het zwijgen toe.

351

Magnus pakte een beker, dronk die leeg en schonk zich nog een keer in. 'Wat een lastig kreng is dat, zeg. Je vraagt je af waarom sommige mannen zo dwaas zijn om te trouwen, nietwaar, broeder? In tegenstelling tot mensen zoals wij, die relaties heel verstandig tot een eenvoudige uitwisseling van geld en lichaamsvloeistoffen beperken.' Hij goot de inhoud van zijn beker in zijn keel en veegde zijn lippen aan de rug van zijn hand af, langzaam kalmerend. 'Goed, broeder, wat vind jij? Moeten we haar man vertellen dat ze hier over hem heeft geklaagd of denk je dat we ons er verder niet mee moeten bemoeien?'

Servius antwoordde nog steeds niet.

Magnus kneep zijn ene goede oog iets toe en boog zich naar voren. Hij stak zijn hand uit, legde die op Servius' schouder en schudde hem heen en weer. 'Broeder?'

In een plotselinge beweging, die Magnus deed terugdeinzen, viel Servius met een harde klap voorover op tafel, zodat de wijnkruik op de grond in stukken uiteenviel. 'Servius? Broeder?' Magnus legde zijn vingers op de hals van zijn raadsman, sloot zijn ogen en voelde zijn pols. Hij voelde niets. 'Wel verdomme, broeder, moest dat nou echt precies op dit moment?'

'En daarom, broeders, ben ik tot dit besluit gekomen,' verkondigde Magnus de volgende ochtend tegen een volle herberg nadat Servius bij zonsopkomst was begraven; zijn gehoor van meer dan zestig broeders stond deels buiten, maar iedereen kon hem verstaan doordat de bar een open ruimte was. 'Ik weet dat sommigen van jullie op een langere dienst kunnen bogen, maar ik weet zeker dat ik op hun begrip kan rekenen.' Hij wierp een blik op Cassandros en vervolgens op Sextus. 'Niet de tijdsduur van de dienst, maar de geschiktheid voor de functie acht ik het belangrijkst, en daarom kies ik Tigran om Servius op te volgen en mijn raadsman en plaatsvervanger van onze broederschap te worden.'

Magnus klom van de stoel af en omhelsde Tigran.

'Dat was een heel wijze keuze, broeder,' fluisterde Tigran.

Magnus week iets achteruit en greep Tigran bij zijn schouders vast; ze glimlachten naar elkaar met kille, strakke blikken. 'Een wijze keuze of een keuze uit zelfbehoud, vriend?'

Tigrans valse glimlach verbreedde zich tot een grijns. 'Beide.'

Magnus sloeg zijn nieuwe adviseur op zijn schouders. 'Ik verhuis binnenkort. In de tussentijd kun jij de oude kamer van Servius gebruiken; ik vind het prettig als mijn secondanten op het terrein wonen.'

'Zodat je ze in de gaten kunt houden.'

'Nee, broeder – zodat jij de anderen in de gaten kunt houden en in de buurt bent als ik je advies nodig heb.'

Tigran knikte, draaide zich om en werd met langdurig gejuich begroet.

'En waarom ben ik het niet geworden?' vroeg Cassandros in Magnus' oor. 'We trekken al samen op sinds de Vijfde Alaudae; we hebben schouder aan schouder in de frontlinie tegen allerlei soorten wilden gevochten.'

'Dat weet ik, broeder, en Sextus ook.'

'Ja, maar Sextus zou het nog moeite kosten om zichzelf te adviseren om zijn eigen reet af te vegen nadat hij een flinke drol had gedraaid.'

'Daar twijfel ik niet aan, en daarom heb ik niet eens overwogen hem die functie te geven, wat ik bij jou wél heb gedaan.'

'Waarom heb je die dan niet aan mij gegeven, in plaats van aan die oosterling? Hij is net in Rome aangekomen – wanneer was dat ook alweer?'

'Vijfentwintig jaar geleden, broeder, en sindsdien is hij lid van de broederschap, zodat je niet kunt beweren dat hij het recht niet heeft om patronus te zijn. Daar komt bij dat hij inmiddels mijn gezag in twijfel trekt, zo ambitieus is hij; en dat weet jij heel goed, omdat je hem hebt gesteund toen hij mij vroeg of ik meende het juiste te hebben gedaan toen ik die Germaanse slaven kocht, vlak voordat Claudius direct na zijn triomf de markt met Britse gevangenen overspoelde.'

Cassandros trok een verontwaardigd gezicht. 'Ik heb hem niet gesteund.'

Magnus schudde zijn hoofd. 'Zeker wel, broeder, en probeer dat nou niet te ontkennen. Ik hoorde in het publiek zacht instemmend gemompel, net als die oude Servius. Hij was het die je stem herkende; omdat hij blind is, is zijn gehoor scherper. Maar wat had Tigran je dan aangeboden? Om zijn adviseur te worden? Streefde je daar soms naar?'

Cassandros' gezicht verraadde dat Magnus de spijker op zijn kop had geslagen.

Magnus legde zijn hand op Cassandros' arm en leidde hem naar de deur. 'Tja, broeder, dat is wat ik dacht en daarom kon ik jou vanwege je eigen veiligheid niet tot raadsman benoemen. Als ik dat wel had gedaan, zou Tigran niet alleen mij, maar ook jou hebben moeten vermoorden als hij patronus van de Zuid-Quirinaal wilde worden.'

Cassandros keek Magnus geschrokken aan. 'Gaat hij je vermoorden?'

Magnus knikte, en ze bleven buiten op het kruispunt bij het heiligdom van de huisgoden staan, waarvan het onderhoud de officiële bestaansreden van de broederschap was; op het altaar brandde altijd een vlam, verzorgd door een broeder, die na een handgebaar van Magnus plaatsmaakte. 'Uiteraard. Nu Servius dood is, wist hij dat ik geen andere keuze had dan hem tot mijn raadsman te benoemen, omdat zijn ambitie zo groot was dat hij andere kandidaten zonder meer uit de weg zou ruimen. Hij was nog maar een stap van zijn doel verwijderd. Ik heb hem net verteld dat ik snel opzij zal stappen en voor een soepele opvolging zal zorgen, maar hij is te ongeduldig om daarop te wachten.'

'Waarom vermoord je hem dan niet meteen?'

'Zodat ik een meedogenloze patronus verlies die ervoor zorgt dat de Zuid-Quirinaal scherp blijft en op gebiedsuitbreiding blijft jagen? Nee, vriend, hij krijgt de baan, maar ik wil alleen dat hij een tijd mijn assistent wordt, dan zal hij beter functioneren.'

'Wat ga je doen, Magnus?'

'Doen? Hoezo? In leven blijven natuurlijk, broeder.'

Er klonk geschreeuw en gefluit boven het gejuich voor Tigran uit.

Magnus baande zich een weg naar de straat en zag een contubernium van acht vigiles over de Vicus Longus rennen; zijn nieuwsgierigheid was meteen gewekt omdat ze niemand achterna leken te zitten en ze evenmin op weg leken naar een brand, omdat ze geen handpompen voortduwden.

Hij gebaarde naar Cassandros en Sextus dat ze hem moesten volgen en liep in een niet al te hoog tempo achter de brandweerlieden en stadswachten van Rome de heuvel af. De vigiles bleken de Rode Paardenstraat te zijn ingeslagen, vlak voor de grens met de West-Viminaal; voor een winkel die Magnus goed kende hadden ze halt gehouden, wat hem zorgen baarde. 'Hij is verdwenen en heeft me niet gehoorzaamd, die klootzak uit het Oosten!' Hij rende erheen en drong door de meute die zich voor de winkelingang had verzameld. 'Wat gebeurt hier allemaal?'

De optio van de vigiles draaide zich naar hem toe. 'O, ben jij het, Magnus. We hebben hier een lijk aangetroffen en de aedilis lijkt de zaak om de een of andere reden heel serieus te nemen.'

'Waar is ze, Cordus?'

'Ze? Hoe bedoel je: ze?'

'Tacita. Dit is toch de winkel van Tuscus?'

'Ja, maar Tacita is momenteel in onze kazerne; ze heeft zojuist melding gemaakt van de moord. Ze zei dat het gisteravond is gebeurd.' Cordus wees naar een lichaam dat op de rug op de grond lag, half achter de toonbank verborgen. Het waren beslist de benen van een man. 'Het is Tuscus.'

Magnus keek over de toonbank in de levenloze ogen van Tuscus. Overal was bloed: in plassen en kleverige plekken op de grond, in doorweekte vlekken in zijn tuniek en in spetters op zijn gezicht. Zijn hoofd lag in een onnatuurlijke hoek en zijn keel was één groot gat, van oor tot oor diep doorgesneden.

'Heeft Tacita dit gedaan?'

Cordus haalde zijn schouders op. 'Zoals ik al zei, heeft zij de moord gemeld en ze zweert dat ze het niet heeft gedaan, maar dat kan gewoon bluf zijn. Wel heeft de hele buurt ze gisteravond horen ruziën, en nu is hij dood.'

Magnus liep om de toonbank heen en hurkte bij het lichaam neer. Hij zag geen andere verwondingen.

'Niet aanraken,' waarschuwde Cordus. 'Bevel van de aedilis. Toen hij Tacita verhoorde werd hij razend en hij wil niet dat het lichaam wordt verplaatst totdat hij zelf is komen kijken. Ik begrijp overigens niet waarom. Wat heeft Tuscus nou voor hem te betekenen?'

'Misschien hield hij van zijn kaarsen.'

Cordus vatte de suggestie serieus op. 'Denk je?'

'Laat maar.' Magnus keek rond: zijn blik viel op de deur van de kast onder de toonbank, die op een kier stond. Het slot was blijkbaar geforceerd. Hij trok de deur open en keek in de kast. Die was leeg.

'Wat heb je gevonden?' vroeg Cordus, die aan de toonbank bij Cassandros en Sextus kwam staan.

'Alles wat hierin werd bewaard is weggehaald.'

'Misschien heeft Tacita dat gedaan om ons op het verkeerde spoor te zetten.'

'Dat is heel goed mogelijk.' Maar Magnus' aandacht werd getrokken door een vingerbreed gaatje in de bodem van het kastje. Hij voelde eraan en trok. Er liet een stuk hout los dat een bergplaats verborg, met daarin een boekrol. Hij rolde die open en bestudeerde de dubbele cirkels, verdeeld in twaalf gelijke delen, vol symbolen die hij ook als hij had kunnen lezen en schrijven niet had kunnen ontcijferen. Maar hij hoefde de tekens niet te begrijpen om te weten wat het was. 'Dus Tuscus kluste nog steeds bij?' zei hij binnensmonds.

'Wat heb je daar?' vroeg Cordus, over de toonbank leunend om beter een blik te kunnen werpen.

Magnus rolde de boekrol op. 'Niets om je zorgen over te maken; niets meer dan een lijst van zijn prijzen. Ik zal er nog wel naar kijken; dan weet ik tenminste of hij ons wel genoeg betaalde.'

Cordus trok een frons en keek rond. 'Wat denk je, Magnus, heeft Tacita het gedaan?'

Magnus glimlachte bij zichzelf; hij wist precies wat hij dacht. 'Dat weet ik niet. Ik zal eens rondvragen en hier en daar om een wederdienst vragen.'

'Dat zou geweldig zijn, Magnus.'

Magnus pakte een schoudertas van een rugleuning van een stoel en schoof de horoscoop erin. 'Dit soort dingen kunnen we in onze buurt niet gebruiken, hè, Cordus? Dat is slecht voor de reputatie van ons allemaal.' Hij wendde zich tot Cassandros en Sextus. 'Kom op, jongens, we moeten dit aan iemand laten zien die kan lezen.'

'Ah, Magnus!' bulderde senator Gaius Vespasius Pollo terwijl hij de trap van het Senaatsgebouw af liep naar de plek op het Forum Romanum waar Magnus, Cassandros en Sextus in de menigte stonden te wachten.

'Dat was snel.'

Magnus begreep het niet. 'Snel, senator?'

Senator Pollo waggelde naar voren. 'Ja, ik heb zojuist een bericht naar de herberg gestuurd om je op te halen. Ik heb met onze aedilis op de Quirinaal gesproken, die mij als de oudste bewoner van de heuvel heeft geraadpleegd. We hebben een probleempje – nou ja, best een groot probleem eigenlijk – waarmee jouw broederschap ons kan helpen. Dat zou zelfs in jouw eigen belang zijn.'

'Ik weet zeker dat we u van dienst kunnen zijn, senator. Ik ben op mijn beurt hier om u om een gunst te vragen.'

Senator Pollo sloeg een mollige arm om Magnus' schouders en leidde hem naar een groepje magistraten, van wie er eentje stokoud was. Ze stonden op gedempte toon ingespannen te overleggen. 'Ik weet zeker dat we een plan kunnen maken waar we allebei baat bij hebben. Maar luister eerst naar wat de aedilis te zeggen heeft, als ik hem tenminste van de stadsprefect kan losweken.'

'En wat velen van ons nog het meest verontrust is dat die Tacita beweert dat dit een beroving was om de duplicaathoroscopen van Tuscus te pakken te krijgen,' stelde Publius Vestinus Barbatus, nadat hij Magnus in het kort had verteld wat er was gebeurd. Terwijl ze tussen de meutes op het forum door wandelden, waarbij Cassandros en Sextus de weg voor hen vrijmaakten, voegde hij eraan toe: 'Ze beweert trouwens ook dat ze de twee rovers heeft gezien en die zou herkennen, op voorwaarde dat we haar bescherming kunnen bieden. Gisteravond had ze echter een enorme ruzie met Tuscus, en dat was zeker niet voor het eerst, hebben de plaatselijke vigiles me laten weten. Als ze gelijk heeft en het inderdaad een overval was, wie heeft dan al die horoscopen en wat is diegene daarmee van plan?

En als ze liegt en ze wél haar man heeft vermoord en daarna de horoscopen heeft weggehaald, zodat het lijkt alsof ze beroofd zijn, wat heeft ze daarmee dan gedaan?'

'En nog scherper gesteld,' bracht senator Pollo in, ondanks hun kalme tempo zwaar hijgend, 'wat is ze er nu mee van plan?'

Barbatus zag er terneergeslagen uit. Verwonderlijk was dat niet, want hoewel hij halverwege de dertig was, werd hij al kaal en zag hij ziekelijk bleek, met afhangende mondhoeken en wallen onder zijn ogen. 'Precies. Heel wat lieden zouden niet graag zien dat uitkwam dat ze een astroloog hebben geraadpleegd. Ik heb gehoord dat Sextus Afranius Burrus, de nieuwe praetoriaanse prefect, al voorzichtig onderzoek heeft gedaan naar de verblijfplaatsen van astrologen; hij heeft zonder twijfel een nieuwe zuivering in gedachten.'

Magnus krabde op zijn achterhoofd. 'Ik heb nooit begrepen waarom astrologie in het verdomhoekje zit.'

Senator Pollo veegde een lok haar uit zijn oog. Op zijn voorhoofd verschenen zweetdruppeltjes. 'Het komt door de keizers; die vinden het een slecht idee dat iemand voorspellingen doet over hun dood. Daarom heeft Tiberius hen allemaal uit Italië verdreven, behalve uiteraard Thrassylus, zijn persoonlijke astroloog.'

'Ja, vanzelfsprekend. Ik heb hem met Vespasianus op Capreae ontmoet, toen Tiberius mij voor zijn plezier van een klif wilde werpen.'

'Ja, hij vond het prachtig dat soort grappen met zijn gasten uit te halen. Hoe dan ook, de astrologen keren inmiddels weer terug naar Italië; maar als ze in Rome worden betrapt op het uitoefenen van hun praktijken worden ze vervolgd en kunnen ze op verbanning rekenen, tenzij ze schuld bekennen, zoals Tuscus vier jaar geleden. Dan mogen ze blijven, op voorwaarde dat ze een eed zweren om nooit meer in Rome werkzaam te zijn.'

'Dus hij is teruggekeerd nadat hij die eed had afgelegd, waarna jullie hem doodleuk bleven raadplegen?'

Senator Pollo trok een schaapachtig gezicht en keek snel rond om te zien of er niemand in de buurt was die het gesprek kon afluisteren. 'Nou, hij was buitengewoon goed en het is altijd heel verleidelijk om een blik in de toekomst te werpen. Hij vertelde me dat ik op hoge leeftijd in mijn eigen huis zou sterven. Ik vind dat heel geruststellend, gezien de willekeur die het rechtssysteem tegenwoordig kenmerkt. Het sterkt me in mijn mening dat geen mening hebben de beste manier is om in de politiek te overleven. Maar dat hij geheime kopieën van al onze horoscopen heeft gemaakt was een flagrante schending van ons vertrouwen en levensgevaarlijk. En dat weten dat ze bestaan, maar niet waar ze zich bevinden, is uiterst zorgwekkend.'

'Ik zou me geen zorgen maken, senator.'

'Waarom niet?'

Magnus grijnsde toen ze het bankiersbedrijf van de gebroeders Cloelius in de Basilica Aemilia passeerden, om de grote rij wachtenden buiten heen lopend. 'Nou, u zult er geen schade van ondervinden, want u zult immers in de verre toekomst thuis overlijden. Dat heeft Tuscus u zelf verteld.'

Senator Pollo was niet gerustgesteld. 'Maar stel dat hij ongelijk had. Stel dat die horoscopen in het bezit van de keizer komen. Ik weet niet hoeveel er zijn.'

Barbatus keek al even bezorgd. 'Tacita kon het aantal niet precies noemen, maar ze neemt aan dat het er in die vier jaar meer dan honderd zijn geweest.'

Magnus was zichtbaar verrast. 'Honderd? Hoeveel brengt hij in rekening?'

Senator Pollo en Barbatus keken elkaar even aan toen een paar zwerfhonden hen passeerden, die door een groep publieke slaven met netten door de mensenmenigte werden opgejaagd.

'Tweehonderd denarii per consult,' gaf Barbatus toe.

'Tweehonderd? Dat is schandalig! Dat betekent dat hij twintigduizend denarii voor de broederschap heeft verstopt, dus we zijn er tweeduizend misgelopen. Wat een klootzak, ik zal... Ah, niet nodig, iemand heeft het al gedaan.' Magnus zweeg even om tot rust te komen. 'Wat wil je dat ik doe?'

Barbatus schraapte zijn keel. 'We zouden kunnen proberen Tacita de informatie te ontfutselen, maar als ze echt niet weet wie de horoscopen heeft, winnen we daar niets mee. Evenmin kunnen we het risico nemen om haar te elimineren voor het geval ze de horoscopen in bezit heeft en een regeling heeft getroffen voor het geval dat ze opeens zou overlijden.'

'Ik zie het probleem.' Magnus liep een paar momenten zwijgend verder, over de situatie nadenkend. 'Maar als ze Tuscus echt niet heeft vermoord en de horoscopen heeft meegenomen, wie heeft hem dan vermoord? Hebben die moordenaars de horoscopen dan meegenomen en kan Tacita ze echt identificeren? Of heeft Tacita die meegenomen nadat ze het lichaam had gevonden, in de wetenschap dat ze veel geld waard zijn en ze er later een fortuin mee kan verdienen?'

'Precies. De enige manier om dichter bij de oplossing te komen is dus om haar op straat te zetten en te kijken of iemand probeert haar te vermoorden; zo ja, dan vertelt ze de waarheid en moeten we de moordenaar op heterdaad betrappen. Dat is het allerbelangrijkste.'

'Niet dat Tacita in leven blijft?'

Barbatus maakte een wegwerpgebaar. 'Nee, en eigenlijk zou het zelfs gemakkelijker zijn als ze het leven laat. Jullie moeten haar in de gaten blijven houden zodra we haar hebben vrijgelaten, en als niemand probeert haar het leven te benemen, moet je nagaan waar ze allemaal naartoe gaat en met wie ze spreekt.'

'Dat is geen probleem. En die andere kwestie?'

'Vraag in jouw buurt rond of Tuscus bij iemand kwaad bloed heeft gezet.'

'En probeer te weten te komen of het in de buurt bekend was dat hij nog steeds horoscopen trok of dat het alleen om mensen uit uw klasse ging, zoals senatoren en ridders,' opperde Magnus, terwijl ze bij de tempel van Vesta kwamen. Een gesluierde priesteres werd onder aan de trap in een draagzetel geholpen.

Senator Pollo draaide zich naar Barbatus toe. 'Dat is een heel goede invalshoek, waaraan we nog niet hadden gedacht.'

Barbatus bleef staan, waarna het hele groepje stopte. 'Als je dit naar tevredenheid volbrengt, Magnus, zul je er geen spijt van krijgen.'

'Dat klinkt me een beetje vaag in de oren, aedilis.'

'Wat wil je? Geld?'

'Nee, een gunst.'

'Wat dan?'

'Ik bedenk wel iets als het zover is.'

'En dat klinkt mij dan weer een beetje vaag in de oren, Magnus.'

'Ik garandeer u dat u niets zult verliezen en dat niemand iets aangedaan wordt.'

Barbatus keek Magnus met een priemende blik aan. 'Heel goed, aangezien senator Pollo voor je instaat en je erin lijkt te slagen de misdaad in je buurt onder de duim te houden; dit is de eerste moord van betekenis sinds lange tijd. Zorg dat je mannen over een halfuur voor de kazerne van de Quirinaal-vigiles gereedstaan.' Hij draaide zich naar senator Pollo toe. 'Goedendag, senator.'

Magnus gebaarde naar Cassandros. 'Ga met hem mee, haal een paar broeders en hou Tacita in het oog als hij haar vrijlaat. Ik vermoed dat ze liegt en meteen naar huis gaat om de horoscopen weg te halen van de plek waar ze die heeft verborgen. Ik kom zo snel mogelijk daarheen en zie je daar.'

'Heel goed, Magnus.'

Magnus keek Barbatus en Cassandros na, wendde zich weer tot senator Pollo en trok de horoscoop uit zijn tas. 'Kijkt u hier eens naar.'

Senator Pollo pakte de uitgestoken boekrol aan en rolde die open. Hij verbleekte. 'Tja, dat is duidelijk een horoscoop. Waar heb je die vandaan?'

'Uit Tuscus' huis.'

Pollo kon zijn verbazing niet verbergen. 'Ben je daarbinnen geweest? Dat heb je me niet verteld.'

'U hebt het niet gevraagd.'

'Maar je had het toch tegen Barbatus kunnen zeggen?'

'Waarom? Dan had ik hem zeker moeten vertellen dat ik een boekrol had gevonden?' Magnus knipoogde, wat niet al te best lukte met zijn ene goede oog. 'Het lijkt me beter om geen informatie te delen totdat we weten hoe waardevol die is.'

'Ik dacht dat alle boekrollen van Tuscus waren afgenomen.'

'Klopt, behalve deze ene. Hij lag in een verborgen compartiment onder de plek waar hij de rest lijkt te hebben bewaard.'

Senator Pollo keek bezorgd naar het document. 'Lieve help, dat klinkt helemaal niet goed.'

'Kunt u het lezen?'

'Gelukkig niet; veel te gevaarlijk. Ik liet ze altijd door Tuscus lezen.'

'Ik denk dat we moeten uitzoeken wiens horoscoop dit is, want het is heel goed mogelijk dat dit het echte motief voor de overval was. Wie zal dat het best kunnen beoordelen?'

'Ik ken geen andere astrologen, dus ik stel voor om Caenis te proberen; zij raadpleegde Tuscus eveneens regelmatig. Ik zie je daar over een uur, nadat ik heb gegeten.'

'Heel goed, senator, maar het wordt wel een paar uur, want ik bedacht net dat ik hier nog iets moet regelen, nu ik toch aan deze kant van de stad ben.'

'Waar gaan we heen, Magnus?' vroeg Sextus voor de vierde of vijfde keer terwijl er nog meer honden langsrenden, achtervolgd door publieke slaven, die met netten boven hun hoofden zwaaiden.

Net als bij vorige gelegenheden gaf Magnus zijn plannen niet bloot. Hij leidde Sextus door de Porta Fontinalis en volgde de Via Flaminia naar de Campus Martius. Pas op de markt in de Saepta Julia bleef Magnus aan de linkerkant van de straat staan en keek hij onderzoekend langs de lange zuilenrijen. Dit complex was een ontwerp van Julius Caesar, dat achttien jaar na de dood van de dictator door Marcus Vipsanius Agrippa was voltooid en oorspronkelijk in gebruik was geweest voor verkiezingsbijeenkomsten. Met de komst van het keizerrijk was die functie overbodig geworden, waarna het tot een markt was verbouwd, waar af en toe ook gladiatorengevechten werden gehouden.

'Naar wie ben je op zoek, Magnus?' vroeg Sextus terwijl hij zijn blik langs de bedrijvige marktkramen liet glijden.

'Niet naar iemand, maar naar iets, broeder,' zei Magnus. Hij begon in noordelijke richting langs het langgerekte gebouw te lopen, langs kramen waarin stapels tunieken, sandalen en hoeden lagen, maar ook levensmiddelen, specerijen, wijn, *garum*, levende dieren in kooien en nog veel meer; de meeste dagelijkse benodigdheden kon je hier aanschaffen, en alle rassen uit het hele keizerrijk en daarbuiten waren hier vertegenwoordigd. 'We zijn op zoek naar een kraam met oosterse spullen.'

Sextus keek glazig voor zich uit; de blik van een man die het had opgegeven overal een bedoeling achter te zoeken en die erin berustte om alleen maar te volgen.

'Dat zou genoeg moeten zijn,' mompelde Magnus terwijl hij naar een marktkoopman liep die er bepaald niet westers uitzag.

'Ik geef u de beste prijs, edele heer,' beloofde de koopman, een verschrompeld mannetje met een bruine huid en ogen toen Magnus zijn koopwaar bestudeerde. 'Prima spullen, allemaal echt,' verzekerde hij hem, aan zijn puntige krulbaard trekkend.

Magnus pakte een kromme dolk met een ivoren heft en een gegraveerde zilveren knop in een bronzen schede, ingelegd met zilver in eenzelfde patroon als de knop. 'Waar komt deze vandaan?'

'Een heel goede keuze, edele heer; ik zie dat u een man met een uitstekende smaak bent.'

'In dat geval zijn je ogen bar slecht. Ik vroeg je waar deze dolk vandaan kwam, niet welk waanidee je over mijn smaak hebt.'

De marktkoopman legde zijn rechterhand op zijn hart en maakte een verontschuldigende buiging. 'Zeker, edele heer. Het lemmet is van damaststaal, het beste dat er bestaat. Voel maar.'

Magnus schoof het lemmet uit de schede; het glinsterde met een opvallend blauwe tint in de zon. Hij streek met zijn duim over het lemmet. 'Als een scheermes.'

'Beter dan een scheermes, edele heer; een scheermes moet regelmatig worden gewet, terwijl dit eindeloos lang scherp blijft.'

'Dus het komt uit Damascus?'

'Nee, edele heer; daar is het lemmet gesmeed, maar de dolk zelf komt uit het hoogland van Cappadocia.'

'Is dat daar in de buurt?'

'Zeker, edele heer, ten noorden daarvan. Ik complimenteer u met uw kennis van de regio waaruit ik afkomstig ben. U bent vast en zeker een man met een grote geografische kennis.'

'Je vergist je opnieuw enorm. Hoeveel?'

'Oei, het zou wel heel dom van me zijn om voor zo'n dolk minder dan twintig denarii te vragen.'

Magnus lachte schamper en legde de dolk weer op de tafel. 'Een maandwedde van een legionair voor dat ding? Je hebt vast veel te lang in de zon gezeten in je leven. Het maximale bedrag dat ik je kan geven is vier denarii, en dat is mijn laatste bod.'

De marktkoopman raakte nu echt op dreef en pakte de dolk op, ontzetting veinzend. 'Vier! Vier? Hoe kan ik ooit nog eten voor mezelf kopen als ik deze dolk voor dat bedrag verkoop, terwijl die me viermaal zoveel heeft gekost? Zestien is mijn minimumbedrag en dat is dan echt een speciale prijs voor de edele heer.'

Magnus draaide zich naar Sextus toe. 'We verspillen hier onze tijd. Kom mee.'

'Ik bedoelde veertien.'

Magnus zette zijn hand tegen zijn oor. 'Heb je net iets gehoord, Sextus?'

De boerse broeder trok een frons en legde zijn hand met een ingespannen blik tegen zijn oor.

'Twaalf is mijn laatste bod.'

Sextus' gezicht klaarde op. 'Ik geloof dat iemand zei: "Twaalf is mijn laatste bod," Magnus.'

'O ja?' Hij draaide zich weer naar de koopman toe. 'Zes en daar blijft het bij.'

'Elf en dan heb ik geen winst.'

'Ik ga niet hoger dan zeven.'

'Tien en dan beroof ik mezelf.'

'Acht, meer niet.'

'Dan maken we het af op negen.'

Magnus keek Sextus weer aan. 'Je weet waarnaar we nu op zoek zijn, broeder. Loop de kramen maar af en kijk of je zoiets kunt kopen zonder er meer dan zeven voor te betalen; ik ben het zat.'

De stalhouder stak zijn handen in de lucht. 'De prijs is acht denarii, edele heer, maar vertel het alstublieft niet tegen mijn vrouwen.'

Magnus gromde, omdat hij helemaal niet van plan was de vrouwen in kwestie te ontmoeten, en trok een beurs tevoorschijn die om zijn nek hing. Hij pakte acht zilveren munten en gaf ze aan de oosterse handelaar, die ze stuk voor stuk nauwkeurig bekeek.

Toen hij tevreden was overhandigde hij de dolk aan Magnus.

'Het was een genoegen deze dolk aan u te verkopen, edele heer. Ik hoop u snel terug te zien.'

'Dat hangt ervan af.'

'Waarvan, edele heer?'

Magnus boog zich naar hem toe. 'Of je een horoscoop kunt bemachtigen.'

'Babylonisch? Egyptisch?'

'Alles wat eruitziet alsof het hier in Rome is opgemaakt. En hou er rekening mee dat ik er niet meer dan drie denarii voor betaal.'

De marktkoopman knikte. 'Kom morgen bij me langs, edele heer. Dan heb ik er eentje en de prijs zal zes denarii zijn.'

'We maken het af op vier. Ik zal waarschijnlijk een van de jongens sturen.' Magnus wilde vertrekken en draaide zich om.

'Het zal me een genoegen zijn. Tot dan. En vergeef me alstublieft dat ik aannam dat u een kenner en een man met een goede smaak was, edele heer; dat was heel onbeleefd van me en ik zal nooit meer zo'n fout maken.'

Magnus keek over zijn schouder en zag de stalhouder diep buigen. Hij fronste en trok aan een van zijn bloemkooloren, zich afvragend of hij beledigd was.

'Waar is het voor, Magnus?' vroeg Sextus, wijzend op de aankoop, die Magnus net in zijn tas stopte. 'Dat, broeder, is mijn verzekeringspolis.' Sextus leek het niet te begrijpen.

'Laat maar, broeder. Ga terug naar de Rode Paardenstraat en zeg tegen Cassandros dat ik langer wegblijf dan gedacht. Hij zal op eigen initiatief moeten handelen.'

Sextus verroerde zich niet.

Magnus probeerde het nogmaals. 'Hij moet doen wat volgens hem het beste is.'

Nadat het slavinnetje drie lichtgroene, met wildmotieven opgesierde glazen bekers met granaatappelsap uit een bijpassende kruik had gevuld stuurde Antonia Caenis haar weg. De binnentuin, met in het midden een klaterende, verkoelende fontein, was een oase van rust in vergelijking met de chaotische drukte in de straten van Rome. Er klonk zacht getjilp van krekels en een briesje woei over de dakpannen van de zuilengang. Magnus zat zo aangenaam in de schaduw van een oude notenboom dat zijn teleurstelling dat er niets sterkers dan vruchtensap te drinken was al snel wegebde. Ondanks de koelte in de tuin zweette senator Pollo nog steeds overdadig; zijn krulhaar hing in strengen langs zijn hoofd en de kohl waarmee zijn ogen waren omlijnd had grijze strepen op zijn wangen achtergelaten.

Caenis zette voor ieder van haar gasten een glas drinken op de ronde marmeren tafel, waarop ook de boekrol lag. 'Doen we er wel verstandig aan om ons hiermee te bemoeien, Gaius?'

De senator haalde zijn schouders op en nam een slokje sap. 'Volgens mij hebben we geen keuze, Caenis. We hebben allebei Tuscus geraadpleegd, evenals de meeste prominenten op de Quirinaal en waarschijnlijk ook de Viminaal. Het is vrijwel zeker dat kopieën van de horoscopen die hij voor ons heeft getrokken tot de vermiste behoren.'

Caenis wees op de boekrol. 'En denk je dat de diefstal echt daarom te doen was, Magnus? Ervan uitgaande dat die vrouw de waarheid spreekt en het inderdaad een overval was.'

Magnus keek niet langer naar zijn vruchtensap alsof dat elk moment in zijn gezicht kon spatten. 'De rol was goed verstopt.'

'Het kan ook gewoon toeval zijn geweest.'

'Ik geloof niet in toeval.'

Caenis glimlachte. 'Heel verstandig, Magnus; ik ook niet. In een zaak als deze houden de feiten steevast verband met elkaar. Laat me eens kijken.'

Magnus leunde voorover en schoof de boekrol naar Caenis toe. Ze zette haar glas neer en rolde de horoscoop op tafel open.

Magnus sloot zijn ogen, van de rust genietend, en begon te dagdromen over het huis dat hij met zijn niet geringe spaargeld zou kopen zodra hij zich uit de broederschap had teruggetrokken.

'En?' vroeg senator Pollo na een tijdje, zodat Magnus opeens werd weggerukt uit een wereld van koele tuinen, bevolkt door weelderig gevormde waternimfen, waar vruchtensap verboden was.

Caenis keek op van de horoscoop; ze leek haar normale kalmte, waarom Magnus haar al zo lang bewonderde, een beetje kwijt te zijn. 'Dit is een doodvonnis voor iedereen die ernaar heeft gekeken.'

Senator Pollo's kaak begon te trillen. 'Dan kunnen we hem maar beter vernietigen,' zei hij vol ontzetting.

'Vernietigen, Gaius? Dat lijkt me eerlijk gezegd een overhaaste actie. Waarom zou je de horoscoop van iemand willen vernietigen die onze volgende keizer kan worden?'

'Keizer!?' riepen Magnus en senator Pollo tegelijk uit.

'Ja. Dit is de horoscoop van Claudius' natuurlijke zoon Britannicus; tenminste, ik neem aan dat het die is, want het is een voorspelling over het leven van iemand die twee dagen voor de ides van februari is geboren, en wel tien jaar geleden, op het derde uur van de dag. Maar veel interessanter is de datum waarop de horoscoop is getrokken.' Ze wees naar de hoek rechts onder aan de boekrol. 'Kijk eens naar die priegelige tekst daar, die is afgelopen maand geschreven. En dan dit...' Ze bewoog haar vinger langs de tekst. 'Dit zijn de initialen van degene die ervoor heeft betaald: JAA. Claudius heeft haar vorig jaar toestemming gegeven die titel te gebruiken. De letters staan voor Julia Augusta Agrippina.'

'De keizerin! We moeten die horoscoop absoluut vernietigen.' Senator Pollo dronk zijn glas leeg, waarbij hij vergat dat het vruchtensap en geen versterkende wijn was.

Magnus glimlachte toen hij zich realiseerde waarom Caenis de horoscoop niet wilde vernietigen. 'Dat is een krachtig wapen om in bezit te hebben.'

Caenis knikte instemmend, rolde de boekrol weer op en gaf die aan Magnus terug. 'Ja, de keizerin doet onderzoek naar de toekomst van haar stiefzoon, de enige serieuze rivaal van haar eigen natuurlijke zoon, Nero. Ze koestert hoge verwachtingen van hem en is al voorbereidingen aan het treffen voor de opvolging. Zij was het die Sextus Afranius Burrus als een van de praetoriaanse prefecten heeft aangewezen.'

Senator Pollo huiverde bij de gedachte. 'Dus daarom deed Burrus onderzoek naar astrologen. Hij was niet van plan een nieuwe zuivering te houden, maar wilde ervoor zorgen dat Agrippina in het geheim zijn horoscoop kon laten trekken. En aangezien ze erin is geslaagd om Lucius Annaeus Seneca uit ballingschap terug te halen om Nero's leraar te worden, doet het gerucht de ronde dat hij die jonge wreedaard op het purperen gewaad voorbereidt. Maar we weten allemaal dat Agrippina feitelijk de macht in handen zal hebben. Het is het toppunt van dwaasheid om te proberen zo'n ambitieuze, megalomane vrouw te dwarsbomen.'

'Ik ben het helemaal met u eens, Gaius; u moet er in elk geval voor zorgen dat het niet opvalt dat u zo'n ambitieuze, megalomane vrouw probeert te dwarsbomen,' zei Caenis. 'Maak hier verstandig gebruik van.'

Magnus kon zijn verbazing niet verbergen. 'Wilt u hem niet hebben?'

'Nee, Magnus, jij hebt hem gevonden, jij bewaart hem. Bovendien zou het voor mij lastig zijn die tegen een ander dan Agrippina te gebruiken, wat, zoals Gaius zegt, levensgevaarlijk zou zijn. Terwijl jij...'

'Die tegen wie dan ook kan gebruiken. Ik hoef het alleen maar aan de betreffende autoriteiten te laten weten.'

'Precies. En op die manier kan het onder de aandacht komen van iemand die misschien minder scrupules heeft dan Gaius of ikzelf en uiteindelijk de keizer onder ogen komen, die wel eens reuze geïnteresseerd zou kunnen zijn in de plannen die zijn vrouw voor de opvolging heeft.'

'Ze is circa een uur geleden uit de vigiles-kazerne gekomen en is meteen hierheen gelopen,' meldde Cassandros aan Magnus, terwijl ze niet lang daarna bij de ingang van de Rode Paardenstraat stonden. 'Ik kan me niet aan de indruk onttrekken dat ze de kazerne niet wilde verlaten, want ze moesten haar praktisch naar buiten gooien, en toen liep ze bijna in looppas naar huis. Cordus' mannen wilden haar niet binnenlaten, omdat het huis nog altijd verboden terrein is totdat de aedilis tijd heeft om de plek van de moord zelf te onderzoeken.'

'Heeft Cordus enig idee wanneer dat gaat gebeuren?'

Cassandros schudde zijn hoofd. 'Hij weet het niet.' Hij keek Magnus met gefronst voorhoofd aan. 'Wat is hier allemaal aan de hand, broeder? Waarom maakt de aedilis zich zo ontzettend druk over zo'n futiele moord?'

'Het komt niet door de moord dat hij zo over zijn toeren is; het gaat om het mogelijke motief en het eindresultaat.' Magnus keek de straat af naar Tuscus' huis. 'Waar is ze nu?'

'In het huis van de buren. Ik heb Lupus opdracht gegeven de achteringang in de gaten te houden, en hij heeft een jongen bij zich die snel een bericht kan overbrengen als ze op die manier vertrekt; Sextus houdt aan het andere eind van de straat de wacht.'

'Goed gedaan. Ik blijf bij jou wachten totdat ze vertrekt of Barbatus langskomt.'

Barbatus arriveerde als eerste, vlak na het begin van het negende uur. 'En?' vroeg hij aan Magnus, zonder de moeite te nemen om halt te houden. 'Heeft iemand iets geprobeerd?'

Magnus haalde hem in en liep gelijk met hem op. 'Nee, ze zit in het huis ernaast. Onderweg heeft ze met niemand gesproken.'

Barbatus bromde en liep de straat door. Magnus bleef met hem meelopen.

'Waar ga je naartoe?' vroeg de aedilis.

'Ik kwam eigenlijk om een blik op het lijk te werpen.'

'Waarom zou je dat willen?'

'Mogelijk komen we iets te weten.'

'Ja, dat hij dood is en dat zijn keel is doorgesneden, lijkt me.'

'Als u mijn hulp wilt om deze tamelijk delicate kwestie op te lossen, moet ik elke gelegenheid aangrijpen, vindt u ook niet?'

Barbatus gromde weer, maar sprak Magnus niet tegen, en ze liepen langs een wacht van twee vigiles verder naar Tuscus' huis.

'Sinds Magnus' vertrek is hier niemand binnen geweest, aedilis,' antwoordde Cordus op Barbatus' vraag.

Barbatus draaide zich verrast naar Magnus toe. 'Ben jij hier al geweest?'

'Vanmorgen, toen Cordus arriveerde. Ik ben hierheen gegaan als de verontruste patronus van de plaatselijke broederschap.'

'Waarom heb je dat niet verteld?'

'Het leek me niet belangrijk.'

'Magnus heeft Tuscus' prijslijst gevonden,' zei Cordus in een poging behulpzaam te zijn.

'Een prijslijst?' Barbatus staarde Magnus aan. 'Wat voor een prijslijst?'

'O, gewoon voor zijn kaarsen, niets belangrijks.'

Barbatus gromde nog eens en liep naar het lijk. Het was precies zoals Magnus het zich herinnerde, alleen was het bloed nog meer gestold en onder de plaatselijke vliegen was inmiddels bekend dat er een feestmaal op het programma stond. Barbatus knielde neer en bekeek de wond aandachtig. 'Eén enkele haal, zonder rafels; ik denk niet dat een vrouw dit had kunnen doen.'

'Een expert?' vroeg Magnus.

'Dat zou ons niet veel dichter bij de dader brengen; ik verwacht dat meer dan de helft van Rome vakkundig een keel kan doorsnijden. Toch lijkt zijn keel van achteren doorgesneden te zijn, want hij ligt op zijn rug alsof hij zo is neergelegd, in plaats van dat hij op de grond ineen is gezakt nadat zijn keel van voren was doorgesneden.'

'Dat is waar,' zei Magnus, die niet echt begreep of wilde weten wat de aedilis bedoelde, maar wel dolblij was dat hij het had gezegd. 'Zullen we hem dan maar omdraaien om te zien of hij aan de rugzijde gewond is?'

'Goed idee. Help me even.'

Terwijl Magnus in zijn tas rommelde, draaide Barbatus zijn rug een moment lang naar hem toe om naar het hoofdeinde te lopen. Met een behendige beweging trok Magnus het gebogen lemmet tevoorschijn. bukte zich om het lichaam bij de dijbenen vast te pakken en schoof het mes eronder, zodat het met bloed besmeurd raakte.

'Ben je zover?' vroeg Barbatus. Zonder op een reactie te wachten tilde hij het lichaam bij de schouders op en draaide het om.

Magnus deed hetzelfde met de benen en zo keerden ze het lichaam om, waarbij het deels afgesneden hoofd omlaag zakte.

'Wat is dat?' zei Barbatus, grote ogen opzettend.

Magnus deed zijn best om een zo geschokt en verbaasd mogelijk gezicht te trekken. 'Een mes, aedilis!'

'Eens kijken.' Barbatus boog zich naar voren en pakte het mes bij het kleverige heft beet. Hij bestudeerde het lemmet en veegde het bloed aan Tuscus' tuniek af. 'Dit is ongetwijfeld het moordwapen. Het lijkt me een oosterse dolk. Wat denk jij, Magnus?'

'Ik denk dat u gelijk hebt, aedilis. Dit moet het moordwapen zijn. Op zijn rug zijn geen tekenen van andere verwondingen zichtbaar, dus hij is vast en zeker met dit mes gedood doordat zijn keel werd doorgesneden. En toen heeft een van de moordenaars het mes laten vallen, omdat hij zo snel mogelijk wilde pakken waarvoor ze echt hierheen waren gekomen, namelijk voor wat er in die kast lag.'

Barbatus keek naar de lege kast met het geforceerde slot en streek over zijn kin. 'Ja, ik denk dat je gelijk hebt. En dat betekent dat het zeker is dat de moordenaars de boekrollen hebben meegenomen, en daarmee is Tacita vrijgepleit; ze kan de moord niet gepleegd hebben, en degene die de moord wél op zijn geweten heeft, heeft het mes laten vallen om de kast te openen. Dus waren de horoscopen al verdwenen op het moment dat ze het lichaam vond.'

Magnus trok een ernstig gezicht en schudde langzaam zijn hoofd. 'Dus ze vertelt de waarheid.'

'Daar lijkt het op. Blijf haar in de gaten houden; de moordenaars zullen vast proberen haar het zwijgen op te leggen. Laat het me weten als het zover is.'

Magnus stond op. 'Natuurlijk, heer.' Hij liep naar de deur, lachte vrolijk naar Cordus en stapte de straat op. Hij keek rond, maar zag geen teken van Cassandros. Hij liep naar de kruising met de Alta Semita.

'Magnus! Magnus!' riep een hoge stem.

Magnus keek op en zag een jongetje op hem af rennen.

'Wat is er?'

Het joch haalde een paar keer diep adem voordat hij kon antwoorden. 'Cassandros heeft me gestuurd. Hij zei dat ik moest zeggen: ze is vertrokken.'

'Welke kant is ze op gegaan?'

Het joch wees naar het zuiden, richting de Rode Paardenstraat. 'Daarheen, Magnus, richting de Viminaal.'

'O ja? Nou, dat is reuze interessant.' Magnus haalde een sestertie uit zijn beurs en legde die in de hand van de jongen. 'Probeer Cassandros in te halen en ren dan meteen naar mij terug in de herberg,

371

als we weten waar ze heen gaat, hoewel ik het antwoord waarschijnlijk al weet.'

'Dus je delegeert de organisatie van de deelname van de broederschap aan het festival van morgen, Tigran,' zei Magnus tegen zijn nieuwe raadsman, die net de lijst met bijdragen van de plaatselijke handelaren en inwoners had bekeken.

Tigran keek op naar Magnus, die aan het bureau in de achterkamer zat. 'Wat?'

'Je hebt me wel gehoord.'

'Ik heb wel wat beters te doen.'

'Daarom delegeer je het ook en doe je het niet zelf.'

'Maar...'

'Tigran, de broederschap behelst meer dan alleen geld inzamelen in ruil voor bescherming, zoals je toch zou moeten weten na vijfentwintig jaar. We zijn ook een religieuze organisatie. Eerst en vooral verzorgen we het altaar voor de kruispunthuisgoden om hun zegen voor de hele buurt af te smeken. En dan moeten we ons domein bij alle andere festivals vertegenwoordigen, zowel de religieuze als andere. Morgen worden op het festival de honden gestraft omdat ze de verdedigers van de Capitolijn niet hebben gewaarschuwd toen de Galliërs die aan het beklimmen waren. Als de ganzen er niet waren geweest, dan... Maar goed, dat doet er niet toe. Waar het om gaat is dat je iemand opdracht geeft – en het kan me geen donder schelen wie – om een groep broeders bij elkaar te brengen die morgen met zes levende, aan gevorkte palen gebonden honden meelopen in de processie de Capitolijn op.'

Tigran wilde iets zeggen, maar Magnus hief zijn hand op. 'Regel het gewoon. Servius deed het ook. Je moet alles over de broederschap weten als je een goede patronus wilt worden. Daar komt bij dat de broeders het van je verwachten; ze willen er zeker van zijn dat iemand aan alles denkt. Je weet hoe bijgelovig ze zijn; dat zijn we allemaal. Stel je eens voor wat ze zouden denken als we een festival verkloten of vergeten. Zulke fouten leiden tot ontevredenheid, en ontevredenheid leidt tot zwakte, en Sempronius en die klootzakken van de West-Viminaal zullen dolblij zijn als wij zwakker worden, zodat ze hun invloed tot ons grondgebied kunnen uitbreiden.'

Tigran ontspande zich en knikte langzaam, terwijl hij zijn kille blik op Magnus' ene oog gericht hield. 'Goed, Magnus, ga je gang maar; ik zal ditmaal voor jou rondjes rennen, maar ik blijf dat niet doen. Is dat duidelijk?'

'Je hoeft geen rondjes te rennen, je moet de broederschap besturen, en dat doe je zo lang als ik dat zeg.'

'Dwing me maar.'

'Wil je dat echt?'

Tigran stond op, nog altijd met zijn blik op Magnus' oog gefixeerd, draaide zich om en liep de kamer uit, de deur met een klap dichtslaand.

Met de geërgerde blik van een vader die met een lastig, maar veelbelovend kind van doen had keek Magnus hem na. 'Je laat me geen keus, broeder.'

'Ik heb Lupus en de jongen opgedragen haar in de gaten te houden,' zei Cassandros terwijl hij tegenover Magnus aan zijn tafel in de herberg plaatsnam, tegenover de deur.

Magnus veegde met een stuk brood zijn kom schoon, de overgebleven saus van het varkensvlees met kikkererwten en lavas opdeppend, en stopte het kalmpjes kauwend in zijn mond.

'Wil je dan niet weten waar ze naartoe is gegaan?' Cassandros schonk een beker wijn voor zichzelf in. 'Je lijkt niet erg geïnteresseerd.'

'Dat komt omdat ik het wel kan raden.'

'Ga dan maar door.'

'Ze is op het hoofdkwartier van de West-Viminaal.'

Cassandros keek hoogst verbaasd over de tafel heen naar Magnus, die verwoed zijn kom schoon bleef vegen. 'Wel verdomme, hoe...'

'... ik dat weet? Gemakkelijk zat: Sempronius is een gewetenloze smeerlap, die zich graag met de huiselijke twisten van mensen die niet in zijn buurt wonen bemoeit, als hij daar ook maar een klein beetje profijt van verwacht te hebben. Laat het me dus weten zodra Tacita zich weer op ons grondgebied bevindt; nu de aedilis het lichaam heeft gezien, kan ze weer naar huis terug. Ik denk dat we even langsgaan voor een vriendelijke babbel en haar vragen hoe het met onze kameraad Sempronius is, als je begrijpt wat ik bedoel. Ik ben bij senator Pollo thuis – stuur daar een bericht naartoe.'

Senator Pollo slikte zijn met honing gezoete koek in duidelijk zichtbare verwarring door. 'Maar waarom wil je regelen dat de vigiles een inval in je eigen etablissement doen, mijn beste Magnus?' De kruimels vlogen uit zijn mond en verspreidden zich over het bureau in zijn tablinum. 'Dat is net zoiets als dat een hond zich zou aanmelden voor de parade van de Bestraffing van de Honden.'

'Nou, laten we zeggen dat we er allemaal profijt van hebben: u, ik, Caenis en de aedilis.'

Terwijl Pollo nog een koek nam bracht een jongen met vlashaar, die een tuniek droeg die een duimbreedte te kort was om als gepast te worden beschouwd, een kan wijn en twee bekers binnen.

Pollo zweeg even en keek bewonderend naar het half verborgen achterwerk van de jongen toen die de wijn inschonk. De houding die hij daarbij aannam was niet geheel natuurlijk, maar vast en zeker door zijn meester opgedragen, teneinde een goede blik mogelijk te maken. 'Hm,' mompelde Pollo terwijl de slaaf na het vullen van de bekers wegliep. 'Waar waren we gebleven? O ja, dat we er allemaal profijt van hebben. Als jij het zegt, Magnus. Wanneer wil je dat het gaat gebeuren?'

Magnus nam een flinke slok wijn voordat hij antwoord gaf. 'Ten eerste mag het nooit bekend worden dat ik de opdracht heb gegeven, dus u zult de tip voor de aedilis via een derde moeten doorspelen.'

'Iemand die geen banden met jou of mij heeft? Heb je nog suggesties?'

'U zou uw bediende kunnen vragen om – uiteraard incognito – een gesprekje te voeren met een vigiles-optio die naar de naam Cordus luistert. Hij is niet echt slim, maar verstandig genoeg om een paar denarii op waarde te kunnen schatten.'

'Ik zal hem meteen naar de Quirinaal-kazerne sturen.'

'Nog niet, senator; ik moet eerst nog een paar zaken in orde brengen. Als ik zover ben, stuur ik een van de jongens wel op pad.'

'Meester?' vroeg de slaaf met het vlashaar vanuit de ingang.

'Wat is er, liefje?' Senator Pollo lachte de jongen liefhebbend toe.
'Een boodschap voor mij?' vroeg Magnus.

De knaap knikte, waarbij zijn lange lokken op en neer deinden.

Magnus stond op en dronk zijn beker wijn leeg. 'Tijd om te vertrekken, senator. U hoort snel van me.'

'Ik heb het niet gedaan, Magnus, ik zweer het je.' Tacita knielde en greep smekend Magnus' knieën beet. Cassandros en Sextus stonden over haar heen gebogen. Er lag nog steeds gestold bloed op de grond, maar het lijk van haar man was weggehaald. Toch was het er nog vergeven van de vliegen.

Magnus maakte een hoofdgebaar naar Cassandros, waarna die Tacita overeind trok. Hysterisch huilend haalde ze uit naar Magnus. Met een razendsnelle handbeweging greep hij haar pols beet, vlak voordat ze haar nagels in zijn goede oog zou klauwen. 'Hou eens op tegen mij te liegen, Tacita. Ik heb je naar de West-Viminaal en weer terug laten volgen. Ga zitten en vertel me de waarheid, dan kom je er misschien nog heelhuids van af. Heb je Sempronius gevraagd opdracht te geven om je man te doden?'

Cassandros en Sextus dwongen Tacita op een stoel. Sextus hield zijn reusachtige vuisten om haar schouders geklemd, zodat ze zich niet kon verroeren.

'Nou?'

Tacita keek naar Magnus op, terwijl de tranen in haar ogen opwelden. 'Jij wilde me niet helpen.'

'Het was een privékwestie; we kunnen niet toestaan dat mannen in angst moeten leven dat hun echtgenotes opdracht geven hen te vermoorden, alleen omdat ze af en toe wat minder vriendelijk met hen omgaan. Wat heb je Sempronius aangeboden?'

Tacita sloeg haar ogen neer en staarde naar haar handen, die ze op haar schoot had gevouwen. De tranen stroomden nu over haar wangen. 'Ik heb hem geld aangeboden.'

Dat verraste Magnus. 'Geld? Hoeveel?'

'Niet veel... Zoveel als ik kon betalen. Het doet er trouwens niet toe, want hij was niet in geld geïnteresseerd. Het ging hem om iets anders.'

'Dus hij vroeg om de geheime kopieën van Tuscus' horoscopen, en die heb je hem niet gegeven.'

Tacita keek op. Nu was zij op haar beurt verrast. 'Hoe weet jij daarvan?'

'Ik ben de patronus van de plaatselijke broederschap en spreek geregeld met de aedilis. Nou?'

'Ja, hij zei dat hij er in ruil voor de horoscopen toe bereid was.'

'Zei hij ook hoe hij daarvan afwist? Naast jou en Tuscus zal hij de enige zijn geweest die ervan wist voordat ze werden meegenomen.'

Tacita schudde haar hoofd. 'Nee. Ik schrok toen hij erom vroeg.'

Magnus dacht even na. 'Goed, ik geloof je. Hoe is het dan gebeurd?'

'Ik wilde ze uiteraard niet aan hem geven voordat Tuscus dood was, en daarom sprak ik af dat ik ze zou brengen zodra ik het lichaam had gezien. Ik haalde ze uit de bergplaats, verborg ze in mijn kamer, vertrok en wachtte tot de moordenaars zouden toeslaan. Het waren twee mannen; ze klopten op de deur, Tuscus deed open, ze gingen naar binnen en kwamen even later weer naar buiten, waarna ze in het donker verdwenen. Ik wachtte tot het ochtend was, zorgde ervoor dat het leek alsof de kastdeur was opengebroken en nam de horoscopen mee naar Sempronius' huis.'

'Sempronius' huis? Niet naar het hoofdkwartier van de West-Viminaal?'

'Nee, naar zijn huis vlak bij de Porta Viminalis; hij had dat uitdrukkelijk tegen me gezegd. Alleen heb ik ze toch maar niet naar zijn huis gebracht, want ze leken me te waardevol om zomaar weg te geven. Ik dacht dat ik er veel geld mee kon verdienen en dan ergens buiten Rome in luxe kon gaan leven.'

Haar hebzucht verraste Magnus niet. 'Heb je Sempronius bedrogen? Dat was echt een stommiteit.'

Tacita keek omlaag, met haar ogen vol tranen. 'Ik dacht dat het me wel zou lukken als ik de vigiles zover kreeg dat ik in hun kazerne kon blijven. En daarom besloot ik hun te vertellen dat Tuscus en ik een paar dieven op heterdaad hadden betrapt en dat ze Tuscus hadden vermoord, maar dat ik uit huis had kunnen vluchten. Ik zei dat ik de twee mannen duidelijk had gezien en dat ze de horoscopen hadden, zodat ik zelf niet onder verdenking zou staan. Weet je, omdat een hoop prominenten mijn man in het geheim raadpleegden, dacht ik dat niemand een diepgravend onderzoek wilde doen naar de manier waarop hij was vermoord; alle aandacht zou vast en zeker naar het terugvinden van de horoscopen uitgaan. Ik dacht dat niemand na een poosje nog aan mij zou denken en dat ik uit Rome kon wegglippen.'

'En dacht je dat Sempronius jou daarmee zou laten wegkomen?'

Tacita haalde haar schouders op. 'Sempronius kon niet naar de vigiles gaan en zeggen dat hij de dood van Tuscus op mijn verzoek had geregeld, maar dat ik had geweigerd hem achteraf te betalen; en ik kon hem ook niet verraden, want dan zou hij mij van medeplichtigheid bij de moord beschuldigen. We zouden dan in elk geval samen in de arena verschijnen. Ik meende dat hij het beste over de hele zaak kon zwijgen en die laten zitten, omdat er verder niets was wat ons met elkaar verbond. Niemand zou op het idee komen hem bij het onderzoek te betrekken.'

'Niets verbond jullie met elkaar, zeg je, maar dan heb je je gistermiddag toch lelijk versproken. Je had Sempronius' naam niet tegen mij moeten noemen, maar ik ben dolblij dat je dat wel hebt gedaan. Ga verder.'

'Toen heb ik de horoscopen weer verborgen.'

'Waar?'

Tacita aarzelde, maar besloot toe te geven toen haar schouders nog steviger werden vastgeklemd. 'Onder de vloerplanken in de slaapkamer.'

'Waar ongeveer in die kamer?'

'Onder het voeteneind.'

Magnus gebaarde naar Cassandros. 'Neem daar eens een kijkje, broeder.' Hij keek weer naar Tacita. 'En toen?'

'Toen ben ik weggegaan en heb het lichaam bij de vigiles gemeld. Ik zei dat het om een diefstal ging en dat alle duplicaathoroscopen van mijn man gestolen waren door mannen die ik zou kunnen identificeren.'

'In de hoop dat de vigiles jou zouden beschermen, om te voorkomen dat de moordenaars jou zouden doden en je ze niet meer kon identificeren?'

'Zo ongeveer, Magnus.'

'Maar dat plan slaagde niet omdat de aedilis besloot jou als lokaas te gebruiken. En hij gelooft nog steeds dat mysterieuze moordenaars naar jou op zoek zijn. Maar wij weten wel beter, nietwaar? Nu je weer aan het openbare leven deelneemt, ben je vooral bang voor Sempronius.'

Tacita knikte somber.

'En toen je je realiseerde dat je niet langer beschermd werd, besloot je dat je veiligheid alleen gegarandeerd was als je de horoscopen aan Sempronius gaf, maar de aedilis had je huis afgesloten, zodat je er niet bij kon. Vervolgens raakte je in paniek en besloot je Sempronius te vertellen dat je ze aan hem zou geven zodra je je huis weer in kon?'

Tacita keek naar de grond. 'Ja.'

Magnus sloeg met zijn hand tegen zijn voorhoofd en kreunde.

'Zo liet je Sempronius dus weten waar de horoscopen waren.'

Tacita sloeg haar hand voor haar mond, zich geschrokken realiserend wat ze had gedaan. 'Maar ik ben steeds heel voorzichtig geweest.' Terwijl ze met haar ogen knipperde tegen de tranen kwam Cassandros weer binnen.

'En?' vroeg Magnus.

'Ze waren er niet, broeder.'

'Wat een verrassing.' Magnus' toon suggereerde precies het tegenovergestelde.

'Ik heb de losse vloerplank gevonden en kon zien waar ze hadden gelegen, maar ze waren weg.'

'Stom wijf!' Magnus draaide zich met opgeheven vuist naar Tacita toe, maar wist zich meteen weer te beheersen en zweeg even. 'Hoe lang ben je in het hoofdkwartier van de West-Viminaal gebleven nadat je Sempronius had verteld dat je de horoscopen nog niet kon ophalen?'

'Dat weet ik niet. Hij heeft een koerier gestuurd om te controleren of ik de waarheid sprak en de vigiles het huis echt hadden afgesloten. Hij zei tegen me dat als de vigiles de horoscopen vonden en ik mijn deel van de overeenkomst niet kon uitvoeren, ik mijn leven kon kopen met het bedrijf en het spaargeld van mijn man.'

'En toen kwam de koerier terug met de boodschap dat je de waarheid had verteld en dat het huis nog steeds afgesloten was. Daarom zei Sempronius dat je kon vertrekken, in plaats van je ter plekke te vermoorden, omdat hij je nu ging beroven van alles wat je bezat, nadat hij ook de horoscopen al had gestolen.' Magnus schudde ongelovig zijn hoofd en richtte zijn aandacht weer op Cassandros en Sextus. 'Blijf hier bij haar en breng haar terug naar de herberg zodra het donker is. Sluit haar op in de ruimte waar we onze gasten onderbrengen. En als ze begin te protesteren of zich verzet, maak je haar van kant.' Hij keek Tacita aan om zich ervan te verzekeren dat ze het had begrepen. Haar blik liet weinig ruimte voor twijfel.

'Morgen gebeurt het,' zei Magnus, Tigrans vraag beantwoordend, 'tijdens de processie waarin de honden worden bestraft; Sempronius is dan niet thuis.'

Terwijl de schemering over de stad viel wierp Tigran een blik naar een huis van twee verdiepingen aan de overkant van de straat. 'Hoe wil je daar naar binnen? En als je binnen bent, waar denk je dan te vinden wat je zoekt?'

Magnus trok zijn strohoed verder omlaag om zijn gezicht zo veel mogelijk te verbergen, terwijl Tigran in een eenvoudige tuniek in Romeinse stijl was gekleed om niet op te vallen. Ze liepen in kalm tempo langs het huis van Sempronius, dat in een rustige zijstraat van de Vicus Patricius lag, vlak voor de Porta Viminalis.

'We zijn hierheen gekomen om te bedenken hoe we binnenkomen. Ik wil in het tablinum zien binnen te dringen, om daar een kijkje in Sempronius' bureau te nemen.' Vanonder zijn breedgerande hoed bestudeerde Magnus de voorzijde van het huis; het had geen ramen die op straat uitkeken in de okerkleurige gevel, behalve het open winkelfront rechts van de zwaar uitgevoerde houten deur, die met ijzeren stroken was versterkt. Magnus wist dat de winkel, waar afgods- en heldenbeeldjes en andere decoratieve snuisterijen werden verkocht, niets anders dan een subtiele manier was om het huis aan de buitenzijde te kunnen bewaken, zonder dat die indruk werd gewekt; de twee potige winkeliers die net hun lampen aanstaken leken inderdaad evenveel interesse in decoratieve snuisterijen te tonen als Magnus in vruchtensap.

Ze liepen verder langs het huis. 'Geen stegen aan weerszijden,' merkte Magnus op. 'Het zit aan de huizen van de buren vast. Laten we eens aan de achterkant kijken.'

Ze sloegen links af een smal steegje in, drie deuren van Sempronius' huis vandaan, in de verwachting een steeg aan te treffen die de afscheiding tussen de huizen vormde.

'Bij de kloten van Mars! Hij heeft deze plek echt goed uitgekozen. Je kunt er alleen via de voordeur of over het dak in.'

'Of door de muren,' bracht Tigran hem in herinnering.

Magnus schudde zijn hoofd. 'Te lawaaiig en we hebben er geen tijd voor.'

'Dan vechten we ons naar binnen of we gebruiken een smoes.'

Magnus sloeg Tigran op zijn schouder. 'Zo mag ik het graag horen, broeder. Zie je wel, Tigran, dat er ook een leuke kant aan is om plaatsvervanger te zijn. Heb je nog suggesties?'

'Het zou helpen als ik wist waarom je zo graag naar binnen wil en in Sempronius' bureau wil kijken, Magnus.'

'Tja, ik ben bang dat ik je dat niet kan vertellen, omdat heel wat prominenten eraan hechten dat zo min mogelijk mensen hiervan afweten.'

'Die heren zijn zeker erg voorzichtig?'

'Je kunt nooit te voorzichtig zijn; één misser en…' Magnus stopte abrupt, alsof hij tegen een onzichtbare bakstenen muur aan was gelopen.

'Wat is er, broeder?' vroeg Tigran.

'Niets; gewoon iets wat iemand heeft gezegd. Of liever gezegd: impliceerde.' Magnus rukte zich uit zijn overpeinzingen los. 'Ik kan je wel zeggen dat er een forse beloning staat op wat ik van plan ben en dat jij daarin zult delen als je ervoor zorgt dat ik het huis van Sempronius binnenkom.'

Terwijl Tigran daarover nadacht liepen ze terug naar de Vicus Patricius, waar ze zich onder het talrijke publiek mengden dat de bordelen bezocht waarom de straat bekendstond en waar voor elk wat wils te vinden was. 'Nou,' overwoog Tigran uiteindelijk, 'de enigen die kans maken om langs de bewakers te komen en door de portier zullen worden binnengelaten, zijn broeders van de West-Viminaal die hier bekend zijn.'

'Ja, daar heb ik aan gedacht, maar ik heb dat idee weer verworpen omdat ik niet inzag hoe we iemand ertoe konden bewegen om mee te werken.'

Tigran grijnsde. 'Hij zou geen aansporing nodig hebben als hij dood was.'

Magnus bleef opnieuw staan en sloeg tegen zijn voorhoofd. 'Kijk, nu toon je je een echte patronus. Ik zal een paar jongens bij elkaar zoeken om iemand te zoeken.'

'Dit is de dichtst bij ons domein gelegen herberg die door de smeerlappen van de West-Viminaal wordt bezocht,' zei Magnus, terwijl hij met Cassandros, Sextus en Lupus een volle kroeg halverwege de Vicus Longus in het betwiste gebied tussen de West-Viminale en de Zuid-Quirinale broederschappen observeerde.

Het etablissement was aan de voorkant open en leek daarmee op elke willekeurige kroeg in Rome: grote potten met eten die in de bar waren ingebed, amforen die rechtop in rekken of in kisten met zand stonden, een haardvuur onder een rooster vol repen kippen- of varkensvlees, dronken mannen en een stel hoeren die hen van hun geld afhielpen en hun behoeften bevredigden.

Magnus gaf Lupus een paar bronzen munten. 'Jou kennen ze daar niet, broeder; dring naar binnen, voer iemand die er al eentje te veel op lijkt te hebben nog verder dronken, verontschuldig je en meld je weer bij ons.' Magnus wees naar een identiek ogende herberg hoger op de heuvel. 'We zitten daarbinnen.' Hij gaf de jonge broeder een bemoedigend klopje op de wang. 'Neem de tijd; wij wachten wel.'

'Nu ik hier met jullie allebei alleen ben, kan ik vertellen wat jullie moeten doen,' zei Magnus terwijl hij met Cassandros en Sextus over een tafel in de hoek van de herberg gebogen zat. Ze hadden alle drie een mok in hun vuist en een leeg bord voor zich, nadat ze zich hadden volgegeten aan geroosterd varkensvlees. 'Morgen wordt ons hoofdkwartier overvallen door de vigiles.'

Cassandros schrok. 'Hoe weet je dat, broeder?'

'Dat doet er niet toe. Ik weet het gewoon. En ik weet ook waarnaar ze op zoek zijn.'

Sextus schudde verwonderd zijn hoofd. 'Ik weet niet hoe je het flikt, Magnus. Als ik iets zoek, ben ik vaak al vergeten wat het was voordat ik het heb gevonden. Maar jij weet zelfs waarnaar anderen op zoek zijn.'

'Pijnig je hersenen er maar niet over, broeder; concentreer je liever op wat je morgenochtend vroeg moet doen. Herinneren jullie je die handelaar in de Saepta Julia nog bij wie we vandaag waren?'

Sextus dacht terug aan wat er een paar uur eerder was gebeurd; dat duurde even, maar Magnus drong niet aan. 'Ja, Magnus, die man bij wie je dat mes hebt gekocht.'

'Heel goed, broeder.' Magnus schoof vier denarii over de tafel. 'Ga terug daarheen en haal de boekrol op die daar voor me klaarligt; geef hem deze munten en niet meer. Geef de rol dan aan Cassandros. Is dat duidelijk?'

Langzaam maakte Sextus zich de orders eigen. 'De boekrol ophalen, de man vier denarii geven, de rol aan Cassandros geven. Komt voor elkaar, Magnus.'

'Wat is het voor iets, Magnus?' vroeg Cassandros.

'Hoef je niet te weten; haal gewoon dat ding op en bewaar het voor me.'

'En waar ga jij naartoe?'

'Ik moet nog van alles doen.'

De komst van Lupus verhinderde dat er nog meer vragen werden gesteld. Hij leek intens van zijn missie te hebben genoten.

'Daar heb je hem,' fluisterde Lupus tegen Magnus terwijl ze in een donker steegje bij de eerste herberg de straat in tuurden.

'Wie houdt hem daar verderop tegen?'

'Een kameraad van hem, die vlak voor mijn vertrek kwam opdagen; ik was er blij mee, want dat gaf me een goed excuus om te vertrekken. Hoe dan ook, onze man – Pansa is zijn naam – heeft flink aan Bacchus geofferd.'

'Pansa? Goeie vent, hij is geweldig. Een echte klootzak die de goorste dingen met een tang uithaalt als hij iemand tot spreken wil dwingen. Ik hoop dat hij van zijn laatste samenkomst met de god heeft genoten.' Hij gebaarde naar de overkant van de straat, waar Cassandros en Sextus zich in een deuropening hadden verborgen, dat Pansa en zijn kameraad eraan kwamen, ook al ging dat moeizaam. 'Kom op, Lupus.' Links en rechts kijkend stapte Magnus uit het duister de Vicus Longus in.

Een eindje voor hen kostte het de strompelende Pansa de nodige moeite een rij stapstenen dwars in de straat te passeren; ze waren zo neergelegd dat karrenwielen en trekdieren ze konden passeren en werden door voetgangers gebruikt om over te steken. Uiteindelijk leidde zijn kameraad hem ertussendoor, nadat hij halverwege was blijven staan om over zijn sandalen te plassen.

Een enorme uithaal van Sextus' rechtervuist was het laatste wat Pansa's kameraad die avond zag, voor zover hij die al zag aankomen. Met een verbrijzelde neus en met zijn armen zwaaiend sloeg hij achterover en zakte met een doffe klap op straat in elkaar, waarbij zijn hoofd eenmaal omhoog stuiterde en vervolgens opzij viel. Zo werd hij het zoveelste slachtoffer van de bandeloze Romeinse nacht, genegeerd door iedereen die hem passeerde.

Heen en weer zwaaiend keek Pansa op zijn steun en toeverlaat van zo-even neer, met zijn ogen knipperend om scherp te kunnen zien. Die inspanning bleek te groot voor hem en hij viel op zijn handen en knieën neer, waarna hij overvloedig op de tuniek van zijn kameraad kotste.

'Kom op, Pansa, oude vriend van me,' zei Magnus, terwijl hij hem omhoogtrok nadat hij zijn maag helemaal had geleegd. 'Jij gaat met ons mee. Ik heb eindelijk een doel voor je ellendige leven gevonden.'

In de ochtendschemering van de tweede dag na de calendae van augustus bezat de stad een gouden gloed, die snel verdween in de gloeiende hitte die de stad de laatste paar dagen in haar greep hield.

Maar de bevolking van Rome liet zich er door de hoge temperaturen niet van afhouden de beesten te straffen die bijna vierhonderdvijftig jaar eerder zo ernstig hun plicht hadden verzaakt. In een feestelijke sfeer bonden ze zwerfhonden bij hun voorpoten aan Y-vormige stokken vast, terwijl hun koppen in de vork vastzaten, en paradeerden ze met de kronkelende, jankende dieren door de stad naar de Capitolijn en vervolgens naar de Aventijn om ze te leren wat hun plicht inhield.

Opgelucht zag Magnus de zes broeders die als vertegenwoordigers van de broederschap waren afgevaardigd met hun aan stokken gebonden honden en een flink deel van de buurtbewoners daarachter vertrekken. Toen het slot van de parade in de Vicus Longus uit het zicht verdween, pakte Magnus een leren waterzak en een schone tuniek op, sloeg die over zijn schouder en riep tegen Cassandros en Lupus dat ze met hem mee moesten komen naar de achterkamer.

'Wanneer Sextus terugkeert, Cassandros,' zei Magnus, terwijl hij zijn leren waterzak en tuniek neerlegde en naar de leren tas op het bureau wees, 'stop je de spullen die hij je geeft hierin, sluipt voor het middaguur Tigrans kamer binnen en verbergt de tas onder het matras.' Hij haalde een sleutel uit de la in zijn bureau. 'Dit is een duplicaat; daarmee kun je naar binnen.'

Cassandros keek Magnus vragend aan, nam de sleutel met gefronst voorhoofd aan en pakte de tas op.

'Doe het nou gewoon, broeder; zo probeer ik in leven te blijven.'

Cassandros keek naar de tas. 'Je hebt gelijk, Magnus.'

'Brave jongen. Als je dat eenmaal hebt gedaan, zorg dan dat je ten minste tot het achtste uur niet te vinden bent.'

'Waarom?'

'Dat hoef je niet weten.' Magnus wendde zich tot de jongere broeder. 'Lupus, haal de handkar en rijd die naar de zijdeur.'

Zonder vragen te stellen over het ongewone verzoek deed de jongere broeder wat hem werd gevraagd.

Magnus pakte een ring met nog drie sleutels eraan uit de lade in het bureau, draaide zich om en liep naar de deur in de verste hoek van de kamer. Hij ontgrendelde die en liep een gang in waar een dubbele deur met hangslot achterin naar buiten leidde. In de gang waren nog een paar kleinere deuren. Hij opende de eerste ervan met de tweede sleutel en stapte een kleine cel in.

'Goedemorgen, Pansa. Hoe is het vandaag met je hoofd?' Magnus hoorde gejammer aan de overkant van de cel en keek naar links. 'Jij ook goedemorgen, Tacita. Kijk hier goed naar.'

Pansa opende zijn ogen en keek op van de hoop vodden waarop hij had liggen slapen; zijn polsen en enkels waren vastgebonden. 'Magnus! Wat doe ik hier verdomme? Wanneer Sempronius erachter komt, is het gedaan met je.'

'Dat lijkt me niet, Pansa; ik betwijfel zelfs heel sterk dat Sempronius er ooit achter zal komen dat jij hier hebt gezeten.' Met een vloeiende beweging trok Magnus een mes uit de schede die onder aan zijn rug aan zijn riem hing.

Voordat Pansa het goed en wel besefte, had Magnus zijn hoofd beetgepakt en stak hij het mes in zijn borst. De adem werd hem benomen en met een van afgrijzen vertrokken gezicht zag hij dat Magnus zijn pols van links naar rechts bewoog, zijn hartspier verscheurend.

Terwijl hij de haren van de stervende man in zijn vuist hield trok Magnus het mes uit zijn borst; er kwam een golf bloed mee, die Pansa's tuniek rood bevlekte. Met een zacht rochelend gekreun uit zijn keel maakte het leven plaats voor de dood. Tacita begon nog luider te jammeren toen ze zag hoe Magnus het mes aan Pansa's haar schoonveegde.

'Zag je hoe gemakkelijk dat was?' vroeg Magnus zonder enige emotie.

Tacita knikte, haar ogen strak op het lijk gericht.

'Nu heb je de keuze: ik kan deze kamer uit lopen nadat ik precies hetzelfde met jou heb gedaan, of je kunt me naar waarheid vertellen hoe Sempronius van de horoscopen afwist.'

'Maar dat heb ik gedaan, Magnus.'

'Nee, Tacita, echt niet. Toen ik er gisteren op wees dat je had verraden waar de horoscopen lagen, zei je: "Maar ik ben steeds heel voorzichtig geweest." Dat betekent dat je al een tijdje voor Sempronius verborgen hield waar de horoscopen lagen. De waarheid, Tacita, of ik zweer bij de goden dat je leven voor mij niets betekent.'

Tacita slikte en keek met smekende ogen naar Magnus op. 'Ik heb Sempronius een paar dagen geleden erover verteld; ik heb tegen hem gezegd dat ik niet wist waar Tuscus ze bewaarde, omdat de bergplaats zich niet in het huis bevond, maar dat ik daar nog wel achter zou komen en ze zou meenemen om ze aan hem te verkopen.'

'En je bent naar hem toe gegaan en niet naar mij, omdat je heel goed wist dat ik een vrouw die van haar man stal nooit hulp zou bieden.'

Tacita knikte somber. 'Ik dacht dat ik vanwege zijn hoererij wraak kon nemen op Tuscus door de horoscopen te verkopen en daarmee zoveel geld zou verdienen dat ik me van hem kon bevrijden en me toch mooi kon kleden. Maar toen hij me mishandelde en jij weigerde me te helpen, bedacht ik een plan om hem te laten doden en zelf de horoscopen te houden om die te verkopen.'

'En daarom deed je er alles aan om de bergplaats geheim te houden.'

'Uiteraard, want ik wist dat Sempronius ze anders zeker zou stelen en ik niets zou krijgen.'

'En omdat je je mond voorbij hebt gepraat, ben je nu alsnog de klos.'

Tacita liet haar tranen nu de vrije loop. 'Het spijt me dat ik tegen je heb gelogen, Magnus.'

'Ik geloof er niks van.'

'Wat ga je met me doen?'

'Daar moet ik nog over nadenken.' Magnus glipte de gang weer in en opende het hangslot op de deuren aan het eind.

Lupus stond buiten met de handkar te wachten.

'Brave jongen,' zei Magnus. 'Stop Pansa daarin en dek hem af.'

'Hoe moet ik dat doen, Magnus? Hij zal vast niet willen meewerken.'

'Jawel hoor, geloof me maar. Schiet op, want ik heb nog meer te doen.' Hij gaf Lupus de sleutels. 'Sluit af als je klaar bent en stop de sleutels in mijn lade terug. Pak de tuniek en waterzak bij het bureau op en neem ze mee. Ik zie je in de Lampenmakersstraat zodra ik nog één ding heb afgehandeld, wat niet lang zal duren.'

'Maar dat is op de Viminaal.'

'Je leert al aardig de weg te vinden, zie ik. Brave jongen. Vanuit een steegje daar kunnen we het huis van Sempronius zien; ik wil weten wanneer hij weg is.' Magnus kneep Lupus in zijn wang en liet hem met zijn opdracht alleen.

'Over een uur, Magnus? Ik weet niet of dat te regelen valt.' Senator Pollo trok een verontschuldigend gezicht. 'Vooral niet nu de Bestraffing van de Honden aan de gang is. Waarom ben je er zo zeker van dat dit de juiste plek is?'

Magnus ging tegenover zijn beschermheer zitten. 'Sempronius heeft de dood van Tuscus geregisseerd; Tacita geeft dat toe en geeft toe dat ze daarvoor zou betalen met de horoscopen die ze oorspronkelijk aan Sempronius zou verkopen, maar ze heeft die betaling nooit verricht. Nu vertelde Tacita me dat ze de moordenaars bij Tuscus voor de deur heeft zien staan; hij deed open en liet ze meteen binnen, dus hij voelde zich blijkbaar niet bedreigd en zal tenminste één van hen hebben gekend. Barbatus meent ook dat hij van achteren is gedood, wat eveneens een reden is om te denken dat hij ze kende. Blijkbaar voelde hij zich in hun aanwezigheid zo op zijn gemak dat hij zijn rug naar hen toe draaide. Overigens zei u laatst iets wat me aan het denken zette, namelijk dat de meeste prominenten op de Quirinaal Tuscus hadden geraadpleegd, en die op de Viminaal waarschijnlijk ook.

De vraag is dus welke leden van de West-Viminale broederschap Tuscus goed genoeg kende om ze na donker binnen te laten. Ik gok erop dat dat alleen Sempronius zelf is; hij had Tuscus net als de andere prominenten op de Viminaal en Quirinaal geraadpleegd. Toen hij van Tacita over de horoscopen hoorde, wilde hij de zijne natuurlijk heel graag hebben, net als u. Tuscus zal het niet vreemd hebben gevonden dat Sempronius in het duister bij hem kwam, want dat was het normale tijdstip waarop hij hem bezocht om hem te raadplegen. Hij wilde uiteraard niet door mijn mannen in het openbaar worden betrapt. In Sempronius' aanwezigheid was hij vast ontspannen genoeg om hem de rug toe te keren. Voor Sempronius zal het vermoorden van Tuscus enerzijds een zakelijke handeling, anderzijds een kwestie van eer zijn geweest, toen hij ontdekte dat

387

de astroloog zijn horoscoop had gekopieerd, met de waarschijnlijke bedoeling om die als chantagemiddel te gebruiken.'

Senator Pollo dacht een tijdje over dit scenario na en knikte bedachtzaam. 'Als we daarbij in aanmerking nemen dat Sempronius volgens Tacita beslist wilde dat ze de horoscopen naar zijn huis zou brengen, is het tamelijk zeker dat ze daar nog liggen; als hij ze tenminste heeft gestolen natuurlijk.'

'Natuurlijk heeft hij dat gedaan; niemand anders wist er op dat moment van af. Het moet Sempronius zijn geweest, en ik wed dat hij er heel veel plezier van denkt te hebben.'

'Maar Barbatus heeft geen enkele jurisdictie over de Viminaal; hoe kan hij daar met de Quirinaal-vigiles ooit een inval organiseren?'

'Ik denk dat deze zaak zich inmiddels niet meer tot de Quirinaal-aedilis beperkt. Ik denk dat u hem moet overhalen om de stadsprefect te benaderen en hem te vragen om met de stadscohort een inval te doen.'

'Lucius Volusius Saturninus? Maar die heeft een afspraak met Sempronius, zoals je weet; dat was de prefect die een paar jaar geleden door Sempronius was omgekocht, nadat hij tot de wilde beesten was veroordeeld omdat je hem had laten betrappen bij het aannemen van die ballista. Hoe kunnen we hem zover krijgen dat hij in actie komt?'

'Hij is even bezorgd als jullie allemaal. Hij maakte deel uit van de groep waarmee Barbatus gisteren voor het Senaatsgebouw stond te praten; u hebt hem zelf gezien.'

'Ja, je hebt gelijk; hij was daar inderdaad.'

'Ik durf te wedden dat hij eveneens onze heimelijke astroloog heeft geraadpleegd en er daarom alle belang bij heeft de horoscopen zo snel mogelijk terug te krijgen, voordat de keizer erachter komt en hij zijn gunstige positie kwijtraakt. Hij zal die niet door financiële vergoedingen van Sempronius aan hem in gevaar laten brengen. Ik zou Barbatus ertoe overhalen hem nu meteen te bezoeken en hem actie te laten ondernemen, voordat Sempronius de horoscopen naar een veiliger plek brengt, ergens buiten de stad bijvoorbeeld.'

'Hm, ja, ik begrijp wat je bedoelt. Ik zal gelijk een bericht naar

Barbatus sturen, voordat ik naar de Capitolijn vertrek voor de ceremonie.' De senator stond met enige moeite op en bleef toen staan. 'Hoe zit het met die inval op jouw herberg waartoe ik van jou opdracht moest geven?'

Magnus stond op. 'Maakt u zich daarover maar geen zorgen meer, senator. Ik sta op het punt iets te doen wat ervoor zal zorgen dat mijn herberg na de inval in het huis van Sempronius de volgende zal zijn...'

In een steeg vlak bij de zijstraat waar Sempronius woonde, ongeveer honderd passen van zijn huis, smeerde Magnus modder op zijn tuniek en mengde die met het bloed. 'Hoe zie ik eruit?'

Lupus bekeek hem van top tot teen. 'Ik zou je niet herkennen.'

'Mooi. Doe nu je Zuid-Quirinaal-amulet af voor het geval een of andere alerte schurk die opmerkt.' Magnus deed de zijne over zijn hoofd heen af en Lupus deed hetzelfde. 'Ben je zover?'

'Zeker weten.'

Magnus gaf hem een klap op zijn schouder, controleerde of de horoscoop en de amulet stevig in zijn riem weggestopt zaten en bukte zich. Hij greep het levenloze lichaam van Pansa bij de pols vast, trok het van de handkar en sloeg het bij de arm over zijn nek. Lupus deed hetzelfde, zodat het lijk nu tussen hen in hing.

Magnus keek snel in beide richtingen de straat af. 'Mooi, flink wat mensen overal. Wacht even!' Toen hij de straat af keek, zag Magnus een paar van de West-Viminaal-broeders het huis van Sempronius verlaten met honden die aan palen waren vastgebonden. 'Je had toch gezegd dat Sempronius een halfuur geleden van huis was gegaan?'

'Jazeker, ik heb hem zelf zien vertrekken.'

Magnus keek verbaasd naar de twee mannen die met hun last de straat door liepen en uit het zicht verdwenen. Hij zag dat de ene hond zich jammerend verzette en dat de andere, een groot monster, zijn lot geaccepteerd leek te hebben en stil aan de stok hing. 'Goed, ze zijn weg. We gaan!'

Met het lijk tussen hen in hangend kwamen ze uit de steeg tevoorschijn. 'Ga aan de kant! Aan de kant!' brulde Magnus luidkeels. 'Gewonde! Gewonde!' Zich door de straat een weg banend, waarbij ze voetgangers opzijduwden en er zelfs een stel op de grond werkten, zodat ze een golf van paniek achter zich veroorzaakten, liepen ze in grote vaart op Sempronius' huis af. 'Ze hebben Pansa gepakt! Pansa!' schreeuwde Magnus tegen de potige winkeliers, waarbij hij het lijk optilde zodat ze het konden identificeren. 'Een van jullie twee moet ons helpen hem naar binnen te tillen en de ander moet meteen naar de dokter rennen; misschien is het nog niet te laat.'

De twee mannen sprongen over de toonbank en de ene rende met-een de straat in, terwijl de andere op Sempronius' voordeur bonsde. De kijkspleet ging open. 'Laat ons binnen, Quintus; ze hebben Pansa te grazen genomen. Misschien kunnen we hem nog redden.'

De spleet werd dichtgeschoven, er klonk gerinkel van sloten en grendels en de deur zwaaide open. De winkelier stapte opzij en Magnus en Lupus drongen naar binnen. Ze sleepten het lijk, dat bij de tenen een smerig spoor achterliet, door de vestibule en over de mozaïekvloer van het atrium. 'We leggen hem op het bureau in het tablinum!' riep Magnus tegen een verschrikt kijkende be-diende.

Zonder op een ja of nee te wachten draafden ze Sempronius' stu-deerkamer aan de overkant van het atrium in en tilden het lichaam op zijn bureau, waarbij ze stylussen en wastabletten over de grond strooiden. Magnus bukte zich en met zijn ene hand op de wond drukkend opende hij de onderste lade een klein stukje, trok de ho-roscoop van Britannicus onder zijn riem vandaan en schoof die er samen met zijn amulet in. 'Hoe is het met hem?' schreeuwde hij luider dan nodig tegen Lupus.

'Niet goed.'

'Wat een klootzakken zijn die lui van de Oost-Viminaal toch. Ik zal ze krijgen; we gaan er allebei op af, nu meteen.' Ze draaiden zich allebei om en renden langs de verbijsterde bediende het atrium in en weer door de vestibule terug de straat op, in dezelfde richting waaruit ze gekomen waren. Zwaar hijgend en met pijn op de borst slaagde Magnus er net in om zijn jongere collega bij te houden. Ze sloegen de steeg weer in waar ze vandaan waren gekomen en zagen een colonne stadscohortlegionairs in looppas van de Vicus Patricius naar het huis van Sempronius oprukken.

Toen hij bij de handkar was aangekomen bukte Magnus zich diep en haalde gulzig adem, waarna hij zich weer uitrekte en met bonzend hart tegen de stenen muur bleef staan. Hij wees met zijn ene hand naar de waterzak in de kar, terwijl hij met zijn andere hand zijn riem losmaakte. 'Snel.'

Lupus pakte de waterzak en begon hysterisch te lachen. 'Dat was echt een komische vertoning!'

Terwijl Magnus hoestend en proestend met hem meelachte, sprenkelde Lupus water uit de zak om het bloed en de modder van zijn gezicht te wassen. 'Ik mag dan misschien eenenzestig zijn, Lupus, maar ik ben nog lang niet uitgeblust. Kijk en leer van me, jongen, kijk en leer.' Hij trok de bevlekte tuniek over zijn hoofd uit, veegde er ondertussen zijn gezicht mee af en wierp het kledingstuk weg.

'Zeker, Magnus.' Nog steeds schuddend van het lachen en met een verwilderde blik in zijn ogen gaf Lupus de nieuwe tuniek aan Magnus.

'Een slimme knul als jij kan het ver schoppen. Haal de handkar.' Magnus trok zijn riem strak en liep de straat op, helemaal het heertje.

Lupus versnelde zijn pas om hem in te halen, waarbij de lach langzaam plaatsmaakte voor een ongelovige blik. 'Dat was echt geweldig. Die klootzakken wisten echt niet wat ze moesten doen. Naar binnen en weer naar buiten, huppakee.' Hij schudde een paar keer zijn hoofd en keek Magnus vragend aan. 'Maar vertel eens, Magnus: waarom hebben we dit gedaan?'

Magnus wierp een blik over zijn schouder naar het huis van Sempronius, waar twee stadscohortlegionairs zich voor de deur hadden geposteerd, terwijl de bejaarde stadsprefect in het gezelschap van Barbatus en de Viminaal-aedilis de trap naar de voordeur beklom. 'Niet te veel vragen, broeder. Laten we het erop houden dat het ons gelukt is.'

Magnus stond op een straathoek op de Semita, halverwege de Porta Collina en de Zuid-Quirinaal-herberg, die hij knagend aan een kippenpoot met belangstelling bestudeerde.

'Waar wacht je op?' vroeg Lupus naast hem, met de rug van zijn hand het vet van zijn mond vegend.

'Het onvermijdelijke, broeder.'

'Wat is het onvermijdelijke?'

Magnus trok een flink stuk vlees van het bot en terwijl hij erop kauwde, telde hij in gedachten van honderd naar een af. 'Dat daar,' zei hij, met de kippenpoot naar het hoofdkwartier van zijn broederschap wijzend. Hij was niet verder gekomen dan zevenendertig tellen.

Uit de richting van de Viminaal rukten Barbatus en een contubernium van stadscohortmannen op.

'Ze gaan de herberg in!' riep Lupus ontzet uit. 'Wanneer was de laatste keer dat we werden overvallen?'

Magnus werkte een groot brok kippenvlees naar binnen en spoelde dat met onverdunde wijn weg. 'O, dat is alweer een tijdje geleden, zeker tien jaar, denk ik. Het gebeurt bijna nooit; de autoriteiten laten ons in het algemeen met rust.' Magnus keek Lupus aan met het meest verbijsterde gezicht dat hij paraat had. 'Ik begrijp het gewoon niet, want toen we Sempronius' straat uit liepen, had ik kunnen zweren dat ik de stadscohort zijn huis had zien binnenvallen. Ze lijken het vandaag erg druk te hebben.' Terwijl hij smakelijk verder aan zijn kippenpoot at, keek hij naar de stadscohort die de voorzijde van de herberg afsloot. 'Daar komen ze,' merkte hij op toen er verderop in de Alta Semita een deur werd geopend en een stuk of tien broeders naar buiten kwamen, die zich in hun eentje of met zijn tweeën onder het publiek op straat mengden.

Er verscheen een stadscohortsoldaat in de deuropening, die naar links en rechts keek en de deur dichttrok.

Toen Magnus bijna zijn tweede kippenpoot had verorberd, kwam Barbatus de herberg uit, gevolgd door zijn secondanten, die twee bekende gedaanten tussen zich in meevoerden: een man en een vrouw.

'Ze nemen Tigran mee,' zei Lupus op ongelovige toon. 'Dat kunnen we toch zeker niet laten gebeuren, Magnus? En dat is Tacita.'

'Daar lijkt het op. Tijd om in actie te komen. We volgen ze naar de vigiles-kazerne en zoeken het uit.' Magnus gooide een paar bronzen munten op de toonbank, maar de koopman stak zijn hand op. 'Heel vriendelijk van je, Festus.' Magnus raapte de munten op en wandelde verder de straat door.

Het Forum Romanum stond vol toeschouwers die naar het jaarlijkse ritueel uitkeken om de in de stad verblijvende honden ervoor te straffen dat hun voorvaderen hun meesters niet hadden gewaarschuwd dat de Capitolijn werd aangevallen. Honderden honden in allerlei soorten en maten werden in de lucht gestoken, op pijnlijke wijze vastgebonden aan palen, ter voorbereiding op de processie de Gemonische trappen op naar het heiligdom van Juventas, de godin van de jeugd en de verjonging, dat zich in de tempel van Minerva bevond. Na de offerande aan de godin zou de processie naar de tempel van Summanus onder aan de Aventijn trekken, in de schaduw van het Circus Maximus. Geen van de honden zou de beproeving overleven.

Niet dat Magnus zich ook maar een moment druk maakte over het welzijn van de dieren terwijl hij zich samen met Lupus een weg door de meute baande; hij maakte zich vooral zorgen over de loop van de gebeurtenissen die dag, die een rampzalige wending hadden genomen toen Barbatus Tacita in de stadscohort-kazerne had achtergelaten en hij met Tigran verder de heuvel af was gelopen. Het was Magnus meteen duidelijk geweest wat dat betekende.

Nu de inwoners van Rome in feeststemming verkeerden, kon je je een stuk gemakkelijker voortbewegen. Je hoefde je niet door de meute een weg te banen om te horen wat een spreker vanaf het Rostrum of voor het Senaatsgebouw te zeggen had. Vandaag waren er veel minder opstoppingen en het publiek liep ontspannen op het forum rond, naar de diverse honden opkijkend en zich amuserend met het leed van de dieren, waarvan de voorpoten het onder de druk begonnen te begeven.

Toen Magnus bij het Senaatsgebouw aankwam, bleek de ochtendzitting geschorst en kwamen de leden net naar buiten. Ze verzamelden zich rond een gans, die gehuld in een zilverkleurige mantel op een diep kussen op een praalbed zat en die de ongelukkige honden in hun bestraffing zou voorgaan. Daarmee werd de vogel beloond voor de actie van zijn voorouders, die met hun gegak de Romeinen die de Capitolijn verdedigden voor de nachtelijke aanval van de Galliërs hadden gewaarschuwd.

'Daar heb je hem,' zei Magnus toen hij de mollige gedaante van zijn beschermheer tussen de Romeinse elite ontdekte, van wie velen overigens een overeenkomend postuur bezaten. 'Senator Pollo! Senator Pollo!' Hij baande zich een weg door de meute, waarbij hij voortdurend bleef roepen, totdat de senator zijn naam hoorde en zich naar hem toe draaide.

'Wat is er, Magnus? We gaan zo meteen van start met de processie.'

'Ik moet u om een gunst vragen.'

'Nu?'

'Dit is het juiste moment, senator.'

De senator veegde met een zakdoek het zweet van zijn voorhoofd en keek naar de steile Gemonische trappen. 'Heel goed. Ik heb er nooit van genoten om naar de top van de Capitolijn te klimmen. Wat wil je van me?'

'Om de een of andere reden heeft Barbatus mijn assistent Tigran opgepakt; het gekke is dat ze hem niet naar de kazerne van de Quirinaal-vigiles hebben meegenomen, maar naar het Tullianum.'

'De gevangenis? Weet je dat zeker?'

'Ja, we zijn hen gevolgd; hij zit daar nu.'

'Wat verwacht je van me dat ik daaraan doe?'

'Barbatus heeft hem mee naar binnen genomen en volgens mij is hij nog niet naar buiten gekomen. U moet zorgen dat ik daar naar binnen kan, senator. Vertrouw me, het zal zowel u als mij ten goede komen.'

De deur van het Tullianum, dat zich onder aan de Gemonische trappen bevond, ging krakend op een kier en er werd een turend oog zichtbaar. 'Ja?'

Senator Pollo zette een hoge borst op. 'Ik ben senator Gaius Vespasius Pollo en ik heb reden om aan te nemen dat de aedilis voor de Quirinaal zich hierbinnen bevindt. Ik wil hem spreken.'

'Hij is druk bezig.'

Verontwaardigd liet senator Pollo zijn dubbele kin zwabberen.

'Druk bezig? Beste man, ik kan u verzekeren dat hij het niet te druk heeft om mij te ontvangen. Laat me erdoor.' Hij duwde tegen de deur. Even ondervond hij weerstand, maar al snel ging de deur open en liep hij met Magnus in zijn kielzog naar binnen, Lupus, de felle zon en de vrolijke sfeer van de buitenwereld ver achter zich latend.

Magnus sloot zijn ogen om ze aan het schemerduister te laten wennen; ze bevonden zich in een ruimte met een laag plafond, die slechts verlicht werd door een paar olielampjes op een ruwhouten tafel en een flakkerende toorts in een houder aan de met roet bevlekte muur. Dat was echter genoeg om te zien dat Tigran met gestrekte ledematen op een rek lag, terwijl het wiel werd strakgetrokken door een jongeling met lang haar en zo'n plat gezicht dat Magnus de indruk kreeg dat hij herhaaldelijk tegen een muur was gekwakt.

Barbatus stond over Tigran heen gebogen en zwaaide met een boekrol. 'Wat is er, senator?'

Het was Magnus die antwoordde, uit de schaduw van de senator stappend. 'Wat heeft hij gedaan, aedilis?'

'Magnus! Ik heb mannen op pad gestuurd om jou te zoeken. Ik ben blij dat je uit eigen beweging hierheen bent gekomen.' Barbatus stak de boekrol uit. 'Dit is een horoscoop; we hebben die samen met die schede in Tigrans kamer gevonden.' Hij gebaarde naar de schede die naast de lamp op de tafel lag. 'Het mes dat we onder Tuscus hebben aangetroffen, past precies in die schede. En bovendien ziet het mes er oosters uit, net als dit gore stuk vreten. Hij heeft Tuscus vermoord en nu wil ik weten waar de andere ontbrekende horoscopen te vinden zijn.'

'Ik heb het niet gedaan, Magnus,' bracht Tigran met opeengeklemde kaken uit. 'De horoscoop en de schede zijn daar neergelegd, en ik weet niet wie dat heeft gedaan. Hij verspilt echt zijn tijd met mij. Zeg dat tegen hem.'

Magnus wekte de indruk verrast te zijn. 'Maar aedilis, ik dacht dat u Sempronius' huis had doorzocht om de horoscopen te zoeken?'

'Inderdaad, maar jouw informatie klopte niet, want ze lagen daar niet.'

Ditmaal was Magnus daadwerkelijk verrast en nu begreep hij

waarom Tigran naar de gevangenis was gebracht om ondervraagd te worden. 'Lagen ze er niet? Hebt u overal gekeken?'

'We zijn nog steeds aan het zoeken en halen nu ook het hoofd-kwartier van de West-Viminaal overhoop. De stadsprefect heeft op-dracht gegeven om beide locaties helemaal te ontmantelen en de hele stad naar Sempronius af te speuren. Wat we hebben aangetroffen is echter zo geheim dat ik niet eens kan toegeven het zelf te hebben gezien, en er lag ook een Zuid-Quirinaal-amulet bij. Die bracht me naar jouw herberg, waar ik al het benodigde bewijs in de kamer van deze oosterse klootzak aantrof. Het lijkt erop dat je door een ondergeschikte wordt besodemieterd, Magnus, en ik vrees dat je een probleempje hebt.' Barbatus richtte zijn blik weer op Tigran. 'Ik vraag het je nog één keer: waar zijn de horoscopen?'

'Dat weet ik niet!'

'Geloof me, ik zal de bergplaats uit je wringen, of je bent binnen de kortste keren even dood als die honden die buiten worden rond-gedragen.' Barbatus knikte naar de langharige jongeling. 'Nog een paar klikken, schatje van me.'

Het schatje knikte vergenoegd, en zijn enthousiasme over de or-der stond op zijn platte, met donshaartjes bedekte gezicht te lezen. Met aanwending van al zijn spierkracht draaide hij het wiel nog een stukje rond. De leren riemen om Tigrans polsen en benen sneden nu zo diep in zijn huid dat het bloed eronder vandaan sijpelde. Ter-wijl Tigran zijn gezicht in helse pijn vertrok, klikte het rek nog een stukje verder vast.

Magnus dacht aan de twee honden die eerder uit Sempronius' huis waren gekomen; de ene had zich verzet, de ander niet. Opeens begreep hij het. 'Stop!' riep hij, naar voren stappend. Het schatje negeerde de order, totdat Barbatus hem een pets om zijn oren had gegeven. 'U vergist zich, aedilis. De horoscopen kunnen niet in Ti-grans bezit zijn. Hij is er beslist in geluisd.'

Barbatus leek niet onder de indruk. 'Waarom denk je dat?'

'Omdat ik ineens besef waar ze moeten liggen.'

'Waar dan?'

'Maak hem van het rek los, dan ga ik ze halen, maar Tigran moet met me meekomen.'

'Waarom?'

'Omdat ik hulp nodig heb en ik maar één andere man bij me heb.' Hij richtte zich nu zich tot senator Pollo. 'Senator, zou u de stadsprefect kunnen laten weten dat hij er verstandig aan doet om een centurie van een van de stadscohorten op het Forum Boarium bij de toegangen van het Circus Maximus in gereedheid te houden? Ze moeten "dode hond" als wachtwoord gebruiken. Het zou goed zijn als hij zich ook beschikbaar hield, want daar zal hij zeker profijt van hebben.'

'Net als ik, hoop ik, Magnus.'

'Dat zal zeker het geval zijn, senator. Heel zeker.'

'Lupus, haal meteen Cassandros, Sextus en zes van de broeders op voor een bijeenkomst met ons op zo kort mogelijke termijn bij de hoofdingang van het Circus Maximus. Hup, opschieten!' zei Magnus, terwijl hij met Tigran en senator Pollo de zon weer in liep, waar Lupus had staan wachten. Lupus knikte en maakte meteen een doorgang omlaag vrij op de Gemonische trappen, waarop nu een lange stoet mensen met jankende honden naar boven trok.

Magnus wendde zich tot Tigran, die over de pijnlijke wonden aan zijn polsen wreef. 'Je staat bij me in het krijt omdat ik je daar heb weggehaald voordat het echt menens werd.'

Tigran spuugde en rolde met zijn schouders, hinkend vanwege zijn gekneusde enkels. 'En hoe weet ik dat jij niet zelf die horoscopen daar hebt neergelegd? Iemand moet het gedaan hebben, want ik had die schede nog nooit gezien, en die horoscoop evenmin. En wat die amulet betreft, die ze naar onze herberg heeft gebracht...' Tigran wierp Magnus een vuile blik toe. 'Heb jij dat gedaan? Wilde je daarom Sempronius' huis binnengaan?'

'Ik was op zoek naar iets.'

'Neem me niet in de maling, Magnus. Wist u van deze overval af, senator?'

Senator Pollo bromde verontwaardigd, alsof het een impertinente vraag was, die geen antwoord waard was. 'Ik moet me weer bij de andere senatoren aansluiten en de stadsprefect zien te vinden.'

Magnus reageerde snel, nu de senator, die in de festivalmeute verdween, niet ontkennend had geantwoord. 'Nou, ik was het in elk geval niet, broeder; en als je zeker weet dat je het zelf ook niet was, dan heb ik wel een idee wie het dan wél was.'

'Wie dan?'

'Tacita.'

'Tacita? Maar zij zat gisteravond bij ons opgesloten, nadat ze het grootste deel van de dag op de vigiles-kazerne had doorgebracht.'

'Nadat ze uit de kazerne was vertrokken is ze naar het huis van haar buren gegaan en vervolgens naar het hoofdkwartier van de West-Viminaal. Vraag maar aan Cassandros; die heeft haar gevolgd. Ze moet de horoscopen bij de buren verborgen hebben gehouden, een ervan hebben meegenomen en die met de amulet, die ze blijkbaar had gestolen, bij Sempronius of een van zijn mannen hebben afgeleverd. Hoe dan ook, het maakt verder niet uit, broeder, want we gaan ze terughalen en ervoor zorgen dat je dispensatie krijgt voor de moord op Tuscus.'

'Ik heb Tuscus niet vermoord!'

'O nee? Het bewijs suggereert het tegendeel.'

'Dat bewijs is vals!'

'Als jij het zegt; maar het zal niet makkelijk zijn de aedilis daarvan te overtuigen. Als je de horoscopen terug hebt, zal dat zeker gunstig voor jouw zaak zijn, als je begrijpt wat ik bedoel.'

Tigran bleef plotseling staan. 'Klootzak! Jij bent het, hè? Barbatus zei dat jullie het mes samen hadden gevonden. Jij hebt het mes onder Tuscus neergelegd en de schede in mijn kamer gelegd, samen met de horoscoop. Natuurlijk! Je wilde helemaal niks in Sempronius' bureau zoeken, maar wilde er juist iets in leggen: de amulet.' Tigran greep Magnus bij de kraag van zijn tuniek. 'Bespaar me die onzin over Tacita. Ze heeft er nu niets mee te maken en speelt geen enkele rol meer. Jij bent het, Magnus, jij en niemand anders. Ik zou je hier ter plekke moeten villen, smerige verrader.'

Magnus stak zijn handen omhoog in een verzoeningsgebaar. 'Kom, kom, Tigran. Ik mag dan volgens jou van alles uitgespookt hebben, feit blijft dat jij je schuldig hebt gemaakt aan moord, wat de aedilis betreft. Bij een huiszoeking is het bewijs daarvoor aangetroffen, en hij heeft inmiddels ook een amulet in bezit die jou in verband brengt met de diefstal van de horoscopen van enkele zeer invloedrijke personen, wat zijn vermoedens alleen maar versterkt.' Magnus greep Tigrans pols beet en rukte zich los. Zijn toon was nu zacht en dreigend. 'Luister eens goed, broeder. Zonder mij kom je hier niet uit. Er is mij gevraagd de moord en de diefstal te onderzoeken, en dat heb ik gedaan; ik heb er alleen voor gezorgd dat de uitslag van het onderzoek eerder mijn doelen dan de waarheid dient. Ik ben de enige die jou hieruit kan halen. Als je me vermoordt, zul je zo ver mogelijk van Rome weg moeten vluchten, of je kunt hier blijven en dan resteert jou slechts een kort optreden in de arena bij de volgende spelen. In beide gevallen maak je geen enkele kans meer om een invloedrijke, respectabele positie te verkrijgen en mij als patronus van de Zuid-Quirinale broederschap op te volgen. Begrijpen we elkaar?'

Terwijl de haat in zijn ogen oplaaide, bleef Tigran Magnus aankijken. 'Dan vermoord ik je als dit gedoe voorbij is.'

Magnus liet Tigrans pols los. 'Nogmaals, daarover valt nog wel het een en ander te zeggen. Nu moeten we aan het werk. Je zult nu een keuze moeten maken: ga je me helpen om de horoscopen te pakken te krijgen of ga je me vermoorden en sla je op de vlucht?'

Magnus stapte met een tevreden grijnslachje de Gemonische trappen op, terwijl Tigran hem vloekend volgde.

Het was stampvol op de top van de Capitolijn toen de ceremonie rond het kleine heiligdom voor Juventas plaatsvond, waar slechts weinigen naar binnen konden. Ondertussen stierven de honden op het altaar van Juventas, terwijl de menigte buiten juichte en nog meer door pijn verscheurde beesten voor de rituele slacht aanbood, voordat die verder trok naar de tempel van Summanus, de laatste bestemming, waar het festival zijn hoogtepunt beleefde.

'We willen de vertegenwoordiging van de West-Viminaal vinden,' zei Magnus tegen Tigran terwijl ze zich door de menigte heen drongen.

'En dan?' vroeg Tigran. Hij keek rond en er trok een rilling over zijn rug bij het monsterlijke, schrille hondengejank waarvan het tempelterrein vervuld was.

'Dan volgen we ze op gepaste afstand en wachten we af tot Sempronius verschijnt, met zijn eventuele gezelschap. En dan maar hopen dat Cassandros, Sextus en de jongens snel naar het Circus Maximus komen.'

Tigran keek bedenkelijk. 'Wat bedoel je met: "tot Sempronius verschijnt"?'

Magnus glimlachte. 'Wat zou jij doen, Tigran, als je bepaalde spullen in huis had die zo gevaarlijk waren dat het je dood zou worden als je daarmee betrapt werd – ongeacht wie je was?'

'Ik zou er zo snel mogelijk vanaf zien te komen.'

'Precies. Wie niet? Maar als je de moeite had genomen ze te stelen, zou je ze dan nog zomaar weggooien?'

'Natuurlijk niet, dat zou verspilling van tijd en moeite zijn.'

'Wat zou je dan doen?'

'Ze voor een goede prijs verkopen.'

'Een goede prijs, zeker. Maar daarvoor moet je onderhandelen, en terwijl die onderhandelingen zich voortslepen, liggen ze nog altijd in je huis, terwijl je ten volle beseft dat anderen, mogelijk je vijanden, vermoeden dat jij in het bezit ervan bent. En je weet ook dat ze al het mogelijke zullen doen om ervoor te zorgen dat je wordt opgepakt zolang je in het bezit van die voorwerpen bent. Wat zou je dan doen?'

Nu was het Tigrans beurt om te glimlachen, en zijn lach getuigde van oprechte bewondering voor zijn patronus. 'Ik breng ze ergens anders naartoe, maar niet op zo'n manier dat ze onbeschermd of gemakkelijk te vinden zijn. Als de onderhandelingen voltooid zijn, zorg ik dat ze in het openbaar van eigenaar wisselen, zodat het eigenaarschap volstrekt te ontkennen is, mochten de autoriteiten zich met de transactie bemoeien.'

'Precies, broeder. En dat is precies waar Sempronius momenteel mee bezig is.' Magnus keek even rond en wees met zijn vinger. 'Wat is dat?'

Tigran keek in die richting en haalde zijn schouders op. 'Dat is een hond op een gevorkte paal. Wat is daarmee? Er zijn er honderden.'

'Ja, maar wat valt je aan die ene paal op?'

'Nou, die hond beweegt niet, dus is hoogstwaarschijnlijk dood.'

'Goed gezien. Maar weet je, ik heb die hond vanochtend uit Sempronius' huis zien komen, en toen bewoog hij ook al niet. Ik dacht daar op dat moment verder niet over na, maar toen Barbatus en de stadsprefect de horoscopen niet in Sempronius' huis aantroffen, vroeg ik me opeens af waarom je met een dode hond helemaal voor aan de optocht zou meelopen.'

Aan Tigrans gezicht was te zien dat het hem begon te dagen. 'Tenzij het niets met het festival te maken had, maar eerder een handige, slimme bergplaats bood om de horoscopen te verplaatsen. Ondertussen onderhandelt Sempronius met de koper over zijn prijs.'

'En omdat de processie een vaste route heeft, is de koopwaar na afronding van de onderhandelingen gemakkelijk te vinden, doordat die de hele dag veilig bewaard is. Wie zou er immers op de derde dag na de calendae van augustus in een dode hond willen kijken?'

'Wij, denk ik.'

Magnus sloeg Tigran op zijn schouder. 'Broeder, ik denk dat je gelijk hebt.'

De stoet liep de Capitolijn af, waarbij een paar van de ongelukkige dieren jankend van de Tarpeïsche Rots werden geworpen. Daarna kwam de stoet weer terug op het forum rond de Porticus van de Twaalf Goden. Terwijl Magnus de dode hond van de West-Viminaal in het zicht hield, verlieten ze het Forum Romanum via de tempel van Castor en Pollux in de schaduw van de Palatijn en liepen ze verder langs de Vicus Tuscus naar het Forum Boarium, waar overal het geloei van vee in kralen klonk, afgewisseld door de kreten van kopers en verkopers.

Toen ze tussen de veemarkt en de enorme poorten van het Circus Maximus door liepen stootte Magnus Tigran zachtjes aan. 'Daar heb je Lupus met Cassandros, Sextus en de jongens. Jij blijft hier om die hond in de gaten te houden, terwijl ik op hen afga.' Hij stapte uit de colonne en liep op een drafje naar de plek waar zijn broeders in de schaduw van de muren van het Circus Maximus bleven wachten, terwijl een centurie stadscohorten de Sublicische Brug aan de overkant van het forum overstak. 'Cassandros, loop eens vriendelijk naar hun centurio toe en zeg "Dode hond" tegen hem; hij zal het begrijpen.'

'En wat moet ik dan doen?'

'Als ik het bij het rechte eind heb, zal er aan het einde van de ceremonie in de Tempel van Summanus de nodige commotie ontstaan. Stel de centurio zo beleefd mogelijk voor dat hij zijn mannen op enige afstand rond de tempel posteert, teneinde te voorkomen dat er nog ploerten kunnen ontsnappen, als je begrijpt wat ik bedoel.'

'Ik denk van wel, broeder.' Cassandros liep grinnikend op de naderende soldaten af.

Magnus gebaarde naar Sextus, Lupus en de andere broeders. 'Jullie volgen mij, en hou je gereed voor een confrontatie.'

De gans zat nu voor de tempel van Summanus hoog op een sokkel op zijn diepe kussen, gehuld in zijn zilverkleurige mantel, en overzag de ondergang van zijn collega-bewakers met een afstandelijkheid die voor velen aan desinteresse leek te grenzen. De ene na de andere hond werd binnen op het altaar aan de god van de nachtelijke donder geofferd, die ooit, in het verre verleden, zelf even verheven was geweest als Jupiter zelf, maar nu genoegen moest nemen met een tempeltje naast het circus aan de voet van de Aventijn. Waarom deze god was uitgekozen om het offer van de honden te ontvangen wist Magnus niet en het kon hem ook niet schelen. Hij zocht geconcentreerd de meute mensen af op het gezicht van zijn bitterste vijand, die hopelijk binnen een uur hier ten onder zou gaan.

Even later zag Magnus met een mengeling van opluchting en schrik dat Sempronius zich een weg baande naar de West-Viminaalbroeder die de dode hond in de lucht stak.

'Daar heb je hem, maar kijk eens wie hij aan de rand van de menigte heeft achtergelaten, Tigran.'

Met zijn hand boven zijn ogen tegen de felle zon keek Tigran in zuidelijke richting. Hij floot zachtjes. 'Nou, ik vermoed dat ze wel kunnen betalen wat Sempronius probeert te verkopen.'

Magnus kon het daarmee alleen maar eens zijn. 'En ik stel me zo voor dat de horoscoop van Britannicus die Agrippina had laten maken geen gunstig beeld van de toekomst van de jongen gaf, dus ze hopen dat die zich tussen de rest bevindt. Nou, dat wordt dan een forse teleurstelling voor hen.' Hij keek achterom naar de plek waar Burrus en Seneca stonden. Ze hadden de plooien van hun toga over hun hoofd getrokken, niet alleen uit eerbied voor de tempelgod, maar ook om hun gezicht deels te verhullen. 'Ze weten dat de horoscopen hun voordeel zullen bieden als het erop aankomt om de opvolging voor hun protegé veilig te stellen, ten koste van zijn jongere stiefbroer. Dit zullen ze echt niet fijn gaan vinden, broeder.'

Terwijl Sempronius de dode hond steeds dichter naderde, liep Magnus langzaam naar voren, naar Tigran en de rest van de broeders gebarend hem te volgen. 'Geen messen tenzij zij die als eerste trekken.'

De dode hond werd nu aan de stok omlaaggebracht, terwijl overal om hen heen het gejank van de weinige nog levende honden, het voortdurende geloei van de runderen en het geschreeuw van de handelaren op de veemarkt de voortgang van de ceremonie met een beestachtige kakofonie overstemden. De rijzige Sempronius, die nog altijd een jeugdig, scherp gesneden gezicht bezat, al was zijn volle haardos inmiddels zilvergrijs, pakte de hond op, terwijl zijn mannen zich rondom hem posteerden om zijn actie af te schermen.

'Nu!' siste Magnus. Dwars door de menigte rende hij naar zijn doelwit toe, met zijn broeders vlak achter zich aan, waarbij hij diverse mensen en honden omverduwde. Hij bracht zijn schouder omlaag en ramde die in het middenrif van een verraste broeder van de West-Viminaal, zodat de adem hem werd benomen en hij naar achteren vloog, terwijl Tigran, Sextus en de andere broeders zich op hun tegenstanders wierpen. Zo was Sempronius, die op dat moment net de borst van de hond opensneed, niet langer beschermd. Magnus werd door een vuistslag op zijn kaak getroffen en zag een moment lang sterretjes, maar hij rende verder richting Sempronius, die nu verrast opkeek. Omdat het te laat was om weg te rennen, pakte hij het hondenkarkas bij de achterpoten op en zwaaide het in de richting van Magnus. De kop sloeg tegen zijn wang, vlak boven de plek waar hij net was getroffen. Het bot brak en zijn hoofd sloeg met een harde ruk opzij, maar hij bleef met een van pijn vertrokken gezicht op Sempronius afgaan, die hij alleen nog in een waas zag. Met een daverende slag van zijn rechtervuist ramde hij hem tegen de grond. Terwijl zijn keel door sterke vingers werd vastgegrepen, worstelden, stompten en sloegen tweetallen of groepjes vechtenden op elkaar in, op de grond voortrollend of nog op hun benen staand, in een knokpartij vol rondvliegende ledematen en tegen elkaar knallende koppen, die zich van het epicentrum van Magnus en Sempronius door de menigte verspreidde, zodat het binnen luttele hartslagen allang niet meer om een kleinschalige confrontatie tussen de Zuid-Quirinaal en de West-Viminaal ging.

In de chaos klonk ineens het geluid waarop Magnus wachtte: het meedogenloze, ritmische gekletter van talloze laarzen met spijkerschoenen in looppas op de stenen. Met een bovenmenselijke krachtsinspanning trok Magnus de vingers van zijn keel, maar daarbij vertrok hij zijn gezicht zo hevig dat zijn glazen oog uit de kas viel en wegrolde. Het bleef naast een leren boekrolhuls liggen die uit het hondenkarkas stak. Met de muis van zijn hand naar Sempronius' gezicht uithalend, waarbij hij zijn neuskraakbeen brak – het bloed spoot er meteen uit –, sprong Magnus achter zijn oog aan en greep hij de huls. Op dat moment stopte het staccato ritme van de spijkerschoenen en mengde de centurie zich in het opstootje. Met de platte zijden van hun zwaarden en de knoppen van hun schilden slaagden ze erin de vechtersbazen van elkaar te scheiden, waarbij ze schedels kraakten en onderarmen en ribben braken, terwijl hun centurio en optio tegen de vechtersbazen schreeuwden dat ze moesten stoppen of anders een dodelijke zwaardhouw riskeerden, nu hun mannen steeds bloeddorstiger en bandelozer werden.

Langzamerhand kregen de soldaten de overhand en ze trokken de slachtoffers die nog bij bewustzijn waren omhoog en schopten de bewustelozen en de paar doden om zich ervan te verzekeren dat ze geen toneel speelden.

'Geef die huls aan mij, Magnus.' De stem klonk nasaal en onduidelijk.

Magnus draaide zich om en zag dat Sempronius met zijn ene

hand het bloed dat uit zijn neus stroomde probeerde te stelpen en zijn andere hand naar hem uitstak.

'En wie gaat ervoor zorgen dat ik die aan jou geef?'

'Het zal je verrassen hoe machtig mijn vrienden zijn.'

Magnus trok een onbekommerd gezicht, voor zover dat voor een man met een lege oogkas mogelijk was. 'De mijne zijn ook niet bepaald zonder invloed.'

'Maar ik betwijfel of ze ruzie met mij willen krijgen,' zei Burrus, die achter Magnus opdook. 'Slechts weinigen zijn bereid hun kracht tegen de praetoriaanse garde te beproeven. Het lijkt me het beste als je die huls aan mij geeft.'

Sempronius trok een woedend gezicht. 'Maar je hebt...'

'Jou nog niet betaald?' fleemde Burrus, de zin afmakend. Hij stak zijn arm om Magnus heen uit en greep de huls. Met intens plezier om de blik op Sempronius' gehavende gezicht liet Magnus de huls los.

'Je hebt me vijfduizend denarii beloofd!'

'Ja, dat is waar. Maar alleen als je de horoscopen bij mij persoonlijk zou afleveren.' Burrus opende het deksel en kantelde de huls zo ver dat een derde deel van de rollen in zijn handpalm gleed. 'Ik begrijp niet echt waarom ik je nu zou moeten betalen, Sempronius; ik heb deze tenslotte bij een schurk op straat aangetroffen.' Burrus draaide zich om. 'Vind je ook niet dat dat een juiste interpretatie van de gebeurtenissen was, Seneca?'

Seneca, een kalende man met grijs haar, een dubbele kin en een tonrond figuur, vatte de vraag ernstig op. 'Ik zou zeggen dat het... Wat is het beste woord ervoor? ... "Precies", ja, "precies" is precies het juiste woord, Burrus. Ik zou zeggen dat het een precieze interpretatie van de gebeurtenissen was, die voor het gerecht zeker stand zou houden – niet dat het ooit zover zou komen, want de doden kunnen geen zaken voor het gerecht brengen.' Hij keek naar Sempronius en glimlachte ijzig. 'Ik denk dat zelfs iemand van jouw stand dat weet, Sempronius.'

Sempronius, die nog steeds zijn neus omklemde, richtte zijn blik briesend van machteloze woede eerst op Seneca, daarna op Burrus en Magnus en weer terug.

'Ik wist dat je het zou begrijpen,' sneerde Seneca, terwijl een oude man in een senatorentoga door de menigte op hen toe strompelde, leunend op een staf en op Barbatus, vergezeld door een nerveus ogende senator Pollo.

'Natuurlijk weet je dat hij je bedonderde,' zei Lucius Volusius Saturninus, de stadsprefect, met de zwakke, krakende stem van een man die de tachtig gepasseerd is. 'De rol die je zoekt zit daar niet in.'

Burrus draaide zich om. 'Wat bedoel je, Saturninus?'

'Ik bedoel dat ik vanochtend het huis van Sempronius heb laten doorzoeken en dat dit daarbij is aangetroffen. Laat het hem zien, Pollo.'

Senator Pollo, die hevig zweette – niet zozeer vanwege de warmte maar meer omdat hij zich in het centrum van een machtsstrijd bevond – haalde een boekrol uit de plooi van zijn toga.

'Ik denk dat jullie allebei weten waar we het over hebben,' zei Saturninus piepend. 'Het lijkt me beter om daar niet hardop naar te verwijzen.' Burrus en Seneca wisselden een bezorgde blik uit.

'De prijs is redelijk,' verzekerde Saturninus hun.

Burrus keek naar de huls met de boekrollen in zijn hand. 'Allemaal?'

'Allemaal.'

'Ik heb het gevoel dat we hierin geen keus hebben,' zei Seneca. 'We zijn… Hoe moet ik het zeggen? We worden gedwongen, ja, ik denk dat dat perfect verwoord is; gedwongen, dat worden we.'

Saturninus nam de boekrol van senator Pollo aan. 'Ik zou het niet zo sterk willen stellen, Seneca; we krijgen immers allemaal iets wat we willen. Centurio!'

Op verzoek van zijn directe superieur deed de stadscohortcenturio een stap naar voren.

Saturninus gaf hem de boekrol. 'Centurio, neem die huls van de praetoriaanse prefect aan en geef hem aan mij door. Als ik tevreden ben over de inhoud, geef hem dan de boekrol.'

'En wat als ik niet tevreden ben met de boekrol?' vroeg Burrus.

Saturninus glimlachte vermoeid. 'Geloof me, prefect, u zult zeker tevreden zijn; en u zult heel blij zijn dat u iets had om het mee te kopen. Met dat kleine voorwerp had ik u en uw hele factie in het verderf kunnen storten, en wel volledig, begrijpt u dat? Dat had een eind gemaakt aan al uw ambities inzake de opvolging.'

Terwijl op de gezichten van Burrus en Seneca te lezen stond hoe waar die woorden waren, gaf de centurio de huls aan Saturninus door, die de inhoud inspecteerde. Hij knikte instemmend naar de centurio en gaf de huls en de horoscopen aan senator Pollo.

Burrus greep de horoscoop, rolde die met een snelle beweging open en slaakte een zucht van verlichting.

'Ik denk dat we hier wel klaar zijn, prefect,' merkte Saturninus op. 'Centurio, breng uw mannen naar de kazerne terug; de zaak is afgesloten en niemand hoeft nog vastgehouden te worden. Gewoon een onbeduidend misverstand, dat is alles.'

De centurio salueerde en deed zijn plicht, bevelen schreeuwend en met zijn wijnstok zwaaiend, waarna de eerdere tegenstanders opstonden en het stof van hun kleren klopten.

'U hoort hier nog van, prefect,' zei Burrus, terwijl hij de rol aan Seneca overhandigde.

'Ik denk het niet, prefect; wie zou immers geloven dat zoiets bestond en dat ik het had gezien?'

Burrus wilde hem tegenspreken, maar omdat hij besefte dat Saturninus zeker een punt had, draaide hij zich om en baande hij zich een weg door het cordon van de stadscohortsoldaten.

Seneca haalde zijn schouders op, hulpeloos gebarend. 'We moeten elkaar vertrouwen, Saturninus. Dat is volgens mij de beste manier om de situatie te omschrijven. Ja, dat lijkt me prima gezegd zo.'

'Zeker wel, Seneca. En we weten allebei toch wat er gebeurt als één kant dat vertrouwen zou schenden?' Saturninus nam niet de moeite om op een reactie te wachten en draaide zich om, ondersteund door senator Pollo.

'Prefect?' zei Sempronius, terwijl hij naar hem toe liep. 'Ik heb veel geld verloren met dit hele zaakje.'

Met een kracht die je gezien zijn leeftijd niet zou verwachten en die Magnus verraste, trok Saturninus tegen Sempronius van leer. 'U mag van geluk spreken dat u niet naar een cel in het Circus Maximus wordt gebracht om daar op de volgende lichting hongerige leeuwen te wachten. Beseft u in wat voor problemen u mij hebt gebracht? Nou?'

Sempronius opende zijn mond, maar zei niets.

'Als we in het verleden niet bepaalde regelingen hadden getroffen, die nog altijd geldig zijn, zou u daar wel degelijk naar afgevoerd worden; dus verdwijn nu uit mijn gezicht voordat ik van mening verander.'

'Ik zou zijn advies ter harte nemen als ik jou was,' zei Magnus op behulpzame, vriendelijke toon.

Sempronius keek hem vol walging aan. 'Donder op, Magnus.'

'Dat is precies wat ik van plan ben, Sempronius. Trouwens, je staat bij me in het krijt omdat ik jouw aandeel in de moord op Tuscus heb verdonkeremaand.'

Sempronius leek het niet te begrijpen. 'Waarom zou je zoiets doen?'

'Omdat het me goed leek om te concluderen dat iemand anders het had gedaan, teneinde mijn positie veilig te stellen. Daar kwam bij dat ik je al te grazen had genomen met de horoscoop die ik in je bureau had gelegd toen ik Pansa meebracht. Laat maar, volgende keer beter.'

Sempronius opende ongelovig zijn mond. 'Dus jij hebt Pansa binnengebracht!'

'Ja, dat klopt. En je hebt echt een schitterend huis.' Terwijl Sempronius hem voor alles wat lelijk was uitmaakte, gebaarde Magnus naar Tigran en de rest van zijn broeders met hem mee te gaan en de stadsprefect en senator Pollo over het Forum Boarium te volgen.

'Ik had het gevoel dat ik daar iets te veel opviel, kan ik je wel vertellen, Magnus,' zei senator Pollo toen Magnus en Tigran zich bij hem voegden.

Magnus keek naar de huls. 'Niet zo opvallend als wanneer die horoscopen in verkeerde handen waren gevallen, wat bijna het geval was geweest.'

De senator huiverde bij de gedachte. 'Ik kan vast en zeker op je discretie vertrouwen, Magnus.'

'Dat spreekt vanzelf.'

'Hoe zit het met de aanstichter van dit hele gedoe?' vroeg Saturninus. 'Die vrouw?'

'Tacita?'

'Ja,' zei senator Pollo. 'Kunnen we op haar discretie rekenen?'

Magnus wist dat hij tegenover zijn beschermheer de plicht had om eerlijk te zijn. 'Zij heeft dit uit wraak en voor het geld aangezwengeld; dat zijn haar twee motieven.'

De senator knikte. 'Aha. Waar is ze?'

'In de kazerne van de Quirinaal-vigiles,' meldde Barbatus.

Saturninus vertrok zijn gezicht. 'Dat is niet de bedoeling. Laat haar vrij, Barbatus. En Magnus, jij weet wat je dan te doen staat.'

Magnus wist maar al te goed wat er werd verwacht. 'Tigran zal het doen, nietwaar, Tigran?'

Tigran trok een scheve grijns. 'Met alle genoegen; ze heeft me diep beledigd.'

'Wat die lopende kwestie met Tigran betreft,' vroeg Magnus op onschuldige toon, 'ik geloof dat de aedilis nog steeds denkt dat hij schuldig is aan moord.'

Barbatus wierp Magnus een blik toe. 'Natuurlijk is hij daaraan schuldig.'

'Maar als hij op het punt staat jullie allemaal zo'n dienst te bewijzen door iemand uit de weg te ruimen die mogelijk zal proberen allerlei verhalen tegen de keizer op te hangen, kan er dan niet een akkoord worden gesloten?'

Barbatus keek naar de stadsprefect, die instemmend knikte.

'Heel goed,' gaf Barbatus toe, 'ik weet zeker dat we het ditmaal door de vingers kunnen zien.'

Magnus wierp een blik op Tigran, die brommend een schouder ophaalde, en wendde zich weer tot Barbatus. 'Dat is heel vriendelijk, aedilis. Nog één dingetje: u hebt me een gunst beloofd als ik de horoscopen terug zou halen. U hebt ze inmiddels in bezit en de stadsprefect heeft ze uit mijn hand ontvangen.'

Barbatus kon dat feit niet ontkennen. 'Wat wil je, Magnus?'

'O, niets bijzonders, meneer. Alleen dit: u zult uiteraard hun bewijs over de moord op Tuscus bewaren dat voor Tigran belastend is.'

De aedilis was het daarmee eens. 'Vanzelfsprekend.'

'De gunst die ik wil vragen is dat ik mocht mij iets overkomen voordat ik voor Tigran plaatsmaak, heel graag zou willen dat u het terugvindt.'

Barbatus lachte fijntjes, met zijn kille blik op de oosterling gericht. 'Daar zal ik zeker voor zorgen, Magnus. En ik zal het bewijsmateriaal volgend jaar aan mijn opvolger overhandigen.'

'Dat is een enorme geruststelling, aedilis.' Magnus boog zijn schouders, hief zijn handen op met de palmen omhoog en toonde Tigran, uit wiens blik duidelijk bleek hoe hij hierover dacht, zijn beste 'ik kan er niets aan doen'-gezicht. 'Het spijt me, broeder, maar het lijkt erop dat als je mij als patronus wilt opvolgen, je er allereerst voor moet zorgen dat ik in leven blijf, als je begrijpt wat ik bedoel.'

CHRIS HOUTMAN

Akte van berouw

Intrige en verraad in het hart van het Vaticaan

Filmische thriller met internationale allure
voor de lezers van *Conclaaf* van Robert Harris

'Interessant, spannend en succesvol debuut met een originele basis
die met grote zorgvuldigheid is neergezet.' – Bruna.nl, 4 sterren

Martin Hochstettler, commandant van de Zwitserse Garde, staat voor de
grootste uitdaging van zijn leven als hij een aanslag op de paus moet zien te
voorkomen. Het roept traumatische herinneringen bij hem op. Herinneringen
aan de nacht van 28 september 1978, de nacht dat paus Johannes Paulus I tijdens Hochstettlers wacht overleed onder mysterieuze omstandigheden.

Jaap Hofhuis, pastor in de Nederlandstalige Kerk der Friezen in Rome, verneemt dat zijn vader, met wie hij een zeer moeizame relatie onderhoudt, op
sterven ligt. Zijn geloof in de Kerk krijgt een enorme dreun te verwerken als
hij zijn vaders grote geheim hoort: hij is een van de vele slachtoffers van mis-
bruik binnen de Rooms-Katholieke Kerk. De toch al niet evenwichtige Jaap
ontvlamt in woede en gaat op zoek naar de inmiddels hoogbejaarde dader.

Ondertussen vecht Hochstettler met zijn eigen demonen terwijl hij alles op
alles moet zetten om de veiligheid van de paus te waarborgen. Maar hij heeft
te maken met een eigenzinnige en tegendraadse paus Franciscus die ook nog
eens op ramkoers lijkt te liggen met een toenemend aantal zeer conservatieve
kardinalen die beïnvloed zijn door dubieuze organisaties als Breitbart News en
Opus Dei. De spanning loopt helemaal op als de paus aankondigt het onder-
zoeksverslag over de financiële misstanden en de corruptie binnen het Vaticaan
openbaar te maken. De laatste paus die voornemens was een dergelijk rapport
te publiceren was binnen 33 dagen dood...

De verhaallijnen worden op ingenieuze wijze met elkaar verbonden waarbij de
intrige zich in sneltreinvaart ontspint om tot een indrukwekkende, zinderende
climax te komen.

ISBN 978 90 452 1345 3 | ISBN e-book 978 90 452 1355 2

Lees ook van Karakter Uitgevers B.V.

BEN KANE

Krijgsbanier van de Adelaars

'De rijzende ster van de historische fictie.' – Wilbur Smith

9 na Christus, Germania, ten oosten van de Rijn. Vijandige stammen bereiden een dodelijke hinderlaag voor op de Romeinen. Hun aanvoerder is een charismatisch stamhoofd en vertrouweling van Rome, Arminius, wiens droom het is om de Romeinse indringers uit Germania te verdrijven.

Centurion Lucius Tullus, die al vele veldslagen meemaakte, en de gewiekste provinciale gouverneur Varus staan lijnrecht tegenover Arminius. Samen met drie lokale legioenen verlaten zij hun zomerkampementen en marcheren terug naar hun forten aan de Rijn.

Ze hebben er geen idee van dat in de mistige bossen van het Teutoburgerwoud alleen bloed, modder en de dood op hen wachten...

ISBN 978 90 452 1216 6 | ISBN e-book 978 90 452 1457 3

Lees ook van Karakter Uitgevers B.V.

De Valerius Verrens-serie van
Douglas Jackson

'Een meester in zijn vak en terecht beschouwd als een van de beste historische schrijvers van nu.' – *Daily Express*

Held van Rome

ISBN 978 90 452 0630 1 | ISBN e-book 978 90 452 0821 3

Beschermer van Rome

ISBN 978 90 452 0804 6 | ISBN e-book 978 90 452 0914 2

Wreker van Rome

ISBN 978 90 452 0955 5 | ISBN e-book 978 90 452 1095 7

Zwaard van Rome

ISBN 978 90 452 0828 2 | ISBN e-book 978 90 452 0838 1

Vijand van Rome

ISBN 978 90 452 1109 1 | ISBN e-book 978 90 452 1119 0

Robert Fabbri

Arminius

'Uitstekende historische roman.' – *AD Magazine*, 4 sterren

De grootste overwinning van één man is
de grootste nederlaag van Rome

Het jaar 9 na Christus. In de diepten van het Teutoburgerwoud, in een landschap vol diepe ravijnen, verduisterd door oeroude eiken en verscheurd door snelstromende rivieren, leidde Arminius van de Cherusken een bondgenootschap van zes Germaanse stammen tijdens hun grootste overwinning: de bloederige vernietiging van drie Romeinse legioenen.

Diep in het bos werden bijna twintigduizend mannen genadeloos afgeslacht; minder dan tweehonderd van hen zouden ooit terugkeren naar de andere kant van de Rijn. Tot diepe schaamte van Rome verloor het die dag drie heilige standaarden met daarop in goud gegoten Adelaren. Wat de nederlaag des te vernederender maakte: Arminius was niet opgegroeid in Germania Magna (Groot-Germanië) – hij was opgevoed als een Romein.

Dit is het verhaal over wat Arminius ertoe aanzette zijn rug naar de mensen te keren die hem hadden grootgebracht, en hoe hij tot zo'n gigantisch en verwerpelijk verraad kon komen dat eeuwen later nog altijd nagalmt.

'Een krachtige vertelling van een van de meest
ingrijpende gebeurtenissen uit de oudheid.'
– *BBC History Magazine*

ISBN 978 90 452 1200 5 | ISBN e-book 978 90 452 1201 2

Lees ook van Karakter Uitgevers B.V.

Robert Fabbri

Broederschap van de Kruising

'Boeiend en visueel geschreven.' – NBD Biblion

ISBN 978 90 452 0585 4 | ISBN e-book 978 90 452 0595 3

Vespasianus I – Tribuun van Rome

'Geschiedenisles boordevol actie! Een van de beste boeken van 2011.'
– NRC Handelsblad

ISBN 978 90 452 0075 0 | ISBN e-book 978 90 452 0245 7

Vespasianus II – Scherprechter van Rome

'Historische thrillerreeks van zeer hoog niveau.' – Spentakel.nl

ISBN 978 90 452 0346 1 | ISBN e-book 978 90 452 0356 0

Vespasianus III – Afgod van Rome

'Zo'n boek dat je het liefste in één ruk uitleest.' – *De Telegraaf*

ISBN 978 90 452 0230 2 | ISBN e-book 978 90 452 0370 6

Vespasianus IV – Adelaar van Rome

'Spannend, meeslepend en vrijwel waarheidsgetrouw. Een absolute must
voor geïnteresseerden in het klassieke Rome.' – NBD Biblion

ISBN 978 90 452 0534 2 | ISBN e-book 978 90 452 0714 8

Vespasianus V – Heersers van Rome

'Boeiend tot het einde!' – Bangersisters.nl

ISBN 978 90 452 0518 2 | ISBN e-book 978 90 452 0658 5

Vespasianus VI – Verloren zoon van Rome

'Heel filmisch. Fabbri zet de personages goed neer, de intriges
worden goed en volledig uitgewerkt en de plot is boeiend.' – Hebban.nl

ISBN 978 90 452 0872 5 | ISBN e-book 978 90 452 1042 1

Vespasianus VII – Furie van Rome

'*Furie van Rome* is weer vol vaart geschreven, in een heel filmische stijl.
Het beeld dat hij geeft van het Rome van toen is sfeervol en intens.' – Hebban.nl

ISBN 978 90 452 1025 4 | ISBN e-book 978 90 452 1165 7